Niemeyer, August He...

A. H. Niemeyers Grun
Erziehung und des U. ....ents.

Niemeyer, August Hermann

A. H. Niemeyers Grundsaetze der Erziehung und des Unterrichts.

Inktank publishing, 2018

www.inktank-publishing.com

ISBN/EAN: 9783747790144

A. H. Niemeyers

Grundsätze der Erziehung

und des Unterrichts.

Mit Ergänzung des geschichtlich litterarischen Teils und mit
Niemeyers Biographie

herausgegeben

von

Dr. Wilhelm Rein,

Seminardirektor in Eisenach.

Erster Band.

Zweite Auflage.

— ⟶◦⟵ —

Langensalza,
Druck und Verlag von Hermann Beyer & Söhne.
1882.

Vorbemerkung zur erften Auflage.

Niemeyers Grundsätze der Erziehung und des Unterrichts sind seit 50 Jahren nicht wieder erschienen*). Der Wunsch seines Biographen Jacobs, daß es nie an geschickten und willigen Männern fehlen möge, welche von Zeit zu Zeit den geschichtlich=litterarischen Teil, diesen Schmuck und äußeren Wert des Werkes, ergänzen — dieser Wunsch ist nie in Erfüllung gegangen.

Wenn der Herausgeber es nun unternommen, eine Ergänzung des litterarischen Teiles zu versuchen, so ist er dabei überzeugt, daß dieser Versuch gar sehr der beffernden Hand bedürfe. Am Texte selbst sollte nichts geändert werden. Wenn es doch trotzdem an einzelnen Stellen geschehen ist, namentlich in den Abschnitten über körperliche Erziehung, so hat der Herausgeber es doch mit größter Pietät vor dem Werke ge=than, welches „ein Denkmal deutscher Gründlichkeit und deutscher Ge=sinnung, ein unerschöpflicher Schatz und stets richtig leitender Stern allen denen sein wird, welchen die Pflege der Wissenschaft und der Bildung der Jugend am Herzen liegt."

Die Biographie, welche ich vorangeschickt habe, fußt namentlich auf den Mitteilungen, die mein Onkel Dr. A. Rein im Programm der Crefelder Realschule vom Jahr 1841 niedergelegt hat. Als ein Verwandter Niemeyers hat er in seiner Universitätszeit sowie als Lehrer am Pädagogium mit dem berühmten Kanzler der Universität in naher Beziehung gelebt. Ferner standen mir außer den ausführlichen Nach=richten, die von Jacobs und Gruber über Niemeyer herausgegeben worden sind (Halle 1831), und dem Artikel von Georgii im 5. Band der Schmidschen Encyklopädie eine Reihe von Briefen, zum Teil an

---

*) Die 8. Ausgabe, von Niemeyer beforgt, erschien 1824. Die 9. wurde von seinem Sohne Dr. H. A. Niemeyer 1834 herausgegeben. Unserer Ausgabe liegt der Text der 8. Auflage zu Grunde.

seinen Neffen, den Vicepräsident Rebe in Eisenach, meinen Großonkel, gerichtet, zu Gebote.

Das von den Zeitgenossen Niemeyers von ihm entworfene Bild ist so erschöpfend, so wahr in allen einzelnen Zügen, daß ich nicht hoffen kann, eine neue Seite seines Wesens aufgezeigt zu haben. Mir kam es vor allem darauf an, in Niemeyer den Pädagogen zu schildern. Und da darf ich wohl die Hoffnung aussprechen, daß meine Darstellung von der Pietät getragen erscheint, wie sie dem großen Manne gegenüber geziemt.

Eisenach, im Januar 1878..

W. Rein.

Vorbemerkung zur zweiten Auflage.

Der Herausgeber hat es sich angelegen sein lassen, die Ergänzung des litterarischen Teiles fortzuführen und die gegebenen Notizen nochmals durchzusehen und zu verbessern.

Für die freundliche Aufnahme unserer Niemeyerausgabe, die nach kurzer Zeit schon vergriffen war. allen herzlichen Dank!

Eisenach, im Januar 1882.

W. Rein.

August Hermann Niemeyers Leben.

Von

Dr. Wilhelm Rein.

August Hermann Niemeyer,

der berühmte Kanzler der Universität Halle, hat sich durch sein epoche=
machendes Werk: „Grundsätze der Erziehung und des Unterrichts" eine
hervorragende Stellung unter den deutschen Pädagogen erworben. Als
Urenkel August Hermann Franckes war er zu derselben gleichsam
prädestiniert. Überdies fällt seine Jugendzeit in das pädagogische Jahr=
hundert, in die Zeit, in welcher von Frankreich aus das Erziehungs=
wesen gleichwie alle anderen socialen Interessen in einen tiefgreifenden
Gährungsprozeß getrieben wurde. Wie Rousseaus Emil die Grundsätze
der herrschenden Erziehungsweise erschütterte, wie Basedow seinen Versuch
ausposaunte, gerichtet auf eine neue Grundlage des Unterrichts und der
Erziehung, wie Pestalozzische Methodik mit der Anmaßung der allein
seligmachenden durch Deutschland verbreitet ward, endlich auch wie Her=
bart eine neue Richtung und einen neuen Aufschwung der deutschen Pä=
dagogik inaugurierte, alles dies sah er teils mittelbar, teils unmittelbar
an sich vorüberziehen, so daß er in seinem Werke die Erfahrung von
fünf Decennien niederlegen konnte.

Wir würden uns jedoch einer großen Einseitigkeit schuldig machen,
wenn wir in Niemeyer nur den Pädagogen hervorheben wollten.
Seine Persönlichkeit ist so vielseitig, seine pädagogische Überzeugung ist
mit allen Seiten seines Wesens so innig verknüpft, daß wir genötigt
sind, die Gestalt des ehrwürdigen Kanzlers uns so lebendig als möglich
nach allen, nicht nur nach einer Seite hin vorzuführen.

Niemeyer gehört nicht zu den ersten unserer Nation. Er diente
ihr aber in schweren Zeiten mit solcher Hingebung, seine Arbeit für die
Jugend des Vaterlandes war eine so rastlose und wirksame, sein ganzes
Wesen war so sehr von sittlichem Ernst getragen, daß wir ihn den her=
vorragenden Männern unseres Volkes beizählen müssen.

Seine Familie stammt aus dem Fürstentum Corvey, wo Johann
Neumeyer, geboren wahrscheinlich im zweiten oder dritten Jahrzehnt des
16. Jahrhunderts Bürger und Brauer gewesen sein soll. *) Seine Nach=

---

*) Stammtafel des Niemeyerschen Geschlechts, zusammengestellt von Fr. A.
Niemeyer. Greifswald 1848.

Niemeyer, Grundf. d. Erziehung. I. 2. Aufl.

1

kommen wurden zumeist Prediger. 1738 ward Joh. Conrad Philipp Niemeyer Diakonus an der Marienkirche zu Halle. Er starb in diesem Amte 1767. Vermählt war er mit Auguste Sophie, Tochter des Direktors am Waisenhause J. A. Freylinghausen, Enkelin Aug. Herm. Franckes. Aus dieser Ehe entsproß als fünftes Kind Aug. Hermann Niemeyer. (Geboren am 1. Sept. 1754, heißt es in der Niemeyerschen Stammtafel, ward 1777 Magister und Privatdocent, 1779 außerordentlicher Professor der Theologie und Inspektor des theologischen Seminars zu Halle, 1784 Inspektor des Pädagogii und ordentlicher Professor der Theologie, 1785 Kondirektor des Waisenhauses, 1792 Konsistorialrat, 1793—94 Prorektor der Universität, 1799 Direktor des Waisenhauses, 1804 Oberkonsistorial= und Oberschulrat, 1805 Kanzler und Rektor perpetuus der Universität, letzteres bis 1816; 1826 Ritter des roten Adlerordens II. Kl. mit Eichenlaub. Er starb am 7. Juli 1828.

Dies die trockene Aufzählung seiner Laufbahn, welche ein rasches und stetes Aufsteigen zu hohen Ämtern und Ehren zeigt. Seine Eltern hatten seinem Emporstreben wie seiner litterarischen Thätigkeit nicht folgen können. Denn seine Mutter verlor er im 9., den Vater im 13. Lebensjahr. Aber von mütterlicher Seite war ihm ein Erbteil geworden, woran er sich zeitlebens halten konnte. Denn er erbte nicht bloß Ansprüche auf die bereinstige Verwaltung der urgroßväterlichen Stiftungen, sondern auch den frommen, echt christlichen Sinn, welcher dieselben begründet hatte. Er erbte damit die unerschütterliche Liebe zu ihnen, die sich in schweren Zeiten so glänzend bewähren sollte.

Früh verwaist, fand er in der verwitweten Rätin Lysthenius eine mütterliche Pflegerin und Erzieherin, die ihm, nach seiner eigenen Äußerung, mehr ward, als was selbst Vater und Mutter ihm hätten werden können. Eine geborene von Wurmb hatte sie ihre Jugend an dem ostfriesischen Hofe, wo ihr Vater Hofmarschall und ihre Mutter Oberhofmeisterin der letzten Fürstin war, verlebt und sich hier außer einem reichen Schatz von Menschenkenntnis und Erfahrung eine ungewöhnliche wissenschaftliche Bildung, sowie den feinen Ton der höheren Lebenskreise zu eigen gemacht. Unter dem Einfluß dieser hochgebildeten und dabei gemütvollen Frau wuchs er heran. In ihrem Umgang eignete er sich die Formen eines feinsinnigen Benehmens, einen gehaltenen Anstand an, den erst spätere Jahre zu geben pflegen. Auch gelangte er schon frühzeitig zum Besitz einer Menge von praktischen Kenntnissen, Ideen und Lebensansichten, die Schule und Bücher ihm nie hätten gewähren können. Eine nie erlöschende Liebe für alles Edle und Schöne wurde dadurch in ihm geweckt, ein eifriges Streben nach gediegener, vielseitiger wissenschaftlicher Ausbildung und nach eigenem Schaffen genährt, vor allem auch die Gewöhnung an ununterbrochene Thätigkeit für immer begründet. So verlebte er unter zarter weiblicher Pflege seine Schulzeit. Unterricht genoß er in den urgroßväterlichen Stiftungen. Seine Gabe des Auffassens, sein Streben tiefer einzudringen, war früh schon ausgezeichnet. Ebenso ragte er hervor durch Ausdauer in der Anstrengung, durch den Ernst der Gesinnung. Noch später wußte er aus seiner Schulzeit das strenge Auswendiglernen, das rastlos wiederholte Niederschreiben gewisser Gedanken nach einer bestimmten Form, die Übungen, welche für die Fertigkeit im Stegreifreden angestellt wurden, zu rühmen. Trotz des Ernstes seiner Gesinnung war er jedoch auch für jugendlichen Frohsinn empfänglich und ergötzte sich gern an Spielen. Der Grundzug seines Wesens war aber auf das Ernste gerichtet.

Siebzehn Jahre alt bezog er die Universität seiner Vaterstadt, um sich den theologischen Studien zu widmen. Neben diesen setzte er die schon auf der Schule angeregte Beschäftigung mit deutscher und englischer Litteratur eifrig fort. Die französische Sprache hatte er sich im Umgang mit seiner Pflegemutter, die englische von einem Engländer, der sein Mitschüler am Pädagogium war, angeeignet. Je weniger er an der französischen Litteratur Geschmack finden konnte, um so mehr fühlte er sich durch die englischen Klassiker angezogen. Rühmend gedenkt er noch in seinen Reisebeobachtungen der nachhaltigen Eindrücke, die Youngs Nachtgedanken und Richardsons sittliche Ideale auf ihn gemacht hatten. Doch auch der klassischen Philologie, besonders den Griechen, gab er sich so hin, daß er daran dachte, als Lehrer in diesem Gebiet seine Laufbahn zu machen, obwohl er von seiten akademischer Lehrer hierin wenig Anregung empfangen und zumeist auf Privatstudien angewiesen war. Sophokles las er mit Bewunderung, von Euripides entlehnte er nicht selten Kernsprüche und Sentenzen. Terenz lieh er ein äußerst geschmackvolles und feines deutsches Gewand; mit Horaz und Vergil war er so vertraut, daß er auf sie stets mit Sicherheit verwies und lange Stellen aus ihnen auswendig wußte. Ebenso stand er in genauester Bekanntschaft mit Cicero. Das Studium der Alten hatte ihm die großartige und doch heitere Lebensansicht bewundern, die durchdringende und doch stets klare Ausdrucksweise schätzen lernen.

Klar mußte seine Einsicht sein, klar die Philosophie, von welcher er Licht verlangte. Die Schärfe des Aristoteles sagte ihm zu. Durch dunkeln Wortschwall aber wurde er gepeinigt. Deshalb vermochte er den späteren Systemen keinen Geschmack abzugewinnen, nachdem er in die kritische Philosophie sich vertieft hatte. Sie sollte ihm der Leitstern sein, der in jede Wissenschaft ihn einführte, das Dunkel ihm erhellte. Sein Hauptstudium aber blieb die Theologie. Ihr wandte er sich zu, nicht wie ein geängsteter Zweifler, der Ruhe sucht, oder wie ein herrschsüchtiger Eiferer, der nur belehren will. Er huldigte der wahren Christusreligion, deren Hauptgesetz die Liebe heißt. Dabei war er rastlos bemüht, aus der historischen Forschung neue Erkenntnis zu schöpfen. Nösselt, Griesbach und besonders Semler waren seine Lehrer.

1 *

Wie eifrig er die Universitätsjahre ernsten Studien gewidmet, dies bewies er durch seine Charakteristik der Bibel, von welcher bereits im Jahre 1775 der erste Band erschien, der den Ruhm des 21 jährigen Jünglings begründen sollte. Die Neuheit des Planes und die Tüchtigkeit der Ausführung lenkte die Blicke aller Gebildeten, wie auch der Gelehrten auf den noch ungekannten Verfasser, der damals in der deutschen und lateinischen Schule der Franckeschen Stiftungen unterrichtete. Im Jahre 1776 erschien der zweite, 1777 der dritte Band, zugleich auch eine vermehrte zweite Auflage der beiden ersten Bände. Das Werk fand weite Verbreitung in den Kreisen der Schule und der Lehrer. Und für diese war es ja insofern bestimmt, als es den Erziehern für die Charakterbildung der Jugend eine Fundgrube durch Darbieten von Charakteren aus der Bibel sein wollte. Er hatte damit dem Bedürfnis seiner frommen Seele genügt. Abhold allem theologischen Gezänk suchte er die Ergebnisse der Wissenschaft und die Sätze des Glaubens in freisinniger Weise in Einklang zu bringen. Vor der religiösen Freigeisterei der damals in Deutschland sehr einflußreichen englischen Deisten bewahrte ihn sein freies Gemüt und das Bestreben, die sittliche Kraft des Evangeliums in den Mittelpunkt seiner Theologie zu rücken.

Während Niemeyer seine schriftstellerische Laufbahn mit dem oben erwähnten Werke begonnen hatte, trat er zwei Jahre später in die akademische Thätigkeit ein. Zur Erlangung der akademischen Lehrerwürde schrieb er eine Dissertation de similitudine Homerica. Er las über Feders Lehrbuch der Logik und Metaphysik, über Litteraturgeschichte und mehrere alte Klassiker. 1779 zum außerordentlichen Professor der Theologie und zum Inspektor des theologischen Seminars ernannt, war er bis zum Jahr 1783 der einzige Pfleger der klassischen Studien und ebensosehr durch die verschiedenartigsten Vorlesungen dieselben zu fördern als durch Besorgung noch mangelnder zweckmäßiger Schulausgaben die Lesung des Homer und der griechischen Tragiker zu erleichtern und zu verbreiten bedacht. Gern aber trat er von diesem Felde seiner schriftstellerischen und lehrenden Thätigkeit zurück, als 1783 Fr. A. Wolf, der berühmte Begründer der neueren Altertumswissenschaft nach Halle berufen worden war. Mit einer besonderen, höchst ehrenvollen Anerkennung der bisherigen Leistungen wurde Niemeyer 1784 zum ordentlichen Professor der Theologie, in demselben Jahre noch zum Inspektor des Königlichen Pädagogiums und im folgenden zum Mitdirektor der Franckeschen Stiftungen ernannt. Nach dem 1799 erfolgten Tode des bisherigen Direktors wurde dessen Stelle ihm und dem bis an sein Lebensende ihm engbefreundeten Knapp gemeinsam übertragen. Unter den vielen Beweisen verdienter Anerkennung und besonderer Königlicher Gnade, deren er sich zu erfreuen hatte, muß seine schon im Jahre 1792 erfolgte Ernennung zum Konsistorialrat und 1804 zum Mitglied des Oberkon-

fistoriums und Oberschulkollegiums hervorgehoben werden. Ganz besonders aber bewährte sich die persönliche Zuneigung des Königs zu Niemeyer bei den unter dem Minister v. Wöllner infolge des berüchtigten
Religionsediktes von 1788 gegen die theologische Lehrfreiheit und namentlich gegen die Professoren der theologischen Fakultät zu Halle gerich-
teten Angriffen. Sein Handbuch für christliche Religionslehrer,
dessen zweiten Teil die 1790 erschienene Homiletik, Pastoralanweisung
und Liturgik bildete, während der erste die populäre und praktische Theologie oder Materialien des christlichen Volksunterrichts 1792 enthielt,
war für den Gebrauch bei Vorlesungen verboten, ja sogar der Verfasser
selbst und nebst ihm der treffliche Nösselt mit Kassation bedroht worden.
Diese Drohung scheiterte jedoch gänzlich an des Königs günstiger Meinung von dem ihm persönlich bekannten Niemeyer. Denn Höchstderselbe
erwiderte auf des letzteren freimütige an ihn gelangte Erklärung, eine
andere Lehrart nicht annehmen zu können und die Folgen hiervon von
der Gerechtigkeit Sr. Königlichen Majestät ruhig erwarten zu müssen,
daß von einer Absetzung Niemeyers keine Rede sein dürfe; wogegen nun
vielmehr ein fast belobendes Schreiben an diesen erlassen wurde. Ebenso
erfolglos blieben die schweren Drohungen, welche durch einen Vorfall, der
sich unter Niemeyers Prorektorat im Sommer 1794 zutrug, hervorgerufen wurden. Eine aus den geistlichen Räten Hermes, Hilmer und
Woltersdorf bestehende Untersuchungskommission war durch einen tumul-
tuarischen Aufstand der Studierenden zu einer so schleunigen Abreise veranlaßt worden, daß sämtliche Befehle ihres Kommissariats unvollzogen
blieben. Durch sein im Jahre 1801 herausgegebenes Lehrbuch für
die oberen Religionsklassen in Gelehrtenschulen suchte er auf Begründung und Befestigung religiöser Überzeugung und Gesinnung zu
wirken. Schon im Jahre 1798 hatte er in einem Schulprogramme
dargethan, wie sehr ihm die Vernachläßigung, die häufig verfehlte Weise
des Religionsunterrichtes auf höheren Schulen am Herzen lag. Dem
hier aufgestellten Grundsatz folgend, daß in dieser Sphäre des Unterrichts
die Religion nicht bloß eine Sache des Herzens und der Empfindung,
sondern auch eine Beschäftigung des Verstandes und ein Gegenstand des
Nachdenkens sein müsse, sollte das Lehrbuch dasjenige enthalten, was ein
wissenschaftlich gebildeter Jüngling von Religion zu wissen hätte. Nach
ihm zerfällt der ganze Unterricht in vier Hauptabschnitte, von denen die
beiden ersteren historische, die beiden letzteren theoretische sind. Jene enthalten eine auf die Ergebnisse wissenschaftlicher Forschung und Kritik sich
stützende historisch-praktische Einleitung in die biblischen Schriften und
einen auch die nicht-christlichen Religionen umfassenden Entwurf der Re-
ligionsgeschichte, diese die Glaubens- und Sittenlehre nach den Grundsätzen der Vernunft und des Christentums. Die gleichzeitig mit dem
Lehrbuch erschienenen und bis zum Jahr 1822 viermal aufgelegten „er-

läuternden Anmerkungen und Zusätze zum Gebrauche der Lehrer" sind von einer vortrefflichen Methodik des Religionsunterrichts begleitet. Die theologischen Grundsätze, die diesen Schriften zu Grunde lagen, blieben natürlich nicht ohne mannigfache Angriffe. Diese thaten jedoch dem Lehrbuch keinen Abbruch. Denn bis zu des Verfassers Tod erschienen fünfzehn Auflagen, denen nachher noch drei gefolgt sind.

Seine tiefreligiöse Anlage zeigt sich jedoch auch in seinen Dichtungen. Sie sichern ihm unter Deutschlands geistlichen Dichtern eine ehrenvolle Stelle; sie erwarben ihm die Liebe vieler Edlen. In den ersten Jahren seines schriftstellerischen Auftretens verfaßte er mehrere religiöse Dramen, für welche er an Rolle in Magdeburg einen würdigen Komponisten fand. Fast gleichzeitig ließ er im Jahre 1778 Gedichte und Oden und 1785 ein Gesangbuch für höhere Schulen und Erziehungsanstalten erscheinen, welches sich seinen Lehrbüchern des Religionsunterrichts nach Anordnung und Auswahl anreiht. Es enthält auch mehrere von Niemeyer, unter denen sich manche im Gemeindegesang erhalten haben. Derselbe Geist frommen Gottvertrauens und erhebender Andacht, welcher in seinen religiösen Liedern weht, spricht auch aus seinen Erbauungsschriften Philotas und Timotheus, erschienen zwischen 1779 und 1791, der Form, nicht der Gesinnung nach veraltet. Das dritte: Feierstunden während des Krieges, zuerst 1808 und schon im nächsten Jahre in einer zweiten Auflage erschienen, gewährte vielen gleichgestimmten Gemütern die von dem Verfasser selbst erfahrene tröstende Erbauung, aus deren Bedürfnisse die meisten jener Betrachtungen hervorgegangen waren.

Mit seinem Religionsbuch hatte er recht eigentlich das Gebiet der Pädagogik betreten. Es war jedoch nur für die oberen Klassen höherer Erziehungsanstalten bestimmt. Um seinen Plan zu vollenden, mußte er das ganze Gebiet der Erziehung und des Unterrichts umfassen. Wahrlich eine große, unermeßliche Aufgabe! Ein glühender Eifer trieb ihn an, sie zu lösen. Auch war er der Mann dazu. Er hatte für die damalige Zeit eine vortreffliche und durch besondere Umstände begünstigt eine vollendet humanistische Bildung erlangt. Dazu kamen aber noch eine Reihe anderer Bedingungen, die seine hervorragende Stellung unter den Pädagogen Deutschlands begründen konnten.

Seine ihm eigene natürliche Ruhe des Geistes schützte ihn vor Bewundern wie vor Verwerfen und sicherte ihm eine seltene Parteilosigkeit. Seine Entwickelung und Darlegung biblischer Charaktere hatte schon früh die Neigung und Befähigung bekundet, die Menschen nicht bloß in ihrer äußeren Erscheinung aufzufassen, sondern diese aus der Tiefe ihres Inneren sich zu erklären, die Motive der Handlungen nicht bloß in den äußeren Umständen und Veranlassungen, sondern auch in den geheimen Triebfedern des innersten Wesens aufzuspüren, die menschliche Natur überhaupt wie in ihrer allgemeinen Organisation und in der Eigentümlichkeit

ihrer Kräfte, Gesetze und Äußerungen, so auch besonders in der spe-
ciellsten Gestaltung und Erscheinung des Individuums sich zur klaren
Anschauung zu bringen. Psychologie war ihm Gegenstand des Studiums
durch sein ganzes Leben. Reiche Gelegenheit bot sich ihm dar, Beobach=
tungen in dieser Beziehung anzustellen. Daher auch seine Vorliebe für
Biographien. Offene Selbstgeständnisse waren ihm ungemein viel wert,
Briefe, die unbefangen geschrieben waren, pflegte er gern zu lesen, weil
sie ein treuer Spiegel des Inneren wären. Die Lektüre, bei welcher ihn
der Tod überraschte, war eine Biographie, die des Erasmus von Rotter=
dam, dem er selbst ein schönes historisches Denkmal gestiftet, wie er denn
auch in Lebens= und Charakterdarstellungen nicht bloß einsammelte, son=
dern auch schöpferisch verfuhr. Seine erste schriftstellerische Arbeit wid=
mete er im Jahre 1772 als 18jähriger Jüngling dem Andenken seines
Vaters. Auch das Leben und Wirken Franckes stellte er dar, sowie das
Leben Wesleys, des Stifters der Methodisten, welches er aus dem Eng=
lischen übersetzte und mit Anmerkungen versah. Der schönste Beweis aber
ist die dem Andenken seines Lehrers Nösselt gewidmete Lebensbeschreibung.
Er konnte in die tiefsten Falten des menschlichen Gemütes eindringen.
Auch blieb er nicht bei seiner nächsten Umgebung stehen. Seine Be=
obachtungen auf Reisen bieten eine Menge biographischer Notizen und
teils längere, teils kürzere Charakteristiken von Menschen, mit denen
er in persönliche Berührung gekommen war, oder an welche ihn der
Schauplatz ihres ehemaligen Seins und Wirkens erinnert hatte. Mit
wie großem Genuß er auch auf seinen Reisen alle wissenschaftlichen und
Kunstsammlungen besuchte und sowohl Naturschönheiten, als geschichtliche
Denkmäler betrachtete, Hauptzweck blieb ihm doch immer, die Menschen
und diejenigen Institute näher kennen zu lernen, welche der Bildung und
Verbesserung menschlicher Zustände gewidmet sind. Es entging ihm so
leicht nichts, was auf Schul= und Erziehungswesen Bezug hatte. Auch
seine Reisen ins Ausland waren für ihn vom größten Nutzen. Denn
da er imstande war auf seinen Ausflügen in Dänemark, Holland,
Frankreich, England und Italien überall mit den Eingeborenen in der
Muttersprache zu verkehren, so konnte er an die Erkenntnis des innersten
Wesens eines Volkes herantreten. „Vorzüglich aber ist das, schreibt Nie=
meyer im Vorwort zur Reise nach England, was ich zu dem höchsten
Glück meines Lebens rechne, mit einer großen Anzahl ausgezeichneter
Geister in allen Sphären der Thätigkeit gleichzeitig gelebt zu haben, durch
Reisen um das Doppelte erhöht, indem ich Gelegenheit fand, mich mit
sehr vielen von ihnen unmittelbar zu berühren oder doch ein nie ver=
löschendes Bild in meinen Geist aufzunehmen". Doch auch der Unbe=
deutendste hatte für ihn Bedeutung. Zahllos waren die mündlichen und
schriftlichen Bitten um Rat, Hilfe und Trost, die an ihn gerichtet, nie
von ihm zurückgewiesen, oft mit Aufopferung erfüllt wurden. So studierte

er auf mannigfache Weise den Menschen. Und dies Studium sollte nicht tot in ihm ruhen, sondern lebendig wirken in den weiten Kreisen seiner schaffenden und ordnenden Thätigkeit.

Die von Francke gestiftete Lehranstalt für Söhne der gebildeten Gesellschaft hatte manche Schwankung durchgemacht. Als Niemeyer Inspektor ward, waren nur 17 Zöglinge da, während es deren zur Zeit der Blüte unter Johann Anton Niemeyer 90 waren. Seine rastlose, umsichtige Thätigkeit brachte neues Leben. Seine Programme und Schulreden, sein Verkehr mit den Eltern der Zöglinge erweckte neues Interesse, versteckten Anfeindungen trat er mit Sicherheit entgegen. Als 1787 das pädagogische Seminar gegründet wurde, erhielt Niemeyer die Leitung desselben. Die ihm übertragene Einrichtung ist dargelegt in der von ihm herausgegebenen **Nachricht, die auf allerhöchsten Befehl zu haltenden Vorlesungen zur Bildung künftiger Lehrer und Erzieher betreffend.** Gute Lehrer, das erste und unerläßlichste Erfordernis einer guten Schule, sollten zunächst aus dem Kreise der Theologie Studierenden hier gebildet, mit den Pflichten und Anforderungen des Lehrstandes bekannt gemacht und im Unterrichten geübt werden. Mit des Lehrers Vorträgen über einzelne Abschnitte der Unterrichts- und Erziehungskunst wechselten daher Disputationen der Studierenden über aufgestellte Thesen oder eingereichte Abhandlungen mit den unübertrefflichen Musterkatechisationen des Lehrer die Unterrichtsübungen der Zuhörer, zu denen sich Schüler des Waisenhauses einfinden mußten. Welche Anregung für das wissenschaftliche und welche Vorbereitung für das praktische Leben das so eingerichtete Seminar gewährte, dies ist von vielen Mitgliedern dankend und rühmend anerkannt worden. Niemeyer suchte seine Zuhörer mit den verschiedenen pädagogischen Ansichten und Methoden bekannt zu machen, ihr Urteil zu leiten, ihren pädagogischen Takt sowohl in Behandlung der verschiedenen Unterrichtsgegenstände als der verschiedenen Charaktereigentümlichkeiten der Jugend auszubilden.

Mit solcher Ausrüstung, wie er sie durch seine pädagogische Begabung inmitten einer vielgestaltigen Thätigkeit erhielt, konnte er sich wohl berufen fühlen, mit Hand ans Werk zu legen, um die Erziehung des Menschengeschlechts zu fördern. In seinem stets sammelnden und verarbeitenden Geiste reifte der Plan eines pädagogischen Werkes, welches seinen Ruhm in höherem Maße als seine anderen Schriften bis auf die Gegenwart bringen sollte. Der reiche Schatz seiner Erfahrungen und Beobachtungen, der Ergebnisse seines Forschens und Prüfens dessen, was in alter und neuer Zeit über die Bildung der Jugend und die Erziehung des Menschengeschlechtes für die höchsten Zwecke des Daseins wie für die speciellen Bestimmungen der verschiedenen Lebenverhältnisse gedacht und aufgestellt, geübt und wieder verlassen worden ist — dieser Schatz ist niedergelegt in den **Grundsätzen der Erziehung und des Un-**

terrichts. Hier fanden Väter und Mütter verständliche Winke für die
geistige und leibliche Pflege ihrer Kinder; hier Erzieher und Lehrer nicht
bloß praktische Anweisungen, sondern auch Einführung in den Kreis der
hohen Pflichten ihres ernsten Berufes; hier Vorsteher von Schulanstalten
die einsichtsvolle Darlegung ihrer Stellung zu Schülern und Mitarbeitern,
der Erfordernisse ihres Amtes und der in gleichen Verhältnissen gemachten Erfahrungen; hier endlich die höchsten Staatsbehörden, denen die
oberste Leitung des Schul- und Erziehungswesen obliegt, eine einleuch-
tende Darstellung der Bedürfnisse der Schulen, eine freimütige Bezeich-
nung der Grenzen ihres Eingreifens und beachtenswerte Warnungen vor
möglichen oder begangenen Mißgriffen.

Verfolgen wir zunächst die äußere Geschichte des berühmten Werkes.
Das erste Erscheiuen desselben fällt ins Jahr 1796, wo es nur einen
Band ausfüllte und schon nach einigen Monaten zum zweiten Male auf-
gelegt wurde. Die dritte verbesserte und vermehrte Auflage erschien im
Jahre 1799 in zwei Teilen, die vierte 1801 im wesentlichen unver-
ändert, die fünfte 1806 mit dem III. Teil vermehrt. Die ihr bei-
gefügte 1810 auch besonders abgedruckte Abhandlung über Pestalozzis
Grundsätze und Methoden war ein zu rechter Zeit gesprochenes Wort.
In der 1818 erschienénen 7. Auflage blieb dieselbe weg, da die frühere
Veranlassung aufgehört hatte. Niemeyer hatte sich bisher in seinem
Werke von aller Polemik fern gehalten. Als aber von einem Ende
Deutschlands zum andern das Lob der einen naturgemäßen Methode er-
tönte, alles Alte der Verachtung preisgegeben, alles Heil nur aus der
Schweiz erwartet wurde, da fühlte sich Niemeyer bewogen, unumwunden
Einsprache zu thun. Nicht gegen Pestalozzi schrieb er — das Schicksal
des edlen Mannes erfüllte ihn später mit großer Trauer — sondern
lediglich gegen den Mißbrauch, den man mit seinem Namen und seiner
Methode trieb. Er hat damit dem ehrwürdigen Schweizer einen weit
besseren Dienst geleistet als seine blinden Verehrer, die alles Übel und
Unheil von der herkömmlichen Erziehungs- und Unterrichtsweise herleiteten
und mit Anschuldigungen und Schmähungen alles Bestehende, Bewährte
untergruben. Denn er zeigte das Wertvolle an Pestalozzis Bestrebungen, wies aber die Einseitigkeit und Überschätzung in überzeugender Weise
zurück. 1824 besorgte er noch in rüstiger Kraft die achte Auflage.
Die neunte aber nahm ihm der Tod aus den Händen.

Das Werk in seiner Vollendung zeigt die Parteilosigkeit des wahren
Eklektikers — wie sich Niemeyer oft nannte — welche alles prüft und
das beste behält. Hiermit ist der Standpunkt des Verfassers gekenn-
zeichnet. Er hat nie die Absicht verfolgt, durch Aufstellung einer neuen
Erziehungstheorie Aufsehen zu machen. Er bezeichnet als den Zweck
seines Werkes: „dazu mitzuwirken, daß echtes Verdienst der Vorzeit, oder
was auch besser geworden ist, anerkannt, angehenden Erziehern und Lehrern

der Jugend aber die Kenntnis des Vorzüglichsten, was über den Gegen=
stand in früheren und späteren Zeiten gedacht und gelehrt ward, erleichtert
und daraus eine feste auf Erfahrung beruhende Regel des Erziehens und
Lehrens aufgestellt würde". Mag auf solchem Standpunkte manch strei=
tiger Punkt unentschieden bleiben, indem man sich mit allseitiger Beleuch=
tung und Besprechung begnügt und die Entscheidung jedem Einzelnen
anheim giebt, so ist doch dieser Standpunkt bei Niemeyer nie in Schwan=
ten oder Oberflächlichkeit ausgeartet. Seiner Besonnenheit galt die Er=
fahrung als allein zuverlässiger Probierstein jeder pädagogischen Theorie.
Eine Methode galt ihm ebensowenig als die alleinrichtige, wie ein kirch=
liches Dogma als das alleinseligmachende. Im Anschluß an Kant gewann
er eine feste psychologisch=philosophische Grundlage, die ihm jedoch hin=
reichenden Spielraum ließ zur Aneignung des Bewährten, zur Verwer=
fung des Verfehlten. Klarheit des Geistes hatte ihn dabei von jeher
gegen Verblendung und Parteilichkeit geschützt. So konnte er im Vor=
wort über die Bestimmung seiner Schrift sagen, daß er erhaben über
die momentanen Erscheinungen an das Bewährte und Wesentliche sich
gehalten, unbekümmert um die Gestalt, in welcher es auftrat, und um die
Zeit, welche es hervorbrachte.

Dieser Parteilosigkeit, verbunden mit gründlicher Prüfung, ausge=
breitetem Wissen und großer Belesenheit, war es wohl zuzuschreiben, daß
Niemeyers Grundsätze eine so große Verbreitung fanden. Wie hoch das
Werk nicht bloß von Schulmännern und Gelehrten, sondern auch von
Philosophen von Fach geschätzt wurde, beweist das Urteil Herbarts,
der an mehreren Stellen seiner pädagogischen Schriften Niemeyers Werk
auf das wärmste empfahl. Es wird von ihm betrachtet „als die Summe
der Pädagogik der Zeit, das Sicherste und Bewährteste, das allgemein
Verständliche und allgemein Anwendbare, als die breite und feste empirische
Basis für die Theorie der Erziehung." In der Rede bei Eröffnung
seiner Vorlesungen über Pädagogik führt Herbart zwei Mittel an, um
sich den gegenwärtigen Stand der Pädagogik hinreichend deutlich vor Augen
zu stellen, 1. den Rückblick in die eigene Jugend, 2. das Studium des
berühmten und verbreiteten Werks eines gelehrten und viel=
erfahrenen Mannes: Niemeyers Grundsätze der Erziehung.

Während dieses Werk aber von Auflage zu einer immer
größeren Vollendung gebracht wurde, brachen schwere Zeiten über unser
Vaterland herein. Die Ereignisse von 1806 führten wie für die Lage
ganzer Staaten, so für die Lebensverhältnisse vieler Einzelner und unter
diesen auch für Niemeyer eine wichtige Katastrophe herbei. Als er von
einer Reise durch Westfalen und Holland zurückkehrte, fand er seine Vater=
stadt von den Franzosen besetzt, sein eigenes Haus von der französischen
Intendantur eingenommen, die Universität durch ein Dekret Napoleons
aufgehoben. Hierdurch sah Niemeyer seine Thätigkeit auf das Direktorium

der Franckeschen Stiftungen und auf seine wissenschaftlichen Arbeiten beschränkt. Diese äußerliche Ruhe in seiner nächsten Umgebung wurde plötzlich durch ein ganz unvorhergesehenes, nie völlig aufgeklärtes Ereignis unterbrochen. Er wurde im Mai 1807 mit vier andern der geachtetsten und angesehensten Einwohner dem Schoße der Familie entrissen und nach Frankreich gebracht. Wie Niemeyer den Aufenthalt in Paris zum Besichtigen aller Merkwürdigkeiten, mehr aber noch zum Anknüpfen oder Erneuern interessanter Bekanntschaften angewendet hat, bezeugen die Darstellungen in seinen Reisebüchern. Zurückgekehrt fand sich Niemeyer vor eine schwere Wahl gestellt. Halle war dem Königreich Westfalen einverleibt worden. Er mußte sich entscheiden entweder für den preußischen oder westfälischen Staatsdienst. Entschied er sich für den ersteren, so mußte er Halle verlassen. Es war an ihn vom Minister Stein das glänzende Anerbieten ergangen, bei der neuen Organisation der preußischen Staatsbehörden an die Spitze der beiden Departements des Kultus und Unterrichts als Geh. Staatsrat zu treten. Ihm, der von ganzer Seele Preuße war, der sich der persönlichen Gunst des Königs in hohem Maße erfreute, wurde es sehr schwer von Preußen sich loszusagen. Aber er konnte von Halle sich nicht trennen, weder von der Universität noch von den Franckeschen Stiftungen, an die er durch alle Traditionen seiner Familie gekettet war. Die Universität war wieder hergestellt worden, Niemeyer vom jungen König in Kassel zum Kanzler und beständigen Rektor ernannt. Nach langem, schwerem Kampfe faßte Niemeyer den Entschluß, die Stellung anzunehmen, in Halle zu bleiben. Diesem Entschluß ließ der König von Preußen in einem huldvollen Kabinetsschreiben volle Gerechtigkeit widerfahren. Ein Gleiches that aber erst nach Jahren der Minister von Stein, dessen patriotischer Sinn sich gegen alles von Frankreich Ausgehende sträubte. Er hatte Niemeyer in einem höchst anerkennenden Schreiben zu bestimmen gesucht, die angebotene Stellung anzunehmen. Aber Niemeyer blieb bei dem einmal gefaßten Entschluß. Das lohnende Bewußtsein für Halle großes bewirkt zu haben, da seinem Einfluß es zuzuschreiben war, daß die Universität erhalten blieb, die gegründete Befürchtung das Errungene durch sein Ausscheiden zu gefährden, die angestammte Liebe zu der Stiftung des Ahnherrn, die Anhänglichkeit an den heimischen Boden der Kindheit, sowie an den Kreis alter Freunde und teurer Verhältnisse, endlich auch das Gefühl der Dankbarkeit gegen das entgegenkommende Vertrauen einer fremden Regierung, verboten ihm das gegebene Wort zurückzunehmen. Manche Verkennung und manche Anschuldigung war die Folge dieses Entschlusses. Manch' ungerechtes und einseitiges Urteil wurde über seine Wahl gefällt. Manche Erkältung früheren Wohlwollens mußte Niemeyer erfahren. Auch nach der Wiedervereinigung von Halle mit dem preußischen Staat konnte das früher so intime Verhältnis mit hochstehenden Persönlichkeiten, namentlich in Berlin

Verlust in dem Heimgegangenen zu betrauern. In ihm verloren die Franckeschen Stiftungen ihr väterliches Oberhaupt, die Universität einen gefeierten Lehrer und einflußreichen Beförderer ihrer Interessen, beide aber ihren Erhalter und zweiten Begründer; viele in ihm einen wohlwollenden Berater und Wohlthäter, einen treuen Freund. Bei dieser allgemeinen Trauer stimmten indes alle, selbst seine nächsten Angehörigen darin überein, daß sein schönes, glückliches Leben auch schön und glücklich geendet habe. Nützliche Thätigkeit war für ihn nicht bloß Zweck, sondern auch der wahre Genuß des Lebens. Ihr war seine Jugend und sein Mannesalter geweiht, ihr die noch rüstige Kraft des Greisenalters, welches ihn unbemerkt beschlichen, und seine Beschwerden ihn mehr nur hatte ahnen, als wirklich empfinden lassen. —

In den bisherigen Schilderungen konnten weder Niemeyers schriftstellerische Arbeiten alle*) genannt, noch auch die anderweitigen Kreise seines Wirkens ausführlich genug besprochen werden, um den Umfang derselben zu überblicken. Seine häuslichen Verhältnisse wurden noch gar nicht berührt. Auch diese waren außerordentlich glückliche zu nennen. Seit dem Jahr 1786 war er mit der ältesten Tochter des ihm geistesverwandten und eng befreundeten Hofrats von Köpken verheiratet. Seine Gattin schenkte ihm fünfzehn Kinder. Von seinen Nachkommen haben mehrere sich einen geachteten Namen in der Wissenschaft erworben. Die Mutter war von Natur mit reichen und seltenen Gaben des Geistes und Herzens ausgestattet; als Erbin der feinen wissenschaftlichen Bildung und Kunstliebe ihres Vaters bereitete sie ihrem Manne eine Häuslichkeit, in welcher nicht nur das schönste und innigste Familienleben erblühte, sondern auch in geselliger Beziehung der feinste Geschmack und Takt mit der edelsten Gastlichkeit wetteiferte. Wenn hierbei Niemeyers Anwesenheit die laute Fröhlichkeit des jüngeren Teils der Gesellschaft immer mäßigte, so war dies nie seine Absicht, sondern die natürliche und unwillkürliche Folge seiner würdevollen Persönlichkeit. Sein Wesen war im Gegenteil stets freundlich und heiter und nie dem Frohsinn und harmlosen Scherze abhold; nur Ausgelassenheit, sowie spottender Scherz, der andern wehe that, war ihm zuwider. Seine Unterhaltung, nie nach Witz und Effekt haschend, war durch klare Entwickelung und Bestimmtheit im Ausdruck, sowie durch Schlagfertigkeit fesselnd. Seine Rastlosigkeit und Unermüdlichkeit war außerordentlich. Bei der großen Anzahl von Besuchern und mancherlei Anliegen, bei seiner ausgebreiteten Korrespondenz, bei den vielfältigen Unterbrechungen durch Vorlesungen, Konferenzen, war die Benutzung der Zeit, ja man kann sagen jeder Minute, eine bewundernswürdige. Wie hätte er auch sonst eine so umfassende und

---

*) Ein genaues Verzeichnis seiner sämtlichen Schriften findet man in „Jakobs und Gruber. · A. H. Niemeyer. Halle 1831".

der Universität Wittenberg mit Halle eine neue Organisation nötig machte, von der Würde eines fortwährenden Rektors zurück. In Bezug auf die Versorgung der Franckeschen Stiftungen hatte er mit vielen Schwierigkeiten zu kämpfen. Erst 1816 gelang es ihm, die höchst wichtige Angelegenheit, die Festsetzung des Etats für die Franckeschen Stiftungen durch persönliche Anwesenheit in Berlin zustande zu bringen. Einen Beweis des Königlichen Wohlwollens erhielt Niemeyer auf seiner Reise nach Berlin durch die erneute Ernennung zum Oberkonsistorialrat bei dem Konsistorium der Provinz Sachsen, und im nächsten Jahre durch Verleihung des Roten Adlerordens dritter Klasse, dessen zweite Klasse mit Eichenlaub 1826 ein neues Zeichen königlicher Huld wurde.

Dieselbe zeigte sich auch in der zartesten und sinnigsten Weise, als Niemeyer am 18. April 1827 mit ebensoviel Glanz als Herrlichkeit sein fünfzigjähriges Doktorjubiläum feierte. Augenzeugen wissen den Geist, welcher die ganze Feier durchwehte, die Liebe, Rührung und Begeisterung, welche ihren Zauber über die Glückwünsche der Einzelnen, sowie über die öffentlichen Reden und Erwiderungen, selbst über die geselligen Freuden des Festes ausgegossen, nicht genug zu rühmen. Unter ihnen Schleiermacher. Von allen Seiten wurden ihm reiche Geschenke zu teil, so vom König, von der Universität, von der Stadt, die ihm eine silberne Bürgerkrone verehrte. In allen Beglückwünschungen sprach sich Wahrheit und tiefe Wärme des Gefühls für den Hochverehrten aus, der mit hoher männlicher Kraft und Würde unter den Hunderten stand, die seines Anblicks sich erfreuten, seines stattlichen Körpers, seines geistvollen, ehrwürdigen Greisenhauptes.

Noch mahnte keine Abnahme körperlicher oder geistiger Kraft an sein vorgerücktes Alter. Keiner ahnte damals, daß nach Verlauf von kaum fünf Vierteljahren Niemeyer wiederum der Mittelpunkt einer gleich allgemeinen, aber auch gleich schmerzlichen Teilnahme sein würde. Rüstig und ungeschwächt lehrte er den Sommer und Winter nach seiner Jubelfeier fort. Zu den Seinigen sprach er zwar zuweilen von Altersschwäche, doch konnte er noch zu Ostern 1828 eine Reise nach Magdeburg ohne Beschwerde unternehmen, konnte auch, nachdem einige ernstere Mahnungen von Unwohlsein vorübergegangen waren, im Sommerhalbjahr 1828 seine Vorlesungen anfangen. In der Mitte des Juni nötigte ihn aber zunehmende Entkräftung zu einiger Ruhe, die so wohlthuend zu wirken schien, daß er schon wieder nach der Fortsetzung der Vorlesung verlangte, als ein Schlaganfall ihn traf. Nach wenig Tagen machte ein sanfter Tod am Morgen des 7. Juli seinem rastlos thätigen und bei allen Mühen und Kämpfen an beglückenden Erfahrungen und edlen Genüssen reichen Leben ein Ende. Tief und ungeheuchelt war die Trauer, welche bei seinem Tode und bei seiner Bestattung von allen Ständen an den Tag gelegt wurde. Mit Recht glaubte auch jeder einen besondern

Grundsätze

der

Erziehung und des Unterrichts.

Vorwort
über die Bestimmung dieser Schrift,
nebst
Bemerkungen über den pädagogischen Zeitgeist, aus der Vorrede der siebenten Ausgabe.

Wenn die sechste Ausgabe dieser Schrift, bei der Vorstellung dessen, was uns damals zu drohen schien — des allmählichen Verschwindens des echten deutschen Geistes aus der Erziehung, der Einführung uns fremder Formen in den Unterricht und das Schulwesen — nicht ohne bange Besorgnisse und schmerzliche Gefühle bearbeitet ward, so trat die siebente im Jahre 1818 unter desto freudigeren Empfindungen und Hoffnungen ans Licht. Als Staatsbürger, als Hausvater, als Erzieher, als Schulmann fühlte sich der Verfasser, von der wiedergekehrten Freiheit neu belebt, nun gestärkter und fröhlicher, so lange es Gott gefällt, fortzuarbeiten an dem Werk der Bildung eines durch harte Erfahrungen der Väter geretteten und beglückten Geschlechts, worin er von jeher den schönsten Teil seines Berufs gefunden hat. Der Abschnitt von der Kultur der Vaterlandsliebe gab ihm eine natürliche Veranlassung, sich offen hierüber auszusprechen.

Daneben muß ihm das aufs neue wieder eingetretene Bedürfnis eines rechtmäßigen Abdrucks dieser Schrift um so aufmunternder sein, je weniger er von ihrem ersten Erscheinen an bis auf diesen Augenblick die Absicht gehabt hat, durch Aufstellung einer neuen Theorie der Erziehung und des Unterrichts Aufsehen zu erregen. Er wollte bloß dazu mitwirken, daß echtes Verdienst der Vorzeit, oder auch was besser geworden ist, anerkannt, angehenden Erziehern und Lehrern der Jugend aber die Kenntnis des Vorzüglichsten, was über den Gegenstand in früheren und späteren Zeiten gedacht und gelehrt ward, erleichtert, und daraus eine feste, auf Erfahrung beruhende Regel des Erziehens und Lehrens aufgestellt würde. Die von ihm selbst seit vierzig Jahren im häuslichen und Schulleben gemachten Erfahrungen hat er damit verglichen. Ist es ihm, wie er hofft, gelungen, manches in ein helleres Licht zu setzen und das Zweifelhafte der Entscheidung etwas näher zu bringen, so dankt er dies vorzüglich seiner früheren schon auf der Schule entstandenen Neigung für

2*

das Fach der Pädagogik, so wie der Gelegenheit, seit dem Jahre 1770, wo Basedow auftrat, alle die wechselnden Erscheinungen auf diesem Gebiet in der Nähe beobachten und seine Einsichten in dem belehrenden Umgang vieler erfahrner Pädagogen und Schulmänner mit den ihrigen austauschen zu können; endlich auch, wie er wohl hinzusetzen darf, einer natürlichen Ruhe seines Geistes, die ihn vor einseitigem Bewundern und Verwerfen bewahrt und die Parteilosigkeit erleichtert hat.

Diese Parteilosigkeit ist nicht der Charakter unsrer Zeit; sie kommt sogar in Gefahr, bald für Feigheit und Unentschlossenheit, bald für den ungründlichsten Eklekticismus gehalten zu werden. Ist es so, wie einzelne Stimmen behauptet haben, so sind wir erst vor kurzem zur Einsicht gekommen, was Menschenbildung sei. „Die Pädagogik unsrer Tage — so las man vor acht Jahren — deren gehaltloses Schattenbild erst neuerlich gewaltig erschüttert worden, hat bisher in Blindheit und Finsternis gewandelt. Ihre Ohnmacht und gänzliche Selbsterschöpfung beurkundet sich immer mehr. Statt das Kind dem Untergange zu entreißen, führt sie es kunstartig in diesen Untergang hinein. Sie zeigt sich ohne Organ für das Organische der Bildung; ohne Anschauung für das Ursprüngliche; ohne Empfänglichkeit für das unmittelbare Leben; ohne Kraft für Ideen, ohne Ausdruck und Begriff für das Wesen. Ihr Humanismus hat kein Herz für das Volk, ihr Philanthropinismus keinen Geist für die Menschheit!"*)

Durch solche Urteile konnte man, besonders in Deutschland, wo die bewegliche Menge von jeher dem Neuen zufiel, zumal wenn es sich mit Zuversicht ankündigte und durch Derbheit imponierte, einige Zeit Aufsehen erregen. Aber indem man die Jugend nur scharfsichtig für die Fehler, aber desto undankbarer gegen das Verdienst der Vorzeit machte, schadete man dadurch selbst dem, was gut in dem Neuen ist. Der ruhige Beobachter — der freilich auf den Vorwurf der Kälte gefaßt sein mußte — sah voraus, daß diese, wie so viele ähnliche Erscheinungen, vorübergehen würden. Er wußte aus der Geschichte, daß, was darin eitel und gehaltlos war, bald einem andern werde weichen müssen, indeß ein Residuum von Wahrheit von jedem ernstlichen Bestreben übrig bleibe. Und wirklich ist dieser Fall schon eingetreten. Der blinde Enthusiasmus für das, was unser ganzes Schul- und Erziehungswesen umgestaltete, ist abgekühlt, und man hat gefunden, daß viel mehr versprochen als geleistet ward. Mögen wir nur nicht wieder zurückschreiten!

Auch andre Stimmen erhoben sich laut gegen den Zeitgeist. Bald sollte alles Unheil, das vorzüglich über Deutschland gekommen ist, aus philanthropinischen Methoden entsprungen sein, und klassische Philologie

_____

*) Dies nur als ein Bruchstück einer ganzen Strafpredigt gegen alle bisherigen Erziehungsschriftsteller vom Handwerk, wie man sie nennt, in der Schweizerischen Wochenschrift für Menschenbildung. 2. Bd. S. 210.

uns aus dem geistigen und moralischen Verderben retten; bald sollte uns
ein unverständlicher religiöser Mysticismus, der die Sprache alter Recht-
gläubigkeit affektiert und doch so verschieden von ihr ist, dem Elend entreißen; bald sollte der Staat sich aller Kinder bemächtigen, sie ohne
Unterschied des Geschlechts in Erziehungshäuser einsperren, damit sie nur
nicht ferner von den verdorbenen Eltern verpestet würden; bald sollte es
nur an der verkehrten Methode, wie die Menge bisher sprechen, lesen
und rechnen gelernt habe, liegen, daß die Menschenkraft in ihnen nicht
aufgeregt ist, bald sollten es endlich die Turnplätze sein, auf welchen die
junge Welt zu einem neuen höheren Leben wiedergeboren und für Großes
und Herrliches erst tüchtig gemacht werden könne.

Was in solchen Äußerungen und Versuchen der Schmerz über so
viel tiefes Verderben rings um uns her, und was die traurigen Erfahrungen, die wir besonders während unsrer Erniedrigung erlebt haben,
redlichen und gemütvollen Männern auspreßten, was sie drängte, auf
neue durchgreifende Rettungsmittel zu sinnen, ja selbst den Strohhalm
zu ergreifen, um sich wo möglich daran aufzurichten — das habe ich
stets geachtet, wenn ich gleich nicht einstimmen konnte in allzu sanguinische Hoffnungen, und nicht billigen, was in den Anklagen der Zeit
ungerecht und in den Bewunderungen der Vorzeit sogar unhistorisch war.
Daß man namentlich durch allerlei künstliche und mit Eifer verfolgte
Methoden im Unterricht einzelner Subjekte sehr große Wirkungen hervorbringen, das unmöglich Scheinende möglich machen und in einem
Jahre leisten kann, was sonst in Decennien geendet worden, — weiß
jeder pädagogische Geschichtskenner. Was ein Mensch gelernt hat, und
welche geistige und körperliche Fertigkeiten er sich erworben hat, das läßt
sich darstellen und prüfen. Bei denen, die Ähnliches nie sahen oder
hörten, erregt es Erstaunen. Aber den ganzen Menschen ergreifen, ihm
neben den Kenntnissen und den Kunstfertigkeiten auch Verstand, Urteil,
praktischen Sinn und Charakter geben, wohl gar eine neue Generation durch solche Bildungsversuche bessern wollen, das ist eine höhere
Aufgabe; und je länger man praktisch erzieht, desto mehr kommt man
zur Einsicht, wie unvollkommen die Kunst, wie oft unüberwindlich die
Schwierigkeit ist; wie wenig man vermag, wenn nicht unzählige äußere
Umstände mitwirken, wenn nicht das Leben eben so planmäßig an den
Menschen fortbildet und forterzieht als unsre Theorien. Wie anmaßend
und unbescheiden sind viele Pädagogen unsrer Zeit aufgetreten! Und doch
geziemt niemand die Bescheidenheit so sehr als dem Menschenerzieher.
Er hat die Erfahrung von Jahrtausenden vor sich, daß Menschen von
der höchsten Geistesbildung, von dem kräftigsten Charakter, von dem
reinsten Willen, zuweilen gedrückt, zuweilen auch begünstigt von dem Geist
ihrer Zeit, an der Besserung der Einzelnen und der Gattung gearbeitet
haben. Wie viel sie, begeistert von der Idee, ergriffen von der Not,

getäuscht von momentanen Erfolgen, erwartet, verheißen, gehofft haben
— aber auch wie wenig es ihnen dennoch gelungen ist, ihr Zeitalter
dem Verderben zu entreißen, das lehrt ihn die Geschichte alter und neuer
Zeiten! Wird er sich anmaßen, wohl gar eben erst seine Laufbahn an-
tretend, es besser als sie alle zu verstehen; wird er wähnen, glücklicher
als sie alle zum Ziel zu gelangen? Süß mag der Wahn sein; aber
wenn er sich nun nicht bewährt, hat er nur zu leicht ein plötzliches Ver-
zweifeln an der Menschheit zur Folge!

Die Veranlassung lag zu nahe, um nicht offen zu sagen, wie mir
das pädagogische Thun und Treiben der Zeit erschienen ist. Was sie bedürfe, scheint mir vor allem das Aufregen jeder Kraft und jedes guten
Willens zu sein. Aber nicht an Formen sollen wir hängen; wir haben
erlebt, wie bald der Geist aus ihnen verschwinden kann; nicht von dem
plötzlichen Umgestalten das Heil hoffen; nicht Sekten und Schulen stiften;
sondern wir sollen, unbekümmert ob neu oder alt, jedes Ding nach seinem
inneren Gehalt würdigen; die Kraft eines jeden, der nur reinen Willen
hat, sich frei bewegen und äußern lassen, und immer bedenken, daß
der vielgestaltige Mensch auf tausendfache Art ergriffen sein will, und es
daher eben so wenig eine allein glücklich bildende pädagogische Methodik;
als eine allein selig machende Kirche geben kann.

Doch ich kehre von diesen allgemeinen Betrachtungen zu der Schrift
zurück, welche hier aufs neue durchgesehen den Freunden der Erziehung
und des Schulwesens übergeben wird. Um nicht weitläufig zu wiederholen, was in den Vorreden zu ihren früheren Ausgaben über Zweck und
Plan gesagt ist und zum Teil jetzt kein Interesse mehr haben kann, werde
nur das Wesentliche hier wiedergegeben. Sie war, als sie zuerst im
Jahr 1799 in einem Bande erschien, zu einem Handbuch für Eltern
und ihre Erziehungsgehilfen bestimmt, um diese mit ihren Verhältnissen, Geschäften und Pflichten näher bekannt zu machen. In der
dritten Ausgabe erweiterte sich der Plan und umfaßte zugleich das öffentliche Schulwesen. Ein vollständiges Handbuch, worin Theorie, Anleitung zur Praxis, pädagogische Geschichte und Litteratur vereinigt wäre,
sollte, da sich ein Werk nach diesem Plan bearbeitet nirgends fand, denken-
den Eltern, Erziehern und Lehrern geliefert werden. Noch tiefer gehende
Untersuchungen über die letzten Gründe mancher Methoden und Aufgaben
würden hier nicht an ihrer Stelle gewesen sein. Ohnehin sind Pädagogik
und Didaktik an sich abgeleitete Wissenschaften. Wenn daher nicht alle
Grenzen verrückt werden sollen, so muß vieles, worauf sie sich gründen,
aus andern Wissenschaften, z. B. aus der Anthropologie, Psychologie,
Moral, als bekannt vorausgesetzt werden. Denn wollten wir, nach der
Methode mancher Schriftsteller, alle Untersuchungen bei den ersten Ele-

menten anfangen, so weiß ich nicht, wo wir enden würden. Dann müßte jede Erziehungsschrift zugleich die ganze Naturlehre des Menschen, die ganze Kritik der reinen und praktischen Vernunft so wie der Urteilskraft, die ganze Moral, und was nicht alles mehr, in sich schließen. Um Regeln für den Sprachunterricht aufzustellen, müßte man die allgemeine Grammatik voranschicken; um die Methode des geographischen, des historischen, des Religionsunterrichts zu zeigen, müßte man zuvor die Materialien desselben zusammenstellen. So würde aus einem Werk über Erziehung und Unterricht zuletzt eine nicht blos formelle, sondern auch materielle Encyklopädie aller Wissenschaften werden.

Um daher alle zweckwidrige Weitläufigkeit zu vermeiden, verwies ich oft, wo ich nur Resultate geben konnte, auf diejenigen mehr spekulativen Untersuchungen zurück, welche mir die vorzüglichsten schienen. Da ich zuweilen auch der verschiedenen Ansichten erwähnte und entgegengesetzte Methoden verglich, so war es natürlich, auch Schriftsteller zu nennen, deren Grundsätze nichts weniger als unter sich übereinstimmend sind.

Übrigens hatte ich stets vorzüglich solche Leser im Auge, die eine schulmäßige Bildung genossen haben und denen gewisse Anordnungen der Materien, so wie gewisse Kunstausdrücke geläufig sein müssen. Ich schrieb nicht für Ungelehrte; auch zunächst nicht für Mütter, denen wenigstens ein großer Teil dessen, was mein Plan umfaßte, in ihrer eigentümlichen Sphäre unbrauchbar sein dürfte. Da indes gerade in ihren Händen die erste so wichtige Bildung der Kinder vorzüglich liegt, so wünsche ich noch immer die Muße zu finden, um denen unter ihnen, die noch der Leitung eines ratgebenden Freundes bedürfen, das in einem Auszuge zu liefern, was nach meiner Einsicht und etwaigen Erfahrung, wenigstens der gebildeten Klasse derselben, das Nützlichste sein möchte.

Allgemeine Einleitung.

1. Der Naturmensch.

Der Mensch tritt, ausgestattet mit körperlichen und geistigen Anlagen, wie sie sich bei keinem von allen uns bekannten Wesen finden, auf den Schauplatz des Lebens. Alles, was er werden kann, erscheint als Keim, der seiner Entwickelung entgegen harrt, als Blüte, aus welcher die Frucht sich bilden und unter günstigen Umständen reifen wird. Diese Entwickelung und Bildung erfolgt, wie bei andern organischen Wesen, zum Teil nach unwandelbaren Gesetzen der Natur, ohne daß er dabei einer fremden Hilfe bedarf. Der Körper wächst, seine Glieder dehnen sich aus und bekommen Brauchbarkeit zu bestimmten Zwecken. Mannigfaltige Triebe erwachen. Die Sinne empfangen Eindrücke von der Außenwelt. Aus ihnen bildet eine innere unsichtbare Kraft Vorstellungen. Die Vorstellungen erzeugen Begierde oder Abscheu. Die Vernunft wird thätig und drückt selbst in ihrer unvollkommensten Entwickelung dem Menschen ein Gepräge auf, das ihn nicht bloß dem Grade, sondern dem Wesen nach von der tierischen Schöpfung zu unterscheiden scheint.

2. Bedürfnis des Menschen, erzogen und unterrichtet zu werden.

Dieser Unterschied wird noch von einer andern Seite in der Art seiner Entwickelung sichtbar. Der Mensch bedarf von dem Augenblick seiner Geburt an, in den Perioden seiner Kindheit und seiner Jugend, ungleich mehr einer fremden Hilfe. Sie muß ihm ersetzen, was dem Tiere durch den Instinkt gegeben ist, und was er sich in den späteren Jahren durch freie Selbstthätigkeit gereifter Vernunft verschaffen soll. Ohne eine fortgesetzte Wartung und Pflege ist der Körper, den er mit den Tieren gemein hat, in steter Gefahr der Verkrüppelung und des Todes. Ohne Einwirkung anderer Vernunftwesen erreicht das, was ihn über die Vernunftlosen erhebt, nie den Grad von Vollkommenheit, den es nach der ursprünglichen Perfektibilität seiner Anlagen erreichen konnte, und die höchste dieser Anlagen, die Vernunft, welche sich in einer freien Selbstthätigkeit ankündigt, bekommt, wenn sie auch zu einiger Kraft gelangt, doch schwerlich die beharrliche Richtung, in welcher sie erst als ganz vollendet erscheinen kann. Ohne fremde Unterweisung würde er sich zwar einen nicht unbeträchtlichen Vorrat von Kenntnissen durch eignes Wahrnehmen der Außenwelt erwerben können; aber teils würde er auch diese nur langsam erlangen, teils einer großen Menge andrer entbehren.

30

3. Erziehung und Unterricht im weiteren Sinn.

Der Mensch bedarf folglich der Erziehung und des Unterrichts. — In einem weiteren Sinne kann man alles, was ihn zum ungehemmten Gebrauch der in ihm schlummernden Kräfte verhilft und Kenntnisse zuführt, mit diesem Namen belegen. Insofern wird sich die Erziehung eben so wenig als der Unterricht bloß auf die Jahre der Kindheit und Jugend einschränken, sondern, da wenigstens die geistigen Kräfte des Menschen eines beständigen Wachstums fähig sind, auch in den reiferen Jahren fortgehen; jeder frühere Zustand seines Daseins wird als eine Erziehung für den folgenden betrachtet werden können. Eben so wenig wird die Erziehung und der Unterricht in diesem Sinne bloß das Werk andrer Menschen, oder gar eigner absichtlich dazu bestimmter oder sich selbst bestimmender Personen sein. Natur, Klima, Staat, Gesellschaft, das wechselnde Schicksal des Lebens und so vieles andre, das weder in seiner eigenen noch in fremder Gewalt steht, wird für den Menschen bald zwingend, bald erziehend und unterrichtend. Unter der Voraussetzung einer allwaltenden Vorsehung, von welcher das Schicksal jedes Wesens nach Zwecken bestimmt ist, kann man den Anteil, den jene zufällig scheinenden Umstände an der Bildung jedes Einzelnen haben, die Erziehung Gottes oder die Schule der Vorsehung nennen.

4. Erziehung und Unterricht im engeren Sinne.

In der strengeren Bedeutung, worin hier von Erziehung und Unterricht gehandelt werden soll, sind indes die Begriffe enger begrenzt. Der Mensch wird zuvörderst in einem bestimmten, fremder Hilfe und Einwirkung bedürftigen Alter, dem Alter der Kindheit und Jugend, gedacht, das sich zwar nicht durch scharfe Grenzen gewisser Jahre, aber doch im allgemeinen so bestimmen läßt, daß die Erziehung und Unterweisung zurücktritt, wenn die Periode physischer und moralischer Reife eingetreten, und jene Selbständigkeit, welche der freie Vernunftgebrauch giebt, erreicht und keiner Vormundschaft mehr bedürftig ist. Nächstdem ist hier nicht die Rede von einer zufälligen und planlosen, sondern von einer absichtlichen und nach Zwecken unternommenen physischen und geistigen Einwirkung auf den Zögling, nach allen seinen Anlagen und Kräften, wodurch er zum früheren Bewußtsein derselben gebracht und ihnen gemäß ausgebildet werden soll. Wenn dabei die Erziehung sich darauf beschränkt, das in der Anlage des Zöglings Vorhandene zu erhalten, zu verbessern, und das von der Natur Gegebene zu entwickeln, so sucht dagegen der Unterricht dem Lehrling auch von außen Begriffe, Kenntnisse und Erfahrungen zuzuführen und seinen eigenen Kräften durch bewährte Gesetze und Methoden die glücklichste Richtung zu geben.

5. Entstehen allgemeiner Grundsätze der Erziehung und des Unterrichts.

Nach welchen Grundsätzen nun der Mensch am besten erzogen und unterrichtet werde, dies war von jeher ein Gegenstand des Nachdenkens derer, die sich überzeugt hatten, wie viel überhaupt davon abhänge, daß man ihn erziehe und unterrichte. Mit jedem Fortschritt einer Nation ward die Notwendigkeit, aber auch die Schwierigkeit des Geschäfts richtiger eingesehen. Die Grundsätze selbst konnten anfangs nur aus der Erfahrung abgeleitet werden. Was sich darin am meisten bewährte, ward als Regel angenommen. Je tiefer man aber in die Natur des Menschen eingedrungen ist und die Gesetze seines äußeren und inneren Organismus kennen gelernt hat, desto mehr ist es auch gelungen, aus der Kenntnis der Natur selbst Resultate für die ihr angemessenste Bildung zu ziehen. Hierbei hat man entweder den Zögling durch alle Stufen seiner natürlichen Entwickelung begleitet, oder, nach einer allgemeinen Betrachtung der Menschennatur mit Beziehung auf ihre Bildung von verschiedenen Seiten, die Materien mehr nach einer systematischen Ordnung verteilt, woraus eine wissenschaftlich behandelte Erziehungs- und Unterrichtslehre oder die Pädagogik und Didaktik hervorgegangen ist. Beide Methoden sind von achtungswerten Schriftstellern dieses Faches befolgt worden.

Anmerkung. Hauptschriften, welche sich bloß auf einzelne Materien der Erziehungs- oder der Unterrichtslehre beziehen, sollen am gehörigen Ort genannt werden. Hier — da vollständige Litteratur ganz außer dem Plane liegt — nur die vorzüglichsten von denen, welche beides umfassen.

Comenius, Didactica magna. Neuerdings übersetzt u. m. des Comenius Biographie versehen von Dr. Theobor Lion. (Langensalza 1875, Beyer & Söhne). Ferner: Pädagog. Bibliothek von K. Richter, III. Bd. u. XI. Bd. Pädagog. Klassiker. Wien 1876. I. Band.

Francke, Pädagogische Schriften. Nebst einer Darstellung seines Lebens und seiner Stiftungen herausgeg. v. Dr. G. Kramer, Direkt. d. Franckischen Stiftungen. (Biblioth. pädagog. Klassiker, Langensalza 1876, H. Beyer & Söhne). Ferner: Pädagog. Bibliothek V. und VI.

J. Locke, Thoughts on Education. Zuerst London 1692. Deutsch mehrmals, unter andern: von Ouvrier, mit Zusätzen des Herausgebers. Leipzig 1787. Und am besten unter dem Titel: Abhandlung über die Erziehung der Jugend in den gesitteten Ständen. Aus dem Engl. von Rudolphi, mit Anm. von Campe. Braunschweig 1787. Eben diese Übersetzung macht auch den 9. Teil des Campischen Revisionswerks aus und ist mit den Anmerkungen der Revisoren, wie auch den besten des französischen Uebersetzers Coste versehen. Neuerdings: Pädagog. Bibliothek von K. Richter, IX. Band.

J. J. Rousseau, Émile ou de l'Éducation. Tome I—IV. Zuerst Amsterdam 1762. — Haag 1768. — Deux-ponts 1782.

Deutsch: Emil oder über die Erziehung. Leipzig 1762. Desgleichen

Übersetzt von Cramer, mit vielen Anmerkungen der Herausgeber des Camp. Revisionswerks (von sehr ungleichem Wert), 1.—4. Teil. Braunschweig 1789—51. Diese im Ganzen vortreffliche Übersetzung macht den XII.—XV. Teil jenes Werkes aus. Neuerdings: J. J. Rousseau. Herausgeg. v. Prof. Dr Theodor Vogt u. Oberschulr. Dr. C. von Sallwürk (Bibl. pädagog. Klassiker, Langensalza 1876, Beyer & Söhne); ferner: Pädag. Bibl. VIII. Bd.

J. B. Basedow, Methodenbuch für Väter und Mütter der Familien und Völker. Leipzig 1773. Neuerdings: J. B. Basedows Ausgewählte Schriften. Mit Basedows Biographie, Einleitungen und Anmerkungen herausg. v. Dr. Hugo Göring (Bibl. päd. Klassiker, Langensalza 1880, Beyer & Söhne).

Cl. A. Helvetius, Vom Menschen, seinen Geisteskräften und seiner Erziehung (Lonton 1774), herausg. v. Dr. A. Lindner. (Päd. Klassiker, II. Bd. Wien 1877).

Trapp, Versuch einer Pädagogik. Berlin 1788.

Heusinger, Versuch eines Lehrbuchs der Erziehungskunst. Leipzig 1795.

F. H. C. Schwarz, Erziehungslehre. 1. Band. Die Bestimmungen des Menschen. In Briefen an erziehende Frauen. 2. Band. Das Kind, oder Entwickelung und Bildung des Kindes von seinem Entstehen bis zum vierten Jahre. Leipzig 1802—1805. 3. Band. I. Abteilung die Jugend. II. Abteilung Unterrichtslehre. 1808. 4. u. 5. Band Geschichte der Erziehung. 1813.

Desselben Lehrbuch der Erziehungs- und Unterrichtslehre. 3 Teile. Heidelberg. Seit 1843 neu bearbeitet von Curtmann.

Schwarz-Curtmann, Lehrbuch d. Erz. u. d. Unt. 7. A. Heidelberg 1866.

J. Kant, Über Pädagogik. Herausgegeben von F. Th. Rink. Königsberg 1803. Neuerdings herausg. von Prof. Dr. Theodor Vogt (Bibl. päd. Klassiker, Langensalza 1876, Beyer & Söhne). Ferner Pädag. Bibliothek X. Bd.

K. H. L. Pölitz, Erziehungswissenschaft aus dem Zweck der Menschheit und des Staates. 1. u. 2. Teil. 1806.

Mehr populär als wissenschaftlich sind: C. G. Salzmanns Anweisungen zu einer vernünftigen Erziehung, unter dem Namen: Krebsbüchlein. 4. Aufl. Erfurt 1807. (Pädag. Bibliothek II. Bd.). Ameisenbüchlein. 1806.

Pestalozzi, Lienhard und Gertrud und viele andere Schriften in dessen sämtlichen Werken. Tüb. 1818. Neuerdings: Pestalozzi's sämtliche Werke von Seyffarth. 16 Bde. Brandenburg. — Pestalozzi's ausgewählte Werke. Mit Pest. Biographie herausgeg. von Fr. Mann. 4 Bde. 2. Aufl. 1878. (Bibl. päd. Klassiker, Langensalza Beyer & Söhne). Ferner: Päd. Bibliothek I. u. VII. Bd. und Pädagog. Klassiker III. Bd. Wien 1877.

C. M. Arndts Fragmente über Menschenbildung. 1. u. 2. Teil. Altona 1805. 3. Teil 1819.

J. F. Wagners Philosophie d. Erziehungskunst. Leipzig 1800.

Jean Paul (Richter), Levana, oder Erziehungslehre. 2 Bde. Tübingen 1814. Ergänzungsblatt 1817. Neuerdings: Leipzig, Reclam.

J. F. Herbart, Allgem. Pädagogik. Göttingen 1806. Umriß pädagog. Vorlesungen 2. Aufl. 1841. — Spätere Ausgaben: Hartenstein, ges. Werke

Bd. X. Willmann, Herbarts pädagog. Schriften. Leipzig 1873. 2 Bde.
Bartholomäi, J. Fr. Herbarts pädagog. Schriften mit Herbarts Biographie.
2 Bde. 2. Aufl. 1877. (Bibl. pädagog. Klassiker, Langensalza, Beyer & Söhne).
Pädagog. Bibliothek Bd. 13 u. 14.

Aus seiner Schule sind zu nennen:

Strümpell. Die Pädagogik der Philosophen Kant, Fichte, Herbart.
Braunschweig 1843. Derselbe: Erziehungsfragen. Leipzig 1869. Derselbe:
Psychol. Pädagogik. Leipzig 1880.

Waitz, Allgem. Pädagogik. Braunschweig 1852. Neu herausgegeben
von Prof. Willmann 1875.

Stoy, Encyklopädie der Pädagogik. Leipzig 1861. 2. Aufl. 1878.
Derselbe: Hauspädagogik. Leipzig 1855.

Ziller, Einleitung in die allg. Pädag. Leipzig 1856. Die Regierung
der Kinder. Leipzig 1857. Grundlegung zur Lehre vom erziehenden Unterricht.
Leipzig 1865. Vorlesungen über allgem. Pädagogik. Leipzig 1876. Jahrbuch
des Vereins für wissenschaftliche Pädagogik. 1. bis 6. Jahrgang, Leipzig,
Gräbner; 7. bis 13. Jahrgang, Langensalza, H. Beyer & Söhne. Allgem.
Philosophische Ethik, Ebendas. 1880.

Kern, Grundriß der Pädagogik. Berlin 1873. 2. Aufl. 1878.

Rein, Herbarts Regierung, Unterricht und Zucht. Pädagog. Studien.
I. Heft. 3. Aufl. Wien 1881. ·

Rein, Pickel, Scheller, Theorie und Praxis des deutschen Volksschul-
unterrichts. I—IV. Bd. Dresden 1881. (Der erste Band, das erste Schuljahr umfassend, wird bis Ende 1881 neu gedruckt).

Mit Herbart verwandt, aber doch von ganz andern psychologischen Grund-
lagen ausgehend: Beneke, Erziehungs- und Unterrichtslehre. 2 Bde. Berlin 1842.
3. Aufl. Berlin 1864.

Baur, Grundzüge der Erziehungslehre. Gießen 1844. 2. A. Gießen 1849.
3. A. 1877.

Gräfe, Allgem. Pädagogik. 2 Bde. Leipzig 1845.

Scherr, Handbuch der Pädagogik. 2. A. Zürich 1847. 3 Bde.

Rosenkranz, Die Pädagogik als System. Königsberg 1848.

Schleiermacher, Erziehungslehre. Herausgeg. von Platz. Berlin 1849.
Neue Ausgabe mit Schleiermachers Biographie in der Bibliothek pädagog. Classiker
2. A. 1876. (Langensalza, Beyer & Söhne).

Hegels Ansichten über Erziehung und Unterricht. 3 T. Herausgeg. von
Thaulow. Kiel 1835.

Palmer, Ev. Pädagogik. 4. Aufl. Stuttgart 1869.

Schrader, Erziehungs- und Unterrichtslehre. Berlin 1869. 2. A. 1873.

Böhl, Allg. Pädagogik. Wien 1872.

Rüegg, Pädagogik. 4. A. Bern 1874.

Riede, Erziehungslehre. 4. A. Stuttgart 1874.

Schumann, Lehrbuch der Pädagogik. 5. A. Hannover 1878. 2 T.

Zu den magazinartigen Sammlungen einzelner Abhandl. pädagogischen und bibaktischen Inhalts gehören:

F. G. Resewitz, Gedanken, Vorschläge und Wünsche zur Verbesserung der öffentlichen Erziehung. 1—5. Teil. Berlin 1781—86. — Magazin für die Schulen und die Erziehung überhaupt. 1—6. Bd. Nördlingen 1766—72. — Archiv für die ausübende Erziehungskunst. 12 Tle. Gießen 1777—85. — Pädagogische Unterhandlungen. Ein Journal für Eltern und Erzieher. Leipzig 1777—81. Braunschweigisches Journal.

Allgemeine Revision des gesamten Schul- und Erziehungswesens, herausgegeben von J. H. Campe. Braunschweig 1786—90.

Guts Muts, Bibliothek oder Zeitschrift für Pädagogik, Erziehung und Schulwesen. Gotha und Leipzig 1800—1820. Seit 1808 fortgehend unter dem Titel: Neue Bibliothek für pädagogische Litteratur.

Jahn, Jahrbücher für Philologie und Pädagogik. Leipzig, 5 Jahrg. bis 1830. Seit 1830: Neue Jahrbücher für Philologie und Pädagogik rc. von Seebode u. Jahn, jetzt herausgegeben von Fleckeisen und Masius.

Dilthey u. Zimmermann, Allgem. Schulzeitung. Darmstadt 1824. Jetzt herausgegeb. von Professor Stoy in Jena.

Zerrenner, Deutscher Schulfreund 1791 ff. 60 Bde. Derf. Jahrbuch für das Volksschulwesen.

Gräfe, Archiv für das praktische Volksschulwesen. Eisleben. 12 Bde. 1828.

Diesterweg, Rhein'sche Blätter für Erziehung und Unterricht. 1827. Jetzt herausgegeb. von Dr. W. Lange in Hamburg.

Schweitzer, Magazin für deutsche Volksschullehrer. 2 Bde. 1832.

Diesterweg, Wegweiser 1835. 4. A. 1850. 5. A. Essen 1873.

Mager, Pädagog. Revue. Seit 1840. Stuttgart.

Rein, Pädagog. Studien. 1—3. Band. Wien. Neue Folge: Vierteljahrsschrift von 1880 ab. Dresden.

Die deutsche Litteratur der Pädagogik seit dem Jahre 1750 findet man in Ersch, Handbuch der deutschen Litteratur. 1. Band. 1. Abteilung. 1822. Seit dem Jahr 1785—1800 enthalten sie die der Pädagogik gewidmeten Abschnitte des Repertoriums der Allgem. Litterat. Ze'tung von demselben Verfasser, mit einer bewundernswürdigen Vollständigkeit und Genauigkeit.

Mehr auf Volksschullehrer berechnet ist:

B. C. H. Natorps kleine Schulbibliothek. Ein geordnetes Verzeichnis auserlesener Schriften für Lehrer an Elementar- und andern Bürgerschulen, mit beigefügten Urteilen. 5. verb. Aufl. Duisburg 1820.

F. M. H. Ziegenbeins kleine Handbibliothek für Schullehrer und Freunde der pädagogischen Litteratur. Magdeburg 1818.

G. Seebodes kritische Bibliothek für das Schul- und Unterrichtswesen. H'ldesheim 1819—23.

Gräfe, Jahrbüchlein der pädagog. Litt. Essen, 1. u. 2. Bd. 1831. 32. 3. Bd. 1834.

Wörlein, Pädag. Wissenschaftskunde. 3 T. Erlangen 1826.

Hergang, Handb. der pädag. Litteratur. Leipzig 1840.

Schmid, Encyklopädie des gesamten Erziehungs- und Unterrichtswesens 1859—78. 11 Bde. Gotha.

Lüben, Pädagog. Jahresbericht. Seit 1846. Jetzt herausgegeben von Dittes. Leipzig.

Seyffarth, Chronik des Volksschulwesens. Seit 1865. Breslau.

Unter den katholischen Schriftstellern haben sich ausgezeichnet:

K. Weiller, Versuch eines Lehrgebäudes der Erziehungskunde. 1. u. 2 Bd. München 1802.

J. M. Sailer, Über Erziehung für Erzieher. München 1809.

J. B. Graser, Divinität, oder das einzige Prinzip der wahren Menschen-erziehung. Hof 1813.

M. F. Milde, Lehrbuch der Erziehungskunde. 1. u. 1. T. Wien 1811 und 12.

Köhler, Erziehungslehre nach kathol. Grundsätzen. Gmünd 1846.

Dursch, Pädagogik als Wissenschaft der christlichen Erziehung auf dem Standpunkt des kathol. Glaubens. Tübingen 1851.

Erster Hauptabschnitt.

Allgemeine Grundsätze der Erziehungslehre oder Pädagogik.

Vorerinnerungen

über

den Begriff und Wert der Erziehung und Erziehungslehre.*)

6. Sphäre der Erziehung.

Was den einzelnen Menschen zum Menschen macht und ihn von allen übrigen Wesen unterscheidet, das ist der ganzen Gattung gemein. Es bildet den Charakter der Menschennatur. Daneben erscheint noch in einem jeden eine eigentümliche Anlage und Bildungsfähigkeit, welche den Charakter des Individuums bestimmt. Keine Art von Kunst, keine äußere Veranstaltung vermag etwas in den Menschen zu bringen, wozu er nicht schon den Keim in sich trüge; aber keiner soll es auch darauf anlegen, das zu unterdrücken oder auszurotten, was ihm von der Natur zu seiner Bestimmung gegeben ist. Der Grad der Bildsamkeit und die Stufe der wirklichen Ausbildung des Einzelnen hat immer den letzten Grund in der Perfektibilität der Anlagen und Kräfte, welche der Gattung oder dem Individuum verliehen ist. Folglich ist die Hervorbringung der ursprünglichen Kräfte, so wie ihre Verteilung in mannigfaltigen Maßen und Verhältnissen, lediglich das Werk des Urhebers der Natur. Zu ihrer Ausbildung aber — durch ihre Aufregung, Veranlassung, Richtung, so wie durch Wegräumung dessen, was ihre freie Wirksamkeit hindern könnte, planmäßig mitzuwirken, dies ist die Sphäre, worin die Erziehung thätig werden soll.

7. Zwecke der Erziehung.

In den Zwecken des Urhebers der Natur, so weit sie erkennbar sind, findet die Vernunft die Richtschnur ihrer eignen Thätigkeit. Sie kann aus keinem Wesen etwas anderes bilden wollen, als was in der ursprünglichen Natur desselben als seine Bestimmung gegründet ist,

---

*) Man vergleiche nach Durchlesung dieser Abteilung die 1., 2. und 3. Beilage am Ende des ersten Teils dieser Schrift, worin mehreres hier kurz Angedeutete ausführlicher entwickelt ist.

Eine vernünftige Erziehung kann sich folglich keinen andern Zweck setzen, als das Menschliche (die Humanität) in dem Menschen so voll=kommen, als es bei jedem Einzelnen der Gattung möglich ist, auszubilden. Je vollkommner die Ausbildung aller menschlichen Kräfte erfolgt, und je harmonischer sie zusammenstimmen, desto näher ist der Zögling dem Ideal der vollendeten Menschheit gebracht.

8. Nähere Entwickelung.

Die edelste aller Anlagen in dem Menschen ist die Vernunft=fähigkeit, und was unzertrennlich damit zusammenhängt, das Vermögen den Willen durch Freiheit zu bestimmen. Durch die Vernunft er=kennt er das mit Bewußtsein, was seiner Natur am angemessensten und würdigsten ist. Sie stellt ein Gesetz des Rechten und Guten auf, durch dessen Anerkennung allein seine kämpfenden Triebe und Neigungen, und was sich in seiner Natur zu widersprechen scheint, in Harmonie gebracht werden kann. Ihm überläßt sie die Wahl, sich durch Befolgung oder Verwerfung dieses Gesetzes dem Göttlichen zu nähern, oder zu der Tier=heit herabzusinken. Je deutlicher er dies alles einsieht, desto lebendiger wird auch in ihm das Bewußtsein, daß er als ein freies Wesen wählen kann, was er als das Beste und Würdigste erkannt hat. In der be=harrlichen Ergreifung und in der Darstellung desselben in Gesinnungen und Handlungen erscheint er uns in der freiesten Selbstthätigkeit, und die Veredelung seiner sittlichen Natur als die Bedingung, unter welcher man der Ausbildung jeder andern Anlage allein eine reine und unbedingte Achtung widmen kann.

9. Höchste Grundsätze aller Erziehung.

Nach diesen Bemerkungen dürfen folgende Principien als die ersten Grundsätze aller Erziehung betrachtet werden. 1. Wecke und bilde jede dem Zögling als Mensch und als Individuum gegebene Anlage und Fähigkeit. 2. Bringe Einheit und Harmonie in ihre Ausbildung durch deutliche Vorstellungen von der naturgemäßen Bestimmung und dem Ver=hältnis dieser Anlagen. 3. Durch jedes Mittel, das mit den Rechten des Zöglings als Vernunftwesen verträglich ist, richte die erweckte Kraft auf alles, was der Vernunft als des Menschen würdig erscheint. 4. Die Harmonie der Freiheit mit der Vernunft laß dein höchstes Ziel sein, weil auf ihr der sittliche, folglich der unbedingte und höchste Wert des Menschen beruht.

Anmerk. 1. Beweis und Ausführung dieser Grundsätze enthält die 1. Beilage am Ende dieses ersten Teils.

2. Die verschiedenen Erklärungen über den Zweck aller Erziehung und ihre obersten Grundsätze weichen zum Teil mehr in der Form als in der Sache von einander ab. Indes ist auch die Form für die Wissenschaft nicht gleichgültig.

Bei den christlichen Asceten und vielen theologisch-pädagogischen Schriftstellern ist oft die Rede davon, „man müsse die Kinder zur Ehre Gottes erziehen." Der Ausdruck hat dadurch selbst eine gewisse Popularität bekommen und wird, wie viele dergleichen Formeln, sehr oft ohne allen Sinn gebraucht. Aber wie alle religiöse Ansichten der Dinge, so hat auch diese, recht verstanden, sehr wohlthätig gewirkt; denn der Ausdruck leidet ja den sehr richtigen Sinn, daß es keine würdigeren Erziehungszwecke geben könne, als die, welche Gott durch die Anlagen und Einrichtungen der menschlichen Natur als die seinigen angedeutet hat. Zu diesen Zwecken mitzuwirken, ist unstreitig die einzige Art Gott zu verehren und ihm ähnlich zu werden.

Die philosophierenden Pädagogiker bestimmen den Zweck und die Prinzipien der Erziehung eben so verschieden, als die philosophischen Systeme sind, denen sie folgen. Die Eudämonisten gehen von der Bestimmung des Menschen zur Glückseligkeit, oder von der gesellschaftlichen Brauchbarkeit aus; die kritische Philosophie legt den Begriff der Sittlichkeit zum Grunde, da sie unter allen Vollkommenheiten die einzige unbedingte oder absolute sei, welcher die übrigen untergeordnet werden müßten. Seit sie von andern Systemen verdrängt ist, hat man die Idee — wenigstens in andere Worte gekleidet und sogar bis zur Divinität gesteigert. — Andre setzen die Aufregung der Freiheit, andre die Richtung derselben — im Ausdruck verschieden, in der Sache einig — dem Erzieher zum Ziel. Wenn man sich nur über das alles gehörig verständigt, so ist man harmonischer als man glaubt.

3. Nur der grobe Eudämonismus und die Herabwürdigung des Menschen zum bloßen Staatszweck kann sich vor keiner Philosophie rechtfertigen lassen. Nach dem System des ersteren wird offenbar alles auf eine solche Ausbildung des Menschen zurückgebracht, wobei er der meisten Genüsse fähig werde. Man erzieht ihn dadurch, in einer Welt voll Übel und Schmerz, gerade am wenigsten zur Glückseligkeit, indem er keine Kraft gewinnt zu widerstehen und zu tragen. — In dem System gewisser Politiker und Machthaber muß ein Teil der Menschheit um seine natürlichen Rechte gebracht werden, um andern für privilegiert gehaltenen Ständen als Mittel zu dienen. Man giebt wohl gar vor, daß sich doch dabei die Mehrzahl glücklicher befinde. Je mehr der Despotismus Boden gewönne und sich der Regierungen bemeisterte, desto herrschender müßte dies System werden.

4. Genauere Erörterungen dieser Materie nach zum Teil sehr verschiedenen Grundsätzen sind in folgenden Schriften versucht. J. C. Greiling über den Endzweck der Erziehung und über den ersten Grundsatz einer Wissenschaft derselben. Schneeberg 1793. J. H. G. Heusingers Beitrag zur Berichtigung einiger Begriffe über Erziehung und Erziehungskunst, besonders Nr. I. II. IV. Halle 1794. K. Weiler über den nächsten Zweck der Erziehung nach Kantischen Grundsätzen. Regensburg 1790. In dem Archiv der Erziehungskunde für Deutschland, s. 1 Bd. die philosophische Zergliederung des Endzwecks der Erziehung des Menschen. Weißenfels 1791. — Eine lesenswerte Deduktion der Möglichkeit

einer ſittlichen Erziehung ſ. a. in Schwarz Briefen, das Erziehungs-
und Predigergeſchäft betreffend. Br. 5. und 6. vergl. mit des Verf. oben angeführter Erziehungslehre, I. Teil. — Zu den neueſten Unterſuchungen gehören
mehrere Aufſätze von Ritter und Sauer in Niethammers und Fichtens
philoſophiſchem Journal v. J. 1798, und Weiß Verſuch, die Pädagogik durch
Philoſophie zu orientieren, in Desſelben Beiträgen zur Erziehungskunſt, I. Bandes
I. Heft; — Herbarts Pädagogik aus dem Zweck der Erziehung, S. 76, und
deſſen Abhandlung über den höchſten Zweck der Erziehungskunde in der 2ten
Aufl. ſeines A B C der Anſchauung. — Die neueren Pädagogen haben in ihren
oben angeführten Werken mehr oder weniger ausführlich über den Zweck der Erziehung gehandelt. S. auch die betr. Abſchnitte in Schmids Encyklopädie.

10. Objektive und ſubjektive Einteilung der Erziehung.

Das Objekt der Erziehung iſt der Menſch nach ſeiner ganzen
Natur und der ihr einwohnenden lebendigen Kraft. Dieſe, unergründ-
lich in ihrem innerſten Weſen, erſcheint uns verſchiedenartig in ihren
Wirkungen. Auf dieſe Erſcheinung gründet ſich die bekannte, zwar nicht
notwendige, aber weder unbequeme noch unfruchtbare Einteilung der
Kräfte in körperliche oder geiſtige, von denen die letzteren wiederum
teils dem Erkenntnisvermögen, teils dem Gefühlsvermögen,
teils dem Begehrungsvermögen angehören. Soll nun die Erziehung
die Entwickelung und Bildung der geſamten Menſchenkraft befördern, ſo
wird ſie teils körperliche, teils geiſtige Erziehung ſein, und in
letzter Hinſicht auf Ausbildung des Verſtandes, des Gefühls, des
Willens abzwecken. In ſofern läßt ſich eine intellektuelle, äſthetiſche und moraliſche Erziehung unterſcheiden. Außerdem kann man
den Menſchen entweder ohne alle Rückſicht auf beſtimmte Verhältniſſe,
ſelbſt ohne Rückſicht auf das Geſchlecht, oder unter gewiſſen Bedingungen
betrachten. So teilt ſich die Erziehung nach dem Geſchlecht in Erziehung der Söhne und der Töchter; nach dem herkömmlichen
Standesunterſchied und der künftigen Beſtimmung in Erziehung
des Landmanns, des Bürgers, des Soldaten, des Kaufmanns,
des Künſtlers, des Gelehrten, des Adels, des Fürſten; nach
der Erziehungsart in die häusliche oder Familienerziehung,
und die öffentliche auf Schulen und Erziehungsanſtalten oder
Pädagogien.

11. Möglichkeit allgemeiner Erziehungsregeln.

Alle Veränderungen der menſchlichen Natur und ihrer Kräfte erfolgen unter gewiſſen Bedingungen und nach gewiſſen Geſetzen, welche ſich
wenigſtens zum Teil durch genaue Beobachtung entdecken und in ein
wiſſenſchaftliches Syſtem ordnen laſſen, wie es die Anthropologie und
Pſychologie verſucht. Es giebt, ſo entſchieden auch nicht ein Menſch

dem andern völlig gleich ist, gleichwohl etwas Gemeinsames in der Natur des Menschen, was man überall voraussetzen, und dann von gleichen Wirkungen auch in der Regel gleiche Erfolge erwarten darf. Dies ist nicht nur bei dem erwachsenen Menschen, im Zustande seiner vollen Reife und Ausbildung, es ist schon in den frühesten Jahren der Fall. Von der ersten Kindheit an bilden sich alle Anlagen, entwickeln sich alle Kräfte nach dem ewigen Gesetz der Natur. Wenn nun Erziehung in einer absichtlichen Einwirkung auf den Menschen zur Beförderung jener Bildung besteht, wenn sie nicht dem Zufall und einem gedankenlosen Mechanismus überlassen bleiben, vielmehr nach einem bestimmten Plan, nach einem festen Princip, zu einem gemeinsamen Hauptzweck, dessen Bestimmung die Aufgabe der Ethik ist, Veränderungen in ihm hervorbringen soll (§ 6), — so wird der, welcher die Menschennatur am tiefsten ergründet und so weit es möglich den Uranfang aller ihrer Veränderungen erforscht hat, auch am sichersten sein, die allgemeinen Regeln zu finden, wie man jene Bildung und Entwickelung naturgemäß befördern könne. Es kann also keinen Zweifel leiden, daß es allgemeine Erziehungsregeln geben könne und wirklich gebe.

12. Begriff der Erziehungslehre und der Erziehungskunst. Ihr gegenseitiges Verhältnis.

Der Inbegriff dieser Regeln, oder die Theorie der Erziehungsgesetze, heißt die Erziehungslehre oder Erziehungswissenschaft*) (Theoretische Pädagogik). Ihr Studium bildet den theoretischen Erzieher (Pädagogiker). Die Geschicklichkeit in der praktischen Anwendung der Theorie, oder die Summe der Kenntnisse und Fertigkeiten, welche ein Erzieher besitzen muß, ist die Erziehungskunst (Praktische Pädagogik). Sie ist das Geschäft des Erziehers (Pädagogen). Die Kunst beruht demnach auf der Wissenschaft. Wenn gleichwohl

---

*) Auch hier gilt die auf mehrere ähnliche Kenntnisse anzuwendende Bemerkung, daß die Theorie der Erziehungsregeln, selbst dann, wenn sie sich auf kein allgemeines, oder doch nur auf ein empirisches Grundprinzip zurückführen ließe, mit dem Namen einer Wissenschaft im weiteren Sinn belegt werden könne, da man ja kein Bedenken trägt, jeden systematisch geordneten Inbegriff zusammengehöriger Wahrheiten, auch sogar bloß historischer, damit zu bezeichnen. Sollte auch die Möglichkeit eines wissenschaftlichen Prinzips nicht aufgegeben werden dürfen, so ist es doch nicht wohlgethan, die Belehrung über ein Geschäft, welches mit der Kultur der Menschheit sich zugleich fortbilden muß, an irgend ein Schulsystem anzuschließen, das heute gilt und morgen umgestoßen wird, so wenig man auf der anderen Seite gegen irgend ein wissenschaftliches Bestreben undankbar sein soll.

Ich wünsche, daß das Ausführlichere über diesen Gegenstand hier sogleich in der 2ten Beilage am Ende dieses Teils nachgelesen werde.

die Erfahrung lehrt, daß viele Menschen glücklich erziehen, ohne jemals
über die allgemeinen Prinzipien nachgedacht, viel weniger sie in ein
System gebracht zu haben, so that entweder die Natur das Beste, oder
es gründet sich in ihrer Methode auf gewisse psychologische Prämissen,
welche ihr gesunder Menschenverstand aus der Erfahrung und aus dem
Umgange mit Menschen, besonders mit Kindern, abgezogen hatte, und die
sie anwendeten, ohne sich dessen selbst deutlich bewußt zu sein. Je vollständiger und richtiger man folglich die Theorie kennt, desto geschickter
sollte man auch in der Kunst sein. Wenn gleichwohl nicht immer die
besten Theoretiker am glücklichsten in der Ausübung waren, so fehlte
es ihnen, bei aller Kenntnis der Gesetze, doch entweder an dem guten
Willen danach zu handeln, oder an dem rechten Urteil und an der
Klugheit, allgemeine Regeln auf die rechte Art anzuwenden, an tiefer
Kenntnis der eigentümlichen Beschaffenheit der Zöglinge und an dem
Beobachtungsgeiste, dem keine Modifikation der natürlichen Anlagen und
Kräfte entgeht. Daß aber, wie einige gemeint haben, die Theorie wohl
gar der Praxis schade, kann entweder nur von einer unrichtigen, folglich auch irre führenden Theorie gemeint sein, oder es kann nur in sofern
zugegeben werden, als spekulative Köpfe oft gerade am wenigsten bemüht sind, sich auch praktische Fertigkeiten zu erwerben.

13. Wert einer Theorie der Erziehung.

Man beurteilt den Wert jeder Theorie entweder absolut, sofern
man ihren Gegenstand und ihren Zweck an sich betrachtet, oder
relativ nach ihrer Brauchbarkeit und den Wirkungen, welche sie hervorgebracht hat oder noch hervorbringt. Von der ersten Seite darf man
es wohl für allgemein eingestanden halten, daß eine Wissenschaft, welche
die edelste aller uns bekannten Naturen zum Gegenstande hat und sich
die Veredelung dieser Natur zum Zweck setzt, an innerem Werte keiner
andern nachstehe, vielmehr über die meisten andern den Rang behaupte.
Denn da es erfahrungsmäßig und von den weisesten Menschen aller
Zeiten und aller Nationen anerkannt ist, daß unendlich viel davon abhängt, ob und wie die natürlichen Anlagen und in welchem Grade die
vorhandnen Vermögen, des Körpers sowohl als der Seele, genährt und
erhöht oder verwahrlost und verdorben werden: so muß man unstreitig
die, welche die beste Anweisung dazu gaben und die bewährtesten Grundsätze darüber aufstellten, unter die größten Wohlthäter des menschlichen
Geschlechts rechnen. Wenn daneben fast jeder gereifte Mensch, wenigstens
von der Natur, dazu bestimmt ist, Vater oder Mutter zu werden;
wenn die meisten, wenigstens die besten Menschen wünschen, sich dereinst
in diesem schönsten aller Verhältnisse gegen andre vernünftige Wesen zu
erblicken; wenn endlich das physische Leben, welches Eltern geweckt haben,
bei weitem nicht allein das wahre Leben ist, dessen vernünftige Wesen

fähig sind; dies vielmehr nur dem zugeschrieben werden kann, der zum freien Gebrauch aller seiner Anlagen und Kräfte gelangt ist: — welche Wissenschaft verdiente wohl mehr von allen Ständen studiert, oder durch geschickte Lehrer mitgeteilt zu werden, als die, wodurch Eltern das erst vollenden und sich zum Verdienst machen können, was sie durch die Erzeugung der Kinder ohne besonderes Verdienst angefangen haben?

Anmerk. Wenn es der Raum litte, so verdienten hier einige der erhabnen Lobsprüche angeführt zu werden, welche dem Erziehungsgeschäft in den verschiedensten Perioden der Kultur erteilt worden sind. Sie würden die Wichtigkeit der Sache noch mehr ins Licht setzen. Denn wem leuchtet wohl nicht ein, „daß, was die Weisesten unter den Menschen zu allen Zeiten für wichtig und notwendig gehalten haben, wichtig und notwendig sein müsse." Junge Erzieher werden wohl thun, sich Sammlungen solcher Aussprüche anzulegen und sie von Zeit zu Zeit durchzulesen. Viele derselben wurden gewiß in Momenten niedergeschrieben, wo die Urheber von der Würde der menschlichen Natur begeistert waren. Diese Begeisterung wird sich allen, die ihrer irgend empfänglich sind, mitteilen, und sie vor allem mechanischen Treiben bewahren. Sie werden den Wert ihrer Beschäftigung, den Wert der Menschenbildung, stärker empfinden lernen. Sie bedürfen Aufmunterung, Trost, Belebung des Gefühls ihrer Pflicht, bei einem in so vieler Hinsicht undankbaren Geschäft, bei der Verachtung oder doch Gleichgiltigkeit, womit man oft in der großen Welt auf Erziehung und Erzieher herabzusehen pflegt, bei den unzähligen Hindernissen, womit sie in sich und außer sich zu kämpfen haben. Dies alles werden sie auch in solchen Aussprüchen finden. — Wer sich übrigens durch den jetzigen pädagogischen Zeitgeist, bei allen seinen beklagenswerten Verirrungen, und durch die rege Teilnehmung aller Stände an der Sache der Menschenbildung nicht mit aufgeregt fühlt, der wähle nur je eher je lieber ein anderes Geschäft. Für dies hat er weder Sinn noch Geschick.

14. Zweifel an dem Wert pädagogischer Theorien.

Alle Zweifel an dem Werte pädagogischer Grundsätze und Regeln sind von gewissen Erfahrungen hergenommen, welche man in der wirklichen Welt gemacht haben will, und die beweisen sollen, daß, so gut jene Grundsätze, so edel ihre Zwecke an sich sein mögen, doch ihre Brauchbarkeit sehr verdächtig und ihre Wirksamkeit dem Ideal, das sie aufstellen, auf keine Weise entsprechend sei. Aus dem Munde derer, welche überhaupt alles Philosophieren verachten und ihre ganze Aufklärung in das setzen, was sie Weltkenntnis und Lebensklugheit nennen — womit allerdings in der großen Welt oft auszukommen ist — darf ein solches Urteil nicht befremden. Selbst zu ungewohnt, allgemeine Begriffe zu bilden und den Gegenständen des Nachdenkens bis auf ihre ersten Gründe nachzuspüren, dabei stolz auf ihre Trägheit, halten sie alles, was nicht unmittelbar in die Sinne fällt oder nicht sofort zu gebrauchen ist,

für Träumereien müßiger Theoretifer, die der gesunde Menschenverstand
der praktischen Philosophen als Hirngespinste verschmähe. In diese Klasse
kommen also auch natürlich die Theorien über Pädagogik. Wer so
urteilt, möchte auch schwer von dem Gegenteil zu überzeugen sein. Wer
Sinn hat für das Große und Heilige in den Anlagen der Menschheit,
ehrt die Theorie der Erziehungskunst selbst in dem, was darin idealisch
sein mag, und weiß überdem, daß nicht alles idealisch ist, was dem
Beschränkten und Trägen als solches erscheint.

15. Zweifel an der Möglichkeit einer allgemeinen Theorie der Pädagogik.

Bedeutender scheinen die Einwürfe, welche auf Thatsachen beruhen
sollen, und es ist nötig, die wichtigsten zu hören und zu prüfen, ehe
man es der Mühe weiter wert achtet, eine Theorie der Erziehung zu
versuchen. Einige betreffen jede Theorie oder die Erziehungswissen=
schaft überhaupt; andre die neuere Theorie oder das, was man un=
bestimmt die neue Pädagogik nennt. — Wenn bei den ersteren bloß
davon die Rede wäre, daß der Erreichung des Ideals einer Bildung
und Veredelung der ganzen Menschheit von der Natur selbst un=
überwindliche Hindernisse in den Weg gelegt zu sein scheinen, ja daß die
klimatische Verschiedenheit der Menschen es geradehin unmöglich macht,
durch gleiche Mittel gleiche Zwecke an ihnen zu erreichen, so kann es
in der That nur dem, welcher mit den mannigfaltigsten Erscheinungen
und der physischen Geschichte des Menschen in den entgegengesetzten Zonen
und auf allen Stufen der Kultur unbekannt ist, oder in einer so an=
maßenden Philosophie, wie wir erlebt haben, die alles setzen und schaffen
zu können wähnte, einfallen, hierin andrer Meinung zu sein. Hohe
Achtung verdient unstreitig jeder Versuch begeisterter, von Religion und
Liebe durchglühter Menschenfreunde, die ihre Brüder selbst an den äußersten
Polen humanisieren und den auch in ihnen liegenden Keim des höheren
Lebens wecken möchten; da, wie erstarrend der ewige Winter, wie aus=
dorrend die brennende Glut auf ihren Körper wirken mag, doch in der
Tiefe auch ihrer geistigen Natur jener Keim schlummert, und daß er
erwachen könne, durch einzelne Erfahrungen gewiß wird. Gleichwohl
werden solche Versuche höchstens zu einer Annäherung an die Glücklich=
gebornen in den gemäßigten Zonen, schwerlich zu einer gänzlichen Um=
gestaltung in ihre edlere Form führen können. Auf die letzteren waren
auch unstreitig alle Theorien der Pädagogik bisher nur berechnet. Und
selbst da giebt es noch in der besonderen Lage der Einzelnen harte Not=
wendigkeiten, die bei aller Anlage und Fähigkeit zur Veredlung sie selbst
so gut als unmöglich machen.

Anmerk. Es denken freilich hieran gutmütige Schwärmer gar nicht, und
wollen durch ein paar kurze Schuljahre eine Regeneration aller Volksklassen, selbst

derer, die Armut und Not von der Wiege an zu dem mühseligsten Leben verdammt, zustande bringen. Indes ist auch der schwächste Versuch, dem Volke geistig empor zu helfen, achtungswert. Übrigens vergleiche man, was wahr und kräftig gegen alle diese Übertreibungen unter andern Arndt in den Fragmenten über Menschenbildung erinnert hat. S. I. T. S. 22—40.

16. Zweifel an der Theorie aus dem geringen Erfolg.

Doch selbst gegen eine Theorie, die allein auf die Klasse der Menschheit berechnet ist, welche die Natur selbst der Kultur näher gestellt und dafür empfänglicher gemacht zu haben scheint, hat man noch manchen Zweifel übrig. „Es sei, sagt man zuerst, bis jetzt kein bedeutender Erfolg davon zu bemerken, indem bei allen noch so eifrigen Bemühungen, wovon jedes Zeitalter Beispiele lieferte, doch die Menschen im ganzen genommen, wo nicht schlechter würden, doch gewiß blieben, wie sie wären; es scheine folglich das Werk des Zufalls und mehr oder minder günstiger Umstände zu sein, wenn einige sich zu vorzüglichen Menschen ausbildeten, andre gemein oder schlecht blieben.“ — Bei diesem Einwurf wird aber 1. das unläugbare Gute, welches gewisse Völker und gewisse Zeitalter vor andern voraus haben, und der Anteil, welchen eine vernünftige Jugendbildung von jeher daran gehabt, fast ganz übersehen. Man redet von der Menschheit im ganzen, die sich, bei dem Steigen und Sinken der Nationen vielleicht gleich geblieben sein kann, so wenig auch ein gewisser allgemeiner Fortschritt zur Vollkommenheit zu verkennen ist. Man sollte aber Völker mit Völkern, den Zustand einzelner Nationen in einem früheren mit ihrem Zustand in einem späteren Zeitalter vergleichen, und dann entscheiden, ob bessere oder schlechtere Erziehung ohne allen Einfluß darauf geblieben sei. Überdies wird 2. übersehen, daß das Vorhandensein besserer Einsichten weder ihre Allgemeinheit noch die Willigkeit danach zu handeln zur Folge hat. Nicht die Wissenschaft, sondern die Menschen tragen die Schuld, wenn diese nicht geachtet wird, wie sie es verdient. Sie hat aber dieses Schicksal mit andern Wissenschaften gemein, und man müßte, wenn man konsequent sein wollte, eben sowohl die Religionslehre, die Sittenlehre, die Philosophie, als die Pädagogik für unbrauchbar erklären, weil auch sie bei weitem nicht so allgemein geschätzt und befolgt werden als sie verdienen. Wenn aber 3. die Bildung des Charakters bloß das Werk des Zufalls, nicht der Erziehung sein sollte, so würde man sich kaum das Zusammentreffen der Urteile des Gemeinsinnes bei Menschen von den verschiedensten Graden der Geistesbildung erklären können, welche sämtlich den Verbrecher mehr bedauern, welchen sie in der Erziehung verwahrlost halten, den hingegen härter anklagen, welcher eine sorgfältige Erziehung genossen hat.

17. Die beste Erziehung mißlingt so oft.

„Aber wie kommt es," — fährt man fort, — „daß diese sorg=
fältige Erziehung so oft mißlingt; daß aus dem edelsten Familienkreise
hie und da, wo nicht Bösewichter, doch schwache Menschen hervor=
gehen, indes ganz vorzügliche Menschen ohne alle Erziehung auf=
gewachsen und alles durch sich selbst geworden sind?" — Dies erklärt
sich daraus, daß 1. die sorgfältigste Erziehung nicht immer die wei=
seste Erziehung ist, und daß die wohlmeinendsten Eltern sehr oft gerade
durch das, wovon sie irrig am meisten Gutes hoffen, am meisten ver=
derben, daß z. B. manche Art religiöser Erziehung irreligiöser macht, daß
immer bewachte Tugend unbewacht nicht aushält; daß Strenge und Güte
— beide gleich unentbehrlich zum Erziehen — nur in dem richtigsten
Verhältnis zum Zweck führen; daß 2. gemeiniglich in Familien, wo Sorg=
falt auf Erziehung gewendet wird, zu viel Gleichförmiges in der
Behandlung der Kinder ist, da doch die Kinder selbst durchaus ver=
schieden sind, folglich oft, was das eine bildet, das andre mißbildet;
3. daß die Erziehung, welche der heranwachsende Mensch von seinen
Eltern und Führern erhält, nicht allein auf ihn wirkt; daß der Ein=
fluß andrer Menschen und der ihn umgebenden Umstände oft zu mächtig
ist und von allen Seiten auf ihn eindringt; indes die Erziehung nur
von einer Seite ihre Kraft äußern kann. Wenn 4) vorzügliche Men=
schen alles durch sich selbst geworden zu sein scheinen, so beweiset dies
bloß, daß wiederum die Erziehung durch Menschen es nicht allein
ist, was den Menschen bildet; daß einige, obwohl in seltenen Ausnahmen,
genug innere Kraft haben, durch alle Hindernisse durchzudringen; daß
man aber auch bei diesen die äußeren Lagen und Umstände nicht über=
sehen darf, in welchen sie sich befanden, und die vielleicht gerade für sie
die angemessensten und daher geschickt waren, zu ersetzen, was ihnen an
Erziehung im gewöhnlichen Sinn abzugehen schien. Führt man 5. die
wenigen auffallenden Beispiele von solchen an, die ohne Erziehung wurden,
was sie sind, so müßte man, um gerecht zu sein, auch die große Menge
derer in Anschlag bringen, die durchaus verwahrlost sind, weil sie des
Glücks einer weisen Erziehung entbehrten. Man müßte endlich 6. erst
beweisen, daß sie unter dem Einfluß einer ihnen angemessenen Erziehung
nicht noch vollkommener geworden, wenigstens vielen Gefahren entgangen
sein würden, die ihnen von einer Seite sehr schädlich, wenn gleich von
einer andern vielleicht nützlich wurden.

Anmerk. Man hat neuerlich den an sich wahren Satz: „durch Gleiten
und Fallen lerne der Mensch gehen," hie und da weiter ausgedehnt und
lauter gepredigt, als für junge Leute und selbst für die warmen Köpfe unter den
Erziehern nützlich war. An sich ist nicht zu läugnen, daß selbst Verirrungen, Thor=
heiten und Laster für den Menschen höchst lehrreich werden und durch die vielen
traurigen Erfahrungen, die sie ihn machen lassen, seinem Charakter nach und nach

Selbständigkeit und Festigkeit geben können. Aber sie bleiben allemal eine mißliche Probe, und sehr viele erliegen in dieser Probe. Thorheit und Laster wird ihnen zur andern Natur. Selbst die Züchtigungen der härtesten Schicksale bringen sie nicht davon zurück. Auch die, welche von der moralischen Krankheit geheilt scheinen, gelangen doch nicht leicht zu der vollen Gesundheit; es bleibt Schwäche und oft Krankheitsgift in ihnen zurück. Es giebt daher keine gefährlichere Behauptung als die, welche gleichwohl so oft und von so vielen Eltern, sogar in Gegenwart junger Leute, geäußert wird: „Man müsse die Jugend ausrasen lassen; die Wildesten würden gemeiniglich die Besten." Bei vielen Vätern scheint diese Maxime nur deßhalb so viel Eingang zu finden, weil sie ihnen die Verschuldungen ihrer eignen Jugendjahre in einem erträglichen Lichte zeigt, daher auch jedes Moralsystem, das die Wege der Tugend breit und bequem macht, vielen so willkommen ist. Des Wahren in jener gemeinen Maxime ist sehr wenig. Es sollte bloß auf die Bemerkung eingeschränkt werden, daß 1. die Erziehung nie ängstlich sein, daß erzwungene Tugend nie für wahre Tugend gehalten werden müsse; 2. daß, wenn Menschen von außerordentlichen Körper- und Geisteskräften diese zu guten Zwecken anwenden, wie sie ihrer vorher zu bösen mißbrauchten, solche allerdings weit mehr als gutmütige Schwachköpfe leisten können.

Übrigens aber sollte man jener Behauptung lieber aufs stärkste widersprechen, und so oft sie vorkommt, alle Beredsamkeit aufbieten, um zu zeigen, was zartes und sittliches Gefühl, was reine und edle Sitte, gleichsam die Jungfräulichkeit der Seele, auch in den brausenden Jahren des Jünglings, was überhaupt Schuldlosigkeit des Gewissens, was früh bewährte Tugend — nil conscire sibi, nulla pallescere culpa — was dies alles dem Menschen für einen hohen Wert gebe, welche unaussprechlichen Freuden es bereite, auf welche wenigstens der spät kluggewordene Wüstling Verzicht leisten muß.

Man höre, was ein vortrefflicher Weltweiser, Fr. H. Jakobi, hierüber urteilt: „Sollte das wahr sein, daß die Erfahrung des Lasters den, der glücklich durchkommt, zu einem desto besseren und weiseren Menschen mache? Ich glaube beobachtet zu haben, daß der volle Abscheu, welchen die Unschuld vor dem Laster fühlt, mit dieser Unschuld unwiederbringlich verloren gehe. Eben so die volle Liebe zum Guten und Schönen. — Die bezaubernden Reize des Lasters verderben die Einbildung, verwirren durch den Verstand und lassen in dem Herzen, das sich ihnen hingab, eine unheilbare Schwäche zurück. Die reinste Seele, wenn übrigens keine zu große Verschiedenheit der Kräfte vorhanden ist, wird sich immer auch als die stärkste beweisen. Ich weiß auch kein Beispiel, daß ein Lasterhafter, durch Erfahrungen belehrt, bloß aus sich selber andern Sinnes geworden wäre: immer hatte er seine Veränderung einer glücklichen Begebenheit zu verdanken, wo ihm Unschuld in den Weg trat, ihn anblickte, oder ihren unbefleckten Mund gegen ihn aufthat. — Zuverlässig liebt der am meisten das Gute, als Gut, der es nie verließ. Kein Licht leuchtet so hell, als das Licht einer Seele voll Unschuld, und der Friede aus der Höhe übertrifft alle Vernunft und Erfahrung." Woldemar I. T. —

Beiläufig möchte ich bei dieser Gelegenheit an eine sehr vortreffliche Stelle in Jean Pauls „Briefen und bevorstehendem Lebenslaufe" S. 90. erinnern: Der doppelte Schwur, und die Neujahrsnacht eines unglücklichen Jünglings. Ein Text, über welchen jeder Vater und Erzieher heranwachsender Söhne oft kommentieren sollte.

18. Tadel und Prüfung der sogenannten neuen Pädagogik.

Andre Einwürfe sind nicht sowohl gegen eine Erziehungslehre überhaupt, als gegen das gerichtet, was man — höchst unbestimmt — neue Pädagogik oder pädagogische Neologie nennt, worunter man nicht sowohl die neuesten Bestrebungen auf diesem Gebiet, sondern vorzüglich die durch Rousseau und Basedow in Umlauf gebrachten Ideen und angestellten Versuche versteht. Man findet sie „teils zu künstlich, teils zu vielversprechend, teils zu frei, und wenigstens für junge Leute, die nicht für eine idealische, sondern für die wirkliche Welt erzogen werden sollen, unzweckmäßig und gefährlich. Sie möge zur Ausbildung des Menschen geschickt sein. Sie sei es auf keinen Fall zur Erziehung des Staatsbürgers*)." Hierin mag sehr viel Wahres sein, wenn man bei den Ideen einzelner Projektmacher und excentrischer Köpfe, und bei dem, was in einzelnen neueren Erziehungsanstalten versucht oder geschehen ist, stehen bleibt. Die zu heiße Bewunderung einiger an sich vortrefflichen, aber stellenweise mehr beredten als gründlichen Erziehungsschriftsteller, und der Enthusiasmus andrer, für die höchstnotwendige Verbesserung vieler herrschend gewordnen Ideen und Methoden hat sehr vielen Teil daran gehabt. Alles, was mit Pomp angekündigt und mit blindem Enthusiasmus aufgenommen wird, dürfte nach einiger Zeit das nämliche Schicksal haben. Es bleibt aber doch immer ungerecht, wenn man hierbei übersieht, daß 1. jene Mißbräuche nie die Billigung aller, und nur des größeren Teils der neuern Pädagogik erhalten, daß vielmehr die meisten von ihnen sich aufs kräftigste dem Unwesen widersetzt haben; daß 2. in Deutschland aus einer zu gewaltsamen, jedoch in dieser Form nur kurz dauernden Erziehungsrevolution gar

---

*) Von dieser Seite hat unter andern Rehberg in der Prüfung der Erziehungskunst, Leipzig 1792, die neuere Pädagogik angegriffen und viel Wahres über den Gegenstand gesagt. Aber auch sehr treffende Gegenerinnerungen von Trapp enthält die Kritik in der Neuen Allgem. deutsch. Bibl. II. Teil. Viele andere, z. B. Brandes Geist der Zeit, stellenweise auch Arndt und Niethammer in der Schrift über Philanthropinismus und Humanismus, stimmen in jenen anklagenden Ton. Bei dieser Gelegenheit wird von diesen Schriftstellern mitunter viel Gründliches gesagt. Nur weiß man oft nicht, mit wem sie eigentlich streiten, und vermißt Gerechtigkeit und Billigkeit. So ging es auch fast allen blinden Anhängern der Pestalozzischen Schule. Manche geberdeten sich, als hätten wir bis auf die neuste Zeit noch gar keine Idee von Menschenbildung und Unterricht gehabt. Gerade durch solche Übertreibungen ward auch dem Guten, was in der Sache war, am meisten geschadet. Eine unparteiischere Würdigung der bisherigen zum Teil wirklich nachteiligen Folgen der Rousseau-Basedowschen Erziehungsreformation, s. m. in Resewitz Gedanken und Wünschen, III. T. II. St. — Mehr hierüber am Ende des 3ten Teils.

bald eine recht glückliche Reformation hervorgegangen und schon jetzt
in ihren Folgen sehr heilsam geworden ist; daß es 3. im höchsten Grade
unbillig sein würde, wenn man die große Menge verbesserter Begriffe
über Erziehung, die segenvollen Wirkungen so mancher menschenfreundlichen
Versuche zum Besten des heranwachsenden Geschlechts, den besseren Geist,
der in Schulen und Erziehungsanstalten zu regieren angefangen hat, den
allgemeineren Eifer, der in allen Ständen rege geworden ist, verkennen und
die neuen Pädagogen als Menschen verschreien wollte, die nichts als
Übel gestiftet, weil es unter ihnen, wie in allen Ständen, auch manche
Thoren oder einige durch ihre Phantasie irregeführte Enthusiasten gegeben hat; daß 4. so manche unleugbare Übel, die unser Zeitalter charak-
terisieren mögen, namentlich die Tendenz zu einer Abwerfung aller der
Bande, in welche man sich vordem williger fand, ohne deshalb ein Sklave
zu sein, in ganz andern Ursachen ihren Grund hatten; daß wenigstens
die Pädagogik daran unschuldig ist, wenn es gleich wahr sein kann,
daß einzelne Pädagogiker diesen Geist der Zeit zu sehr begünstigt
haben.

19. Fortsetzung.

Allerdings gab es von jeher edlere Geister, welche die Erziehung
aus einem höheren Standpunkt betrachteten und eben so wenig ihren Erfolg bloß auf ein erträgliches Fortkommen des Zöglings in einer Welt,
wie sie nun einmal ist, als auf eine frühe Gewöhnung des Menschen,
sich zu fremden Zwecken als blindes Werkzeug gebrauchen zu lassen, beschränkten. Allerdings drangen diese darauf, daß die erste Aufmerksamkeit
des Erziehers auf das, wozu der Mensch von der Natur durch seine
Anlagen und die in ihm schlummernden Kräfte bestimmt ist, gerichtet sein
müsse, ohne sich dabei durch die zufälligen Umstände, unter welchen der
einzelne geboren ist, und die in der Welt herrschenden verkehrten Begriffe irre machen zu lassen. Nicht unterwerfen, sondern frei machen
wollten sie ihn von allen Verderbnissen des Zeitgeistes und zum Kampf
gegen sie rüsten. Aber gerade dies, was eben die gemeine Weltklugheit
als Anlage solcher Pädagogiker anführt, ist der größte Lobspruch für sie.
Denn 1. ist man ja in der Theorie darüber einig, daß es die Menschheit, oder die vernünftige Natur eigentlich ist, die billig in jedem
Menschen geehrt werden sollte, und daß alle Versuche, die von jeher von
Herrschern, Kriegern, Hierarchen, Philosophen, und wer sie sonst sein
mochten, gemacht wurden, einen Teil der Menschen um seine natürlichen
Rechte zu bringen und ihn bloß als Mittel zur Beförderung der Zwecke
anderer zu mißbrauchen, im hohen Grade zu mißbilligen, auch in ihren
Folgen höchst gefährlich geworden sind, indem durch alle solche Versuche
teils die Menschheit überhaupt in ihrer Bildung und ihrem Fortschritt
zum Höheren zurückgesetzt, teils der gedrückte Teil endlich zur Verzweiflung,

durch diese aber zu Maßregeln gebracht ward, wovon hernach viele Un-
schuldige das Opfer wurden. Wenn es also der Erziehung immer allgemeiner gelingen wird, jeden Menschen, vom Königssohne bis zum
Bauerknaben, diese wahre natürliche Gleichheit der Menschen
unter einander fühlen zu lassen — wobei von Aufhebung der Stände
und Umsturz aller bürgerlichen Ordnung gar nicht die Rede ist; — wenn
die höheren Stände zur Achtung der Menschheit in den niederen,
die niederen aber zum Gefühl der wahren Würde der menschlichen Natur, zum rechten Gebrauch ihrer Vernunft kommen
und dadurch Ordnung und Gesetz aus Überzeugung achten lernen: so
wird dabei nicht nur die allgemeinere Aufklärung gewinnen, sondern alle
Regierungen werden milder, alle Regierte unter dem Gesetz ruhiger, alle
Stände glücklicher werden. Alle guten Fürsten unsrer Zeit sehen dies
ein und äußern sich selbst laut darüber. Der Adel, welcher oft das
Werkzeug der Unterdrückung war, fängt allgemeiner an zu begreifen, daß
ihm Bildung, Humanität und weise Güte seine Rechte besser sichern, als
Pergamente und Stammbäume. Der Lehrstand überzeugt sich, daß er
seinen Namen schändet, wenn er lieber im alten Kastengeiste das Volk
in der Unwissenheit erhalten, als heilsame Erkenntnis verbreiten
will. Kann man in dieser Erscheinung den Einfluß einer liberaleren Erziehung verkennen, ohne Mangel an Beobachtungsgeist oder an unbe-
fangenem Urteil zu verraten? Kann man eine liberalere Pädagogik,
wenn dies zum Teil ihr Werk ist, verunglimpfen, ohne sich selbstsüchtiger
Absichten verdächtig zu machen?

20. Beschluß.

Wenn nun 2. alle die herrlichen Anlagen der menschlichen Natur
in jedem Zögling ausgebildet sind, so läßt sich auch erwarten, daß unter
diesen die Vernunft als die höchste am wenigsten versäumt sein werde.
Der vernünftige Mensch wird aber unfehlbar auch der beste Staatsbürger sein und die meiste gesellschaftliche Brauchbarkeit haben. Die
Vernunft, welche in ihm zur Oberherrschaft gelangt ist, wird zuvörderst
in ihm alle rohen Triebe, dann auch den Trieb nach Freiheit und Unabhängigkeit in Schranken halten. Sie wird ihn einsehen lehren, daß
der Mensch nicht bloß natürliche Rechte, sondern auch gesellschaftliche Pflichten habe, und diese durch die jedesmaligen Lagen und Umstände, wohin auch die Regierungsformen gehören, bestimmt werden. Sie
wird ihm zeigen, wie er diesen Pflichten am wohlthätigsten für das
Ganze ein Genüge leisten könne. So wird sie ihm den Gehorsam unter
das Gesetz erleichtern, ohne Sklavensinn von ihm zu fordern. Er wird
auf diese Art in jeder Lage seine innere Freiheit behaupten, eine vernünftige Freiheit um sich her befördern, und dabei dennoch weit entfernt
bleiben, alle bestehenden Verhältnisse ändern und die wirkliche Welt mit

einer idealischen vertauschen zu wollen. Haben manche neuere Erziehungsanstalten und Methoden zu sehr das letztere befördert, so muß in ihnen
keine harmonische Kultur der Kräfte beabsichtigt und das Gefühl
auf Unkosten der Vernunft ausgebildet worden sein. Allerdings aber
wird 3. einem so Gebildeten das träge Beharren bei der zum Teil
höchst traurigen Wirklichkeit nicht genügen, und er wird sich innerlich
berufen fühlen daran zu arbeiten, daß das Bessere immer mehr empor
komme und, wo nicht die Menschheit überhaupt, doch immer mehr einzelne Menschen von den mancherlei Fesseln frei werden, die sie drücken
und einengen. Das Ideal einer vollkommenen Gesellschaft wird ihm
vorschweben und ihn zu allem, was gut und groß ist, begeistern. Solche
Staatsbürger zu erziehen, ist die höchste Aufgabe, aber auch der Triumph
der Erziehung. Nicht alle wird sie auf diese Höhe zu erheben vermögen.
Nur in wenigen erscheint die Idee in der Wirklichkeit. Aber sie liegt
nicht außer den Grenzen dessen, was Menschen möglich ist, wie einzelne
große Erscheinungen in der Geschichte beurkunden.

Die weitere Ausführung dieser Andeutungen s. m. in der 3ten Beilage
zu diesem Teil, welche die Maxime: „man müsse den Menschen für die
wirkliche, nicht für eine ideale Welt erziehen," einer Kritik nach den vorstehenden Grundsätzen unterwirft.

4*

Der allgemeinen Erziehungslehre

Erste Abteilung.

Von der körperlichen Erziehung.

21. Wichtigkeit des Standpunktes.

Auf den edleren Teil der menschlichen Natur läßt sich in der ersten Periode des Lebens nicht unmittelbar wirken. Desto mehr verdient der Körper, auf dessen Organe die ganze Außenwelt einwirkt und durch sie eine innere Welt von Vorstellungen bildet, an welche aber auch alle Wirksamkeit des Geistes nach außen gebunden ist, von den ersten Momenten seiner Entwickelung bis zu seiner vollen Reife, die höchste Aufmerksamkeit der Erziehung. Diese betrachtet indes das Körperliche lediglich als Bedingung der Entwickelung des Geistigen. Daher unterscheidet sich der Pädagoge wesentlich von dem Arzt, der als solcher den Körper zunächst als ein Wesen, das den Naturgesetzen unterworfen ist, als eine Erscheinung in der Sinnenwelt beobachtet und behandelt und selbst bei psychischen Kurmethoden, die durch die Seele auf den Körper zu wirken versuchen, doch nur die Wiederherstellung des zerrütteten körperlichen Organismus zu seinem nächsten Zweck macht. Ihm kann es, so lang er sich bloß in seiner Sphäre hält, gleich gelten, ob die Kräfte, die er dem Kranken wieder giebt, die Glieder, die er für die animalischen Funktionen aufs neue geschickt macht, im Dienst der Vernunft oder der Unvernunft, der Tugend oder des Lasters wirksam sein werden. Für seine Kunst ist der Gewinn, einen Bösewicht, oder den verdientesten Mann im Staat aus einer hoffnungslosen Krankheit gerettet zu haben, gleich groß. Das Interesse, welches er an dem moralischen Menschen nimmt, nimmt er als Mensch, nicht als Künstler. In der Sphäre der Erziehung erscheinen alle körperliche Anlagen als Mittel, die Bildung des Höheren im Menschen aus dem Inneren hervortreten zu lassen und sie wirksam zu machen. Daher bemüht sie sich, daß der Geist so früh als möglich ein brauchbares Werkzeug erhalte und es gebrauchen lerne. Da sie nun bei allem, was zur diätetischen Behandlung der Kinder in den ersten und folgenden Jahren gehört, von dem Grundsatz ausgeht, daß in einem gesunden Körper eine gesunde Seele ungleich besser wirken könne, der Arzt aber gerade die körperliche Natur zu seinem Hauptstudium macht, so ist erziehenden Eltern und Lehrern sein Rat nichts weniger als entbehrlich. Und da in den gewöhnlichen Fällen die ersten Jahre der Kinder nicht sowohl unter den Augen fremder Erzieher, als unter den Augen der Eltern und besonders der Mütter verlebt werden: so ist für diese die ganze Theorie der körperlichen Er= ziehung, für den Privaterzieher und Schulmann vornehmlich der Teil, welcher sich auf das Knaben= und Jünglingsalter bezieht, von der höchsten Wichtigkeit.

22. Litterarische Vorarbeiten.

Seit den frühesten Zeiten hat man die Wichtigkeit dieses Teils der Erziehung anerkannt. Bei den älteren Völkern bestand die erste Erziehung ganz vorzüglich in Gymnastik des Körpers. Gerade hierin ist man unter den Neueren, besonders unter den gebildetsten Ständen, wenn man sie mit den Alten vergleicht, im allgemeinen bis auf unsere Zeit zurück= geblieben. Was in dieser Beziehung vielfach als wichtig erkannt worden ist, das wird jetzt fast in allen Unterrichts= und Erziehungsanstalten ins Werk gesetzt. Die Verständigen aller Zeit haben immer aufs neue darauf auf= merksam gemacht, und seit der besseren Bearbeitung der allgemeinen Pädagogik ist auch diese Theorie von Ärzten und Nichtärzten ernstlich bearbeitet worden, da ja keinem Beobachter der menschlichen Natur der innige Zusammenhang zwischen dem Körperlichen und Geistigen und dessen Wechselwirkung entgehen konnte, wie abweichend auch die Theorie von der innersten Natur desselben sein mochte. Alle erfahrnen Pädagogen haben die Wichtigkeit der körperlichen Gesundheit für die intellektuelle und moralische Erziehung eingesehen und einen sehr großen Teil der geistigen Gebrechen in der fehlerhaften Organisation oder temporellen Beschaffenheit des Körpers gefunden. Selbst die Moral hat nicht ohne gute Gründe die Schonung der Gesundheit durch die Rücksicht auf die Nachkommen= schaft motiviert, indem nur zu oft bei der Schwäche der Kinder und bei dem Mißlingen der treuesten Erziehung weit mehr die Eltern der Schwäch= linge, als ihre Erzieher anzuklagen waren. Daher hat man endlich über= all begonnen, auch in der Praxis die körperliche Erziehung gebührend zu bedenken und zu pflegen.

23. Erste Sorge für das Kind.

Die Sorge für eine glückliche Organisation, für Kraft und Gesund= heit des Kindes, geht bei Eltern, welche von der Heiligkeit ihrer Pflichten gegen die, welchen sie das Leben gaben, durchdrungen sind, von dem Moment der Empfängnis und der ersten Bildung vor der Geburt an. Die, welche selbst für die Erhaltung ihrer Kräfte und ihrer Gesundheit

in den Jahren der Jugend gesorgt haben, dürfen nach den Gesetzen der
Wahrscheinlichkeit auf eine gesunde Nachkommenschaft rechnen. So lange
die Mutter das Kind unter dem Herzen trägt, soll Rücksicht auf seine
freie Entwickelung, gesunde Nahrung, sorgsame Beschützung vor physisch
und moralisch schädlichen Eindrücken ihre ganze Lebensordnung leiten.
Sie soll sich selbst bewachen, schonen, so viel es möglich ist vor leiden=
schaftlichen Zuständen hüten und ihrer hohen Bestimmung jede sinnliche
Neigung und jeden schädlichen Hang zum willigen Opfer bringen.

Anmerk. Hufeland, guter Rat an Mütter; Klencke, das Weib als
Gattin; Bock's Buch vom gesunden und kranken Menschen; Budge, Kompendium
der Physiol. des Menschen; Wundt, Physiologie.

24. Die Nahrungsmittel in dem frühesten Lebensalter.

Das früheste Bedürfnis des Kindes ist Nahrung. Wohl ihm,
wenn es die erste an der Brust einer solchen Mutter findet, die mit dem
Gefühl ihrer ganzen Pflicht zugleich das Gefühl von Kraft und Ge=
sundheit verbinden kann. Denn nur wo beides zusammentrifft, ist
Muttermilch heilsam, bei dem Mangel an eigner Gesundheit kann die
an sich achtungswerte Erfüllung der natürlichen Pflicht oft tötend für
Mutter und Kind werden. Gleich wichtig ist für den Säugling teils
die eigne Vorsicht der stillenden Mutter auf die Nahrung, die sie —
anfangs leichter, nach und nach nährender — selbst genießt, teils
Sorgfalt in der Wahl und dem Maß der ersten Nahrungsmittel
des Kindes, und strenge Aufsicht auf die so oft unverständlich zärtlichen
Ammen und Wärterinnen, die sehr oft durch unzweckmäßige Ernährung
in Bezug auf Verdaulichkeit, Temperatur und Menge der Nahrungsmittel
die Entwickelung der Kinder vorübergehend oder selbst für das ganze
Leben beeinträchtigen. Leider ist es unzweifelhaft, daß die Zahl der
Mütter, die ihre Kinder ausreichend an der Brust nähren können, sich
immer mehr verringert hat; es ist deshalb ein notwendiges Studium
geworden, zweckentsprechenden Ersatz für die Muttermilch zu schaffen.
Aus der zahlreichen Litteratur heben wir hervor:

Ammon, die ersten Mutterpflichten und die erste Kindespflege, Leipzig 1876,
20. Aufl.; Bock's Buch rc.; Dietrich, Ernährung und Pflege des Kindes dsgl.
Breslau, Klencke, Piringer, Nahrung und Pflege der Neugebornen; Plath's
Briefe an eine junge Mutter; Gesundheitspflege des Kindes von Rahm. Nützliche
Winke enthalten die Werke von Henoch, Gerhard u. A. und der jährlich
erscheinende Hebammenkalender von Pfeiffer in Weimar. (Böhlau). Fleisch=
mann, Ernährung und Körperwägungen der Neugeb. und Säuglinge, W'en 1877;
Fürst, das Kind und seine Pflege, 1876. Briefe eines Arztes an eine junge Frau.

Anmerk. Merkwürdig ist das, was schon die Alten über das Selbststillen
der Mütter und die fremden Ammen geurteilt haben, beim Aul. Gellius Noct.
Attic XII. 1. Oro te — sagt dort ein griechischer Philosoph zu einer Mutter,

die ihre Tochter von der Pflicht lossprechen will, — oro te, mulier, sine eam
totam et integram esse matrem filii sui. Quid est enim hoc contra naturam
imperfectum atque dimidiatum matrum genus, peperisse ac statim ab se
abiecisse? Aluisse in utero sanguine suo nescio quid, quod non videret:
non alere nunc suo lacte, quod videat, iam viventem, iam hominem, iam
matris officia implorantem? Man vergleiche das ganze Kapitel mit dem, was
alle neuern Erziehungsschriftsteller und Ärzte so kräftig über diesen Gegenstand,
mitunter nicht ohne Übertreibungen, gesagt haben.

25. Nahrungsmittel im zunehmenden Alter.

Die in den ferneren Jahren der Kindheit und Jugend zu
beobachtende Lebensordnung betreffend, so sind die verständigsten Ärzte
und Erzieher über gewisse Maximen fast allgemein einverstanden. Zunächst liegt es den Eltern, besonders den Müttern, ob, sie in Ausübung
zu bringen. Nur zu oft überlassen es diese unverständigen Personen,
darüber willkürlich zu schalten. Noch öfter sind sie aus mißverstandener
Liebe zu schwach, irgend einer Lüsternheit der Kinder entgegen zu arbeiten,
und schaden ihnen dadurch nicht bloß körperlich, sondern selbst moralisch.

Anmerk. Folgendes sind die wichtigsten hierher gehörigen Bemerkungen:

1. Es gehört zu den Vorzügen der körperlichen Natur des Menschen, daß er
sich an die größte Mannigfaltigkeit der Nahrungsmittel gewöhnen, beinahe
alles vertragen und sich dabei wohlbefinden kann. Je früher er daher, wiewohl
auch hier stufenweise, an alles gewöhnt ist, desto unabhängiger wird er in dem
folgenden Leben, wie von der äußern Lage und seinem Wohnort, so auch von der
Kost sein; er wird überall genug finden, sich zu sättigen und dabei gesund zu bleiben.
Ängstliche Künstelei in der Wahl der Speisen und peinliche Vorenthaltung dessen,
was erst durch Versagung Reiz gewinnt, ist daher in der Erziehung mehr nachteilig
als nützlich, und Nachsicht gegen Kinder, die bald dies, bald jenes nicht essen
wollen, — die seltnen Fälle eines unüberwindlichen Ekels abgerechnet, — ist allezeit Verziehung, sowie Belohnungen durch Leckerbissen das sicherste Mittel, sie
lecker und naschhaft zu machen.

2. Wenn indes die Rede von dem ist, was, wo die Wahl keine Schwierigkeit hat, dem Kindes- und Jugendalter mehr als manches andre zuträglich sein
möchte: so sind unstreitig einfache Nahrungsmittel sehr zusammengesetzten,
nährende, aber dabei leicht verdauliche den harten unverdaulichen, wenig gewürzte
und mäßig gesalzene dem Gegenteil vorzuziehen. Vegetabilien sind den früheren,
Fleischspeisen mehr den reiferen Jahren angemessen, und doch werden beide
Gattungen am besten schon früh in gehörigem Verhältnis mit einander verbunden.

3. Das Maß der Speisen sollte sich im natürlichen Zustande nach der
Eßlust bestimmen, und die Überschreitung desselben hat meistenteils Kränklichkeit,
der man entgegenarbeiten sollte, zuweilen auch Verwöhnung zum Grunde. Allgemeinere Regeln lassen sich darüber nicht geben.

4. Es ist gewisse Ordnung in dem Knaben- und Jünglingsalter festzusetzen,
indem teils die Gesundheit dabei gewinnt, wenn der Magen nicht zu aller Zeit
und Stunde mit Speisen angefüllt wird, teils die bestimmte Zeit die Natur
von der Neigung entwöhnt, fast stündlich etwas zu essen, die sonst so leicht durch
jeden Anlaß, oft schon aus Langeweile erwacht, und nur zu häufig von schwachen
oder eigennützigen Dienstboten, auch wohl andern Hausfreunden und Verwandten
genährt wird. Dabei würde es, nach unsrer einmal angenommenen Art zu leben,

am ratsamsten sein, die Hauptmahlzeit auf den Mittag zu legen, die Abend-
mahlzeit aber kurz und leicht einzurichten, weil späte Überladung dem Erquickenden
des Schlafs hinderlich ist, auch noch manche andre Übel nach sich zieht. Es ist

5. zugleich gesunder, langsam zu essen, als die Speisen unzermalmt hin-
abzuschlucken; eben darum hat man sich auch vor allen heißen Speisen zu hüten
und nicht durch zu viel Getränk während der Mahlzeit den Magensaft zu
verdünnen. Auch würde dies allein schon ein wichtiges Präservativ der Zähne
sein, welche durch den Wechsel heißer und kalter Getränke unglaublich leiden, so
daß hier schon der Grund zu einem der peinigendsten und doch allgemeinsten
körperlichen Übel gelegt wird. Es kann überhaupt auf diese in so vieler Hinsicht
wichtigen Teile des Körpers nicht genug vernünftige Sorgfalt durch Reinigung
gewendet werden, da es so viele Anlässe ihrer Verderbnis giebt.

6. Unter den Getränken ist reines Quellwasser das vorzüglichste und selbst
in reichem Maß, auch außer der Mahlzeit genossen, wohlthätig für den Körper.
Viel Wein, gebrannte Wasser und andre erhitzende Getränke gehören
durchaus nicht für die Jugend. Wein mit Wasser gemischt würde noch am unschädlichsten und für manche Konstitutionen stärkend sein. An die warmen aus-
ländischen Getränke (Thee, Kaffee, Schokolade) sollte man die Jugend
gar nicht gewöhnen, und man erwirbt sich ein Verdienst, wenn man die schon
Verwöhnten zurückbringt. Junge Leute tauschen sie bereitwillig gegen frische Milch
aus, wenn sie das Beispiel nicht ansteckt.

7. S. Bock, Volksgesundheitslehre.

26. Natürliche Absonderung.

Was zur Erhaltung und Ernährung von den genossenen Nahrungs-
mitteln nötig ist, bleibt nach einer weisen Einrichtung der Natur in dem
Körper zurück; das übrige davon Abgesonderte wird auf verschiedenen
Wegen ausgeführt. Es gehört wesentlich zur Gesundheit, daß jene
Absonderung vor sich gehe und diese Ausführung durch nichts ge-
hemmt werde. Eine gewisse Aufmerksamkeit darauf darf dem sorgfältigen
Erzieher nicht zu unwichtig dünken, und er kann auch seine Zöglinge
selbst nicht früh genug darauf aufmerksam machen.

Anmerk. Im einzelnen bemerke man:

1. In Hinsicht der natürlichen Absonderung aus den Gedärmen und
der Blase ist eine mit den Jahren immer festere Gewöhnung an eine gewisse
Regelmäßigkeit, — die Ausleerung des Darmkanals Morgens nach dem Aufstehen,
die Ausleerung der Blase von den frühesten Jahren an auch unmittelbar vor dem
Schlafengehen, — Verhütung aus gewaltsamen Zurückhaltens aus Bequemlichkeit
oder Hang zum Spiel, wovon man sich keinen Augenblick abmüßigen will, —
schnelle Hilfe, sobald die Ordnung der Natur unterbrochen ist, mehr durch Bewegung und erweichende Speisen, als durch Arzeneien und künstliche Mittel, vorzüglich zu empfehlen. Ist gleich

2. die Absonderung mancher Feuchtigkeiten durch die Nase an sich natürlich
und notwendig, so wird doch der künstliche Reiz, besonders durch den Gebrauch
des Schnupf- und Rauchtabaks, in den früheren Jahren äußerst nachteilig, da
namentlich der Speichel von der Natur zur Verdauung bestimmt ist. Es ist daher
eine gute Eigenschaft mehr an einem Erzieher, wenn er durch kein Beispiel bei den
Zöglingen von diesen an sich unnatürlichen Bedürfnissen, deren Befriedigung mit
so viel ekelhafter Unsauberkeit verbunden ist, auch nicht einmal die Idee erweckt.

3. In Hinsicht der Ausdünstung des ganzen Körpers, wodurch die freie Thätigkeit aller Glieder so sehr befördert wird, ist alles zu verhüten, was sie unnatürlich hemmt, alles zu thun, was sie mäßig unterhält. Hierzu gehören sanfte Bewegungen, vor allen andern aber Reinlichkeit des ganzen Körpers, welche durch vieles Waschen, Baden, tägliche Reinigung des Kopfes, häufigen Wechsel der Wäsche, nie genug befördert werden kann.

Es ist nicht auszusprechen, wie viel körperliche Übel, — der moralischen hier noch nicht zu gedenken — aus der gleichwohl in den vornehmeren Ständen selbst nicht genug vermiedenen und oft nur durch Flitterstaat verhüllten Unreinlichkeit entstehen, und wie sehr man auch von dieser Seite sorgfältig in der Wahl der Personen sein sollte, denen man zuerst die Kinder zur Wartung und Pflege übergiebt. Am allersichersten wäre das Kind in den Händen der Mütter, denen man wenigstens Sinn für eine Sache zutrauen sollte, mit der gewissermaßen alle Civilisation anfängt, und die manche alte Gesetzgeber sogar zu einer religiösen Tugend erhoben haben. — Bei herrschender Unreinlichkeit des Körpers, wo und wie sie sich auch äußere, leidet die Gesundheit unfehlbar, (S. Platneri Opusc. p. 70. de morbis ex immunditiis und Murhard Reise S 169. 171. 181.), und oft erliegt alles Aufstreben des Geistes, alle Heiterkeit der Seele unter ihren peinigenden Folgen. (S. Arrian. in Epict. Diss. L. IV. c. II.) Ein reiner Körper fühlt sich wohl, und das Gefühl des Wohlseins erleichtert alle Erziehung. Selbst Ekel an dem moralischen Unreinen kann dadurch begründet werden, so wie liederliches Gesindel in der Regel im Schmutz lebt. (S. Garve Anhang zu Macferlan über die Armut. S. 190.) Eben daher kann man auch durch sehr frühe Gewöhnung sogar Tieren, wie vielmehr Kindern, die Reinlichkeit bald zur andern Natur machen. Das tägliche, wenigstens öftere Abwaschen des ganzen Körpers mit lauem, nach und nach kälterem Wasser hat noch daneben etwas Stärkendes und wird, selbst in reiferen Jahren, besonders wo eigentliche Bäder Schwierigkeit machen, fortgesetzt, eine wohlthätige Wirkung haben und kann nicht dringend genug empfohlen werden.

4. Dagegen wird alles unnatürliche Warmhalten des ganzen Leibes oder einzelner Glieder möglichst zu verhüten, und wo darin gefehlt ist, die das Gleichgewicht wieder herstellende Ausdünstung noch weniger zu unterdrücken sein.

27. Gesunde Luft.

Die Beschaffenheit des Elements, worin wir leben und atmen, steht nur zum Teil in unsrer Gewalt. Man muß daher junge Leute bei Zeiten gewöhnen, alle Veränderungen der Luft zu ertragen, und sie dadurch vor der unglücklichen, wiewohl oft nur eingebildeten Empfindlichkeit bei jeder Abwechslung der Witterung bewahren. Sie müssen frühzeitig kein Wetter scheuen und gerade bei unangenehmer, selbst naßkalter Witterung, eben sowohl als bei der angenehmsten sich im Freien bewegen lernen, weil gerade dann die wohlthuende Ausdünstung sparsamer zu erfolgen pflegt, da indes der Einfluß der Luft und Gesundheit und Heiterkeit des Geistes unläugbar ist, und eben daher das Klima so bedeutende Verschiedenheit unter den Menschen bewirkt: so darf es auch bei der Erziehung nicht gleichgültig sein, welche Luft die Kinder am meisten einatmen. Man muß dafür sorgen, daß die Wohn- und Schulzimmer, insonderheit aber die Schlafzimmer, gesunde Luft haben, und wo sie verdorben ist, durch Luftzug gereinigt werden; man muß dieser

gefunden und frischen Luft den Weg zu den Schlafstellen nicht durch
Umhänge versperren, auch am Tage muß die Wärme des Zimmers
gemäßigt sein und nie über 16° R. steigen. Man muß so viel als
möglich Sorge tragen, daß, besonders des Nachts, nicht zu viele Personen
in einem engen Raum beisammen sind, oder gar zwei — wohl gar, wie
so oft selbst in Familien der Fall ist, gesunde und kränkliche — ein
Bette teilen. Zimmerluft durch aromatische Räucherungen zu verbessern,
ist unpraktisch, selbst was man durch Wohlgeruch zur Verbesserung der
Luft beitragen will, muß mit Vorsicht angewendet werden. Zu starke
Ausdünstungen, besonders der Pflanzen, schwächen die Nerven und können
Ohnmachten zur Folge haben.

  Anmerk. Der Einfluß der Pflanzen auf die Luft ist ein doppelter. Unter
dem Einfluß des Lichtes und besonders des direkten, nehmen die Pflanzen Kohlensäure aus der Luft auf, hauptsächlich durch die Blätter und die grünen Organe,
zerlegen diese und erzeugen aus ihr und dem ebenfalls aufgenommenen Wasser
organische Substanz, zunächst Stärke. Dabei bleibt ein Überschuß von Sauerstoff,
der je nach der Intensität des Lichtes in geringerer oder größerer Menge zur Aus-
scheidung gelangt. Es wird also durch die Pflanzen die Luft an Kohlensäure ärmer
und an Sauerstoff reicher, mithin besser werden. Neben diesem wesentlichsten
Assimilationsprozeß der Gewächse verläuft die Atmung ähnlich wie bei den Tieren.
Besonders durch die Spaltöffnungen in den Blättern tritt Sauerstoff in das Gewebe,
leistet mechanische Arbeit und wird dadurch zu Kohlensäure oxydiert, welche die
Pflanze ausscheidet. Der erstere Vorgang, die Zerlegung der Kohlensäure in der
Pflanze ist abhängig vom Licht und verläuft nur am Tage, der letztere auch während
der Nacht. Am Tage überwiegt aber die Sauerstoffausscheidung sehr bedeutend,
während im Dunkeln das Gegenteil der Fall ist. So muß man zugeben, daß in
der That der Aufenthalt in einem Gewächshaus während der Nacht nachteilig sein
kann, während einige Topfpflanzen im Fenster kaum bemerkenswerten Einfluß ausüben werden.

  Besonders energische Ausatmungserscheinungen zeigen die Blüten, und die
von diesen abgegebenen Kohlensäuremengen mögen wohl das Betäubende bedingen
können.

  Pettenkofer, Über den Luftwechsel in Wohngebäuden, München 1858.
Wolpert, Principien der Ventilation und Luftheizung, Braunschweig 1860.
Degen, Prakt. Handbuch für Einrichtungen der Ventilation und Heizung, München
1869. Berger, Moderne und antike Heizungs- und Ventilationsmethoden, Birchow-
Holzendorf, 112, 1870. Herter, Über die Ventilation öffentlicher Gebäude,
Vierteljahrsschr. für w. Medizin, 1874. Schmidt, der Meidinger- und der
Wolpertofen, Deutsche Vierteljahrsschr. für Gesundheitspflege, VII. 1875. Geigel,
Öffentl. Gesundheitspflege. Lex u. Roth, Militär-Gesundheitspflege, 1872—77.
Hirt, System der Gesundheitspflege, Breslau 1876. — Groß, 2 Gesundheits-
fragen. I. Die Schule. Grundzüge der Schulhygieine. Ellwangen 1877. Baginsly,
Handbuch der Schul-Hygieine. Berlin 1877.

28. Bekleidung.

Der Körper bedarf zwar an sich, auch in unserm Klima, ungleich weniger Bedeckung, als ihm Herkommen oder Eitelkeit zu geben pflegt; aber er bedarf ihrer doch auf jeden Fall, und es ist, besonders in den Jahren des Wachstums, nicht gleichgültig, wie man ihn kleidet. Je näher man der Natur bleibt, desto besser sorgt man für seine Er- haltung, Stärkung und die für so viele Fälle des Lebens wichtige Abhärtung. Wenn gleich auch hierbei sehr viele Eltern noch zu oft ihre eigne Modesucht oder die Nachsicht mit den eitlen Wünschen der Kinder selbst leitet, so wird doch bei manchen der vernünftige Rat des Erziehers nicht ohne Eindruck bleiben und, wenn auch nicht auf einmal, doch nach und nach eine bessere Einrichtung getroffen werden.

Anmerk. Die Hauptregeln sind:

1. Je jünger die Kinder, desto entfernter bleibe alles von ihrem Körper, was die freiere Bewegung, Ausdünstung und Entwickelung ihrer Glieder einschränken würde. Nichts von engen, die Muskeln zusammenpressenden Kleidern, Halsbinden, einzwängenden Schnürbrüsten, Schnallen und Bändern, deren Druck und Zwang man zwar endlich nicht mehr bemerkt, die aber nichtsdestoweniger schädlich bleiben. Alles, womit man die Kinder kleidet, sei leicht, weit, frei, und füge sich in jede Form und Dehnung der natürlichen Beweglichkeit. Über die Schädlichkeit der Schnürbrüste und der engen Schuhe ist man durchweg einig.

2. Man belade Kinder mit nichts, was überflüssig ist, was sie in allen Arten jugendlicher Behendigkeit hindert oder körperliche Übungen wohl gar gefährlich macht, wie z. B. lange Röcke und schweres Fußwerk.

3. Man muß besonders bei schwächlicheren Kindern Rücksicht auf Jahreszeit und Witterung nehmen; aber doch so wenig als möglich. Der Mensch kann unter jeder Zone leben; wie sollte er nicht lernen die Wechsel der Jahreszeit in seiner Zone ertragen? Kopf, Hals und Brust können ohne Gefahr bei gesunden und früh hart erzogenen Kindern immer bloß sein. Selbst die Füße sind es bei ärmeren Kindern in strengerer Kälte sehr oft, und sie kränkeln nur desto weniger; indes die Kinder der Reicheren, so oft etwa Mantel, Pelz und Socken vergessen sind, wochenlang am Katarrh leiden, weil die wohlthuende Kälte der Luft nie durch solche Bollwerke bringen kann, folglich — wenn sie es einmal thut — nicht stärkt, sondern erkaltet. Das meiste, was die Ärzte über Warmhalten einzelner Teile, Verhüten der Erkältung, Vermeiden rauher Herbst- und Winterluft erinnern, müssen sie thun, weil auch von dieser Seite weit mehr Menschen in den höheren Ständen verzogen als erzogen sind.

4. Je wichtiger die Ausdünstung des Körpers ist, desto wichtiger ist's, daß alle die kleinen Öffnungen auf der Oberfläche der Haut auch wirklich offen bleiben. Ein täglich durchgekämmtes Haar und eine reine Haut schmücken Knaben und Mädchen in den Jahren des Kinder- und Jünglingsalters mehr, als alles, was ihnen die Erfindungen der Mode und des Luxus geben können.

5. Auch während des Schlafes sei die Bedeckung nur hinreichend, eigentlich schädliche Erkältung zu verhüten. Hartes Lager auf Matratzen und leichte Über- decken sind allgemein anerkannt den gewöhnlichsten Federbetten weit vorzuziehen. Gesunde Kinder fragen beinahe gar nicht darnach, worauf sie liegen. Auch Ver- wöhnte sind bald zurückzubringen. Die Neuheit reizt, und der gesunde Schlaf läßt die Unbequemlichkeit nicht bemerken.

Alle diese Regeln können beobachtet werden, ohne daß es nötig wäre, sich auffallend von dem Üblichen zu entfernen. Durch pädagogische Tändeleien, sonder-

bare Anzüge, Verachtung gewohnter Formen u. ſ. w. ſchadet man immer der wahren
Pädagogik und macht ſich der Liebe zum Sonderbaren verdächtig.

Ohnehin ſind wir in der Belleidung der Kinder vernünftiger als die Vorzeit geworden.

29. Bewegung des Körpers.

Bewegung erhält nicht nur den Körper geſund, ſondern gewiſſe
Arten der Bewegung machen ihn auch durch Ausbildung zu ſehr vielen
Zwecken brauchbar, für welche er ohne ſie unbeholfen geblieben ſein würde.
Je jünger Kinder ſind, deſto mehr bedürfen ſie dieſer Ausbildung, und
deſto unnatürlicher iſt es, wenn man von ihnen Ruhe, Stillſitzen, langes
Ausdauern in einer Stellung fordern oder ihnen wohl gar zum Verdienſt
anrechnen wollte. Im Gegenteil ſollte man ſich ihrer Beweglichkeit und
Unſtätigkeit, als des ſicherſten Merkmals ihrer Geſundheit, ohne die alle
noch ſo ſchönen Anlagen und Kräfte wenig wert ſind, freuen. Noch ehe
ſie allein gehen lernen, würde es weit vorteilhafter ſein, ſie auf dem
Fußboden — beſonders im Freien auf Raſen — ihre erſten Bewegungen
verſuchen zu laſſen, als ſie auf dem Arm in Kindermäntel gehüllt, zu-
ſammenzudrücken, oder an Leitbändern umherzuziehen oder gar in Gängel-
wagen einzuſperren. Auch nach dieſer Zeit bleibt die allgemeine Regel,
ſie oft zur Bewegung, beſonders in freier Luft, zu veranlaſſen, ihnen in
früheren Jahren wenig Beſchäftigungen zu geben, wobei ihre Körper
lange Zeit in derſelben Lage ſtehend oder ſitzend bleiben muß; dabei
aber zugleich darauf zu denken, wie man durch die mannigfaltigen Arten
der Bewegung noch manche andere körperliche Vollkommenheit befördern
könne, oder mit einem Wort — die Gymnaſtik zu ſtudieren.

30. Anfangspunkt der Gymnaſtik. Beherrſchung des Körpers.

Einer der Anfangspunkte der Gymnaſtik iſt frühe Gewöhnung
der Kinder, ihren Körper beherrſchen zu lernen. Es iſt möglich, es auch noch in reiferen Jahren dahin zu bringen, daß man durch
Raiſonnement und ſtete Aufmerkſamkeit auf ſich ſelbſt Gewalt über ſeine
körperlichen Empfindungen und Bewegungen gewinne. Auch die Not lehrt
manches ſpäter, was früher verſäumt iſt. Aber es iſt ungleich ſchwerer
und gelingt vielleicht nie ſo, als wenn es durch Gewohnheit zur andern
Natur ward.

Anmerk. Gewöhnlich iſt man in dem früheren Alter der Kinder ganz
unaufmerkſam auf die Bewegung und Haltung ihres Körpers, ausgenommen, wenn
man etwa fürchtet, daß ſein Wachstum oder ſeine Geſundheit darunter leiden
könnte. Erſt, wenn man es für nötig findet, daß ſie das, was unter erwachſenen
Perſonen für üblich und ſchicklich gehalten wird, ebenfalls beobachten ſollen, fängt
man an, ſie daran zu erinnern, zu meiſtern, zu tadeln; und einen je höheren Wert
Eltern gerade darauf ſetzen, deſto öfter begegnet es ihnen, eine ſchiefe Stellung,

eine ungeschickte Verbeugung weit strenger zu rügen, als die Entstellungen der Seele durch Abweichung von der Geradheit und Wahrheit des Charakters.

Aber weit früher sollte man darauf aufmerksam sein. Denn gewisse Vernachlässigungen des Körpers hängen mit dem Innern genauer zusammen, als man meint. Sie gehen von inneren Zuständen aus und wirken, zur Gewohnheit geworden, auf innere Zustände zurück.

Beispiele werden dies deutlicher machen:

1. Das Kind, das sich selbst auf den Füßen halten, gehen, laufen kann, — wenn es aufrecht geht, sich von einem Ort zum andern langsamer oder schneller bewegt, springt, klettert, gerade sitzt, und etwas vornimmt, — drückt durch das alles eine gewisse innere Thätigkeit aus. Sein Gedanke und sein Wille sind auf irgend etwas gerichtet. Es merkt auf, will nach einem ihm vorschwebenden Ziel, hebt sich freudig über den Boden, drückt seine Lust, seine Freude, seine Hoffnung, seine Furcht, seinen Schmerz aus; will eine Höhe erstreben, will zeigen, daß es fremder Hilfe entbehren kann, will etwas zustande bringen, besitzen, aufmerksam anhören, was andere sagen, bei sehr reger Geistesthätigkeit, z. B. dem Kopfrechnen, den Gedanken, den es sucht, aus dem ersten besten Gegenstande, den die Hand oder der Mund faßt, der Feder, dem Taschentuche, gleichsam herauszwingen. Der ganze Körper, nicht bloß das so oft sprechende Gesicht, hat etwas Physiognomisches und Mimisches, die wortlose Sprache der Natur. — Aber ist das auch der Fall, wenn das Kind in diesem Alter, wo es seinem Körper eine gewisse Haltung zu geben imstande ist, sich entweder auf der Erde, oder auf Stühlen, Kanapees, Sofas, auf dem Schoße der Mutter in unruhiger Bewegung herum wirft, oder unaufhörlich, ohne bestimmten Zweck, von einem Stuhle auf den andern steigt? — Drückt sich in diesen Bewegungen und Stellungen irgend etwas anderes aus, als die Langeweile oder ein dumpfes, halb bewußtloses Hinbrüten, in welchem Ideen und Bilder ohne Zusammenhang und Ordnung durch einander laufen? Und doch können Kinder sich so daran gewöhnen, daß sie ganze Stunden, oft einen beträchtlichen Teil des Tages in diesem Zustande ohne Haltung zubringen! Die Mutter, die Wärterin, die älteren Geschwister sitzen daneben und können freilich ihr Geschäft besser treiben, als wenn das Kind in einer positiven Thätigkeit wäre. Aber für seine Bildung geschieht dann doch gewiß nichts; es legt im Gegenteil hier den Grund zu einem Übel, daß so vielen hernach immerfort anhängt: den Zustand der Gedankenlosigkeit und Geschäftslosigkeit ertragen zu können. Oft erzeugt sich auch gerade hier ein noch schlimmerer Mißbrauch des Körpers. Der Knabe, das Mädchen, das im Kinderkleide sich so herumwälzt, fällt (freilich anfangs in seiner Unschuld) in unanständige Stellungen, nach und nach in unanständige Spiele seiner unbeschäftigten Natur. Und nur zu oft trägt her zu! so schuldlose Mutwille der Umstehenden, der Wärterinnen, der größeren Geschwister selbst dazu bei, die Gefühle der Sittsamkeit und Schamhaftigkeit (die nicht zart genug behandelt werden können) recht früh zu ersticken.

Man lasse daher Kinder lieber den ärgsten Lärm treiben, als sie in einen solchen Zustand versinken. Man mache es ihnen durch Gewöhnung zur andern Natur, so bald sie ihren Körper selbst tragen und frei bewegen können, ihm immer eine Haltung zu geben, die eine bestimmte Geistesthätigkeit ausdrückt, oder mit einer bestimmten äußeren Thätigkeit verbunden ist.

2. Auch in den reiferen Jahren, — im Knaben- und Jünglingsalter — ist es wichtig, gewissen Angewöhnungen, zu denen manche sonderbar geneigt sind, entgegen zu arbeiten. Der eine kann kaum einige Minuten still stehen, ohne sich hier oder da anzulehnen, mit den Händen eine immer wiederkehrende Bewegung zu machen, oder den Kopf h'n und her zu wiegen; ein anderer hat unaufhörlich an seiner Kleidung, seiner Wäsche, seinem Haar etwas zu zupfen, zu drehen, zu

kräuseln; ein dritter kann sich nicht setzen, ohne den Sessel in Bewegung zu bringen, etwas nahe Liegendes zu ergreifen, mit den Fingern zu spielen, zu klappern, zu scharren, den Fuß auf die Zehen zu stellen und die oscillierende Bewegung bis zum Knie fortzupflanzen, — und was der Manieren mehr sind, die alle darin zusammentreffen, daß man den Körper nicht in der Gewalt hat, und ihn ganz unwillkürlichen oder zwecklosen Bewegungen hingibt. Daß alles dies wider die einmal angenommenen gesellschaftlichen Sitten sei, ist allgemein anerkannt; aber die Verwöhnung greift tiefer ein. So wie sie bei sehr vielen bald von der Zerstreutheit, bald von der Verlegenheit ausgeht, so unterhält sie zugleich beide innere Zustände. Sobald der unruhige Körper in seine angewöhnte Bewegung gerät, so entfernt sich zugleich die Aufmerksamkeit, und sie kehrt zurück, wenn er wieder zur Ruhe kommt. Man könnte vielleicht sagen, es gehe hier selbst den Herangewachsenen wie den kleinen Kindern, die durch die eiförmige Bewegung der Wiege leichter in Schlummer gebracht werden. Denn auch in jenen angewöhnten Bewegungen ist etwas Einförmiges und daher Einschläferndes für die innere Geistesthätigkeit.

Man wird vielleicht einwenden, daß diese Beweglichkeit das Zeichen eines lebendigen Geistes sei, und daß gerade die Kinder, denen es am schwersten werde, still zu stehen, still zu sitzen, eben wegen der inneren Regsamkeit und Lebendigkeit am ersten in diese Fehler verfielen, die man bei stumpfen Kindern selten wahrnehme. Aber diese Art von Munterkeit ist ganz etwas anderes, als die so eben beschriebenen fehlerhaften Angewöhnungen. Gerade ihre Gleichförmigkeit beweist schon, daß sie oft eben sowohl von einem trägen, als von einem lebhaften Geiste ausgehen, indem dieser unfähig ist, lange in demselben Zustande zu verharren.

Sei also der Erzieher und Lehrer — denn auch dieser wird beim Unterrichte recht oft durch jene üblen Angewöhnungen gestört werden — früh darauf bedacht, sie nicht einreißen zu lassen, oder, wo dies geschehen ist, davon zurück zu bringen! Man kann dafür stehen, daß ein Schüler, der in diesem Sinne Herr seiner körperlichen Bewegungen ist, dem Unterrichte mit einer weit ungeteilteren Aufmerksamkeit folgen werde.

3. Wo die Vernachlässigungen und Unschicklichkeiten von Verlegenheit und Blödigkeit ausgehen, sind sie schwerer zu hindern. Aber auch hier kann die trübe Gewöhnung viel thun. Man wird jungen Leuten, die sehr jung zum Militär gekommen sind, die Blödigkeit — die sie oft im hohen Grade haben, — weit weniger als andern anmerken, weil sie unablässig geübt sind, ihrem ganzen Körper eine feste Haltung zu geben, die zwar etwas Steifes und Gezwungenes ausdrücken kann, aber die innere Unbeholfenheit, so lange sie nicht reden, verbirgt. Vor allem hüte man sich, solche blöde und verlegene Zöglinge da, wo sie sich breit zeigen sollen, selbst merkbar zu beobachten. Dies vermehrt nur ihre Verlegenheit, und sie benehmen sich in der Regel natürlicher, je weniger man sie beobachtet.

31. Wichtigkeit der Gymnastik für die Erziehung.

Wenn die Gymnastik auch nicht so viele andere Vorteile verspräche, so würde sie schon als eins der wirksamsten Mittel, Gewalt über den Körper und Geist zu erlangen, zu empfehlen sein. Denn gerade darin zeigt ja der gymnastische Künstler seine Vollkommenheit, daß er mit der höchsten Besonnenheit jede körperliche Kraft zu einem bestimmten Zwecke, dessen er sich deutlich bewußt ist, zu benutzen, sich durch alle Abstufungen des Anstrengens und Nachlassens hindurch zu arbeiten, jeden Vorteil wahrzunehmen, und endlich das Unglaubliche durch nach und nach erworbene Gewandtheit und Fertigkeit auszuführen imstande ist. So

bald und ſo lange er ſich bei ſeinen Übungen zerſtreut, ſchwebt er in
Gefahr. Aber gerade die Gefahr lehrt ihn, ſich innerlich zu ſammeln,
und dem Äußeren Haltung zu geben. Doch das Gebiet der Gymnaſtik
iſt noch weit größer. Sie begreift alle Übungen, welche auf Bildung
und Stärkung des Körpers abzwecken. Die Schätzung derſelben bei den
beiden merkwürdigſten Nationen der alten Welt, und die Achtung, welche
ihr auch die Weiſen des Volks wegen ihres Einfluſſes auf Geſundheit
und Brauchbarkeit widmeten[1]), würden ſchon für ihre Wichtigkeit in der
Erziehung ſprechen, wenn es nicht die tägliche Erfahrung noch lauter
thäte. Welch ein Unterſchied zwiſchen Kindern, die man immer am Leit-
bande führt, vor jedem kühneren Wagſtück ihrer körperlichen Kräfte, als
einer großen Gefahr oder gar Sünde warnt, und denen, welche von den
erſten Jahren an ihre Glieder durch alle Arten von Bewegung ausbilden
und dadurch jeder wirklichen Gefahr trotzen oder ſie ſich unſchädlich machen
lernen! Daß hie und da auch körperliche Übungen übertrieben und zu
ſehr als einziger Zweck der Erziehung betrachtet werden, daß nicht nur
unvorſichtige, ſondern auch vorſichtige Betreibung der Gymnaſtik zuweilen
gefährlich wird, dies beweiſet doch nur, daß teils alles dem Mißbrauch
unterworfen, teils der Menſch nicht aller Zufälle Herr und Meiſter
iſt. Aber die weit größere Gefahr, welcher der ungeübte, unbeholfne,
ängſtlich gehütete Knabe ausgeſetzt iſt, und die Entbehrung aller der un-
erſetzlichen Vorteile, welche Stärke und Gewandtheit des Körpers ver-
ſchafft, beweiſen noch weit einleuchtender, wie unverzeihlich es ſei, dieſen
Teil der Erziehung ſo ſehr zu vernachläſſigen, wogegen ſelbſt keine
Staatspolizei gleichgültig bleiben oder zufälligen Mißbrauch mit den
entſchiedenen Vorteilen verwechſeln ſollte[2]).

1. Tanta fuit apud veteres artis gymnasticae existimatio, ut
Plato atque Aristoteles — ne alios quam plures recenseam — eam
rempublicam haud optimam esse censuerint, in qua talis ars desideraretur; nec immerito quidem, quoniam, si animi semper habenda est cura,
neque ille absque corporis auxilio quidquam grave aut dignum efficere
valet, ita profecto studendum est corporis salubritati, bonoque habitui,
ut et animo inservire et eius operationes nequaquam impedire sed adiuvare possit: propter quod in Protagora Plato eum esse claudum appellandum dixit, qui solum animum exercens, corpus ignavia atqua otio consumit. Hieronym. Mercurialis de arte gymnastica veterum. Amstel.
1672. p. 14. M. ſ. auch Lucian. Anacharsis Sect. 16.; und in den von mir
geſammelten Originalſtellen Griechiſcher und Römiſcher Klaſſiker über Pädagogik.
Halle 1811. S. 10, 19, 69, 219.

2. Noch immer wird hie und da, ſowohl in der öffentlichen als häuslichen Erziehung, nicht genug hierauf geachtet, und man ſcheint es kaum der Mühe wert zu
halten, das kunſtmäßig zu behandeln, was zwar zum Teil auch ohne Kunſt erlernt
werden kann, aber gerade dann den Mißbrauch oder der Gefahr am erſten ausgeſetzt iſt.

Wenn man die Summen berechnet, die in so vielen Staaten an weit ent-
behrlichere, zum Teil unnütze, wo nicht schädliche Vergnügungen gewendet werden;
wenn man daneben immer die allgemeinen Grundsätze, man müsse für körperliche
und moralische Gesundheit der Bürger sorgen, wiederholen hört: so ist es eine der
größten Inkonsequenzen, wenn gleichwohl die Mittel nicht versucht werden, da
man doch den Zweck will. Da jedoch in neueren Zeiten mehrere Staaten auf
den Gegenstand aufmerksam geworden waren und ihn bereits in das System der
Erziehung ihrer Bürger aufgenommen hatten, so ist um so mehr zu bedauern, daß
man durch Übertreibung und Einmischung ganz fremdartiger und tadelhafter Zwecke
darin wieder irre gemacht hat. Glücklicher Weise ist es in dieser Beziehung in den
letzt verflossenen 20 Jahren in ungeahnter Weise besser geworden, da fast in jedem
deutschen Lande das Schulturnen einen pflichtmäßigen Unterricht bildet.

Außer dem wohlthätigen Einfluß der Gymnastik auf Gesundheit, Stärke,
Gewandtheit des Körpers, ist sie auch moralisch nicht ohne Nutzen. Ein sehr
großer Teil der Stunden, welche in Familien, Erziehungsanstalten und höheren
Volksschulen gymnastischen Übungen, zu hoher Freude der Jugend, gewidmet
werden könnten, wird oft noch entweder in leerem Müßiggange, oder am Karten-
tische, oder in einer verderblichen, oft zerstörenden Geselligkeit verloren, oder in
einem unjugendlichen Mißmute verlebt. Welche Eindrücke dies alles in dem
Charakter zurücklassen müsse, bedarf wohl keiner Erinnerung. Ich habe seit mehr als zwanzig Jahren von der Vervielfältigung gymnastischer
Übungen nach den verschiedenen Jahreszeiten bei der mir anvertrauten zahlreichen
Erziehungsanstalt die herrlichsten Folgen für die ganze Stimmung des jugendlichen
Geistes wahrzunehmen Gelegenheit gehabt und den Verlust jedes Jahres bedauert,
wo mich noch eine unzeitige Besorgtheit und Ängstlichkeit von ihrer Gestattung
zurückhielten.

Seit im letzten Jahrzehnt der Turnunterricht auf den Seminaren vollständig
betrieben wird, sind die jüngeren Lehrer wohl imstande, den Volksturnunterricht
zu leiten. Was dagegen viele ältere Lehrer in Familien und in Erziehungsinstituten von seiner Begünstigung abhalten mag, ist das Gefühl, selbst als un-
geübt darin zu erscheinen. Gewiß wird der, welcher Gelegenheit gehabt hat, von
einem Meister zu erlernen, der bessere Lehrer sein. Aber notwendig ist dies gleichwohl nicht. Giebt es irgend eine Art des Unterrichts, worin der Erzieher mit
dem Zögling zugleich lernen kann, so ist es gerade diese. Er darf sich nicht
schämen, zu gestehen, daß er hierzu in seiner Jugend keine Gelegenheit gehabt,
daß man ihm wohl gymnastische Übungen als gefährlich oder als ungesittet untersagt habe. Der Knabe, der Jüngling wundert dies kaum, wenn der ältere Lehrer
hierin nicht so viel als er leistet, da er die Übung mehr als ein Spiel betrachtet,
wodurch man ihm eine Unterhaltung verschaffen will. Halte sich nur der Lehrer
bei der Leitung dieser Übungen genau an ein gutes Turnbuch, schaue oft die
Übungen in gut geleiteten Schulen an, bespreche sich mit Sachverständigen über
diesen Lehrzweig und gebe getrost an's Werk, um die nötigsten Übungen frisch und
froh ausführen zu lassen. Dabei ist zu raten, daß der Lehrer aus den besten
Schülern sich Vorturner auswähle, mit denen er zunächst die Übungen nach einem
Lehrbuch, wie solche im folgenden Paragraphen genannt werden, durchgeht; er kann
sicher sein, daß, wo ihm vielleicht noch manche Beschreibung dunkel wäre, der empfängliche und hiebei so sehr interessierte Verstand derselben sehr bald den richtigen
Sinn herausfinden und vor seinen Augen darstellen werde.

32. Natürliche und Kunstgymnastik.

Alle Kinder und junge Leute, besonders männlichen Geschlechts, die
man nicht durch Zwang und Einschränkung niederdrückt, nehmen ohne

alle weitere Anleitung gewisse Übungen und Bewegungen des Körpers vor und mögen, je jünger und gesünder sie sind, desto weniger stillsitzen. Sie gehen, laufen, springen, klettern, steigen, ringen mit einander, heben und ziehen Lasten, tragen sich mit allem, was ihnen vorkommt, umher, plätschern gern im Wasser, reiten, wo nicht auf Pferden, doch auf Stöcken, und was dessen mehr ist. Dies kann man die natürliche Gymnastik nennen. Es wäre Grausamkeit, ihnen dies alles wehren zu wollen. Der Erzieher hat nichts zu thun, als hier und da das Maß zu bestimmen, der Unerfahrenheit zu Hilfe, und wo etwas Gefährliches versucht wird, zuvor zu kommen. Alle jene natürlichen Bewegungen können aber durch Kunst und gewisse dazu gemachte Veranstaltungen nicht nur sehr vermannigfaltigt, sondern auch zweckmäßiger, bildender und für die Jugend interessanter gemacht werden. Dies that man schon in alten Zeiten, und daraus entstand die Kunstgymnastik. Sie ist in Deutschland mehr als bei irgend einer andern Nation durch den Eifer ausgezeichneter Schulmänner aufs neue erweckt, ausgebildet und vervollkommnet worden und hat eine zuvor nie geahnte allgemeine Verbreitung gefunden. In ihrer Entwickelung lassen sich während der letzten 100 Jahre drei Hauptabschnitte unterscheiden: „das erste Drittel von 1774—1807 umfaßt die menschenfreundliche Übertragung der Leibesübungen aus den Adelsschulen in die Erziehung des deutschen Bürgerstandes und die Ausbildung der Institutsgymnastik; während das zweite Drittel von 1807—1840 die volkstümliche Gestaltung, aber auch die zeitige Hemmung der deutschen Turnkunst enthält und das dritte Drittel von 1840—1874 und weiter die Abzweigung des Schul- und Vereinsturnens, sowie die allgemeine Einführung und die methodische Läuterung beider Teile in sich begreift"*). Der erste dieser Abschnitte knüpft sich an die Namen Basedow, Salzmann, GutsMuths, Vieth, Pestalozzi, alle beseelt von dem idealen Streben, die echte Harmonie zwischen der leiblichen und geistigen Ausbildung der Zöglinge herzustellen. Im anderen Abschnitte finden wir Fr. Ludw. Jahn als Begründer des vaterländischen Turnens und Förderer der damit in Zusammenhang gebrachten patriotischen Bestrebungen, dann die Schließung der Turnplätze in Preußen und anderen Ländern, sowie die stille Fortführung der Turnübungen in Privatanstalten besonders durch Jahns Mitarbeiter Eiselen in Berlin, Klumpp in Stuttgart, Maßmann in München. Der dritte Abschnitt wird, nachdem die sogen. Turnsperre aufgehoben worden ist, durch Adolf Spieß, den Begründer des allgemeinen Schulturnens, eingeleitet und einesteils durch den 1860 gegründeten Ausschuß der deutschen Turnerschaft, andernteils durch die seit 1861 bestehenden Ver-

---

*) S. Hausmanns Aufsatz in Manns Deutschen Blättern f. erz. Unt., Jahrgang 1874, S. 344 ff. Langensalza, Beyer & Söhne.

sammlungen der deutschen Turnlehrer, sowie durch viele wackere Arbeiter auf beiden Gebieten weitergeführt.

Anmerk. I. Als grundlegende Schriften, auf welche ein weiterer Ausbau der Turnkunst sich stützt, sind aus den drei genannten Abschnitten der letzten 100 Jahre zunächst folgende Werke zu nennen:

1. Gymnastik für die Jugend. Von Guts Muths, Erzieher in Schnepfenthal. Schnepfenthal 1793. 2. Aufl. 1804. 3. Aufl. von Klumpp besorgt, 1847. Mit warmer Begeisterung für die Sache beschreibt das Buch die von Salzmann aus Dessau nach Schnepfenthal gebrachten, sowie die von den Alten betriebenen und die neu von Guts Muths selbst gestalteten gymnastischen Übungen, frisch und lebendig, so daß es heute noch von großem Werte ist.

2. Spiele zur Übung und Erholung des Körpers und Geistes für die Jugend, Erzieher und alle Freunde unschuldiger Jugendfreuden. Gesammelt und praktisch bearbeitet von Guts Muths 1796. 4. Aufl. besorgt von Klumpp. 5. Aufl. umgearbeitet und sehr vervollständigt von Schettler. Hof, Verlag von Rud. Lion. 1878.

Dies klassische Spielbuch ist durch die neueste Umarbeitung zum reichsten und brauchbarsten Werke dieser Art geworden. Möge es fleißig benutzt werden!

3. Versuch einer Encyklopädie der Leibesübungen von Vieth. 3 Teile 1794, 95 und 1818.

Der erste Teil enthält die Geschichte, der zweite das System der Leibesübungen und der dritte Zusätze. Das ganze Werk bietet einen reichen Schatz gründlichen Wissens.

4. Die deutsche Turnkunst zur Einrichtung der Turnplätze dargestellt von Fr. L. Jahn und E. Eiselen. Berlin 1816.

Dieses turnerische Hauptwerk wird in seinen vortrefflichen Darlegungen über Zweck und Ziel, Anstalten, Lehrer, Betrieb und Geist des Turnens ein unvergängliches Denkmal der Jahnschen Bestrebungen bleiben, welche durch das Turnen die verloren gegangene Gleichmäßigkeit der menschlichen Bildung wiederherstellen und die Turnkunst als ein vaterländisches Werk im Volke und Vaterland heimisch machen wollten.

5. Turntafeln. Das ist: Sämtliche Turnübungen auf einzelnen Blättern zur Richtschnur bei der Turnschule und zur Erinnerung des Gelernten für alle Turner herausgegeben von E. Eiselen. Berlin 1837.

In diesen Turntafeln ist zuerst ein ausführlicher Lehrplan aufgestellt, da die Übungen, deren Zahl über anderthalbtausend beträgt, nach vier Schwierigkeitsstufen für reifere Knaben und Jünglinge geordnet sind.

6. Abbildungen von Turnübungen, gezeichnet von Robolsky und Töppe, durchgesehen, vervollständigt und geordnet herausgegeben von E. Eiselen. Berlin 1845. 2. Aufl. 1861.

Diese Abbildungen, welche die Figuren in stattlicher Größe und scharf ausgeprägter turnerischer Thätigkeit darstellen, haben vielfach zum Muster gedient und sind noch heute kaum übertroffen.

7. Die Lehre der Turnkunst von A. Spieß. Basel. 4 Teile.
I. Das Turnen in den Freiübungen für beide Geschlechter. Basel 1840.
2. Aufl. 1867. II. Das Turnen in den Hangübungen, 1842. 2. Aufl. 1871.
III. Das Turnen in den Stemmübungen. 1843. 2. Aufl. 1874. IV. Das
Turnen in den Gemeinübungen. 1846. 2. Aufl. 1874.

In diesem Werke giebt Spieß eine systematische Darstellung der gesamten
Turnübungen, welche er auf die Bewegungsmöglichkeiten des Leibes gründet,
wodurch das ganze Übungsgebiet erschöpft, demzufolge aber das Unwesentliche vom
Wesentlichen für die Praxis nicht getrennt ist.

8. Turnbuch für Schulen als Anleitung für den Turnunterricht durch die
Lehrer der Schulen von A. Spieß. I. Für die Altersstufe vom 6. bis 10. Jahre.
Basel 1847. II. Für die Altersstufe vom 10. bis 16. Jahre. Basel 1851.

Dies für die Praxis bestimmte Buch giebt eine unerschöpfliche Menge von
ausführlichen Lehrbeispielen nebst trefflichen methodischen Winken. Sein zu großer
Reichtum und seine weite Ausführlichkeit hat das Bedürfnis nach Auszügen und
kurzen Bearbeitungen fühlen lassen, wie solche unter den Schulturnbüchern genannt werden sollen.

*　*　*

Gehen wir nun zu den Turnschriften über, welche von allen in den letzten
drei Jahrzehnten erschienenen sich am meisten eignen, eine gründliche Einsicht in
die Turnkunst zu gewähren und die Ausführung der Turnübungen am besten zu
fördern. Wir scheiden sie in folgende Abteilungen:

a) Aufschluß über die Geschichte der Gymnastik gewähren:

1. Die Gymnastik der Hellenen in ihrem Einfluß aufs gesamte Altertum
und ihrer Bedeutung für die deutsche Gegenwart. Von Dr. Otto Heinr. Jäger.
Gekrönte Preisschrift. Eßlingen 1850.

Mit jugendlicher Begeisterung hat der Verfasser nachgewiesen, wie auch bei
uns eine naturgemäße Erziehung und Übung aller Kräfte not thut.

2. Die Gymnastik und Agonistik der Hellenen. Von Krause. Leipzig 1841.
Wir erhalten hier vortreffl. Aufschluß über die Leibesübungen der Griechen.

3. Erziehung und Unterricht im klassischen Altertum. Von Graßberger
3 Teile. Würzburg 1866—80.

4. Die Gymnastik der Römer. Von Meyer.

Ein ausgezeichneter Aufsatz in den Neuen Jahrbüchern der Turnkunst von
Kloß. Bd. III. 1857. Ferner die Geschichte des Turnunterrichts. Von Euler,
in Kehr, Geschichte der Methodik. III. Bd. Gotha 1881.

Die Geschichte der deutschen Turnkunst finden wir in folgenden unter b.
aufgeführten Werken mit dargestellt.

b) Das Gesamtgebiet der Turnkunst behandeln:

*1. Katechismus der Turnkunst. Von Dr. M. Kloß, Direktor der königl.
sächs. Turnlehrerbildungsanstalt zu Dresden. Mit 99 in den Text gedruckten
Abbildungen. Leipzig, 1. Aufl. 1842, 4. Aufl. 1874.

5*

Diese Schrift enthält eine Übersicht über die Geschichte, Bedeutung, Übungs-
arten und Ausführung der Leibesübungen und ist, da sie einen raschen Einblick
in die Sache thun läßt, ein viel verbreitetes Buch geworden.

*2. Das gesamte Turnwesen. (Ein Lesebuch für deutsche Turner. 133 ab-
geschlossene Muster-Darstellungen von den vorzüglichsten älteren und neueren Turn-
schriftstellern. Herausgegeben von Georg Hirth. Leipzig 1855.

Eine vortreffliche Auswahl von Abhandlungen der tüchtigsten Turnpädagogen;
behandelt alle Gebiete des Turnens.

*3. Die Leibesübungen. Eine Darstellung des Werdens und Wesens der
Turnkunst in ihrer pädagogischen und kulturhistorischen Bedeutung. Von F. A.
Lange. Gotha 1863.

Dieser erweiterte Abdruck aus der Encyklopädie des gesamten Erziehungs-
und Unterrichtswesens von Schmid ist mit großer Sachkenntnis geschrieben und
giebt ein gutes Bild des Ganzen.

*4. Volksturnbuch. Im Sinne von Jahn, Eiselen und Spieß und nach
den in Berlin am 11. August 1861 von der Versammlung deutscher Turnlehrer
angenommenen Grundsätzen bearbeitet von Aug. Ravenstein. Frankfurt a./M.
1. Aufl. 1863. 3. Aufl. 1876.

Das sehr reichhaltige Buch giebt eine klare und ausführliche Darstellung
aller Zweige der Turnkunst und ist für Turnlehrer und Turnvereine gleich empfehlenswert.

*5. Theoretisches Handbuch für Turner, zur Einführung in die turnerische
Lehrthätigkeit. Eine Übersicht über das Wissensgebiet des Turnens. Von Eduard
Angerstein, Dr. med., prakt. Arzt, Stabsarzt, städt. Oberturnwart und
Dirigent des städt. Turnwesens in Berlin. Halle 1870.

In gediegener Weise behandelt dies Buch alle Zweige der Turnkunst, indem
es in seinen 4 Abschnitten die Geschichte der Gymnastik, das Wissenswerte über
den menschlichen Körper, die Systematik und die Methode des Turnens klar, verständlich und mit Wärme darlegt.

c) Als Schriften, welche zur turnerischen Beschäftigung der Jugend von
früher Kindheit an Rat geben, sind zusammen zu nennen:

Schildbach, Kinderstubengymnastik. — Golbammer, gymn. Spiele und
Bildungsmittel. — Schetler, das Turnen in gemischten Schulklassen, Hof 1881.

Diese Bücher bieten eine Folge von passenden Leibesübungen, welche von der
Kinderstube bis in die Turnanstalt reicht und das Kind aus der Hand der Mutter
durch seine verschiedenen Entwickelungsstufen in ununterbrochenem Gange bis zur
Lenkung durch den Fachturnlehrer geleitet.

d) Als Schulturnbücher sind folgende zu nennen:

*1. Turnschule für Knaben und Mädchen. Von J. Niggeler, Turn-
inspektor in Bern.

Erster Teil. Das Turnen für die sechs ersten Schuljahre. Zür'ch. 1. Aufl.
1860, 6. Aufl. 1876.

Zweiter Teil. Das Turnen für das ſiebente, achte und neunte Schuljahr. Zürich. 1. Aufl. 1861, 5. Aufl. 1877.

Es iſt für den Lehrer, der das Turnen beginnen will, das beſte Hilfsmittel, bietet aber auch dem fortgeſchrittenen Lehrer noch reichen Lernſtoff. Die Übungen ſind im Spießſchen Geiſte nach 9 Schuljahren (Klaſſenzielen) geordnet.

*2. Neuer Leitfaden für den Turnunterricht in den preußiſchen Volksſchulen, mit 29 in den Text gedruckten Holzſchnitten. Berlin. 1. Aufl. 1862, 2. Aufl. 1868.

Die neue Auflage dieſer vielfach für zu dürftig erklärten Schrift hat mancherlei Mängel verbeſſert, und es ſoll dieſelbe nach Miniſterial-Verfügung auch überſchritten werden dürfen.

*3. Das Turnen in der Volksſchule mit Berückſichtigung des Turnens in den höheren Schulen. Von Carl F. Hausmann, Seminarlehrer in Weimar. 4. Aufl. Mit 96 dem Text eingefügten Holzſchnitten. Weimar 1881.

Dieſes im wiſſenſchaftlichen Sinne gehaltene Lehrbuch giebt Zweck und Ziel der turneriſchen Leibesübungen, einen geſchichtlichen Abriß, eine Darſtellung der Übungen, der Räume und Geräte und der Unterrichtsweiſe nebſt Lehrplänen und Lehrbeiſpielen. Auf dieſe Weiſe eignet es ſich recht wohl, „jeden Suchenden in das Geſamtgebiet des Schulturnens gründlich einzuführen." Auch dürfte es als Lehrbuch für Seminare beſonders zu empfehlen ſein.

*4. Anleitung für den Turnunterricht in Knabenſchulen. Von Alfred Maul, Direktor der Großh. Turnlehrer-Bildungsanſtalt zu Karlsruhe. 1876. Karlsruhe.

Der 1. Teil enthält: das Lehrverfahren im Turnunterricht; der 2. Teil: die Ordnungs-, Frei- und Stabübungen; der 3. Teil die Gerätübungen. Das Werk iſt in ausführlicher klarer Darſtellung beſonders für Seminariſten und „Lehrer mit ungenügender Vorbereitung für den Turnunterricht" dargeſtellt und wird nicht bloß dieſen gute Dienſte leiſten.

5. Anleitung zur Erteilung des Turnunterrichts. Von Dr. phil. Moritz Kloß. 2. Aufl. Dresden 1873.

In klarer, eingehender Weiſe verſucht dieſe Schrift Belehrung über verſchiedene Seiten der Turnkunde und des Turnunterrichts zu geben und teilt eine Zahl von Übungen mit, zu welchen genauere Lehrpläne erwünſcht ſein dürften.

6. Leitfaden für den Turnunterricht in den Volksſchulen von F. Marx, Turninſpektor und Turnlehrer in Darmſtadt. 2. Aufl. Bensheim 1875.

Dies Büchlein bietet in überaus klarer Weiſe ſo viel, als in der Volksſchule durchſchnittlich wirklich ausgeführt werden kann. Während die Ordnungsübungen vorzugsweiſe behandelt ſind, kommen die Gerätübungen etwas knapp weg.

*7. Turnſchule für Mädchen. Bearbeitet von O. Schettler, Oberturn- und Elementarlehrer zu Plauen (jetzt Seminaroberlehrer zu Auerbach).

1. Teil. Stufe I—III.: Das Turnen der Mädchen vom 8.—11. oder 9.—12. Lebensjahre. Mit 72 Holzſchnitten. 2. Aufl. Plauen 1875.

2. Teil. IV. und V.: Das Turnen der Mädchen vom 12.—14. oder 13.—15. Lebensjahre. Mit 65 Holzſchnitten. 2. Aufl. Plauen 1876.

3. Teil. Spiele für Mädchen vom 8.—14. Lebensjahre.

In diesem Werke ist vom Verfasser mit Benutzung dessen, was J. C. Lion, Jenny u. A. auf dem Gebiete des Mädchenturnens geschaffen, und was er selbst gestaltet hat, der reiche Übungsstoff so vortrefflich geordnet und dargestellt, daß das Buch mit Recht als das praktischste Mädchenturnbuch die weiteste Verbreitung gefunden hat.

8. Der Turnunterricht für Gymnasien und Realschulen. In Klassenzielen aufgestellt von A. M. Böttcher, Turnlehrer in Görlitz. Mit 105 lithograph. Abbildungen. 3. Aufl. Görlitz 1877.

Während für die unteren Klassen der Turnlehrer allein die Übungen leiten soll, sind für die oberen Klassen Vorturner empfohlen. Die im Lehrplan aufgestellten Übungen reichen deshalb nur bis Tertia empor; die Schüler der Secunda und Prima sind als Vorturner thätig oder bilden besondere Riegen. Das vorliegende Buch, in 1. Aufl. 1861 erschienen, war eins der ersten, welches Lehrziele aufstellte.

9. Neue Turnschule. Von Prof. Dr. Otto Heinrich Jäger in Stuttgart. Mit 44 Holzschnitten. Stuttgart 1876.

Dieses eigenartige Buch ist mit feuriger Begeisterung für die Sache geschrieben; die eigentümliche Schreibweise, Übungseinteilung und Benennung der Übungen erschwert aber vielfach das Verständnis. Die von Jäger geschaffenen und jetzt überall Eingang findenden Eisenstabübungen sind geradezu musterhaft. Die vortrefflichen Abbildungen erleichtern vielfach das Verständnis.

*10. Leitfaden für den Betrieb der Ordnungs- und Freiübungen. Für Turnvereine im Auftrage des Ausschusses der deutschen Turnerschaft bearbeitet von J. C. Lion. 6. Aufl. Mit 133 Holzschnitten. Bremen 1879.

Dieses vortreffliche, weitverbreitete Buch hat für den Betrieb der Frei- und Ordnungsübungen wohl das meiste und beste beigetragen. Es ist für Schulen ebenso empfehlenswert wie für Vereine.

*11. Merkbüchlein für Vorturner in oberen Klassen höherer Lehranstalten und in Turnvereinen von Ludw. Puritz, städt. Turnlehrer in Hannover. 6. Aufl. mit 268 Abbildungen in Holzschnitt. Hannover 1881.

Wegen der reichhaltigen Gruppen gut geordneter und klar beschriebener Gerätübungen, der von J. C. Lion gezeichneten hübschen Bilder und der großen Billigkeit entspricht dies Büchlein dem oft ausgesprochenen Verlangen nach einem Gerätbüchlein zu dem Lionschen Leitfaden für Ordnungs- und Freiübungen. Es ist das verbreitetste und gebrauchteste aller Turnbücher.

*12. Reigen und Liederreigen für das Schulturnen aus dem Nachlasse von Adolf Spieß. Mit einer Einleitung, erklärenden Anmerkungen und einer Anzahl von Liedern, herausgegeb. von Dr. K. Waßmannsdorf. Frankfurt a./M. 1869.

Es sind die schönen Reigen als ein Vermächtnis von Spieß mit Recht allseitig dankbar begrüßt worden.

*12b. Jenny, Buch der Reigen. Hof 1880.

Es enthält die Weiterentwickelung der Spießschen Reigenlehre namentlich für den Schulturnbetrieb der Mädchen und hat den Gegenſtand für eine Reihe von Jahren hinaus erſchöpfend behandelt.

*13. Lehrbuch der Schwimmkunſt. Für Turner und andere Freunde der Leibesübungen und zur Benutzung in Schul- und Militärſchwimmanſtalten unter Mitwirkung von Dr. Carl Euler, erſtem Civillehrer an der königl. Central-Turnanſtalt zu Berlin, herausgegeben von H. O. Kluge, Vorſteher von Turnanſtalten und Turnlehrer der Berliner Feuerwehr. Mit 9 Tafeln Abbildungen. Berlin 1870 und

Bildertafeln zu dem Lehrbuch der Schwimmkunſt. Herausgegeben von H. O. Kluge.

Wir haben hier das vollſtändigſte Werk über dieſen Gegenſtand genannt. Es giebt den vortrefflichſten Aufſchluß über alle einſchlägigen Fragen.

14. Deutſchlands ſpielende Jugend. Eine Sammlung von mehr als 430 Kinderſpielen, auszuführen im Freien und im Zimmer. Herausgegeben von F. A. L. Jacob. 2. Aufl. Leipzig 1875.

Dies Buch enthält zwar nicht die Vollſtändigkeit wie das früher genannte GutsMuths-Schettlerſche, iſt aber recht gut zu gebrauchen.

2. Hier noch einige Bemerkungen über einzelne körperliche Übungen, (größtenteils nach GutsMuths) beſonders für Lehrer in Erziehungsanſtalten und Familien.

1. Die allgemeinſte und allerdings auch wohlthätigſte Bewegung, die keinen Tag ganz unterbleiben ſollte, iſt das Gehen. Es wird übend durch Anſtand, Dauer, Schnelligkeit und Gewandtheit. Es wird ſtärkend, wenn man keine Witterung achtet, keine noch ſo rauhen und beſchwerlichen Wege ſcheut — wo man irgend kann, das Steigen auf Berge und Felſen, das Ausforſchen neuer Bahnen, die unwegſam ſcheinen, damit verbindet — durch Auswahl ſchöner Gegenden zugleich Naturſinn erweckt — die Wege allmählich verlängert — an Schnellgehen wie an Langſamgehen gewöhnt — von Zeit zu Zeit daraus kleine Fußreiſen werden läßt — dadurch gegen häusliche Bequemlichkeit und Weichlichkeit (im Schlafen, im Eſſen, im Trinken, in der Bedienung) gleichgültig macht. Man ſinne bei den täglichen Spaziergängen auf Mannigfaltigkeit und knüpfe wo möglich noch ein anderes Intereſſe — der Unterhaltung, der Entdeckung neuer Gegenſtände, der Sammlung von Naturprodukten u. ſ. w. daran. — Sonſt können ſie leicht läſtig werden.

2. Das Laufen ſtärkt die Lungen, macht behend und kann oft noch wichtigere Vorteile verſchaffen. Langes, anhaltendes Gehen, auch mit jungen Knaben, beſonders bei heiterer Luſt, iſt die Vorübung. Durch beſtimmte Bahnen, abgeſteckte Ziele, geweckte Wetteifer gewinnt es Intereſſe. Vorſicht iſt nötig, die Bahnen nicht zu früh zu verlängern, den Wettlauf in leichter Kleidung anzuſtellen, und wenn er geendigt iſt, wärmere anlegen zu laſſen. Auch das Vorſichhertreiben eines Reifes oder Tonnenbandes vermittelſt eines Stabes iſt eine gute Art des Laufens, die nicht zu ſehr anſtrengt und dabei unterhält. Auch das Kreiſelſpiel gewährt Nutzen und Freude.

3. Das Springen — hinauf, hinab, in die Ferne, über Graben, mit und ohne Stab — iſt ſtärkend für Bruſt, Glieder und Muskeln, oft die beſte Wegverkürzung, oft das einzige Rettungsmittel in Gefahr. — Die künſtliche Art iſt das Schwingen (Voltigieren). Die verſchiedenen Arten und die dabei nötigen Vorſichtsregeln hat GutsMuths ſehr genau und ſorgfältig angegeben. — Denn es kann gerade dieſe Übung übertrieben werden oder, unverſtändig und ohne richtige

Anleitung angefangen, auf vielfache Weise gefährlich werden, das noch zarte Rück-
grat beschädigen, auch Brüche nach sich ziehen.

4. Das Klettern, Klimmen und Steigen. In sehr vielen Fällen ist
es äußerst nützlich bei Gefahren, bei Feuers- und Wassersnot, auf Reisen u. s. w.
Künstliche Übungen darin fordern einen selbst sehr geübten und sichern Lehrmeister.
Wer das nicht ist, sei nur aufmerksam bei dem, was Kinder selbst unternehmen,
und warne vor wirklichen Gefahren: nur nie durch Anschreien oder Erschrecken der
Kinder in dem Augenblicke, wo sie Besonnenheit nötig haben, um sich zu halten.

5. Das Halten des Gleichgewichts, (Waghalten, Balancieren).
Eine der allernützlichsten Übungen, weil so oft im Leben davon Gebrauch zu
machen ist. Die künstlichen Übungen der Seiltänzer sind sehr entbehrlich; das
gewöhnliche Schaukeln, wenn nicht große Vorsicht bei der Zurichtung angewendet
wird, namentlich das oft höchst gefährliche auf Bauholz oder über einander ge-
legten Balken, ist wenigstens bedenklich. Aber desto wichtiger ist der sichere Gang
auf schmalen Stegen und Balken; dann auf der Kante eines Brettes. Anfangs
liege Balken und Brett nahe an dem Boden, damit der Fall nicht schrecke und
schade. Die Geübteren lehre man erst, auf einem zwei bis drei Fuß vom Boden
fest liegenden Baume oder Balken gehen, sich umwenden, ohne Anhalten niedersetzen,
aufstehen, einander ausweichen. Zuletzt wird dies auch auf einem Balken, der bis
zur Mitte unterstützt ist, und dessen übrige Hälfte schwankt, keine Schwierigkeit mehr
machen. Das Stelzengehen ist sogar in manchen Ländern unentbehrliche Volkssitte.

6. Die Übungen auf dem Eise zu gehen, zu laufen, hinzugleiten (Glandern)
und das eigentliche Schlittschuhlaufen. Frank in der medizin.
Polizei versichert, als Arzt keine Bewegung zu kennen, die dem Körper zu-
träglicher sei und ihn mehr stärken könne, als die letztere. — Reine Luft, stärkende
Kälte, Beschleunigung des Umlaufs der Körpersäfte, Anstrengung der Muskeln,
dies alles muß auf Leib und Geist gleich wohlthätig wirken. Klopstocks Gedichte — „der Eislauf und die Kunst Tialfs" — sind Beweise, daß es
bis zur Ode begeistern kann. Die Gefahr ist nicht größer als bei den meisten
körperlichen Übungen. Es sichert dagegen vor vielen Gefahren auf dem Eise.
Wie leicht das Erlernen auch ohne eigentliche Anweisung ist, lehrt die tägliche
Erfahrung. — Cyclos, Kunst des Schlittschuhlaufens. Weimar 1858 und
Ziebel, Der Eislauf, Nürnberg 1825.

7. Das Ringen. Aufmunterung dazu haben Knaben eben nicht nötig.
Sie messen gar gern ihre Kräfte mit einander. Es giebt aber ein ungezogenes,
neckendes, beleidigendes Balgen und Raufen, Niederwerfen auf gepflasterten Boden
u. s. w., das man nicht dulden muß. — Auf ebenem Boden, besonders Rasen
oder Sande, wenn alles Harte, leicht Verletzende aus den Taschen entfernt ist,
keine Erbitterung Teil hat, Hals, Kopf, Haare und Brust verschont bleiben, und
alles gefährliche Stoßen und Schlagen verhütet wird, hat man so leicht keine Gefahr zu befürchten.

8. Das Werfen nach bestimmten Zielen — versteht sich an Orten, wo-
weder den Vorbeigehenden, noch öffentlichen Gebäuden davon Nachteil erwachsen
kann — stärkt besonders Brust, Arm und Auge. (Franks mediz'n. Polizei, II. 635.) Man kann es zuerst an Bällen und Ballons üben,
dann auch mit Steinen (Diskus) und dem Wurfpfeil Versuche machen, ein
Ziel zu treffen. Sehr große Würfe müssen nur langsam hinter einander gemacht
werden. Auch das Hinauftreiben des Federballs (Volanten) mit dem
Raquet zu einer großen Höhe, oder über Häuser, Bäume, Türme, erfüllt diesen
Zweck und verschafft überhaupt eine stärkende Bewegung.

9. Das Baden und Schwimmen — jenes schon als Beförderung
der Reinlichkeit und Stärkung des ganzen Körpers, dieses als Beförderungs-
mittel der Gesundheit und der Furchtlosigkeit in Wassersgefahr, überhaupt in vieler
Rücksicht eine der vortrefflichsten gymnastischen Übungen. Verständige Aufsicht und

Sorge für Schamhaftigkeit durch einige Bedeckung, verstehen sich dabei von selbst. Vgl. Auerbach, das Schwimmen sicher, leicht und schnell zu erlernen. 2. Aufl. Berlin 73, sowie das oben erwähnte Lehrbuch der Schwimmkunst von Euler und Kluge.

10. Das Reiten macht der Jugend beinahe das meiste Vergnügen. Gaudet equis! Sie kommt sich dabei durch die Regierung eines so großen Tieres, als das Pferd ist, so selbstthätig, so machthabend vor. Man hat aber in mancher Hinsicht zu frühes Reiten bedenklich gefunden, so wie zu vieles Reiten im Knabenalter nachteilig für die übrige körperliche Ausbildung.

11. Das Tanzen sollte anfangs mehr lehren, den Körper gerade und doch nicht steif zu halten, sicher, gerade und fest zu gehen, sich mit Anstand zu bewegen, und in allerlei Stellungen zu formen. Dazu müßte der Erzieher den Tanzmeister zu bringen suchen, denn dies ist brauchbarer fürs ganze Leben, als die wirklichen Tänze, die auf die Bildung des Körpers oft weit weniger Einfluß haben, als man denken sollte. — Das eigentliche Tanzen, als gesellschaftliches Vergnügen, hat wie alle Vergnügungen, seine guten und seine bedenklichen Seiten. Daß Übermaß, ganz besonders dem weiblichen Geschlechte, in den Jahren des Wachstums tötlich werden könne und schon so oft geworden sei, ist bekannt genug. (S. unten bei der weiblichen Erziehung.)

12. Von den Sinnenübungen s. § 46. 47.

3. Bei dem Eifer für eine an sich so nützliche, recht und mit Maß getriebene körperlich und geistig bildende Übung als die Gymnastik ist, und bei dem Wohlgefallen, welches die Kunstfertigkeiten eines gewandten Körpers notwendig erwecken müssen, übersehe man nur niemals, daß auch dieser Unterricht methodisch behandelt, und überhaupt ein recht bestimmter, vom Leichten zum Schweren fortschreitender Stufengang dabei beobachtet werden müsse. Eben in dem allmählich Fortschreitenden, der Vorbereitung und Vorübung durch das Frühere auf das Spätere, liegt das wahre Geheimnis der steigenden Kraft. Eben dies macht die Anstrengungen dieser Kraft gefahrlos, was sie nie sind, wenn man da anfängt, wo man aufhören sollte. Schon Plato und Galen warnen vor der Wut der Gymnastik in den Jahren der Kindheit und des Knabenalters, als gälte es eine Athletenerziehung. In der häuslichen Erziehung ist es übrigens leichter, darauf zu halten, daß der Lehrling keine Stufe überspringe, weil er allein oder nur von wenigen umgeben ist. In der öffentlichen sollten schon deshalb solche Übungen stets unter einer verständigen Aufsicht stehen, weil der Reiz der Nachahmung so stark, weil der Ungeübte geneigt ist, aus Ehrgeiz oder Lust an der Sache es dem Geübtesten gleich zu thun. Diese Versuchung liegt so nahe, daß man sich in der That wundern muß, daß junge Leute, die in größeren Massen zusammenleben, nicht mehr Schaden nehmen. Denn welche Aufsicht kann so wachsam sein, daß jeder Unfall verhütet werde? Und wenn es möglich wäre, auch dies zu leisten, — würde eine solche Ängstlichkeit in anderer Hinsicht wohl ratsam sein? Übrigens darf man wohl dreist behaupten, daß verhältnismäßig in einzelnen Familien weit mehr Verletzungen, Verwahrlosungen, Beschädigungen vorkommen, als in den öffentlichen Erziehungshäusern.

32b. Bewegung des Körpers durch Handarbeiten.

Auch Gewöhnung zu allerlei Handarbeiten stärkt den Körper, verschafft zugleich eine nützliche Thätigkeit und wehrt besonders in dem einförmigen häuslichen Leben der Langenweile leerer Stunden. Sie kann nach den Jahreszeiten verschieden sein. Die beste, nicht genug zu empfehlende Beschäftigung ist Gartenbau, wozu sich fast überall, und besonders auf dem Lande, die nächste und schönste Gelegenheit findet. Die Gesundheit gewinnt; der junge Gärtner lernt im Schweiße des Angesichts arbeiten; er lebt in und mit der Natur; er lernt besser als aus Büchern ihre Gesetze und Wirkungen; er übt seine Geduld; er lernt selbst durch Schaden; er sieht eine eigene kleine Schöpfung unter seinen Augen aufwachsen; er erfährt, wie viel es wert ist, die Frucht seines Fleißes zu genießen. Auch andere Handwerke, besonders mechanische, geben zu anderer Zeit Unterhaltung, lehren Geschicklichkeit und üben die Kräfte. Das Tischlerhandwerk ist anerkannt dazu das geschickteste, wegen der Mannigfaltigkeit der Arbeiten, der Werkzeuge, und weil es die Kräfte der Jugend nicht übersteigt. Auch Drechseln verschafft Bewegung, übt die Sinne und fördert Kunstfleiß. Überhaupt ist es gut, daß junge Leute mit den gewöhnlichen Werkzeugen, die in jedem Hause sind, und die man so oft nötig hat, bekannt werden, z. B. Säge, Beil, Bohrer, Hammer und dergl. gebrauchen lernen. Alles dies ängstlich sorgsam vor ihnen verstecken, ist das sicherste Mittel, sie unbeholfen zu machen und im Fall des notwendigen Gebrauches Verletzungen auszusetzen.

    Anm. Sehr zu empfehlen: Barth und Niederley, des deutschen Knaben Handwerksbuch. 4. Aufl. Leipzig 1876. Barths Erziehungsschule. Leipzig 1880,81. I. Jahrgang.

33. Verhältnis der Anstrengung zur Ruhe.

    Das Verhältnis des Zeitmaßes für Bewegung und Anstrengung des Körpers zur Erholung und Ruhe muß gleich dem zu geistiger Beschäftigung nach dem Alter der Kinder bestimmt werden. Je jünger sie sind, desto mehr hat man den in Wachstum und Ausbildung begriffenen Körper zu berücksichtigen. Alle zu frühe oder übertriebene Anstrengung schadet auch geistig, wovon warnende und abschreckende Erfahrungen uns überall begegnen. Eigentliche Kinder, bis in das fünfte und sechste Jahr, bei schwächerer körperlicher Beschaffenheit auch wohl noch länger, können ohne allen Schaden ihre Zeit zwischen dem Genusse der Nahrungsmittel, körperlichen Bewegungen, Spielen, elementarischem Unterricht und dem Schlafe teilen. Dann steige man von Jahr zu Jahr von einer oder einigen Stunden zu mehreren auf, worin der Geist nicht sowohl angestrengt als beschäftigt wird. Bis in das zehnte Jahr scheinen vier bis fünf tägliche Lehrstunden vollkommen hinreichend, es sei denn, daß der Erzieher die Kunst verstehe, die Gymnastik der Seele und des Körpers zu verbinden. Nach Verlauf dieser Zeit mag man die Zahl vermehren. Nur daß die Erziehung nie einem Treibhause gleiche! Oder will man die jungen Pflanzen vor der Zeit verwelken sehen, um sich rühmen zu können, daß man die frühesten Blüten habe, die späterhin keine oder nur unschmackhafte Früchte tragen werden? — Zwischen einer oder zwei Lehrstunden, je nachdem das Alter es fordert, ist eine kurze Erholung, besonders Genuß freier Luft, in jeder Jahreszeit wohlthätig. Man gewinnt die Zeit, die man dadurch zu verlieren scheint. Die stärkere körperliche Bewegung lasse man weder in die Zeit kurz vor, weniger noch unmittelbar nach der Mahlzeit oder kurz vor dem Schlafengehen fallen. Aber auch unmittelbar nach dem Aufstehen muß zu starke Anstrengung notwendig die erschöpfen, welche hernach mit dem Kopfe arbeiten sollen. Der Schlaf werde in den Kindheitsjahren in jedem Maße und zu jeder Zeit gewährt, worin die Natur ihn verlangt. Im Jünglingsalter ist das Bedürfnis minder dringend. Doch breche sich auch der thätigste Jüngling in den Jahren des Wachstums von acht Stunden nicht zu viel ab; gehe übrigens lieber des Abends zeitig zur Ruhe und stehe früh auf, so bald er erwacht. Es ist für das ganze Leben gut, wenn er sich an eine solche Tagesordnung gewöhnt. Damit ihn indes eine zuweilen notwendige Ausnahme nicht befremde, mag er auch von Zeit zu Zeit versuchen, eine Nacht aufzuopfern. Übungen der Art kann man in Spiele verwandeln. Doch muß nicht zu viel damit gespielt werden. Denn es ist unnatürlich, in der Jugend ganze Nächte zu durchwachen, veranlaßt so leicht Mißbrauch und hat keinen wesentlichen Nutzen. Die Notwendigkeit, wo sie eintritt, ist auch hier die beste Lehrerin.

Anm. Das zarte Kindesalter fordert sehr viel Schlaf. Gesunde Kinder finden ihn auch leicht, und die gewöhnlichen Einschläferungsmittel — das starke, betäubende Wiegen, die erschütternde Bewegung der Räderbetten, das gewaltsame Hin- und Herschaukeln auf dem Arme — können wenigstens leicht auf die weiche, reizbare Hirnmasse schädlich wirken. Die Wiegen überhaupt für schädlich erklären (wie Brechter sogar aus der Praxis der Alten beweisen wollte) ist Übertreibung. Will doch Plato eine stete Bewegung kleiner Kinder. Sie sollen, wo möglich, gleichsam immer wie in einem Schiffe wohnen (S. 7. Buch von den Gesetzen). Das Einsingen ist an sich sehr unschuldig, sogar von mancher Seite recht angemessen. Nur wird es, zum Bedürfnis geworden, bald unwillig entbehrt, und quälend für die schon genug gequälte Mutter oder Amme. Dies gilt auch vom Sitzen der Erwachsenen am Bette bis zum Einschlafen, vom Beleuchten des Schlafgemachs u. s. w., wovon selbst herangewachsene Kinder oft nicht ohne große Mühe abzubringen sind.

34. Einfluß der Gemütsbewegungen auf die Gesundheit der Kinder.

Die Gesundheit hängt zum Teil auch von den Affekten und Leidenschaften ab, an welchen der Körper so vielen Anteil hat. Eben daher gehört die Bewachung, Mäßigung und Leitung derselben eben sowohl zur körperlichen, als moralischen Erziehung. Wenn die angenehmen Gemütsbewegungen die herrschenden und dabei gemäßigt sind, so tragen

sie ungemein viel zur Erhaltung des Wohlseins bei. Werden sie zu vor=
herrschend und stark, so schwächen und verzehren sie. Die unangenehmen
thun dies in einem noch weit höheren Grade; besonders der Zorn, die
Rachsucht, der Neid, der Schreck, die Furcht und die Angst.
Man überlegt nicht, welchen oft unersetzlichen Schaden man Kindern zu=
fügt, wenn man durch eine unvernünftige Behandlung diese Leiden=
schaften in ihnen rege macht, oder, wo eine natürliche Disposition dazu
im Körper ist, sie nährt und unterhält. Wer die unglücklichen Verhältnisse
kennt, unter welchen manche Kinder heraufgewachsen sind — den un=
aufhörlichen Verdruß, den man ihnen gemacht, die Bitterkeit, welche man
dadurch in sie gebracht hat — der begreift leicht, woher sich die Kränk=
lichkeit schreibt, mit welcher sie schon in früheren Jahren, und vielleicht
zeitlebens, zu kämpfen haben. Bei Kindern der unteren, von Armut
gedrückten Volksklassen, die unter Not, oft auch allen bösartigen Leiden=
schaften der Eltern aufwachsen, wird Neid, Übelwollen, Ingrimm zur
andern Natur und prägt sich physiognomisch aus.

35. Nötige Aufmerksamkeit auf den Geschlechtstrieb.

Unter den Neigungen und Trieben, welche vom Körper ausgehen,
bedarf keiner so sehr der Aufmerksamkeit des Erziehers, als der Ge=
schlechtstrieb. Obgleich das Erwachen desselben, bei ungestörter Ord=
nung der Natur, erst in die Jahre fällt, die man — hauptsächlich in
Beziehung auf ihn — die reiferen genannt hat, so lehrte doch von
jeher die Erfahrung, daß diese Reife nicht nur beschleunigt, sondern daß
auch durch allerlei äußere Handlungen der Trieb in früheren Jahren ge=
weckt, und durch die Selbstbefleckung (unrichtig aus I. Mos. 38, 9.
Onanie genannt) auf eine an sich unnatürliche Art befriedigt werden
könne; daß dies aber gemeiniglich auf Unkosten der Gesundheit und der
vollen Ausbildung des Körpers geschehe. Wenn es wahr ist, was weniger
die Ärzte als der Pädagogen so viele behaupten, „daß der Hang zu
dieser Jugendsünde unter der jetzigen Generation sehr überhand genommen
habe; daß sich die Ansteckung der regellosen Wollust schon über alle
Stände verbreite, daß Kinder in ihren Geheimnissen schon weit erfahrner
wären, als ihre Großeltern zur Zeit ihrer Verheiratung gewesen, und
sich fast allgemein, ehe noch die Natur ihr Werk in der Entwickelung
der Kräfte vollendet habe, darin übten:" so muß diese traurige Be=
schaffenheit des Zeitalters ein desto stärkerer Aufruf für die Erzieher sein,
dieser Seuche alle nur möglichen Mittel entgegen zu setzen. Und mag
auch manches in jener Anklage übertrieben werden; mögen die vorigen
Zeitalter bei weitem nicht so unschuldig, diese Laster bei weitem nicht so
unbekannt gewesen sein, als man sich oft einbildet: — kein praktischer
Erzieher kann wenigstens daran zweifeln, daß das Übel sehr groß und
sehr herrschend sei und sehr gefährlich werden könne.

Anm. Faſt keine pädagogiſche Materie iſt, beſonders ſeit Baſebow, ſo oft und ſo ausführlich bearbeitet worden, als gerade dieſe. Sie ſchien eine Zeitlang die Aufmerkſamkeit faſt allein auf ſich zu ziehen, wodurch viele unberufene Schriftſteller in Bewegung geſetzt wurden und vielleicht mehr ſchadeten, als nützten. Man könnte ſchon eine kleine Bibliothek aus den Schriften bilden, welche bloß über dieſen Gegenſtand geſchrieben und ausgeſchrieben ſind. Die mit * bezeichneten ſcheinen mir für den Erzieher vor andern lehrreich.

Das älteſte Werk kam unter dem Titel Onania engliſch im 17ten Jahrhundert in England heraus, und iſt im Jahre 1765 nach der funfzehnten Ausgabe ins Deutſche überſetzt worden. Schon früher gab Sarganek (Inſpekt. des Pädagog. zu Halle) in ſeiner faſt ganz theologiſchen Warnung vor allen Sünden der Unreinigkeit und heimlichen Unzucht, Zillichau 1746, Auszüge daraus, und hatte das Verdienſt, faſt zuerſt die Schulmänner in Deutſchland darauf aufmerkſam zu machen. — Allgemeinere Senſation erregte Tiſſot von der Onanie und den Krankheiten, welche aus der Selbſtbefleckung herrühren. 1792. Nun folgten — außer der Erwähnung der Sache faſt in allen Erziehungsſchriften, beſonders Baſedows und ſeiner Schule, — Meſſe für Meſſe ausführlichere Abhandlungen von Ärzten und Nichtärzten. Unter jenen nenne ich:

* Vogels Unterricht für Eltern. Stendal 1789; und Fauſt, wie der Geſchlechtsbetrieb der Menſchen in Ordnung zu bringen. Braunſchweig 1791.

Unter den Nichtärzten und eigentlichen Pädagogikern:

* Salzmann über die heimlichen Sünden der Jugend. Leipzig 1799. (Schummel?) * über Kinderunzucht und Selbſtbefleckung. Ein Buch bloß für Eltern, Erzieher, Jugendfreunde, von einem Schulmann. Zillichau 1787. Winterfeld im 6ten und Villaume im 7ten Teil des Reviſionswerks. *Oeſt in zwei wichtigen, auch einzeln (4te Auflage 1809) verkäuflichen Abhandlungen im 6ten Bande des Reviſionswerks, wovon beſonders der doppelte Verſuch einer Belehrung der Knaben und der Mädchen, auch wohl jungen Leuten nach der Verſchiedenheit des Geſchlechts in die Hände gegeben werden kann.

Die mediziniſche Specialſitteratur ſ. bei Stark, Allgem. Pathologie 2. Aufl. I. § 441. ferner Pappenheim, Sanitätspolizei 1858—59; Kapf, Warnung eines Jungenfreundes, Stuttgart; Palmer, ev. Pädagogik S. 294 ff. Schmid, Encyklopädie II. S. 838 ff.

36. Verhütung des Mißbrauchs des Geſchlechtstriebes und geheimer Jugendſünden.

Die hieraus hervorgehenden Pflichten des Erziehers laſſen ſich unter drei Hauptgeſichtspunkte faſſen: Verhütung, Entdeckung und Heilung des Übels. Die Verhütung ſetzt zuvörderſt eine Bekanntſchaft mit den gewöhnlichen Veranlaſſungen derſelben voraus. Denn man irrt in hohem Grade, wenn man, wie noch immer die meiſten Eltern zu thun ſcheinen, keine andere als Verführung anerkennt und daher alles gethan zu haben meint, wenn man Kinder von bekannten Verführern

entfernt hält. Gewiß ist von den Unzähligen, welche diesem Laster
fröhnen, kaum die kleinere Hälfte im eigentlichen Verstande von andern
Personen, gewiß die größere durch äußere, zum Teil höchst zufällige
Umstände dazu verleitet und hat eine lange Zeit gesündigt, ohne nur
von fern zu ahnden, daß diese Reizung unrechtmäßiger und schädlicher
sei, als Reibungen und Berührungen anderer Teile des Körpers, z. B.
des Auges oder des Ohrs. Auch ist es dem allersorgfältigsten Erzieher
nicht möglich, jeden Zufall zu entfernen, welche die erste Idee erwecken,
oder die Hände der Kinder fast mechanisch zum Mißbrauche verleiten
kann. Um so weniger darf er mit den gewöhnlichen Veranlassungen
unbekannt bleiben.

Anm. Zu diesen Veranlassungen gehören — außer den schon oben be-
rührten Fehlern der diätetischen Erziehung, der Verweichlichung des ganzen Körpers,
der erhitzenden Kost, der warmen Federbetten, der Vergünstigung, oder wohl gar
der Forderung bequemer Eltern und Lehrer, des Morgens erwacht oder halb
schlafend im Bette zu bleiben, — vorzüglich folgende: Jede Reizung, folglich jede
unnatürliche Pressung der Geschlechtsteile, nicht nur durch die — besonders bei
Ammen und Wärterinnen so gewöhnliche — Berührung, um Kinder still oder
ihnen ein Vergnügen zu machen, — sondern auch durch enge, zusammenpressende
Kleidung, namentlich zu frühem Gebrauch enger Beinkleider. — Ferner: Reiz der
Geschlechtsglieder durch Reiten auf Stöcken und Spielpferden, durch Schaukeln auf
dem Knie, durch Herabgleiten von Treppengeländern, durch angewöhntes Über-
einanderschlagen der Schenkel beim Sitzen, durch, anfangs zweckloses, Verstecken
der Hände in den Unterkleidern, — Müßiggang oder Langeweile — daher auch
alles Einsperren ohne bestimmte Beschäftigung — Verletzung der Schamhaftigkeit
durch frühe Schäkereien mit kleinen unbekleideten Kindern; häufiges Betasten, Vergünstigung, nur halb oder gar nicht bekleidet unter dem Gelächter der Anwesenden
umherzugehen; gemeinschaftliches Baden ohne alle Badekleider; gemeinschaftliches,
schamloses An- und Auskleiden heranwachsender Kinder, besonders beider Geschlechter;
schmutzige Reden, Anspielungen, Bilder, Spielzeuge. — Unzeitiges Bekanntmachen
mit den Freuden der Wollust ohne bestimmte Veranlassung; oder unweises und
die Neugier nur reizendes Bemänteln schlüpfriger Gegenstände. — Desgleichen sehr
sinnliche Liebkosungen Erwachsener, selbst der Eltern, in Gegenwart der Kinder,
verführende Lektüre, besonders durch reizende Darstellungen der sinnlichen Liebe, wovon
die berühmtesten Werke alter und neuer Dichter und Dramatisten nicht frei sind.
— Zu große Annäherung junger Leute, enges Wohnen, besonders Schlafen, wo
nicht gar in einem Bette, doch nicht neben einander ohne Aufsicht, ohne öftere
Überraschung, wohl gar Verbannung in die Schlafkammern, ehe sie müde sind,
bloß um Kinder los zu werden. — Vertraulichkeiten zwischen verschiedenen sowohl,
als gleichen Geschlechtern, wobei das Geheimnis und Dunkel gesucht wird, einsame
Spaziergänge, langes Verweilen auf heimlichen Gemächern. — Überhaupt zu viel
unbeachteter Umgang junger Leute bei ihren Spielen, zumal den stilleren; — denn
die lärmenden sind die gefahrloseren. — Eigentliche Verführung durch ältere

Perſonen, männliche und weibliche Bediente, Friſeurs, Wollüſtlinge, Spaßmacher, junge Geſpielen, die ſelbſt ſchon verführt und verdorben, ſichs zum Geſchäfte machen, andere in die Geheimniſſe ihrer verſtohlenen Luſt einzuweihen, oder wohl gar — horrendum dictu! — durch Lehrer und Erzieher. — Endlich ſelbſt gewiſſe oft wiederholte Arten der Züchtigung. (S. Rouſſeau Bekenntniſſe. Schon Quintilian ſagt: pudet dicere in quae probra nefandi homines isto caedendi jure abutantur.

Überhaupt enthalten alle Selbſtbekenntniſſe ſo mancher durch das Laſter elend Gewordenen in dieſer Hinſicht die lehrreichſten Winke für den praktiſchen Erzieher.

37. Verhütung durch poſitive Mittel.

Wenn alle dieſe und ihnen ähnliche Veranlaſſungen entfernt oder doch ſehr vermindert werden, ſo iſt unſtreitig zur Verhütung geheimer Sünden ſchon ſehr viel erreicht. Noch mehr wird gewonnen, wenn man hinſichts mehrerer der genannten Anläſſe gerade das Gegenteil befördert. Die Regeln darüber bedürfen keiner beſonderen Aufzählung. Aber höchſt nötig iſt es bei ihrer Anwendung, daß uns die Weisheit leite, ohne welche der beſte Wille mehr verderben, als gut machen kann. Wenn man es die Zöglinge bei allen Gelegenheiten merken läßt, daß man etwas verhüten wolle; wenn ſie es dem Erzieher anſehen müſſen, daß beinah keine andere Idee in ſeiner Seele als Mißtrauen in ihre Keuſch= heit iſt, was beiläufig bemerkt, nicht immer für die eigene Seelenreinheit des Erziehers ſpricht: ſo erweckt man nicht nur oft Gedanken und Ge= fühle, auf die ſie ſonſt nicht gefallen wären, ſondern iſt auch in Gefahr, am erſten getäuſcht zu werden. Nirgends iſt indes dieſe Weisheit not= wendiger, als bei den eigentlichen Belehrungen und Warnungen vor der Gefahr geheimer Jugendſünden, ſo lange es zweifelhaft iſt, ob ſie der Zögling ſchon kenne.

38. Beurteilung beſtimmter Warnungen vor geheimen Sünden.

Soll man vor der Selbſtbefleckung warnen und über ſie belehren, um ſie zu verhüten? Dieſe Frage iſt zuvörderſt von einer andern wohl zu unterſcheiden, mit welcher man ſie oft verwechſelt zu haben ſcheint: Soll man überhaupt die Jugend frühzeitig über Men= ſchenerzeugung belehren? Denn man kann Kindern ſehr wohl die Gefahren, welche der Mißbrauch der Geſchlechtsteile mehr, als der Miß= brauch aller andern — ſelbſt der zarteſten — Glieder, nach ſich zieht, ins Licht ſetzen, ohne dabei ihrer Beſtimmung zur Erzeugung der Menſchen erwähnen zu dürfen. Wiefern dies ratſam iſt, gehört an einen andern Ort. Wenn aber hier bloß von der Bekanntmachung mit dem Laſter der Selbſtſchwächung die Rede iſt, ſo kann es zwar einige Fälle geben, in welchen Warnungen und Belehrungen beſſer unterbleiben, aber auch viele, wo ſie das einzige Rettungsmittel ſind.

Anm. Hierüber folgende praktische Regeln:
1. Überhaupt muß man nach dem Gesetz der Wahrscheinlichkeit zu Werke gehen, d. i. den wahrscheinlicheren Vorteil mit dem wahrscheinlichen Nachteile vergleichen. Fände sich bei der genauesten Beobachtung jüngerer Kinder auch nicht die entfernteste Spur eines Hanges zu dieser Unsittlichkeit, und könnte man ganz sicher sein, entweder ihr erstes Entstehen zu bemerken, oder sie vor jedem Anlasse zu verwahren: so würde es, und vornehmlich bei Mädchen, besser sein, ganz darüber zu schweigen, als durch zu vieles Warnen vor etwas vielleicht Unbekanntem die Neugier und mit ihr die Sinnlichkeit rege zu machen.
2. Die Warnung und Belehrung selbst sei, nach Inhalt und Ton, dem jedesmaligen Alter angemessen. — In jüngeren Kindern erwecke man, bei allem Betasten und Entblößen der Schamteile, die Idee einer schmutzigen Handlung, damit Ekel und Scham entstehe. — Etwas Herangewachseneren hat man Gelegenheit bei dem Unterrichte in den Elementen der Anthropologie oder Naturgeschichte des Menschen den durchaus kunstvollen Bau des Körpers und seiner Verletzbarkeit bekannt zu machen, und unter den Gesetzen seiner vernünftigen Behandlung eben sowohl von dieser Verletzung, als von anderen Verletzungen, z. B. der Augen, zu reden, die Gründe aber aus dem feinen Bau und dem Zusammenhange dieser Glieder mit dem Ganzen herzuleiten. — Im Jünglingsalter kann die Belehrung überdies vollständiger und zugleich moralisch-physisch gefaßt werden. Erst dann mag man eine gewisse Feierlichkeit, welche ohnehin an jüngeren Kindern fast immer verloren geht, in den Ton, womit man redet, legen. Mit der Darstellung der fürchterlichen Folgen, welche so oft die Begleiter dieser Laster sind, muß nur zugleich die Vorstellung von dem Pflichtwidrigen und Sündlichen einer Handlung verbunden werden, in welcher die Würde der Natur verletzt wird, um dadurch das Gewissen wach zu erhalten und junge Leute zu gewöhnen, bei Versuchungen oder bei gewissen Erscheinungen und Wahrnehmungen an ihrem Körper zutrauensvoll den Rat ihres Erziehers zu suchen.
3. Es möchte in den wenigsten Fällen zuträglich sein, wenn diese Warnungen von Personen verschiedenen Geschlechts gegeben würden. Insonderheit hat der Hauslehrer bei Töchtern das Geschäft lediglich der Mutter oder dem Vater zu überlassen, und nur, wenn er an jungen Mädchen unanständige Stellungen und Geberdungen bemerkt, die so oft Eltern mit offenen Augen doch nicht sehen, sie darauf aufmerksam zu machen. Im allgemeinen scheint das Bedürfnis der Warnung bei Knaben dringender, als bei Mädchen zu sein. Sorglosen Eltern verdient indes die von Campe herausgegebene höchstnötige Warnung und Belehrung für junge Mädchen, 3te Aufl., Braunschweig 1809, recht empfohlen zu werden.

39. Entdeckung geheimer Jugendsünden.

Nächst der Verhütung des Übels ist es die wichtigste Sorge, zu entdecken, ob es vielleicht schon wirklich da sei. Überraschung bei der That und offenes Geständnis des Schuldigen lassen sich nur in seltenen Fällen, gegen die unzähligen des Gegenteils, erwarten. Man muß sich daher mit den gewöhnlichen Merkmalen bekannt machen, jedoch äußerst behutsam in seinem Urteil sein, weil viele dieser Merkmale trüglich sind, und zu übereilte Anschuldigungen des Vergehens die schlimmsten Eindrücke in unschuldigen Gemütern zurücklassen; auf der andern Seite aber auch die meisten dieser Merkmale fehlen können, wo gleichwohl die Unschuld verloren ist.

Anm. Blässe des Gesichts, besonders der Lippen; häufige und plötzliche Veränderung der Gesichtsfarbe; eingesunkene, hohlliegende, trübe und scheue Augen, mit dunkeln Ringeln umzogen; Erschlaffung der Muskeln des Gesichts; Verlegenheit bei scharfem Ansehen; häufige Ausschläge und Blüten an Nase, Stirn und Wangen; ekelhafter Geruch aus dem Munde; ein matter, ziehender Gang; Anwandlungen von Ohnmacht bei längerem Stehen; Zittern und schnelle Ermattung der Hände, Beben der Stimme; Erschöpfung bei jeder noch zu kleinen Anstrengung; — dieses alles findet sich teilweise bei vielen Selbstbeflecken. — Aber dasselbe findet sich auch bei jungen Leuten, die unreinlich sind, Würmer, unreine Säfte, Anlage zur Hektik oder einen durch zu frühe geistige Anstrengung geschwächten Körper haben. — Charakteristisch sind ferner bei den meisten: starke Reizbarkeit des Charakters aus Nervenschwäche, heftige Rührungen, selbst Thränen ohne eigentlichen Anlaß, Mißmut, Furchtsamkeit, Zerstreutheit der Seele, verbunden mit schnellem Zusammenfahren; Unruhe und Ängstlichkeit; Erröten, wenn von gewissen Gegenständen die Rede ist; — während des Unterrichts starres Ansehn des Lehrers und scheinbare Aufmerksamkeit, ohne doch zu wissen, wovon er redet; sichtbare Wirksamkeit der Phantasie beim Lesen solcher Stellen, welche die Sinnlichkeit rege machen; Erschrecken bei jeder Überraschung; Stumpfheit der Sinne und des Fassungsvermögens, und dies an manchen Tagen, in manchen Stunden mehr als in andern; Bitterkeit des Herzens, Verschlimmerung der Gemütsart, die sich durch Neid, Mißgunst, in sich gekehrtes Wesen, Heimtücke verrät. — Einige Besorgnis erregen: Hang zur Einsamkeit, Gleichgültigkeit gegen erheiternde Vergnügungen und laute Spiele, scheue Blödigkeit — Zurückgezogenheit vom Umgang mit dem andern Geschlecht; — ferner noch: langes Verweilen an dunkeln Orten, auf heimlichen Gemächern, unanständige und unruhige Lagen, Stellungen und Bewegungen des Körpers, besonders der Schenkel; Verbergen der Hände in Unterkleidern oder unter Mänteln, Schlafröcken, langen Kleidern und warmen Deckbetten; wechselnd unnatürlich starke oder schwache Eßlust; Aufenthalt im Bette über die Zeit des Schlafs, Trägheit und Unlust gleich nach dem Aufstehn. Aufmerksamkeit verdienen endlich auch allzu vertrauter, an Leidenschaft grenzender Umgang junger Leute gleichen Geschlechts; häufiges Alleinsein und Absondern von den übrigen Gespielen.

In Absicht dieses letzten Punktes muß man äußerst behutsam sein. Die reinsten und edelsten jungen Leute von beiden Geschlechtern fallen oft mit eigentlicher Leidenschaft auf den einen oder andern Gespielen, und ihr Umgang hat in der That etwas von Geschlechtsliebe Ähnliches. Auch mischt sich unstreitig etwas von Sinnlichkeit bei, ohne daß sie sich dessen selbst bewußt sind; denn im Hintergrunde liegt das erste Erwachen des Geschlechtstriebes, der einen Gegenstand sucht, aber sich noch verirrt. — Wo sonst die Seele rein und der Charakter unbescholten ist, da hat man keine Gefahr zu befürchten. Auch legt sich die Leidenschaftlichkeit meistenteils bald, da sie selten so erwiedert wird, wie sie hofft. Verbot des Umgangs würde sie anfachen, und durch die Erregung der Idee von unnatürlichen Sünden die Gefahr vergrößern. Nur wo die Familiarität und Anhänglichkeit zu irgend etwas Unanständigem verleiten, wird strengere Aufsicht und Absonderung nötig. Dann ist auch, wenigstens ein Teil, schwerlich ganz unschuldig.

83

40. Heilung des Übels.

Die Heilung junger Leute, bei welchen man die unglückliche Ent-deckung gemacht hat, daß sie Rettung bedürfen, ist schwer, aber nicht unmöglich. Das Meiste hängt teils von dem Grade ab, worin ihnen das Laster zur Gewohnheit ward, teils von der übrigen Beschaffenheit ihres Verstandes und Herzens. Die Mittel selbst sind entweder phy-sische oder psychische und moralische. Die Weisheit, welche der Erzieher in ihrer Anwendung nach den höchst verschiedenen Bedürfnissen der Schuldigen zu beobachten hat, läßt sich übrigens nicht durch allge-meine Vorschriften lehren. Sie ist die Sache eines gesunden Ur-teils und einer geübten Erfahrung.

Anm. 1. Zunächst würden nur die physischen Heilungsmittel hierher ge-hören, die übrigen in den Abschnitt von der moralischen Erziehung. Um indes die Materie nicht zu zerreißen, finden beide Gattungen hier ihre Stelle.

2. Zu den physischen Mitteln rechnen zuvörderst manche eigentliche Zwangsmittel, welche die Ausübung des Lasters physisch unmöglich machen sollen: Infibulationen, Festbinden der Hände, besonders des Nachts, und andere Vorrichtungen, nach dem Vorschlag einiger Ärzte und Pädagogen, in den oben angeführten Schriften. Sie würden, wo die unglückliche Gewohnheit den höchsten Grad erreicht, und der freie Wille alle Kraft verloren hätte, oder vielleicht, wie man Beispiele hat, sogar selbst Zwang fordert, vielleicht das einzige Mittel sein, um nur endlich zu entwöhnen, oder den guten Willen anfangs zu unter-stützen. Eben darum haben sie manche Selbstbeflecker selbst gewählt, um sich zu heilen. — Nächstdem können die Verhütung und Entfernung aller oben beschriebenen äußeren Veranlassungen viel bewirken. Dazu komme stärkere Bewegung, kaltes Bad, gesundere Diät, in manchen Fällen auch Arznei, worüber aber, wie über alles vorige, der Arzt viel sicherer, als der Erzieher entscheiden wird.

3. Psychische und moralische Heilmittel setzen zuvörderst voraus, daß man mit dem Kranken über seinen Zustand offen rede. Dies hat weniger Schwierigkeiten, als manche Pädagogiker zu glauben scheinen, wie man wenigstens aus den weitläufigen Anweisungen und den langen Umschweifen schließen muß, welche sie dazu vorschlagen. Wo man sehr bestimmte Merkmale hat, findet sich die Veranlassung von selbst. Es ist nicht einmal ratsam, die Zöglinge durch langes Hin- und Verfahren zu quälen, oder ihnen dadurch Zeit zu lassen, sich zu verbergen. Man sage ihnen geradezu und ohne sie zu verschüchtern, daß man Spuren habe, daß sie sich unglücklich durch Mißbrauch ihrer Schamglieder machten, daß die Sache von größerer Wichtigkeit sei, als sie glaubten, und daß man sie darüber belehren wolle. Meistenteils wird das Geständnis erfolgen. Erfolgte es auch nicht, so wird doch die Belehrung selbst fruchten können. Je natürlicher, ruhiger und sanfter man redet, desto offner wird man meistenteils den Jüngling finden. Man muß ihn nur nicht wie einen Verbrecher behandeln. Das ist er auch nicht. Er fehlt entweder aus Unwissenheit, wie gewiß Unzählige gefehlt haben;

oder das Temperament ist so heftig, daß er kaum widerstehen kann, wie ja die Natur selbst unwillkürliche Entledigungen veranlaßt.

4. Die auf Heilung abzweckende Belehrung selbst bestehe

a) in einer lebendigen Darstellung der Folgen des Lasters. Wo es verstanden wird, leite man sie physiologisch aus der Natur der Handlung und ihrem Zusammenhange mit dem ganzen Nervensystem her. Bei der Darstellung hüte man sich der Übertreibungen, welche viele wohlmeinende Schriftsteller über diese Materie nicht genug vermieden haben. — Die mögliche Gefahr, bei dem unaufhaltsamen Fortschritte des Lasters, läßt sich immer lebhaft genug schildern. Manche Folgen muß der Schuldige von früh aus Erfahrung kennen, und diese werden ihn stärker, als die künftigen überzeugen. Doch dürfen auch letztere nicht übergangen werden. Die angeführten Schriftsteller liefern dem Erzieher reichen Stoff an Beispielen, um die fürchterlichen Zerstörungen, welche das Laster bei Einzelnen angerichtet, ins Licht zu setzen. — Die Vorstellung vor der künftigen Untüchtigkeit zum Ehestande, die nichts weniger als allgemein wahr ist, wirkt gerade bei diesen Subjekten am wenigsten; Gefahr frühen Todes noch ungleich stärker; wirklicher Anblick schwer büßender Selbstbeflecker in Krankenhäusern vielleicht am stärksten. Dests Schrift (s. § 35) kann ohne Bedenken in die Hände gegeben werden.

b) Versuche auf den Willen zu wirken. — Bei kleineren Kindern, wo es mehr ungezogene Angewohnheit ist, dürfte Drohung, auch wohl Anwendung einer körperlichen Strafe am schnellsten fruchten. — Bei Heranwachsenden ist sie ganz zweckwidrig, oft sehr schädlich, weil die Verheimlichung bei dieser Sünde leichter ist, als bei jeder andern. — Mehr wirken Abscheu vor der Schändlichkeit und Verächtlichkeit, der sie sich aussetzen, und die Besorgnis, „man lese auf ihrem Gesicht, was sie thun." Schon diese Scham ist viel wert. Zu ihr gesellt sich bald das Gefühl des tiefen Elends, das man sich zuzieht. — In reiferen Jahren wirkt der Kummer im Auge des Erziehers, der Gram auf dem Gesicht der Eltern über den Selbstzerstörer, die Vergegenwärtigung des Allsehenden, seines heiligen Gesetzes und der künftigen Rechenschaft. — Dazu komme

c) Unterstützung des Reuigen und zur Besserung Entschlossenen. — Sein Zutrauen muß vor allen Dingen erhalten werden, damit er auch seinen Rückfall nicht verschweige — Der Rath bestehe nicht bloß in Ermahnen, Rühren, sondern in vernünftiger Anleitung, was er selbst zu thun, was zu vermeiden habe; in Empfehlung lehrreicher Lektüre, wenn er sie fassen kann; in veranlaßtem Umgang mit reinen Gespielen, auch besonders mit tugendhaften Personen des andern Geschlechtes; in Gewöhnung an fleißiges Andenken an Gott, besonders bei dem Anfang und Schluß der Tage, woran man täglich, wenigstens oft, am Morgen und Abend erinnern kann.

Zum Schluß der ganzen Materie noch folgende Erfahrungen, welche der Herausgeber zu sammeln Gelegenheit gehabt.

Die wenigsten jungen Leute männlichen Geschlechts bleiben ganz frei von geflissentlicher Reizung der Geschlechtsglieder. Sehr viele lehrt es bloßer Zufall, oder frühe Gewalt des Temperaments; die übrigen entweder Beispiel oder absichtliche Verführung. — Äußerst wenige Eltern kennen ihre Kinder von dieser Seite. Sie glauben, nur die Schulen verderben sie; aber die meisten kommen verdorben auf die Schulen, so wie auch die Eltern für unverdorben ausgeben. Doch kann man ihnen auf guten Erziehungsanstalten oft besser beikommen und sie schärfer beobachten, als bei der häuslichen Erziehung. — Nichts verführt häufiger als Langeweile bei reger Phantasie; nichts bewahrt sicherer als stete Beschäftigung. — Jünglinge sind weit leichter als Knaben von 5—13

6*

Jahren zu heilen. Jene hören die Vernunft; diese folgen dem Triebe und begreifen die Warnung nicht. — Ich fand nicht leicht Schwierigkeit, Jünglinge
zu offnen Geständnissen zu bringen; bei Kindern weit mehr. — Auch Jünglinge
von sehr lebhaftem moralischen und selbst religiösen Gefühl können oft und tief
fallen. Sinnlichkeit und Phantasie sind ja bei ihnen oft vorherrschend. Aber bei
denen, welchen jenes Gefühl fehlt, ist die Gefahr weit größer, weil nichts sie warnt,
nichts sie erschreckt, als höchstens physische Übel, die sich oft spät einstellen. Auch
pflegt bei jenen das Laster weniger auf Verderbnis des Charakters zu wirken.
Dagegen kann zuviel Kultur des Gefühls, und besonders der Phantasie, auch sie
zu Verirrungen der Sinnlichkeit geneigter machen. — Warnungen, die von verständigen Mitschülern ausgingen, waren meistenteils wirksamer, als die Vorstellungen der Vorgesetzten. Junge Leute glauben sich unter einander oft mehr,
als denen, die sie immer moralisieren hören. — Jünglinge, bei welchen die Natur
erwacht, leiden oft sehr an unwillkürlichen Entledigungen, werden krank
und mißmutig, und scheinen ohne ihre Schuld verdächtig, weil sie sich davon zu
reden schämen. Man versäume ja nicht, sie zu belehren und zum Arzte zu schicken.

41. Verhalten des Erziehers bei wirklichen Krankheiten und Verletzungen.

Da sich übrigens das Geschäft der Erziehung in Absicht des
Körperlichen auf Erhaltung, Stärkung und Ausbildung der
Kräfte und Verhütung des Gegenteils einschränkt; dagegen die Heilung der natürlichen oder nach und nach entstandenen Übel und Gebrechen der Beruf des Arztes ist: so müssen Erzieher auch nicht über
diese Grenze gehen, ob sie wohl sehr oft mit dem Arzt gemeinschaftliche
Sache machen und von ihm Unterstützung erwarten dürfen, wenn sie
selbst manchen moralischen Zweck erreichen wollen. Indeß kann es doch
immer sehr nützlich sein, wenn sowohl Eltern als Lehrer wenigstens die
allgemeineren Grundsätze der Heilkunde und diejenigen Mittel und Be-
handlungsarten kennen, welche bei gewöhnlichen Fällen teils zur
Verminderung, teils zur Heilung der Übel die sichersten sind; wenn sie
besonders eine deutliche Vorstellung von dem haben, was man, ohne sofort Arzt und Wundarzt zu Hilfe zu rufen, ohne alle Gefahr, ja vielleicht am sichersten der Natur überlassen kann. Schon diese Kenntnis
würde dahin führen, den Gebrauch der Arzneien so sparsam als möglich
sein zu lassen, indeß andere gutmeinende, aber übel unterrichtete oder
vorurteilsvolle Eltern beinahe die ganze körperliche Erziehung darein
setzen, die Kinder fleißig einnehmen zu lassen, oder die leichtesten Verletzungen durch Salben und Pflaster — schlimmer zu machen. Es ist
kaum zu glauben, wie viel Irrtum und Aberglauben in diesem Punkt
noch unter den gebildeten Ständen herrscht und wie undankbar sie, bei
aller ängstlichen Sorge für die Erhaltung ihrer Kinder, gegen die bewährtesten und einfachsten Schutzmittel vor den fürchterlichsten Übeln
sind, deren Erfindung und Verbreitung zu den unverkennbaren Vorzügen
unseres Zeitalters gehören.

Zweite Abteilung.
Von der Erziehung als Bildung der geistigen Natur.

42. Vorerinnerung.

Körper und Geist sind in der äußeren Erscheinung des Menschen so sehr Eins, daß wir lediglich durch die verschiedenartigen Wirkungen der Kraft, welche ihn belebt, auf ein Verschiedenes in seiner Natur schließen, ohne von dem innersten Wesen und dem Verhältnis des einen zu dem andern Teil eine anschauliche Vorstellung zu haben. Wie Beides zuerst entsteht und sich verbindet — das Geheimnis der Erzeugung — bleibt für den endlichen Verstand unerforschlich. Eben so wenig haben wir von der inneren Natur der Kräfte, welche allem Wirken nach außen zum Grunde liegen, und die wir in körperliche und geistige teilen, eine deutliche Vorstellung. Wir nehmen nur so viel wahr, daß sich sehr bald neben dem Pflanzenartigen und Tierartigen etwas mehr in dem Menschen hervorthut, das über die Grenze des Sinnlichen hinausstrebt und eine Annäherung an das Unendliche verlangt. Dies ist's, worin uns der Geist oder die Seele des Menschen erscheint, deren Ausbildung zwar in seinem irdischen Zustande nie von dem Organ getrennt werden kann, und die, je jünger er ist, desto inniger mit dem Körperlichen zusammen zu hängen scheint, aber doch in der Erziehung der eigentliche letzte und edelste Zweck bleibt. Ist nun gleich jedes menschliche Wesen ein Eigentümliches, von allen andern durch eine gewisse uns ebenfalls unerklärbare Individualität Verschiedenes, oder eine eigene Natur: so haben doch, wie die körperlichen so die geistigen Naturen auch etwas Gemeinsames, worauf die Erziehung ihren Plan bei jedem Individuum anlegen kann. Die Pädagogik erleichtert sich, gleich der Psychologie, ihre Gesetze, wenn sie sich dabei das, was eigentlich in dem Menschen nur ein unzertrennliches Ganze, eine Hauptkraft ist, nach den verschiedenen Wirkungen, worin sie sich ankündigt, als verschiedene Vermögen denkt: 1. das Vermögen zu erkennen, 2. zu empfinden oder zu fühlen, 3. zu wollen, d. i. zu begehren oder zu verabscheuen. (S. oben § 10). Von dieser Einteilung wird auch die folgende Abhandlung über die Bildung des Geistigen im Menschen oder der Seele ausgehen, wobei jedoch nie vergessen werden darf, daß man sich keine Anlage, kein Vermögen in der Wirklichkeit als isolirt von den übrigen denken, oder auf die Ausbildung desselben ohne Rücksicht auf die übrigen hinarbeiten müsse.

Daß die verschiedenen, durch die Zeit herbeigeführten, anthropologischen, physiologischen und psychologischen Ansichten und Konstruktionen der menschlichen Natur auch auf die Ansicht der Pädagogik nicht ohne Einfluß bleiben würden, war zu erwarten. Da indes der Erzieher doch in den meisten Fällen an das Empirische gewiesen ist, so mag er sich wohl hüten, jede neue Spekulation und Hypothese sofort zu der seinigen zu machen, oder gar auf der Stelle auf die Praxis übertragen zu wollen. (Mehr hierüber in der Beil. Nr. II).

Unter den neuern Werken der Psychologie sind hervorzuheben: Beneke. Die neue Psychologie. Berlin 1845. Lehrbuch der neuen Psychologie. Berlin 1845. Pragmat. Psychologie. Berlin 1850. Carus, Psychologie. Leipzig 1808. Vorlesungen über Psychologie. Leipzig 1831. Erdmann, Grundriß der Psychologie 3. Aufl. Leipzig 1847. Fechner, Elemente der Psychophysik. Leipzig 1860. Fortlage, System der Psychologie. Leipzig 1855. Lotze, Medicinische Psychologie. Leipzig 1852. Wundt, Vorlesungen über Menschen- und Tierseele. Leipzig 1863. Wundt, Grundzüge der physiolog. Psychologie 2 Bde. 2. Aufl. Leipzig 1880.

Aus der Herbartischen Schule sind ebenso zahlreiche als ausgezeichnete Werke über Psychologie hervorgegangen. Herbart selbst schrieb: Psychologie als Wissenschaft. Königsberg 1824. Lehrbuch zur Psychologie. Königsberg 1834. Von seinen Anhängern sind zu nennen: Drobisch, empirische Psychologie. Leipzig 1842. Erste Grundlinien der mathemat. Psychologie. 1850. Lazarus, das Leben der Seele. Berlin 1857. Steinthal, Grammatik, Logik und Psychologie. Berlin 1855. Waitz, Grundlegung der Psychologie. Hamburg 1846, Lehrbuch der Psychologie als Naturwissenschaft. Braunschweig 1849. Lindner, Lehrbuch der empir. Psychologie. 6. Aufl. Wien 1880. Drbal, empir. Psychologie. 2. Aufl. 1875. Wien, Braumüller. Schilling, Lehrbuch der Psychologie. Leipzig 1851. Ballauff, die Elemente der Psychologie. Cöthen 1877. *Volkmann, Lehrbuch der Psychologie. 2 Bd. 2. Aufl. Cöthen 1875. Flügel, über die metaphys. Grundlage der Psychologie Herbarts. Pädagog. Studien von Rein, 1881, 2. Heft.

Erstes Kapitel.

Von der Bildung des Erkenntnisvermögens

oder

von der intellektuellen Erziehung.

43. Allgemeinste Regel für die Bildung des Erkenntnisvermögens.

Wie bei jedem Seelenvermögen, so ist auch bei der Bildung des Erkenntnisvermögens die allgemeinste Regel, den Gang der Natur genau zu beachten und ihm überall treu zu bleiben. So wie die Natur das Kind aus dem Zustande der Bewußtlosigkeit nach und nach in den Zustand des Bewußtseins und deutlicher Ideen hinüberführt,

so muß auch die Kunst handeln. Sie kann nur die natürliche Entwickelung der Seelenkräfte zum vollen Gebrauch der Vernunft befördern, aber nicht anders einrichten. Sie kann die einzelnen Vorstellungen schneller an Zahl vermehren und an Deutlichkeit erhöhen;
aber sie kann sie auf keinen andern Wegen, nach keinen andern Gesetzen
der Seele zuführen als nach denen, welche die ursprüngliche Einrichtung
derselben mit sich bringt. Wer daher auch hier die Erkenntniskräfte
nach ihrer Stufenfolge, und wie eine aus der andern hervorgeht, eine
die andere unterstützt, am besten psychologisch kennt, der wird sie auch
pädagogisch am glücklichsten ausbilden.

Anmerk. Für den praktischen Erzieher werden fürs erste zu diesem
Zweck solche Schriften über Anthropologie und Psychologie am brauchbarsten
sein, die mehr von der Erfahrung, von den äußeren Erscheinungen, als von
Hypothesen ausgehen, welche sehr scharfsinnig sein können, aber leicht irre führen.
Doch übersehe man Schriften, worin versucht ist, den Gegenstand auch tiefer zu
ergründen, deshalb nicht. Die Verachtung des Empirischen pflegt sich in der
Anwendung der Philosophie auf das Praktische zwar oft zu rächen; aber auch
Empirie ohne philosophischen Geist führt irre.

44. Nicht bloß durch Unterricht wird der Verstand gebildet.

Man hat sich hierbei gleich anfangs vor dem so gemeinen Vorurteil zu hüten, als ob keine intellektuelle oder Verstandesbildung ohne
eigentlichen Unterricht denkbar sei, folglich, wer jene befördern
wolle, im buchstäblichen Verstande Schule halten müsse. Dieses Vorurteil hat, außer der daraus entstandenen Verwechselung der Begriffe
von Verständigsein, Gelehrtsein und Vielwissen, auch unter andern die üble Folge gehabt, Kinder, die kaum vernehmlich sprechen konnten,
den Schulen zu übergeben, die Schulen aber veranlaßt, weil doch nun
einmal die Zeit ausgefüllt sein sollte, eine Menge von Gegenständen in
das Material des Unterrichts aufzunehmen, die auch nicht in dem min-
desten Verhältnis zu dem Fassungsvermögen der Kinder standen. Ge-
häufter Unterricht im gewöhnlichen Sinne ist sogar in den frühesten
Jahren gerade das alleruntauglichste Mittel, das Erkenntnisvermögen der
Kinder zu wecken. Es hat sehr oft eine unglückliche Frühreife zur
Folge, die fast immer durch nachmaliges Zurückbleiben gebüßt wird[1].
Aber in einem andern Sinne kann man freilich alles für sie in Unterricht verwandeln, ohne daß sie den Zweck bemerken, welchen man sich
bei solchen Veranstaltungen vorsetzt. Das wird durch den folgenden
Versuch, den Stufengang der Verstandesbildung anzudeuten, einleuchtender
werden. Doch kann er sich beinahe nur auf die allgemeineren Regeln
einschränken, welche der praktische Erzieher in seiner Erfahrung, nach der
Verschiedenheit der Zöglinge, mit anderen noch mehr ins Einzelne gehenden Bemerkungen leicht vermehren wird.[2]

Anm. 1. Hierüber verdient Campens Abhandlung über das schädliche Viel-
und Frühwissen der Kinder verglichen zu werden. Revis. Werk, III. Teil. Eben
dieser hat auch, besonders zur Belehrung der Mütter, vortrefflich gezeigt, wie viel
schon in den allerersten Jahren des Lebens, sowohl für das Intellektuelle als
Moralische geschehen könne, in der Abhandlung: über die früheste Bildung junger
Kinderseelen, Revis. Werk, II. Teil. Wohl dem Erzieher, dem so von den
Müttern vorgearbeitet ist! Besondere Bücher bedarf es dazu wenigstens für die
Verständigen nicht, und die Unverständigen werden auch mit Büchern schwerlich
viel leisten.

2. Ausführlicher wird man mehrere der nächst folgenden Materien behandelt
finden in der 4ten Beilage zu diesem Teil: Über die Bildung der Kinder im
frühesten Alter, wobei auch auf die neueren Ideen darüber Rücksicht genommen ist.

45. Erste Äußerung des Erkenntnisvermögens. Sinnliche Anschauung.

Alle Gegenstände wirken zunächst unmittelbar auf die Sinne, und
werden empfunden. Die Empfindung erzeugt eine sinnliche Vorstellung (Anschauung*). Die frühesten Eindrücke dieser Art, oder
die ersten Empfindungen, erhält das Kind durch die äußeren
Sinnenwerkzeuge, auf welche die äußeren Gegenstände wirken.
Wem eins derselben fehlt, oder wer unfähig ist Eindrücke aufzunehmen, der
entbehrt auch die ganze Reihe der nur dadurch möglichen Empfindungen.
Er kann keinen Sinn dafür haben, weil ihm das Werkzeug des
Sinnes fehlt. Je vollkommener aber diese Werkzeuge sind, desto vollkommner werden auch die Empfindungen sein, und je mehr Gegenstände
also vor die äußeren Sinne gebracht werden, desto mehr wird sich auch
die Anzahl der sinnlichen Vorstellungen vermehren. Das Kind wird
also schon von dieser Seite an anschaulicher Erkenntnis gewinnen,
welche vor der bloß symbolischen durch Worte oder andere Zeichen
so viele Vorzüge hat.

46. Beförderung der sinnlichen Anschauungen.

Hieraus folgt als erstes Geschäft der Erziehung, für die Vollkommenheit der Sinneswerkzeuge zu sorgen. Dieses geschieht
teils durch Erhaltung ihrer natürlichen Vollkommenheit, teils durch
Erhöhung derselben. Jenes erreicht man — negativ durch Verhütung
alles dessen, was die Sinnenwerkzeuge verwöhnen, verderben oder abstumpfen könnte — positiv durch jede Übung, welche sie stärken,
schärfen und dadurch im hohen Grade vollkommener machen kann. Dies

---

*) Anschauungen und anschauliche Erkenntnisse beziehen sich in
diesem Sinne nicht bloß, wie das Wort anzudeuten scheint, auf Gegenstände des
Gesichtssinnes, sondern auf alles, was durch die Sinne empfunden wird,
in welcher Bedeutung veranschaulichen und versinnlichen synonyme Ausdrücke sind.

gehört gewissermaßen schon zur körperlichen Erziehung; aber es ist vorzüglich wichtig in Hinsicht auf die Bildung der Seele, weil bei dieser so unglaublich viel von der Vollkommenheit des Organs abhängt, und die so gemeine Abwesenheit deutlicher, bestimmter und anschaulicher Vorstellungen, selbst von sinnlichen Dingen, ihren Grund allein in der Vernachlässigung der Sinnenbildung hat [1]). Da indes nicht alle Vorstellungen, welche wir durch die Sinne empfangen, einen gleichen Grad von Wichtigkeit haben, da namentlich der Geschmack und der Geruch am wenigsten, das Gefühl schon mehr, das Gehör und Gesicht aber bei weitem am meisten in Beziehung auf die Ausbildung der Seelenfähigkeit stehen: so werden zwar auch jene Sinne nicht ganz zu vernachlässigen, jedoch Gesicht, Gehör und Gefühl ganz vorzüglich zu üben sein [2]).

1. Wie unendlich groß und wie mannigfaltig ist das Heer von Empfindungen und Ideen, welche der Seele nur allein durch das Gesicht zuströmen! Und wie viel verlieren wir an Geistesnahrung, wenn dieser Kanal verstopft oder verengt ist!

Man bedenke, wie viel Wahrnehmungen und Beobachtungen und welche Menge von Empfindungen und Betrachtungen uns entzogen werden, wenn wir ein schwaches, blödes oder kurzes Gesicht haben. Die Bilder, welche die Seele von den Gegenständen etwa noch erhält, sind matt, unvollständig, verworren, verkehrt. — „Sind nicht für den, dessen Augen nicht weit tragen, die herrlichsten, reizendsten Aussichten ganz verborgene, nie empfundene Schönheiten der Natur? Und ist er nicht aller der sanften Rührungen, aller der großen, erhabenen, mannigfaltigen Empfindungen, welche sie bei einem Menschen von natürlichem Gefühl erwecken, ganz beraubt?" Stube.

2. Hierüber noch einige speziellere Bemerkungen:

a) Gesicht, Gehör und Gefühl werden durch die Verhütung jeder Verwahrlosung, sowohl der unmittelbaren als der mittelbaren, erhalten. Aber ausgebildet und geschärft werden die Sinne durch Übungen und die dadurch bewirkte Verfeinerung des inneren Empfindungsvermögens. Hiedurch werden sie erst dahin gebracht, daß sich die Seele der Empfindungen, welche sie ihr zuführen, bewußt werden kann.

b) Einige dieser Übungen erfolgen von selbst, ohne daß die Kunst hinzutreten darf. Das Kind, das anfangs weder recht sehen, noch hören, noch fühlen kann, und noch keine Verhältnisse von Nähe und Ferne zu unterscheiden vermag, lernt dies nach und nach von selbst. — Manche Kinder zeichnen dabei eine merkwürdig frühe Vollkommenheit einzelner Sinne aus. Sie sehen, sie hören, sie entdecken alles. Nichts entgeht ihnen. Sogar für das Ebenmaß und die Harmonie hat manches Auge und Ohr den feinsten Takt, ohne alle Einübung. An andern ist fast alle Mühe verloren. Künstelei in den ersten Jahren ist, nach meiner Erfahrung, ganz unnütz.

c) Aber unvollkommen bleibt gleichwohl der Gebrauch der Sinne bei den meisten Menschen, und dies würde ganz anders sein, wenn man sie nach und nach gewöhnte, alle Eindrücke auf ihre Sinne mit Aufmerksamkeit wahrzunehmen und rein aufzufassen. Es muß einen großen Unterschied machen, ob man dem Auge der Kinder frühzeitig viele Gegenstände vorhält und sie genau ansehen läßt, sie nähert, sie entfernt, ihre Stellung ändert, sie bewegt, sie von allen Seiten zeigt; oder ob

man das Kind in eine enge Kinderstube einschließt und mit lauter einförmigen
Gegenständen umgiebt; ob man es gewöhnt, oft in der Ferne etwas zu entdecken,
Versuche macht und Wetteifer veranlaßt, wer von mehreren am schärfsten sehen,
am genauesten Längen, Höhen, Breiten, Tiefen schätzen, am sichersten gegebene Linien
und Flächen einteilen, feine Schattirungen unterscheiden, an sehr ähnlichen Dingen
kleine fast unmerkliche Unterschiede und Merkzeichen auffinden könne; oder ob man
ihm erlaubt, sich zu verwöhnen und immer mit den Augen dicht auf den Gegenständen (Büchern, Bildern, Zeichnungen) zu liegen.

d) Das Ohr lernt durch ähnliche Übungen die Töne und was sie hervorbringt, wie nah oder fern der Gegenstand ist, und selbst in dem Ähnlichen das
Mannigfaltige schärfer bemerken. Auch ohne von dem Gesicht unterstützt zu sein,
wird es durch Übung unterscheiden lernen, von welcher Art, Gestalt, Nähe oder
Ferne das sei, wodurch ein Laut hervorgebracht wird.

e) Das Gefühl verfeinert sich unglaublich, wenn man es nur übt und ihm
zu dem Ende oft die Hilfe des Auges oder des Ohrs entzieht. Besonders lassen
sich die Fingerspitzen in einem hohen Grade zur Feinheit des Gefühls gewöhnen.
Was vermag nicht durch sie der Blindgeborene! Wenn man daher oft Versuche
anstellte, junge Leute mit verbundenen Augen die mannigfaltigsten Gegenstände unterscheiden, und selbst die feinsten Unterschiede, z. B. an Münzen, Baum- und Blumen-
blättern, Holz und Stein, und was es sonst für Gegenstände sein mögen, bemerken
zu lassen; so würde man in kurzer Zeit gewahr werden, in welchem Grade auch
dieser Sinn perfektibel sei.

f) Ähnliche Erfahrungen lassen sich allerdings auch bei dem Sinne des Geschmacks und des Geruchs machen, und sie sind wenigstens nicht ganz zu vernachlässigen. Bei Beurteilung mancher Dinge, wo Auge, Ohr und Gefühl nichts
entscheiden, entscheiden doch Geschmack und Geruch.

47. Stufengang von Sinnenübungen.

Es versteht sich dabei von selbst, daß Übungen dieser Art, wodurch
man seinen Zöglingen zur anschaulichen Erkenntnis sinnlicher Gegenstände
verhilft, nach den Jahren modificiert werden müssen. Es ist in den
früheren Jahren schon viel für die Seelenbildung geschehen, wenn nur
für eine gehörige Anzahl und Mannigfaltigkeit der Objekte gesorgt, und
die Aufmerksamkeit darauf fleißig angeregt ward. Viel wird in dieser
Hinsicht gewonnen, wenn die Mutter und die ersten Wärterinnen der
Kinder die Gabe haben, Kinder durch stetes Hinweisen auf wirkliche
Gegenstände, welche sie hören, sehen, fühlen, in einer beständigen äußeren
und inneren Thätigkeit zu erhalten; was im Ganzen weit besser ist, als
zu vieles oft sehr unverständliches Vorsprechen. Jenes öffnet ihnen die
Sinne, macht sie wißbegierig, aufmerksam und strebsam nach Verdeutlichung ihrer Ideen; da hingegen bei stummen, trägen, bequemen Müttern
und Wärterinnen, die auf nichts sinnen, als Kinder still und ruhig zu
machen, die Sinne sowohl als die Seelenkräfte in einem langen Schlummer bleiben und ihnen eine gewisse Gleichgültigkeit gegen alles, was sie
umgiebt, zur Gewohnheit wird. In den reiferen Jahren können die
künstlichen Sinnenübungen hinzukommen, die um so leichter anzuwenden
sind, weil sich die meisten zugleich in Spiele und Belustigungen der
Jugend verwandeln lassen.

Anm. Über die Materie von den Sinnenübungen mit Hinsicht auf die Pädagogik findet man viel Treffliches in Rousseaus Emil, vorzüglich aber in Guts Muths Gymnastik im 18ten Abschn. von Übung der Sinne, S. 541, wo auch Anleitung gegeben wird, wie sie der Erzieher auf sehr mannigfaltige Art veranstalten könne. Vgl. Desselben pädagogische Bibliothek vom Jahre 1803. Jan., desgl. die Spielschule zur Bildung der fünf Sinne für kleine Kinder, Dresden 1806, und Schwarz, Erziehungsl., 3. T. 2. Abth. S. 97. Ähnliche Vorschläge that Villaume im Rev. Werk, T. VIII. und Wolke in der Anweisung für Mütter und Kinderlehrer zur Mitteilung der ersten Begriffe der Sprachkenntnisse. Leipzig 1805. Pestalozzi sucht in seinem ABC der Anschauung diese Übungen einer strengeren Methode zu unterwerfen und zunächst den Sinn des Gesichts durch Fertigkeit im Auffassen der Maßverhältnisse zu einer höheren Vollkommenheit zu bringen. Seitdem ist man aufmerksamer auf die elementarische Bearbeitung der Formenlehre geworden. Die Beurteilung dieser Vorschläge findet man in den Beilagen zum 2ten Teile dieser Schrift, auch mit Rücksicht auf die Pestalozzische Methoden. Theoretisch handeln von der Ausbildung, welcher die Sinne fähig sind, Vertier sur la Perfectibilité de l'homme, und Tetens über die Perfektibilität der menschlichen Natur, im 2ten Teile seiner philosophischen Untersuchungen. — Schlotterbeck, Sinnenbildung. Glogau 1860. Böhmer, die Sinneswahrnehmungen in ihren physiologischen und psychologischen Gesetzen. Erlangen 1868. Dr. Böse, Über Sinneswahrnehmung und deren Entwicklung zur Intelligenz. Braunschweig 1872.

48. Herbeischaffung eines gehörigen Vorrats von Gegenständen für die anschauende Erkenntnis.

Nicht minder befördert die Erziehung die anschauende Erkenntnis, wenn sie darauf denkt, den Vorrat der Gegenstände, welche auf die Sinne wirken, möglichst zu vermehren; jedoch nur nach und nach, damit das Kind nicht überhäuft und die Aufmerksamkeit von einem auf das andere gezogen und dadurch schädlich zerstreut werde (53). Schon die uns überall umgebenden Dinge geben Anlaß genug, die Sinne der Kinder zu beschäftigen. Manche sind sogar geeignet, vor jedes Sinnenwerkzeug gebracht zu werden. Die Natur liefert einen unermeßlichen Vorrat. Man bringe seine Zöglinge ihren Schätzen so nahe als man kann; nicht durch unzählige Namen, die man in ihr Gedächtnis prägt, sondern durch das Vorzeigen ihrer Produkte, ihre Zergliederung und das Aufmerksammachen auf ihre kleinsten Merkmale. Vielfache Gelegenheit zu Anschauungen aller Art geben auch die Werkstätten der Handwerker und Künstler. Die hier unmittelbar selbst erworbenen Kenntnisse sind wegen der Deutlichkeit und Behaltbarkeit weit mehr wert, als das, was sie etwa im technologischen Unterricht in Volks- und Bürgerschulen erlernen. Es bleiben davon höchstens eine Menge von Wörtern, auch wohl Kunstausdrücke im Gedächtnis, ohne daß dabei deutlich ge-

dacht wird. Mag es für viele kein Interesse haben, die unzähligen
Arten menschlicher Beschäftigungen, welche gerade durch ihre Verschieden=
heit die Bande der Gesellschaft knüpfen, näher kennen zu lernen; mag es
keinen besondern Vorteil gewähren, über so viele Dinge und Bedürfnisse
des gemeinen Lebens mit Sachkenntnis sprechen, sich bestimmt darüber
ausdrücken und dem Künstler in seiner Sprache verständlich machen zu können:
der formale Nutzen — eine den Jahren der Kinder angemessene Übung
ihres Beobachtungsgeistes — bleibt immer von entschiedenem Wert.

49. Modelle und Bilder als Hilfsmittel der anschauenden Erkenntnis.

Kann man die Gegenstände nicht selbst anschauen lassen, so helfe
man durch Modelle, [1]) und, wo auch dies nicht möglich ist, durch Bilder
nach. Man tadelt mit vollem Recht den willkürlichen und plan=
losen Gebrauch der Bilder. Sie mindern die Aufmerksamkeit der Kinder
auf die wirkliche Natur; dabei sind viele Bilder, die man kleinen
Kindern giebt, elend und erwecken unrichtige Vorstellungen, welche
mit Mühe wieder verdrängt werden müssen; oder, weil kein Plan in
den Bilderbüchern ist, so führen sie ihnen eine Menge von Ideen zu,
die ihnen noch völlig unbrauchbar sind. Gewöhnlich flattern Kinder
über den Bildern hin und her und lernen wenig dabei, zumal wenn
man sie damit überhäuft. Wenn sie aber erst fähig sind, ihnen bekannte
Gegenstände mit der Vorstellung auf einem Bilde zu vergleichen, sich
etwas unter dem verjüngten Maßstabe zu denken, Verhältnisse wenigstens
einigermaßen zu beurteilen; wenn eine gehörige Auswahl der Bilder ge=
troffen werden kann, wobei selbst einige Rücksicht auf das Geschlecht der
Kinder nicht überflüssig sein dürfte; wenn sie belehrt werden, dieselben
mit Bedacht anzuschauen: erst dann kann ihr Gebrauch von wesentlichem
Nutzen zur Beförderung einer sinnlich anschaulichen Erkenntnis sein. Bis
dahin sind sie entbehrliche Spielwerke, da ja die Natur schon des Stoffes
zur Betrachtung so viel darbietet, wenn nur Kinder nicht verwöhnt sind,
zu schnell von einem Gegenstande zum andern hinüber zu eilen.

Anmerk. 1. Schon Plato (de Leg. Lib. 1.) empfiehlt den Gebrauch
kleiner Modelle, Werkzeuge u. s. w. zur Vorbereitung auf das praktische
Leben. — Modell= und Lehrmittelsammlungen befinden sich jetzt in ver=
schiedenen Städten mit reichster Auswahl, z. B. Lehrmittelanstalt von J. Ehrhardt u.
Comp. in Bensheim, von Pichler's Witwe in Wien, von Credner in Leip=
zig, von Vetter in Hamburg, Kröning in Magdeburg, Priebatsch in
Breslau, Lehrmittel=Agentur von Th. Christiansen in Ottensen bei Ham=
burg, Naturalien= u. Lehrmittel=Comptoir von Fr. Eger in Wien, Lehrmittel=
Katalog von Wunderlich in Leipzig, Leipziger Lehrmittel Anstalt von Dr.
Schneider, Schreiber in Eßlingen, Schwann in Düsseldorf, Natur=
historische Lehrmittel von Schlüter in Halle ꝛc.

2. An die im § angegebenen Bedingungen haben die wenigsten Herausgeber der unzähligen Bilderbücher für Kinder gedacht. So bald man daher die meisten einer strengen Kritik unterwirft, so halten sie keine Probe und sind höchstens als unschädliche Beschäftigungen der Kinder gegen die Langeweile zu betrachten. — Ausführlicher ist der Gegenstand in der IV. Beilage zu diesem Teil § 6 behandelt.

50. Spielgerät als Bildungsmittel.

Das mannigfaltige Spielgerät der Kinder sieht man gewöhnlich bloß für ein Unterhaltungsmittel an, und es hat in der That, wie alle wissen, die sich nicht bloß in Büchern mit Kindern beschäftigen, schon als solches einen gewissen Wert, und als Gegenwirkung der verderblichen Langeweile selbst einen moralischen Nutzen. Indes kann es auch als Bildungsmittel betrachtet und immer mehr dazu veredelt werden, sich aber eben deswegen auch einer pädagogischen Kritik unterwerfen. Denn teils giebt es einige Arten, die ganz entschieden, bald physisch bald moralisch schädlich sind; teils üben einige die körperlichen und die Geisteskräfte wenigstens mehr als andre; teils lassen sich bei einer vernünftigen Auswahl auch durch dieses Hilfsmittel wichtige Zwecke erreichen, ohne daß das Vergnügen der Kinder dabei verlieren dürfte:

1. Kinder durch Beschäftigung bei gutem Mut und in froher Stimmung zu erhalten, gehört zu den wichtigsten Bestrebungen der Erziehung. Manche Pädagogiker der alten und neuen Zeit sähen nun zwar gern, daß jene von Kindesbeinen an sich eben so ernsthaft und nützlich beschäftigten, wie sie selbst, und freuen sich doch über die stillsitzenden, recht frühzeitig lesenden und studierenden oder gelbverdienenden Knaben und Mädchen; lassen sich auch wohl Blässe und Kränklichkeit an ihnen gefallen, weil es oft die Farbe der Gelehrten sei und auf hohe Bestimmung hindeute. Sie möchten sie daher auch um die kindischen Unterhaltungsmittel bringen, die andrer ihre Gespielen haben: den Knaben um seine Steckenpferde, Peitschen und Trommeln, wobei er doch nur verwilre; das Mädchen um ihre Puppen, wobei doch nur ihre Phantasie verderbe, die man überhaupt nach der Meinung einiger pädagogischer Theoretiker nicht früh genug glaubt ersticken zu können. — Wer aber die Kindernaturen kennt und die Kinder liebt, wer dabei weiß, welche herrlichen Kräfte und Keime man durch diese Treibhauserziehung und diesen so überschätzten Industriegeist zerstört, die bei dem frohen Genuß der Jahre, wo sich erst alles entwickeln und stärken soll zur künftigen Brauchbarkeit, so fröhlich gedeihen: der wird an solchen Verkehrtheiten keinen Teil nehmen. Traurig genug, daß so viele die Not zum Verluste der Kinderjahre und Kinderfreuden verdammt! — Übrigens kann es nicht gleichgültig sein, wie die Unterhaltungsmittel, folglich auch die ersten Spielzeuge der Kinder beschaffen sind.

2. Es giebt mancherlei Arten von schädlichem Spielgerät.

a) Auf die Gefahr für die Gesundheit, die nicht nur aus vielen der gewöhnlichen Eßwaren, sondern auch aus den bemalten Sachen oder den Pinseleien

mit schädlichen Farben entsteht, die man schon ganz kleinen Kindern, welche noch
alles in den Mund nehmen, zu geben pflegt, haben die Ärzte wiederholt aufmerksam
gemacht. Andre sind ihrer Natur nach geeignet, gesunde Glieder der Verletzung
auszusetzen, das Wachstum zu hindern u. s. w., wenn man gleich hier nicht zu
ängstlich sein und jedes Stecken- und Schaukelpferd verbannen sollte, weil es möglich ist herunter zu fallen oder gar den Fuß zu zerbrechen. Solche Bewahrungen
und Behütungen machen unbeholfen in Gefahren, die doch einmal nicht zu vermeiden
sind. (Mehr hierüber ist schon bei der Gymnastik erinnert worden).

b) Für die Sittlichkeit sind am gefährlichsten die zu Tausenden, besonders durch die Jahrmärkte, herbeiströmenden Spielzeuge, die obscöne Gegenstände
dem Auge der Kinder darstellen und hier keiner weitern Beschreibung bedürfen.
Sie wirken allerdings am schädlichsten auf die niedere Volks- und Bürgerklasse;
denn aus den wohlhabenderen Familien entfernt sie schon ihre Geschmacklosigkeit.
Auch mag bei einer noch nicht aufgeregten Phantasie, die jedoch oft so früh erwacht,
der moralische Schaden nicht so groß sein, als man sich ihn denkt. Aber Aufmerksamkeit verdient die Sache auf jeden Fall. Selbst die polizeiliche Aufmerksamkeit
ist noch lange nicht wachsam genug auf Menschen, welche die allerobscönsten beweglichen und unbeweglichen Bilder zum Verkauf bieten und die Unschuld vergiften.

3. Locke hat schon sehr richtig bemerkt, „es werde oft darin gefehlt, daß
man Kinder mit Spielsachen überhäufe und dadurch eine Unmäßigkeit und Unersätt-
lichkeit in ihnen begründe, die sie hernach auch in andern Fällen beweisen." Man
möchte noch hinzusetzen, daß man eben dadurch ihr Vergnügen vermindert. Denn
wenn sich, wie man am Weihnachtsabend so oft zu bemerken Gelegenheit hat, die
Aufmerksamkeit zu sehr zerstreut, so zerteilt sich auch das Vergnügen, und alles,
was einzeln die Kinder sehr glücklich gemacht haben würde, macht ihnen, weil des
Guten und Reizenden zu viel auf einmal geboten wird, nicht die Hälfte der Freude.
Sie wollen zuletzt nur viel sehen, werden eben so schnell alles überdrüssig,
endlich ganz ungenügsam und durch nichts mehr befriedigt.

Ist es gleich zu viel gesagt, wenn Locke meint, man müsse Kindern gar
keine Spielsachen kaufen, sondern sie alles selbst verfertigen lassen, so
liegt dem Rat doch auch etwas Wahres zum Grunde. Ein Ding entstehen zu
sehen, hat einen großen Reiz für sie, und die Lebhaftesten können oft Tage lang
nicht ermüden, sich einen Ball zu stricken, der beim ersten Wurf verloren ist, etwas
aufzubauen, was in wenigen Minuten zusammenfällt, ohne daß sie darüber un-
tröstlich wären. Es geht ihnen wie manchen Baulustigen, die so lange ihr Bau
nicht vollendet ist, früh und spät dabei stehen, aber nach der Vollendung kaum
wieder danach hinsehen. Was sie selbst ins Werk setzen können, macht ihnen noch mehr
Freude als der Besitz, weil es ihre Thätigkeit beschäftigt. Gerade darauf sollte man
am meisten bedacht sein. Daher sind Baukasten, Papparbeiten, Naturalien-
sammlungen, Beschäftigung mit Blumen, überhaupt mit
Gartenbau ungleich nützlicher, als viele der gemeinen zerbrechlichen Spielsachen;
daher spielen die Mädchen so gern mit den Puppen, und können sich dabei wirklich
zu allen ihren künftigen weiblichen Bestimmungen vorüben; daher ist überhaupt
jedes Spielgerät, an dem sich etwas lernen läßt, das als Modell eine richtige Idee
von allerlei Natur- und Kunstwerken oder von den Naturkräften giebt, das ungleich
bessere, als eine Menge des Krams, der am 24. Dez. an viele tausend Kinder mit

großem Aufwande übergeben wird, und oft im neuen Jahre schon vergessen oder zertrümmert ist.

In der That verdiente das, was doch alljährlich, und oft mit sehr großem Aufwande, an diesem Tage für die Freude der Kinder geschieht, mit etwas mehr Besonnenheit veranstaltet zu werden. Nicht daß man — wie auch einige Päda- gogiker, selbst Gedicke wollten — die „Tändelei der Weihnachtsgeschenke" aus der Kinderwelt verbannen sollte. Warum doch das goldene Zeitalter der Kindheit, an welches diese Freuden in mehrerer Hinsicht recht bedeutsam erinnern, mit Gewalt den Kindern entreißen? Es ist für so viele die einzige recht glückliche Zeit ihres Lebens! — Aber der bloßen Willkür sollte doch der Ankauf des Besseren oder Schlechteren, des Nützlichen oder Unnützen, des Bildenden oder Mißbildenden, nicht überlassen bleiben. Man hat so lange Zeit vorher zu wählen, und man könnte bei einer v e r s t ä n d i g e n Wahl jenen Freuden so viel D a u e r verschaffen. — Privaterzieher sollten billig den Eltern hier mit ihren Vorschlägen zu Hilfe kommen, da sie die Bedürfnisse und Neigungen der Kinder kennen müssen.

4. Daß mit den Kinderjahren zugleich die Neigung zu k i n d i s c h e n Spie- lereien verschwinden muß, und daß es ein Zeichen des Zurückbleibens im Verstande ist, wenn junge Leute über diese Jahre hinaus noch mit einer Art von Leidenschaft an diesen Kindereien hängen, ist zwar gegründet. Indes muß man nicht zu be- sorgt sein, wenn auch etwas heranwachsende Zöglinge noch an manchem kleinen Spielwerk ihr Vergnügen finden können. Können sich doch wol ältere Personen zuweilen dazu herablassen und eine Art von Erholung darin finden. Warum nicht jüngere? Eine allzufrühe Entfernung vom Kindlichen ist entweder die Folge eines kränklichen Zustandes, bei welchem häufig Geist und Körper vor der Zeit altert; oder eine Frühreise, die durch Übertreibung bewirkt ist und die Jugend eben um jenes goldne Zeitalter bringt, das ihm keine Vielwisserei ersetzen kann. Mancher hochgelehrte Knabe blickt freilich vornehm auf solche Kindereien herab und spielt den jungen Gelehrten; aber nach zehn Jahren ist aus dem, der später reifte, doch wohl ein t ü c h t i g e r e r Mensch und ein brauchbarer Staatsbürger geworden.

In einer planmäßigen Erziehung sollten gleichwol eigentlich nützliche U n - t e r h a l t u n g s s a c h e n, woran die besseren Warenlager jetzt keinen Mangel haben, den Übergang zu ernsten Beschäftigungen machen. (M. f., was über die Mittel hiezu schon oder § 49, Anmerk. 1. bemerkt ist).

51. Kultur des inneren Sinnes.

Der innere Sinn besteht in dem Vermögen, sich Veränderungen und Zustände als die seinigen vorzustellen, oder sich seiner Ideen, Gefühle, Begierden, Leidenschaften, überhaupt dessen, was im Inneren vorgeht, bewußt zu werden. Dieses Vermögen entwickelt sich später in den Kindern, als das Bewußtsein äußerer Eindrücke und Ver- änderungen. Kinder sind noch nicht fähig, den Blick gleichwol in sich selbst zu kehren; ja die Erfahrung lehrt, daß viele erwachsene Menschen sich nie bis zu einem deutlichen Bewußtsein ihrer inneren Zustände

erheben. Gleichwohl ist es äußerst wichtig für die intellektuelle Aus=
bildung, daß auch diese Art von anschauender Erkenntnis frühzeitig
geweckt und gefördert werde, denn gerade aus ihr geht das innere höhere
Leben hervor. Man erwartet auch sonst vergebens daß junge Leute
Sinn für die geistigen Zustände andrer Menschen haben sollen, wenn
sie ihre eignen nicht wahrnehmen, man versucht umsonst, sie zu einer
früheren Selbsterkenntnis zu bringen, wenn sie nie auf sich merken
lernten. Noch weniger kann man darauf rechnen, daß ihnen die Freuden,
welche das Anschauen des Wahren, Schönen und Guten erweckt, je be=
kannt werden, wenn sie in ihrer eignen Empfindung nichts finden, was
dem allen entspricht. Bei jüngeren Kindern kann man indes noch
nicht viel mehr thun, als sie oft auf ihr inneres Selbst führen;
sie erinnern, wie sie bei gewissen Gelegenheiten empfunden, was in ihnen
vorgegangen, wie sie mit sich gekämpft, wie sie nach etwas verlangt, es
gehofft, erwartet, gefürchtet; wie ihnen vor, bei, nach einer guten oder
bösen Handlung zu Mute gewesen; was sie geträumt, woher wohl der
Traum entstanden; was sie sich eingebildet, wie die Einbildung von der
Wirklichkeit verschieden gewesen. Wer ein wenig in Kinderseelen Bescheid
weiß — wozu nichts mehr beiträgt, als ein häufiger Rückblick in seine
eignen Kinderjahre — der wird ihnen das Interesse ihrer Zustände und
Gefühle so genau beschreiben und so klar machen können, daß sie glauben,
er habe selbst in ihr Geheimstes geblickt. Aber eben dadurch lernen sie,
sich selbst, sei es auch anfangs noch so unvollkommen, beschauen; werden
besonnen und sinnig im guten Verstande des Worts, und so immer
mehr mit sich selbst bekannt. Es ist ein unaussprechliches Verdienst,
ihnen früh zu dieser wichtigsten aller Bekanntschaften verholfen zu haben.

Anmerk. Was man durch Unterricht in reiferen Jahren hierzu beitragen
könne, wird an andern Orten dieser Schrift gezeigt werden.

52. Kultur der Sprache in Verbindung mit den vorigen Bildungsmitteln.

Sehr zeitig fühlen Kinder das Bedürfnis, das verwirrte und ver=
wirrende Chaos der Außenwelt, die auf sie einwirkt, zu teilen, zu ord=
nen, das Einzelne, was sie anschauen, was sie fühlen, was sie denken
und begehren, anfangs durch gewisse Naturlaute, nach und nach durch
artikulierte Töne oder Worte zu bezeichnen. Wer hat nicht mit
Vergnügen und fast mit Bewunderung die unglaublichen Fortschritte
selbst des schwächsten Kindes bemerkt, sobald es anfängt sprechen zu
lernen; durch die Worte, als sinnliche mit den Begriffen verbundene
Zeichen, jene, die ohne dies Mittel so leicht wieder verschwanden, fest zu
halten und sie dem Gedächtnis zu übergeben. Diese Fortschritte sind
so groß, daß, wenn der menschliche Geist sich in der Folge in eben dem
Verhältnisse vervollkommnete, als in den ersten drei bis vier Jahren, er
zu einer unglaublichen Vollkommenheit gelangen müßte. Wenn nun, wie

die Geschichte lehrt, die Sprache ganzer Nationen nur in dem Maße ausgebildet ist, als sie überhaupt in ihrer Verstandsbildung fortgerückt waren, — wie denn ein vollständiges Wörterbuch sehr wohl der beste Maßstab des Verstandes einer ganzen Nation genannt werden kann — so darf man mit Recht auch bei dem einzelnen Menschen schließen, daß, je größer seine Fertigkeit im Gebrauch der Sprache ist, desto vollkommner auch die Ausbildung seines Verstandes sein müsse. Denn Sprachreichtum setzt auch Reichtum an Vorstellungen voraus und macht zugleich zur Aufnahme fremder Ideen empfänglich. Je früher daher Kinder ihre Ideen deutlich und bestimmt aussprechen, desto sicherer kann man ihrer inneren Fortbildung sein. Aber man kann dies auch in der Erziehung befördern. Schon den kleinsten Kindern nenne man jedes Ding mit dem rechten Namen. Gebrauchen sie einen falschen, so werde es auf der Stelle berichtigt. Wenn ihre Gespielen sich unrichtig ausdrücken, mache man sie auf deren Fehler aufmerksam. Wenn sie etwas lesen, lasse man sich oft den Sinn des weniger bekannten Wortes erklären. Vor allem aber sehe man, so viel es immer möglich ist, dahin, daß sie nur in der Gesellschaft solcher Personen aufwachsen, von denen richtig gesprochen wird. Denn die Kultur der Sprache der Kinder darf sich auf keine Weise bloß auf die späteren Unterrichtsstunden einschränken. Das Wichtigste sollte schon in den früheren Jahren, wo sich die Sprachfertigkeit bildet, geschehen sein.

Anm. 1. Das Vermögen der Sprache steht mit dem Denkvermögen in dem engsten Zusammenhange. Daher der Abstand des Tieres von dem Menschen. Wie es kein Denken ohne Begriffe giebt, so giebt es keine Begriffe ohne Worte, und jede Bildung des Menschen ohne Sprache muß verhältnismäßig höchst dürftig bleiben, wie die Taubstummen beweisen. Aber je sorgfältiger der Erzieher darauf achtet, wie jenes Vermögen in dem Kinde sich bildet, und wie eine so geringe Zahl von Lauten in zahllos mannigfaltigen Verbindungen unter einander das Mittel wird, eine ganze Gedankenwelt aus dem Innern hervortreten zu lassen und für die feinsten Ideen und Ideenverhältnisse ein hörbares Zeichen zu finden: desto mehr muß er über dies tägliche Wunder, worauf niemand achtet, erstaunen. „Ein Kind von fünf Jahren — bemerkt der Verf. der Levana sehr wahr — versteht die Wörter doch, zwar, nur, hingegen, freilich, aber. — Und doch, wie schwer ist es, eine Erklärung davon zu geben! — Im einzigen Zwar steckt ein kleiner Philosoph."

2. Eben dieser Verf. und so auch Schwarz (Erziehungslehre, 3. T. 2. Abteil. S. 204 ff.) geben den sehr gegründeten Rat, im Sprechen mit den Kindern die Unverständlichkeit auch nicht zu sehr zu fürchten. „Selbst die Miene, der Accent und der ahnende Drang zu verstehen hellet die eine Hälfte, und mit der Zeit diese die andre auf." So ist's! Aber dies macht die im § gegebenen Regeln nicht überflüssig, weil sich beides verbinden läßt und es doch immer allgemeines Gesetz bleibt, mit Kindern verständlich zu sprechen, und von Kindern

Niemeyer, Grundf. d. Erziehung. I. 5. Auf. 7

zu fordern, daß ſie ſich möglichſt verſtändlich, alſo auch richtig und beſtimmt, ausdrücken, um mit der Vermehrung der Begriffe auch an Reichtum in der Sprache
zu gewinnen. Die Kinder der Landleute ſtehen darin den Städtern vorzüglich,
eben wegen ihrer ſpracharmen Einſamkeit, nach.

3. Mehr hierher Gehöriges wird in der Didaktik bei dem Sprachunter-
richte vorkommen.

53. Erweckung und Beförderung der Aufmerkſamkeit.

Wenn die unzähligen Bilder und Eindrücke, welche dem Geiſte der
Kinder von allen Seiten durch die Sinne zuſtrömen, und ſelbſt die
Gegenſtände des inneren Sinnes, die geiſtigen Veränderungen und Gefühle, nicht bloß leidentlich aufgenommen werden, ſondern die Entwickelung und Wirkſamkeit der inneren Kraft befördern ſollen, ſo muß
eine Thätigkeit des Geiſtes hinzukommen, wodurch das dunkel Gefühlte
in Vorſtellungen übergeht. Dieſes verſteht man unter der Wahrnehmung.
Verbindet ſich damit das Beſtreben, ſich dieſer Vorſtellungen deutlich bewußt zu werden, ſo entſteht die Aufmerkſamkeit. Sie iſt gewiſſer-
maßen die Seele alles Denkens. Ohne ſie hilft alles Lehren und Unterrichten, helfen alle Anſtalten, jungen Leuten viele Ideen zuzuführen,
nichts. Sie haben Augen, Ohren und alle Sinne; aber ſie ſehen nichts,
hören nichts, nehmen nichts wahr. Denn ſie merken auf nichts. Ihre
Seele iſt entweder in einem beſtändigen Schlummer oder in einer ewigen
Zerſtreuung. Kein Gegenſtand hält ſie feſt. Sie bekommen daher auch
von keinem Gegenſtande eine recht deutliche und anſchauende Erkenntnis.
Ein ſehr wichtiger Teil der intellektuellen Erziehung wird daher das
Beſtreben ſein, Kinder und junge Leute zur Aufmerkſamkeit zu gewöhnen, ein Geſchäft, mit welchem man billig, wenn der eigentliche
Unterricht anfängt, ſchon ſehr weit gekommen ſein ſollte. Gewöhnlich
aber denkt man bei der früheren Erziehung hieran noch gar nicht. Eben
dadurch wird der nachfolgende Unterricht unglaublich erſchwert.

Anmerk. Der Erzieher findet die Fixierung der Aufmerkſamkeit bei einem
Zögling nicht ſo leicht als bei dem andern. Einige haben einen hohen Grad
natürlicher Geiſtesthätigkeit, welche ſich, ſelbſt bei ſehr jungen Kindern, ſchon phy-
ſiognomiſch ausdrückt. Sie ſehen, ſie hören, ſie greifen nach allem, indes bei
andern ſich nicht die geringſte Spur von Neugierde regt. Noch andern fehlt es
zwar nicht an Regſamkeit des Geiſtes, man bemerkt ſie vielmehr in einem vorzüglichen Grade; aber ſie iſt zu wenig geordnet, ſchweift daher unaufhörlich umher, dauert bei keinem Gegenſtande aus, ſo daß dieſes Übermaß beinah eben ſo
viel ſchadet, als jener Mangel, nur mit dem Unterſchiede, daß es leichter iſt, vorhandene Kräfte einzuſchränken, als fehlende zu erſetzen. Bringen es gleich junge
Leute von einer ſolchen ausgezeichneten Thätigkeit, die gemeiniglich mit einer natürlichen Lebhaftigkeit des Temperaments verbunden iſt, nie bis zu dem Grade
ausdauernder Aufmerkſamkeit, der ſich bei einem gewiſſen Mittelmaße

der Kräfte hoffen läßt, so kann doch auch bei ihnen durch Übung viel gewonnen werden.

54. Übung der Aufmerksamkeit. Praktische Regeln.

Als Übungsmittel verdienen folgende, auf psychologischen Erfahrungen beruhende, empfohlen zu werden: 1. Man fordere die Aufmerksamkeit nur für Objekte, die dem Alter und dem Grade der Ausbildung gemäß sind; daher in den frühesten Jahren nur für Gegenstände sinnlicher Anschauungen. Je mehr dadurch die Organe an Empfindlichkeit gewinnen, je geübter die Sinne werden, je reiner und stärker daher die äußeren Gegenstände auf sie wirken: desto leichter wird die Aufmerksamkeit angeregt werden. Dagegen sind zu frühe Ansprüche an die Aufmerksamkeit auf das Übersinnliche und Abstrakte das sicherste Mittel, die innere Thätigkeit zu unterdrücken. 2. Das Zeitmaß der von Kindern verlangten Aufmerksamkeit nehme mit den Jahren zu. Anfangs dehne man es nicht viel über die eigene Neigung der Kinder aus, damit die Anstrengung ihnen nicht lästig erscheine. Wer sie zu interessieren weiß, wird in ihrer Unterhaltung oft eher als sie selbst ermüden. 3. Je ungeübter ihre Seelenkräfte sind, desto mehr muß man vermeiden, sie durch mancherlei Objekte zu gleicher Zeit zu beschäftigen [1]). Erst nach und nach müssen sie lernen, auch auf Verschiedenartiges aufmerksam zu sein. Daher ist es im Anfange ratsam, alles, was die Aufmerksamkeit zu sehr ablenkt, zu entfernen; folglich weder zu gleicher Zeit körperlich zu beschäftigen, und daneben der Seele Begriffe zuzuführen, es sei denn, daß die körperliche Beschäftigung mit der Geistesthätigkeit zusammenhinge; noch, wenn es darauf ankommt, auf eine Sache recht aufmerksam zu machen, zu viel ähnliche in der Nähe zu lassen [2]). 4. Die Jugend ist um so aufmerksamer, je mehr die durch einen Gegenstand veranlaßte Thätigkeit ihrer Seele mit ihren übrigen Trieben und Neigungen zusammenhängt [3]). Da 5. die Aufmerksamkeit zum Teil eine freie Willensthätigkeit ist, so kann man sie auch durch Einwirkung auf den Willen befördern. Je mehr nun dem Verstande eine Kenntnis wichtig und unentbehrlich erscheint, je mehr Zusammenhang die Vernunft zwischen der Erwerbung derselben und dem künftigen Wohlsein entdeckt, desto geneigter wird auch der Wille sein, die Seelenthätigkeit ganz auf sie hinzulenken. Man mache also nur jenes dem Verstande recht anschaulich, die Wirkung wird nicht ausbleiben. 6. Zöglinge, welche von Jugend auf von dieser Seite durch verkehrte Unterrichtsmethoden und das verderbliche Vielerlei, wodurch man ihre Kraft zersplitterte, verwahrlost wurden, und die bei reiferen Jahren oft selbst klagen, daß es ihnen bei dem besten Willen so schwer werde, die Gedanken zusammenzuhalten, ohne sich zu zerstreuen, muß man beinahe durch alle Elementarübungen so führen, als wenn sie von vorn anfangen müßten. Nächstdem be-

7*

achte man genau, worin der Grund ihrer Zerstreutheit liegt[4]), und
biete alles auf, ihr zu wehren. Denn nichts hindert in der Folge
Gründlichkeit im Lernen und Besonnenheit im Handeln so sehr, als
Zerstreutheit der Seele.

Anmerk. 1. Gerade durch die M e n g e sinnlicher Gegenstände, welche man
zu gleicher Zeit dem Auge der Kinder vorstellt oder durch das Gehör in ihre
Seele bringt, vermindert man die Aufmerksamkeit. Sie zerteilt sich und verliert
daher an Intension, was sie an Extension zu gewinnen s c h e i.n t. Auch ermüdet
sie früher, weil die Seele fühlt, daß sie so vieles auf einmal doch nicht fassen kann.
Die eigentliche K r a f t wird daher weder aufgeregt noch gestärkt. — So blättern
z. B. Kinder in einem Buche, worin viele Bilder sind, je weiter sie kommen, immer
schneller und fühlen zuletzt gar keinen Reiz mehr. (s. oben § 50, Anm. 3).

2. Ein N a t u r a l i e n k a b i n e t wäre daher nicht der bequemste Ort,
e i n z e l n e Naturalien genau kennen zu lehren. Man müßte diese erst absondern.
Nur nach und nach kann man mit der Übung der Aufmerksamkeit auch die Übung
des A b s t r a k t i o n s v e r m ö g e n s verbinden.

3. Was die natürliche Wißbegierde reizt, was angenehme oder auch selbst
gemischte Gefühle hervorbringt, was die Erwartung spannt, was die Neigungen
zu begünstigen oder für dieselben brauchbar zu sein scheint, das beschauen, das
hören Kinder mit einer ausnehmenden Anstrengung, weil es Teilnahme erweckt.
Im Gegenfalle findet man sie zerstreut. Da nun nicht alles, worauf man ihre
Aufmerksamkeit lenken möchte, ein u n m i t t e l b a r e s Interesse haben kann, so
suche man ihm ein m i t t e l b a r e s zu verschaffen, indem man es mit irgend einem
ihrer Triebe, irgend einer ihrer Neigungen in Verbindung bringt. So würde es
z. B. leicht sein, sie auf die Theorie der mechanischen Gesetze aufmerksam zu machen,
sie die feineren Merkmale der Produkte im Tier- und Pflanzenreiche begreifen zu
lassen, wenn sie von jenen eine Anwendung bei ihren Spielen, von diesen einen
Vorteil für ihre kleinen Sammlungen von Naturalien bemerkten. — Bei andern
würde schon der E h r t r i e b ersetzen, was der eigenen Neigung abginge. Man
dürfte nur Wetteifer erwecken, wer am schärfsten aufmerken und am treuesten
behalten werde. So lernt die jugendliche Seele ihre Thätigkeit fixieren, ohne daß
sie es selbst weiß, daß man dies mit ihr zur Absicht habe.

4. Oft ist es eine bestimmte Idee, ein Wunsch, eine Aussicht oder eine
Befürchtung, was die Gedanken beständig abzieht. Manche verlieren die Aufmerksamkeit augenblicklich, weil sie nicht innerlich ruhig sind, oder beständig fürchten,
nicht fertig zu werden, es nicht recht zu machen. Bei andern ist es die unverhältnismäßige Lebhaftigkeit der Phantasie, die ihnen unaufhörlich neue Bilder zuführt.
Andre unternehmen auf einmal zu viel, wollen alles Versäumte plötzlich nachholen,
und werden so von einem zum andern gerissen. Ehe nicht alle diese Ursachen gehoben sind, wird man vergebens hoffen, Aufmerksamkeit zu erlangen. Aller Rat,
den man geben kann, muß sich daher auf die Entwöhnung von jenen Fehlern
beziehen.

M. vergl. Refewitz Abhandlung: Was ist Aufmerksamkeit, und wie kann
sie erweckt werden? Desgleichen: Praktische Regeln, die Aufmerksamkeit der Jugend
zu erwecken und fest zu halten, in dessen Gedanken und Vorschlägen, 1. Teil,
S. 66 ff. und in Wagners Beiträgen zur philos. Anthropologie, über Zerstreuung
in pädagog. Hinsicht. 1. B. S. 77 f. — Über Aufmerksamkeit siehe namentlich
die Arbeiten aus der herbartischen Schule: Waitz, Ziller, Stoy. — Wiefern
beim eigentlichen Unterricht durch gewisse Methoden die Aufmerksamkeit befördert
werden könne, gehört in die Unterrichtslehre.

55. Kultur der Einbildungskraft.

Die Einbildungskraft (Phantasie) bewahrt nicht nur alle äußeren
und inneren Anschauungen, sondern vermag sie auch selbstthätig wieder
hervorzurufen, das in der Natur Getrennte zu verbinden, das Verbundene zu trennen, und so ein Neues, dem nichts in der Wirklichkeit entspricht, zu schaffen. Selbst die versinnlichten höchsten und letzten Ideen
der Vernunft (die Ideale) sind ihr Erzeugnis. Sie steht nicht nur
mit den übrigen Seelenkräften, vorzüglich mit dem Anschauungs- und
Gefühlsvermögen im engsten Zusammenhange, sondern hat auch sehr oft
durch Erhöhung des letzteren zur Innigkeit, Wärme und Begeisterung
für den Gegenstand, den entschiedensten Einfluß auf alle Arten menschlicher Bestrebungen[1]. Es zeigt sich aber nicht bloß dem Grade nach,
in welchem sich die Phantasie bei einzelnen Zöglingen äußert, sondern
auch in Hinsicht der Objekte die größte Verschiedenheit. Der Haupt-
grund derselben liegt immer in der Individualität der ursprünglichen
Anlage. Auch äußere Einflüsse, die teils von allem, was auf den
Körper wirkt, dem Klima, der Nahrung, den Umgebungen, teils von der
ganzen äußeren Lage in den Jahren der Kindheit und Jugend, zuweilen
von früher Einsamkeit, zuweilen vom ersten Umgang ausgehen, haben
nicht geringen Anteil an einer schwachen oder starken, lebhaften, feurigen,
reichen oder armen Phantasie[2]. Es ist die Aufgabe der Erziehung, zu
erhalten, zu stärken, zu bilden was die Natur gegeben hat, aber dabei
nicht zu vergessen, daß diese Seelenkraft nur unter der Bedingung des
Gleichgewichts der übrigen geistigen Kräfte wohlthätig wirkt;
im Gegenteil aber eine ungeregelte, ausschweifende und zügellose Phantasie
allen Verirrungen aussetzt. Sie hat daher teils zu überlegen, ob bei
den einzelnen Zöglingen mehr Erweckung und Aufregung oder Mäßigung
zu bezwecken ist; welche Mittel dazu anzuwenden sind[3]; auf welche
Gegenstände sie gelenkt, an welchen sie geübt werden muß.

Anmerk. Zur näheren Erläuterung des Gegenstandes hier noch folgende
Bemerkungen:

1. Es gab eine — doch ziemlich schnell vorübergegangene — Periode der
Erziehung, welche der Kultur der Phantasie nicht günstig war, in der man verlangte, daß man sich von den frühesten Jahren an nur an den Verstand der

Kinder werden und sie fast überverständig machen sollte. Alles Poetische, alles Ideale hielt man für gefährlich, für den Weg zur Schwärmerei. Etwas Schlimmeres kannte man nicht. — Viele der neuesten Pädagogiker lehren die Sache um und möchten fast nur Phantasiemenschen erziehen. Die Phantasie ist ihnen das Höchste im Menschen. Wohin auch dies führt, liegt am Tage. Der gröbste, sinnlichste Mystizismus, Aberglaube und Schwärmereien aller Art finden dadurch eine Schutzwehr; selbst die Moralität kommt dabei in Gefahr. — Wenn irgendwo, so liegt hier das Wahre in der Mitte. Die Phantasie kann den wohlthätigsten Einfluß auf die ganze innere Bildung des Menschen äußern; sie kann die Quelle seiner reinsten Freuden werden und ihm namentlich den Genuß der Natur und der Kunst unendlich erhöhen. Aber sie kann ihn auch in ein Labyrinth führen, aus dem ihn zu retten zuletzt die Vernunft den Faden verliert.

2. Keine Erziehungskunst vermag zu ersetzen, was die Natur gänzlich versagt oder nur sehr dürftig gegeben hat. Eine feine, reizbare Organisation, eine innere Lebendigkeit der geistigen Kräfte ist allein ihr Werk. Aber allerdings macht es auch einen großen Unterschied, ob das Kind frühzeitig mit mannigfaltigen, freundlichen oder trüben, lichten oder dunklen Bildern umgeben war; ob durch seine erste Lage mehr seine unteren Seelenkräfte, oder schon früh die höhern Nahrung fanden; ob die Seelenthätigkeit geschärft oder abgestumpft, fixiert oder unaufhörlich zerstreut ward. Am wenigsten ist die Zerstreuung durch immer wechselnde äußere Gegenstände der Einbildungskraft vorteilhaft. Stille, ungestörte Einsamkeit, häufiger Naturgenuß, Beschäftigung mit großen Erscheinungen in der Natur- und Menschenwelt, alles dies hat die größten Dichter gebildet.

3. Bleibt gleich die natürliche Anlage die Hauptsache, so ist doch auch die Phantasie einer Kultur eben so fähig als bedürftig. Geweckt und geübt wird sie

a) schon durch frühe Übung der Sinne — damit diese sogleich die äußeren Gegenstände schärfer fassen und der Seele vollkommenere Bilder zuführen. S. oben § 44, 45. Daneben

b) fange man die strengeren Übungen des Verstandes nicht zu früh an; beschäftige mehr mit anschaulichen Kenntnissen, als mit abstrakten Begriffen, und töte vor allen Dingen nicht eine ohnehin schwache Phantasie vollends ganz durch leeren Wortkram. Man lasse daher

c) junge Leute viel sehen, viel hören, viel erfahren, sie in die verschiedensten Situationen kommen; beschäftige sie fleißig mit Werken der Einbildungskraft, besonders der Dichtkunst, die ja recht eigentlich für das jugendliche Alter gehört, so wie sie selbst ursprünglich das Produkt des Jugendalters fast aller Nationen ist. Wenn in diesem Alter der Zögling keinen Sinn für schöne Dichtung hat, so wird man sicher sein können, ihn im männlichen Alter völlig ausgetrocknet zu finden, wie dies der Fall bei so vielen Gelehrten und Geschäftsmännern ist.

d) Man mache überhaupt den Geist der Zöglinge selbstthätig nach den weiter unten (§ 61) vorkommenden Regeln. Dadurch werden sie nicht nur äußerlich, sondern auch innerlich regsam werden, und selbst, wenn ihre äußere Wirksamkeit gehemmt ist, wird ihre Phantasie immer geschäftig sein.

e) Auch die alles veranschaulichende Lebendigkeit des Unterrichts kann viel dazu beitragen. (Hiervon bei der Unterrichtslehre).

4. Über die Gegenstände, womit die Einbildungskraft zu beschäftigen ist, bemerken wir:

a) Je interessanter, nützlicher, dem Alter angemessener, auch sittlich vortrefflicher sie sind, desto besser. — Schändliche, widrige, groteske, unreine Bilder, alles, was im physischen und moralischen Sinne Karrikatur ist, sollte davon ausgeschlossen sein.

b) Den Sinn für das Symbolische oder Bedeutsame zu bilden, ist um so empfehlenswerter, je mehr zu wünschen ist, daß der Mensch in allem etwas Bedeutsames finde, auch in dem Leblosen und Vernunftlosen, wodurch dem Toten Leben und der Materie Geist gegeben wird. Gedichte, Märchen, Fabeln, Parabeln besonders, dann auch Versuche, Kinder selbst in den sie umgebenden Gegenständen das Symbolische finden zu lassen, sind Mittel dazu. Anleitung geben Herders Palmblätter, Krummachers Parabeln (2 Bde. 1814 und 1815) und desselben Apologen und Paramythien 1805. Man vergl. die Vorrede dazu, die auch für den Jugendlehrer lehrreiche Winke enthält.

c) Doch sollte man nicht wenigstens alle Fabeln, alle Feereien, alle Geistermärchen den Kindern entziehen? — Ich glaube nicht, obwohl strenge Auswahl nicht fehlen darf. Denn I. „sind wir Menschen — wie Herder so wahr bemerkt hat — einmal so organisiert, daß wir die Dichtung nicht entbehren können. Unsre Vernunft bildet sich nur durch Fiktionen; wir können nie ganz ohne Dichtung sein. Im Dichten der Seele, unterstützt vom Verstande, geordnet von der Vernunft, besteht das Glück unsres Daseins. Ein Kind fühlt sich nie glücklicher, als wenn es imaginiert und sich sogar in fremde Situationen und Personen hinein dichtet." — Daher machen 2. Fabeln und Märchen der Jugend ein unbeschreibliches Vergnügen. Dies würde zwar noch nicht allein für ihren Gebrauch entscheiden. Aber wie leicht ist es, wenn es erst nötig gefunden wird, sie zu überzeugen, daß es Dichtung sei. Daß 3. die Liebe zum Wunderbaren, welche (und doch wohl nicht ohne Zweck, doch wohl als Vorahnung eines Höheren und Unendlichen außer uns?) in der Natur liegt, dadurch einigermaßen genährt wird, ist nicht zu leugnen. Aber auch dies schadet wenig, sobald nur daneben die Aufklärung des Verstandes über die Naturgesetze und ihre Wirksamkeit immer fortgeht. Vor dieser verschwinden schon im Knabenalter alle abenteuerlichen Dichtungen — die gleichwohl belehrend sein konnten — wie Nebel vor der Sonne. Wer der Einbildungskraft dadurch in Hinsicht auf Aberglauben und Wundersucht eine schädliche Nahrung zu geben fürchtet, der müßte auch die Mythologie und vor allem die Bibel aus dem Unterrichte verbannen. Schon an dieser lehrt die Erfahrung, daß man zu viel fürchtet. Nur sei 4. die Auswahl der Fabeln und Märchen streng, und der moralische Zweck immer hervorstechend. Es herrsche Geschmack darin; es liege ihnen gesunde Vernunft zum Grunde. 5. Geister- und Gespensterhistorien verbanne man ganz, weil sie nicht nur Kinder furchtsam machen und erhalten, sondern weil auch ein schädlicher Eindruck, selbst bis ins reifere Alter, oft auf das ganze Leben, davon zurückbleibt. Erst in den Jünglingsjahren kann man sie zur Übung des Urteils gebrauchen, um entdecken zu lassen, wie auch scheinbare Wunder natürlich zu erklären sind.

Mit diesen hier geäußerten Grundsätzen stimmt Trapp im Revis. Werk VIII. T., S. 150 ff. meist überein. Dagegen aber wollen Funk, Villaume, Campe alle Märchen verbannt wissen. Wie viel froher und gewiß unschädlicher Genuß würde dadurch den Kindern entzogen werden! Rousseau — unnötig bange vor falschen Vorstellungen und ganz den Gewinn für die Phantasie übersehend, vielleicht weil er selbst zu oft das Opfer seiner glühenden Phantasie geworden war, — verwirft selbst den Gebrauch von Fabeln für Kinder, empfiehlt sie aber für Jünglinge. S. Emil im Revis. Werk. XII, 501—506, XIII, 402 und Campens dadurch veranlaßte Abhandlung: Über den Gebrauch der äsopischen Fabeln bei der Erziehung, in der Sammlung kleiner Erziehungsschriften, II. T. § 55. — Neuerdings haben über diesen Gegenstand geschrieben: J. Klaiber, das Märchen und die kindliche Phantasie, Stuttgart 1866; Dr. A. Weber, das

Märchen als Erzählungsstoff im Kindergarten (Kindergarten Nr, 1, 1873);
A. W. Grube, Pädagog. Studien und Kritiken, I. Bd. VI, Leipzig 1860;
Prof. Ziller, in den Jahrbüchern des Vereins für wissenschaftl. Pädagogik,
Langensalza, Beyer; Dr. Rein, Pädagog. Studien, XX. Heft, Eisenach, Bac-
meister 1878.

5) Man mäßigt und zügelt die Einbildungskraft, die vorherrschend eben
so sehr der moralischen Bildung als der Kultur des Verstandes gefährlich werden
kann, wenn man teils verhütet, daß der Phantasie nicht zu viel Bilder, selbst an
sich unschädliche, zugeführt, und Kinder, sei es nun durchs Lesen oder auf andere
Weise, zu sehr aus der wirklichen Welt in eine fremde, ideale versetzt werden, (von
welcher Seite allein schon das Theater für phantasiereiche Zöglinge gefährlich
werden kann); teils durch unabläſſige Beschäftigungen der übrigen Seelenvermögen,
des Gedächtniſſes, des Urteils durch Übungen des Verstandes an ernsten Gegenständen und besonders den Sprachen.

Übrigens wird dem praktischen Erzieher auch hier die Vergleichung philosophischer Abhandlungen über die Einbildungskraft von Muratori,
Meister, Maß, Anlaß geben, tiefer in die Materien einzubringen und sich selbst
noch weitere praktische Regeln aus der Natur dieses Seelenvermögens abzuleiten.

56. Kultur des Gedächtniſſes.

(Man vergleiche die ausführlichere Behandlung dieser Materie, besonders der
künstlichen Mnemonik, in der 5ten Beilage am Ende dieses Teils).

Das Gedächtnis bewahrt die Eindrücke, welche der äußere oder
innere Sinn aufgenommen hat. Wenn es daher nicht einen gewiſſen
Grad von Vollkommenheit erreicht, so ist Verstandesbildung fast undenk-
bar, und alle übrigen Seelenkräfte müſſen leiden. Von dem Vorurteil,
als ob ein vorzügliches Gedächtnis auf Schwäche des Verstandes schließen
laſſe, kommt man immer mehr zurück; und wenn die verkehrte Methode,
welche in vielen Schulen herrschend geworden war, das Gedächtnis auf
Unkosten des Verstandes zu üben, einige fast zu gleichgültig gegen die
Kultur desselben machte, so sieht man doch schon allgemeiner wieder ein,
wie äußerst wichtig diese Kultur, besonders in den Jahren der Jugend,
sei. Täglich hört man selbst sehr gebildete und gelehrte Männer über
Schwäche des Gedächtniſſes klagen. Aber schwerlich hat sich schon jemand im Ernst beschwert, daß er deſſen zu viel habe. (Tantum scimus
quantum memoria tenemus). Jene Kultur wird bei einigen Zöglingen
durch die Natur selbst in hohem Grade erleichtert; es mag nun der
Grund in den Organen des innern Sinnes, mit welchen offenbar die
Gedächtniskraft sehr genau, wenn gleich für uns unerklärbar, zusammenhängt, oder in einer frühen und zweckmäßigen Ausbildung liegen. Andre
hingegen scheinen darin so unglücklich organisiert, daß man fast in Versuchung kommt, ihnen alles Gedächtnis abzusprechen. Die ersteren sind
wieder von verschiedener Art. Bei einigen ist die natürliche Vollkommenheit der Gedächtniskraft nur einseitig und äußert sich durch die Leichtig-

keit, womit sehr viele und mannigfaltige Ideen schnell und in einer bestimmten Ordnung behalten werden. Bei andern kommt noch die Festigkeit hinzu, auch nach langer Zeit empfangene Vorstellungen wieder zu erneuern oder sich ihrer, und zwar genau und bestimmt, wieder zu erinnern, wodurch eigentlich das Gedächtnis erst recht brauchbar für den Verstand wird. Denn wenn die erste Vollkommenheit des Gedächtnisses nur das Auswendiglernen erleichtert, so erleichtert diese das Denken. Ihr kommt es weniger auf die Zeichen, als auf die Begriffe an, in welcher Hinsicht man auch nicht unbequem ein Zeichen- und ein Sach= gedächtnis unterschieden hat. Es ist wichtig für den Erzieher, diese psychologischen Bemerkungen nicht zu übersehen.

Anmerk. Auch die sorgfältige Kultur kann oft den einen Zögling nicht zu der Vollkommenheit des Gedächtnisses bringen, deren ein andrer fähig ist. Im ganzen aber ist das Gedächtnis sehr bildsam, und auch das schwächste kann gestärkt werden. Etwas geschieht dazu schon durch die Gewöhnung an Aufmerksamkeit. Denn zerstreute Menschen sind in der Regel auch vergeßlich. Nichts macht auf sie einen Eindruck, der tief genug wäre, um fest gehalten zu werden. Aber das Wichtigste ist Übung. Diese haben die Alten in eine eigene Kunst unter dem Namen der Mnemonik (Memoria artificialis) gebracht, deren allgemeinere Grundsätze auf den Gesetzen der Ideenvergesellschaftung (Associatio Idearum) beruhen, wie denn diese auch jetzt noch die Grundlage aller Gedächtnis- übungen sein müssen. Eine Beschreibung und Kritik jener Kunst enthält die 5te Beilage.

57. Gedächtniskultur. Praktische Regeln.

Folgende praktische Regeln zur Bildung des Gedächtnisses hat die Erfahrung bewährt.

1. Man fange sehr frühzeitig an, Kinder zu gewöhnen, etwas zu behalten und zu wiederholen. Ihre dazu nötigen inneren Organe be= kommen dadurch eine gewisse Festigkeit, deren öftere Anwendung unver= merkt eine Gewohnheit wird. 2. Man übe sie, eben sowohl die Zeichen, vornehmlich die Worte, als die Sachen zu behalten. Was ihnen natürlich am leichtesten wird, muß bestimmen, was man außer= dem am sorgfältigsten zu üben hat. 3. Behalten sie nur Worte sehr leicht, wohl gar unverstandene, so trage man eben darum Sorge, daß sie auch Begriffe und Sachen einzeln und im Zusammenhange fest halten lernen. Sonst kann wirklich ein unermüdbares Gedächtnis dem Verstande nachteilig werden.[1] Wird es hingegen 4. ihnen leicht, eine Menge Ideen fest zu bewahren, sehr viel von dem, was sie gehört, oder gesehen, oder gelesen, wieder zu erzählen, aber ohne Ordnung und Zu= sammenhang, wenigstens ohne imstande zu sein, auch einzelne Wörter wieder zu geben: so vernachlässige man auch diese nicht. Denn es hat mannigfaltigen Nutzen, Namen, Zahlen, Stellen aus Briefen oder Büchern

wörtlich treu im Gedächtnis aufbewahren zu können. Man mache daher täglich einige — nur nicht unverständliche — Wörter, und nach und nach immer mehrere in gleich kurzer Zeit, zur Aufgabe. Dann gehe man zu längeren Abschnitten fort und gebe der Übung Reiz, teils durch die Wahl dessen, was sie lernen müssen, teils durch erweckten Wetteifer, teils durch den Gebrauch, welchen sie davon berechnen können. 5. Man lasse keinen Tag hingehen, wo nicht das Gedächtnis auf irgend eine Art geübt werde; nicht nur bei denen, welche schwer behalten, aber durch tägliche Übung immer leichter lernen, sondern ganz vorzüglich bei solchen, die ein schnelles, aber kein treues Gedächtnis haben, und wo es daher oft nötig ist, die einmal gesammelten Ideen wieder aufzufrischen. 6. Statt gegen junge Leute von schwachem Gedächtnisse streng zu sein und ihnen dadurch vollends alles Auswendiglernen verhaßt zu machen, sinne man vielmehr auf allerlei Erleichterungsmittel.[2]) 7. Man setze einen hohen Wert auf die Kultur des Gedächtnisses, besonders sofern sie das Werk eines mühsamen und unverdrossenen Fleißes ist.[3])

Anmerk. 1. Man lasse z. B. fleißig wieder erzählen; einen Vortrag dem Inhalte nach wiederholen; wenn eine Seite eines Buches gelesen ist, es beiseit legen und die Ideenfolge angeben, oder den Faden eines Gespräches rückwärts bis zur ersten Idee verfolgen.

2. Die Erleichterungs- und Bildungsmittel ergeben sich aus dem allgemeinen Gesetz der Ideenvergesellschaftung, welches die besonderen Gesetze der Gleichzeitigkeit, der Ähnlichkeit, der Stetigkeit und des Kontrastes in sich schließt. — Zeit und Ort rufen die Vorstellung zurück, die ehemals damit verbunden war. Hauptbegriffe erinnern an die untergeordneten. Zeichen, womit man schwer zu behaltende Stellen anstreicht, erinnern an das Bezeichnete. — Das sinnliche Bild, das von dem Ganzen einer Sache der Seele vorschwebt, führt auf die einzelnen Teile. — Das Ähnliche führt auf das Unähnliche, und umgekehrt. — Was laut gelesen wird, behält sich besser, als was man in der Stille lernt. — Selbst die Tageszeit erleichtert oder erschwert das Lernen. Ist man ermüdet so sind alle Eindrücke schwach.

3. Wenn man mehrere junge Leute zu erziehen hat, stelle man von Zeit zu Zeit mnemonische Kampfspiele an; z. B. wer am fehlerlosesten eine langsam vorgesagte Reihe von Namen oder historischen Daten, desgleichen von sinnlichen, dann auch übersinnlichen Begriffen wiederholen — in der kürzesten Zeit eine Strophe eines Gedichts behalten — den Inhalt eines vorgelesenen Briefes mit den wenigsten Abweichungen wiedergeben — eine angeschriebene und wieder ausgelöschte lange Zahlenreihe am richtigsten aus dem Kopfe nachschreiben kann. Dies alles können Beschäftigungen leerer Viertelstunden sein, die für das folgende Leben von trefflichem Nutzen sind und bei dem eigentlichen Unterricht in Sprachen und Wissenschaften ihren unmittelbaren wohlthätigen Einfluß äußern werden.

Auch bei diesen Übungen gehe man Schritt vor Schritt. Z. B. Anfangs sei die Aufgabe: „Wer sagt, ohne zu fehlen, folgende Worte nach: Aal, Adler,

Affe, Ameise, Amsel, Auerhahn? — Oder: Bach, Dach, Fach, Rauch, Bauch, Schlauch? (Das Behalten ist hier durch die alphabetische Ähnlichkeit, und daß es lauter Tiernamen sind, sowie durch den Reim erleichtert). Schon schwerer wäre: Bad, Ball, Biber, Bulle, Bock, Buxbaum, Bart, Bette, Brot, Bier, Buchstabe. (Hier hilft bloß der Anfangsbuchstabe). Noch schwerer: Blut, Staub, Wasser, Speise, Fleisch, Fisch, Meer, Erde, Strom, Buch, Tier u. s. w." — Gereimte Gedichte werden leichter als reimlose behalten. Zu den übrigen Vorschlägen wird man sich leicht Beispiele denken können. — Sachen, die man nie in einer bestimmten Ordnung zu wissen nötig hat, lasse man selten in einer bestimmten Folge auswendig lernen, oder binde sich wenigstens beim Aufsagen nie daran.

58. Kultur des Verstandes.

Was das Sprichwort sagt: „der Verstand komme nicht vor den Jahren", ist an sich vollkommen gegründet, und die Erfahrung bestätigt es oft durchgängig, daß selbst eine frühe glückliche Bildung der übrigen Kräfte, Reichtum an Kenntnissen, großes Gedächtnis und lebendige Phantasie, noch immer etwas von der höheren Denkkraft sehr verschiedenes sind, die sich in der Deutlichkeit der Begriffe, der Richtigkeit der Urteile, der Bündigkeit der Schlüsse offenbart. Indes sind doch alle bisher angeführten Bemühungen für die geistige Bildung Vorbereitung der Periode des Verstandes und der Vernunft, welche das letzte Ziel aller intellektuellen Erziehung ist. Denn die Sinne sind an äußern und innern Anschauungen geübt. (46, 47). Ein reicher Vorrat von Ideen und Bildern ist dem Gedächtnis und der Einbildungskraft anvertraut. (48, 49, 56, 57). Die Aufmerksamkeit ist angeregt und gestärkt. (53). Es kommt nun ferner darauf an, den Verstand zu üben, sich alle Vorstellungen immer mehr zu verdeutlichen, sie richtig zu verbinden, zu kombinieren, zu trennen, d. i. sicher urteilen zu lernen, und durch Verbindung der Urteile auf dem Wege des Schließens zu neuen Einsichten und Überzeugungen zu gelangen. Dies ist die fernere Aufgabe der Kultur des Verstandes.

59. Beförderung der Deutlichkeit der Vorstellungen.

Weder die Menge der Vorstellungen, weniger noch die Menge der Namen oder Bezeichnungen, welche Kinder ins Gedächtnis gefaßt haben, verbürgt allein schon Klarheit und Deutlichkeit in ihrem Bewußtsein. Daher ist zunächst genau darauf zu achten, ob sie sich auch der Merkmale gehörig bewußt wurden, ob sie Teilvorstellungen von Totalvorstellungen gehörig unterscheiden und Rechenschaft davon geben können, oder ob nur ein dunkles Bild von dem Ganzen des Gegenstandes in ihrer Seele zurückgeblieben ist. Zu dem Ende lasse man sie oft, was sie gesehen und gehört haben, genau beschreiben. Wo sie irren, da berichtige man den Irrtum nicht sogleich durch unmittelbare Belehrungen, sondern lasse sie ihn, wo es möglich ist, selbst, durch nochmaliges Anschauen des Objektes, bemerken. Hierbei werden sich die Vorteile der oben (46—52) beschriebenen Sinnenübungen und Beschäftigungen der Aufmerksamkeit ganz vorzüglich äußern. Ähnliche Versuche mache man bei allgemeineren oder eigentlichen Verstandsbegriffen, so bald die reiferen Jahre derselben empfänglich machen. Bei diesen Übungen lasse man auch der jugendlichen Seele Zeit; kündige die Aufgabe, das Geschaute, Gehörte wieder lebendig darzustellen, vorher an, veranlasse vorbereitendes Nachdenken darüber, das zuerst sich selbst von allem Rechenschaft giebt. Durch diese innere Thätigkeit gewinnt der Verstand Wachstum und Reife.

Anmerk. Beispiele solcher Übungen wird man im 2ten Teil in dem Abschnitte der Unterrichtslehre finden, welcher von der ersten Erweckung des Nachdenkens handelt.

60. Bildung der Urteilskraft.

Aus der Verbindung oder Trennung verschiedener Objekte im Verstande entstehen Urteile. Kinder fangen sehr frühzeitig an, den Gegenständen ihrer Erkenntnis gewisse Eigenschaften zuzuschreiben oder abzusprechen und ihre Verhältnisse gegen einander zu bestimmen. Je richtiger nun ihre Vorstellungen von den Gegenständen sind, desto richtiger werden auch ihre Urteile, desto mehr zeigt sich der gesunde Verstand, und je öfter sie richtige Urteile fällen, desto reifer wird die Urteilskraft. Es ist also schon durch vorhergegangene Übungen der Sinne, so wie durch die Verdeutlichung der Begriffe der Beförderung einer gesunden Urteilskraft vorgearbeitet. Aber es giebt noch gewisse eigentümliche Übungen, welche sich auf diese für die ganze Verstandesbildung so wichtige Seelenkraft, ohne die alles Lernen und Wissen fast gar keinen Wert hat, beziehen. Sie gehen von der allgemeinen Regel aus: den jugendlichen Geist zur Selbstthätigkeit zu gewöhnen, und die Urteilskraft vielmehr durch Veranlassung eigner Anwendung zu bilden, als bloß durch Unterricht urteilen zu lehren oder falsche Urteile zu berichtigen. Wer Kindern beständig vordenkt, der erreicht den Zweck, sie, was doch die Hauptsache bleibt, nachdenkend zu machen, gerade am allerwenigsten. Denn neben der natürlichen Thätigkeit des menschlichen Geistes, welche ohnehin in verschiedenen Subjekten sehr verschieden ist, ist doch auch eine gewisse Trägheit und Arbeitsscheu sehr allgemein, die es sich gar bald gefallen läßt, wenn man ihr die Mühe ersparen will, sich anzustrengen. Daher in der menschlichen Gesellschaft so viel mehr Nachsprecher als Selbstdenker und Selbstprüfer; daher so viel slavische Anhänglichkeit an die ungereimtesten Sätze, die nichts als Altertum und Überlieferung von Vater auf Sohn für sich haben und gleichwohl den einleuchtendsten Urteilen des unbefangenen Verstandes den Eingang versperren. Diese ohnehin schon so zahlreiche Klasse wird ein Erzieher vermehren, der

1. von Kindheit an seinen Zöglingen vorsagt, statt sie selbst unter=
suchen und entdecken zu lassen, wie und was etwas sei; 2. der ihre
fehlerhaften Urteile, die gleichwohl ihren sehr guten Grund in der Be=
schaffenheit ihrer Sinnenwerkzeuge, oder in dem trüglichen Schein, oder
in dem Mangel an Erfahrung haben können, auf der Stelle selbst be=
richtigt, oder sie gar durch harte Äußerung über ihre Unwissenheit —
wo sie oft aus ihrem Standpunkt das Rechte sehen — niederschlägt;
3. der — statt alle die unvermeidlichen Verirrungen des Verstandes als
Wege zu betrachten, welche doch endlich zur Wahrheit führen, und nur
da zu warnen, wo es Gefahr hat — vielmehr dem Geiste nach klöster=
licher Weise beständig Fesseln anlegt, ihn daran führt und eben dadurch
verhindert, daß er auch einmal, sich selbst überlassen, den Weg finden lerne.

61. Beförderungsmittel der Selbstthätigkeit im Urteil.

Dagegen befördert man die Selbstthätigkeit des Zöglings in der
Anwendung seines eignen Verstandes: 1. durch häufige Aufforderungen,
über Dinge, welche innerhalb des Gesichtskreises der Jugend liegen,
Urteile zu fällen; 2. durch beständige Gewöhnung, von allen Dingen
dieser Art Grund und Ursach anzugeben, folglich nicht leichtgläubig zu
sein; 3. durch geflissentliche Erschwerung mancher Aufgabe, statt der
falschen Erleichterungsmethode, bei welcher keine Kraft der Seele
gespannt wird; 4. durch das Bemühen, wenn geirrt ist, den Grund des
Irrtums selbst finden zu lassen; betrifft es sinnliche Gegenstände, durch
Annäherung und genauere Untersuchung der Objekte; betrifft es Verstandes=
ideen, teils durch Zuhilfenehmen der Erfahrung, teils durch Entwickelung
der Begriffe; 5. durch Veranstaltung recht vieler Gelegenheiten, wo sich
besonders der praktische Verstand, oder die Fertigkeit gewisse Begriffe
und Kenntnisse auf vorkommende Fälle mit Leichtigkeit anzuwenden, äußern
kann; wozu selbst Vergnügungen, Ausführung kleiner Pläne, in den
Weg geworfene Schwierigkeiten Anlässe werden können; 6. durch öfteres,
gemeinschaftliches Überlegen, wie dieses und jenes anzufangen, und durch
Achten auf die eignen Vorschläge, die Kinder thun; wobei man sich die
Miene geben kann, nicht selbst auf alles gekommen zu sein, um ihnen
das Vergnügen zu verschaffen, sich als Schöpfer dieser und jener Idee
zu betrachten, und ihnen dadurch zum Selbstgefühl und zum Genuß
ihrer Kräfte zu verhelfen. Besonders kann aber 7. die Methode des
eigentlichen Unterrichts und die Wahl des ersten Lehrstoffs sehr viel
hierzu beitragen, wovon in der Unterrichtslehre das Weitere.

62. Übung des Scharfsinns und Witzes.

Indem man die Urteilskraft übt, übt man zugleich den Scharf=
sinn, welcher auch die kleinsten Ähnlichkeiten und Unähnlichkeiten zwischen
den Vorstellungen zu bemerken fähig ist, und, wenn die Einbildungs=

kraft daran mehr Anteil als der Verstand hat, Witz genannt wird. Obgleich auch hier die natürliche Anlage größtenteils entscheidet, bis zu welchem Grade beide Vermögen vervollkommnet werden können, so sieht man doch aus der Erfahrung, daß die Kultur nicht ganz ohne Erfolg bleibt. Diese Kultur ist wiederum vornehmlich die Sache des Unterrichts. Aber auch im täglichen Umgange kann die Erziehung dazu mitwirken. Dies geschieht 1. durch mancherlei Aufgaben, sinnliche Gegenstände zusammenzustellen, ihre Ähnlichkeiten aufzufinden und genau zu bezeichnen; 2. im Gespräch, durch Vorlegen verwickelter Fälle; durch Aufforderung, sehr ähnliche Sätze, oder auch zwar sehr ähnliche, jedoch in einem Punkt verschiedene Maximen und Handlungen von einander zu unterscheiden; durch Mitteilung feinerer Sprachbemerkungen, z. B. über wirkliche und scheinbare Synonymen, desgleichen echt witziger Einfälle, um zu erforschen, ob sie gefühlt werden und Vergnügen erwecken; durch Erzählen lächerlicher Züge, die zu Äußerungen des Witzes auffordern; durch Veranlassung zu geistreicher Kombination des scheinbar Ähnlichen, erst in der Sinnenwelt, dann in der moralischen; endlich auch durch Zurechtweisungen bei allem unechten und geistlosen Witz. Nicht ganz verwerflich sind auch als Übungen des Scharfsinnes und Witzes, 3. mancherlei Spiele, namentlich eigentliche Verstandesspiele, als Rätsel, Charaden, oder einzelne, zur Zusammensetzung einer Geschichte verteilte Wörter; dann auch Gesellschaftsspiele, wo etwas zu erfinden, zu erraten ist, wo es auf witzige Einfälle und Aufgaben ankommt, zumal wenn man nicht, wie z. B. bei den gemeinen Pfänderspielen meistenteils geschieht, bloß auf fade Possen oder die ersten besten Einfälle ausgeht, sondern auf Geist und Verstand ein wirklicher Wert gesetzt wird.

Anmerk. 1. Wohl bemerkt Richter in der Levana (2. Teil S. 374):

„Man sollte Schlözers Methode in der Geschichte (bekanntlich war er ein Meister im Kombinieren!) auch in andern Wissenschaften nachahmen. Ich gewöhnte meine Zöglinge, die Ähnlichkeiten aus entlegnen Wissenschaften anzuhören, zu verstehen und dadurch selber zu erfinden. Z. B. alles Große oder Wichtige bewegt sich langsam. Also gehen gar nicht: die orientalischen Fürsten — der Dalai Lama — die Sonne — die Seekrabbe. — Oder: Verhehlt wurde — der Name Jehovahs — die sibyllinischen Bücher — die erste altchristliche Bibel — die katholische — die Bedams. — Der Mensch wird von vier Dingen nachgeahmt: vom Echo — Schatten — Affen — und Spiegel. — Es ist unbeschreiblich, welche Geläufigkeit aller Ideen dadurch in die Kinderköpfe kommt.“

2. Wie viel Jean Pauls eigene Schriften zu dieser Anregung des Witzes geben, bedarf keiner Erinnerung. Ganze Anthologieen von Witzspielen ließen sich allein aus ihnen sammeln. Von Rätseln, Charaden, Logogryphen, Anagrammen findet man in den neueren Kinderschriften, Taschenbüchern, Zeitungen und Tageblättern einen großen Vorrat. Man hat auch eigne Sammlungen, z. B. Brüllow und Schäfer, Rätselschatz, Lansch, 600 Kinder-

rätsel 2c., 3. Ausg.; Bossert, 500 Rätsel und Charaden. 4. Ausg. Doch noch
weit nützlicher wären Versuche, dergleichen Aufgaben von den Kindern selbst
erfinden zu lassen.

Die meisten Gesellschaftsspiele könnten bildender für den Verstand
werden, als sie gewöhnlich sind. Das Sprichwörterspiel ist noch eins der
besseren, zumal wenn dabei gesprochen wird. Es setzt Erfindungsgeist und
Witz in Thätigkeit. Wörter, auf einzelne Blätter geschrieben und dann verteilt,
um daraus eine Geschichte, ein Gedicht 2c. zu bilden, geben auch Anlaß zu
Übungen in Ideenkombinationen und können angenehm und nützlich unterhalten.

63. Kultur der Vernunft.

Die höchste Denkkraft, das Vermögen der letzten Gründe und
Gesetze, offenbart sich in der Vernunft[1]). Je reifer der Zögling wird,
desto mehr nähert er sich in diesem Sinne der Periode der Vernunft.
Er setzt immer mehrere Urteile zusammen, zieht aus ihnen Schlüsse,
bildet sich selbst allgemeine Grundsätze. Alles, was bisher die Erziehung
zur Beförderung der Ausbildung seines Erkenntnisvermögens gethan hat,
hat zugleich mitgewirkt, daß er teils früher vernünftig ward, teils
seine Vernunft auch recht gebrauchen lernte. Sie legt es zwar nicht
darauf an, durch Beschleunigung der Vernunftperiode andere Seelenkräfte
zu unterdrücken; aber es ist doch letzter Zweck aller ihrer Bemühungen,
daß einst ein wirklich vernünftig denkender und handelnder
Mensch aus dem Zöglinge hervorgehe, und daß man den vernünftigen Mann, die vernünftige Frau auch schon im Jüngling und
der Jungfrau mit Sicherheit anden könne. Dazu trägt, außer dem,
was nun im Unterrichte durch mehr philosophische Behandlung der
Gegenstände, oder durch immer mehr Gewöhnung an allgemeine Urteile und Schlüsse geschieht, besonders eine solche Art des Umgangs
mit jungen Leuten vieles bei, welche sie mehr heraufzieht, als sie
beständig an ihre Jugend und ihre Unreise ihres Verstandes zu erinnern.
Das letztere ist nur bei vernünftelnden Jünglingen, bei dem seichten
Raisonneur, der sich die altkluge Miene des Philosophen giebt, am
rechten Orte; außerdem aber ist es das sicherste Mittel, junge Leute
recht lange in der Unmündigkeit des Verstandes zu erhalten. Wenn
man hingegen in ihrer Gegenwart oft und recht absichtlich, doch ohne
daß sie gerade die Absicht merken, allgemeine Grundsätze aufstellt und
danach einzelne Fälle beurteilt; aus der Kombination mehrerer Wahrnehmungen sie selbst Schlüsse ziehen läßt, was für einen Ausgang wohl
dieses und jenes nehmen werde, und dadurch zugleich ihr Vorher-
sehungsvermögen übt; oder auch hinterdrein sie auffordert, anzugeben,
warum eine Sache gerade diesen Ausgang genommen habe: so wird
dies sowohl auf ihre theoretischen als praktischen Urteile immer mehr
das Gepräge der Vernunftmäßigkeit drücken [2]), sie früher gewöhnen,

sich im Denken orientieren zu lernen, und selbst vor den Verirrungen der spekulierenden Vernunft sicher stellen.

Anmerk. 1. Der Sprachgebrauch rechtfertigt die Erklärung, wiewohl Vernunft auch in einem andern Sinne genommen wird, und oft überhaupt die **Anlage und Kraft** bezeichnet, welche der höheren geistigen Natur eigentümlich ist, daher man ihr teils eine **theoretische**, teils eine **praktische Vernunft** zuschreibt. — Hier ist von der Vernunft als verschieden vom Verstande und als höchstem Ziel der intellektuellen Ausbildung die Rede.

Daß durch diesen Rat, Zöglinge eines reiferen Alters, sowohl Söhne als Töchter, mehr als Erwachsene, nicht aber immerfort wie Kinder zu behandeln, keineswegs das zu frühe Raisonnieren mit Kindern begünstigt werden solle, ist aus dem Zusammenhange klar. Nichts ist unerträglicher als altkluge Knaben oder Mädchen, die nur der Unverstand oder die Blindheit der Eltern bewundern kann, welche eben dadurch sie immer vorlauter und unnatürlicher machen. Aber in den Jahren, wo sich alles der Reife nähert, schadet die zu wenige Rücksicht auf die emporstrebende Vernunft gewiß. Kinder bleiben viel länger Kinder, als der Fall sein würde, wenn man es ihnen nicht unablässig vorsagte. Manche, die nie aus der Tutel der Eltern gekommen sind, bleiben es fast zeitlebens und sind dann immerfort unverständige, unbeholfene und kindische Geschöpfe.

Eben daraus erklärt es sich auch, daß in der Regel das weibliche Geschlecht früher verständig wird, als das männliche, besonders als Jünglinge, die auf illiberalen Schulen erzogen und da gewöhnlich viel länger schülerhaft behandelt werden, indem ihnen nichts zugetraut wird. Noch jetzt bestätigt die Erfahrung, was schon Locke bemerkt hat: „daß manche junge Leute weit länger sich unter den Schulknaben herumtreiben und den Kopf voll Schulknabenanschläge haben, als geschehen würde, wenn nicht die Lehrer in ihrem ganzen Betragen sie als Knaben behandelten und von sich entfernt hielten." Locke, § 95. Und selbst verständigen Lehrern gelingt es nicht immer, den kleinlichen Schul- und Schülergeist zu bannen. Man vergleiche mit manchen solchen unbeholfenen Produkten einer zu knabenmäßigen Erziehung andre junge Leute, welche das Leben, die Welt, die frühe Not, die zeitige Anstellung bei irgend einem Geschäfte gebildet haben. Wie weit sind sie — hinter jenen zwar an mancher Wortkenntnis vielleicht zurück — aber dagegen an Besonnenheit und Selbständigkeit voraus! Wie wenig Vernunft ist selbst in so manchem 20jährigen Jüngling, dessen Welt vom Knabenalter an nur der Schülerkreis war, und der aus dieser engen Welt in die so oft nur scheinbar weitere akademische übergeht, um da ein kindisches Vorurteil gegen ein andres, eine geistlose Unterhaltung gegen eine andere auszutauschen. Pitt war im 21. Jahre erster Staatsminister von England.

64. Einfluß des Bücherlesens auf die intellektuelle Bildung.

(Man vergleiche über die frühe Verstandesbildung, über das Lesen der
Kinder und über Kinderschriften die IV. Beilage zu diesem Teil).

Neben dem bildenden Umgang und dem lebendigen Unterricht kann
allerdings auch das recht getriebne Lesen wohlgewählter Schriften
sehr viel zur Übung und Erweiterung der natürlichen Anlagen und Kräfte
beitragen. Zwar rechnet man offenbar zu viel auf sie, wenn man glaubt,
der Verstand könne nur auf diesem Wege wahrhaft gebildet werden.
Wäre es doch in der Regel beinahe vorteilhafter, wenn sehr junge Kinder
beider Geschlechter fast gar nichts, etwas ältere nur wenig läsen, und
auch in den folgenden Jahren, außer dem unmittelbar nützlichen und
notwendigen, weniger in Büchern, desto mehr aber in dem großen Buche
der Natur und des Menschenlebens zu lesen gewöhnt würden. Indes
gehört es zu den dankenswerten Vorzügen unserer Zeit, daß wenigstens
ungleich zweckmäßigere Schriften, als die Vorzeit hatte, für jede Klasse
vorhanden sind. Sollen jedoch auch diese den Zweck erfüllen, zur wirk=
lichen Ausbildung des Erkenntnisvermögens etwas beizutragen, so muß die
Lesung, besonders anfangs, unter der Leitung des Lehrers geschehen, da
sonst Kinder sehr leicht, so bald sie fertig lesen können, zumal wenn sie
übrigens wenig beschäftigt sind, viele Stunden für sich lesen, ohne darnach
zu fragen, ob sie auch das Gelesene verstehen. Dadurch wird aber
Gedankenlosigkeit weit mehr als Nachdenken befördert. Auch nachher
muß man nicht auf das Viellesen, sondern auf das Langsam= und
Rechtlesen dringen, sich oft von dem Gelesenen Rechenschaft geben, den
Inhalt wiedererzählen, Urteile darüber fällen lassen, Einwürfe dagegen
machen. In den reiferen Jahren ist die Benutzung der Bücher zur
weiteren Bildung des Verstandes und Herzens mehr die Sache der
moralischen Erziehung oder des eigentlichen Unterrichts, wovon weiter
unten die Rede sein wird.

65. Verschiedenheit der jugendlichen Köpfe und nötige Prüfung derselben.

(Man vergleiche die V. Beilage: Über die Prüfung ursprünglicher Anlagen und
Fähigkeiten mit Rücksicht auf neuere Hypothesen).

Zum Beschluß der Lehre von der intellektuellen Erziehung wird es
nicht überflüssig sein, auf die so unverkennbar große Verschiedenheit
der Kinder in Ansehung ihrer Erkenntniskräfte und des
höchst ungleichen Verhältnisses derselben unter einander auf=
merksam zu machen. Denn wie sehr müssen sie nicht hiernach die Be=
mühungen des Erziehers um ihre Ausbildung bestimmen und abändern.
Im Grunde bemerkt auch wohl der gemeinste Beobachter diese Ver=
schiedenheit, und nichts ist gewöhnlicher, als die Klage über Schwäche,
Stumpfheit, Unfähigkeit der Köpfe, worin besonders angehende Lehrer

115

so geneigt sind, den einzigen Grund der geringen Wirksamkeit ihres Unterrichts zu suchen, welchen sie doch weit näher in ihrer eignen fehler=haften Methode finden könnten. Aber nicht nur in diesen Klagen, sondern auch auf der andern Seite in den Lobpreisungen oder der zu hohen Schätzung mancher Köpfe ist nicht selten viel Übertriebenes, Unbestimmtes und Einseitiges. Daß einige Kinderseelen wirklich fast gar keiner deut=lichen Begriffe fähig sind und alle Bemühung der erziehenden Weisheit, sie nur in etwas aufzuhellen, vereiteln, kann man nicht in Abrede sein, wie wenig es auch der Psychologie möglich sein mag, den wahren Grund zu entdecken oder etwas anderes als die — stets geheimnisvolle — Organisation anzuklagen. Aber auch in denen, welche unleugbar Fähigkeit und Bildsamkeit besitzen, ist die Grundkraft sehr verschieden; und man muß sich hüten, aus der Schwäche ihrer Thätigkeit von einer Seite und in gewissen Fällen auf ihre Unfähigkeit von andern Seiten und in andern Fällen zu schließen, und sie darüber vielleicht ganz zu vernachlässigen[1]). Bei dieser so ungleichen Verteilung einzelner Kräfte und Talente ist es gerade die allerschwerste Aufgabe, jeden Zögling so zu behandeln, daß er die für ihn erreichbare Vollkommenheit auch wirklich erreiche. Dazu ist nun von seiten der Erzieher eine Prüfung der Köpfe nötig; ein Studium, das für sie um nichts entbehrlicher als für den eigentlichen Lehrer ist, wofern man nicht wiederum alle Geistes=bildung bloß auf die Unterrichtsstunden einschränken will[2]).

Anm. 1. Der Grad der Einbildungskraft bestimmt z. B. die Leb=haftigkeit, Schnelligkeit oder Langsamkeit des Kopfs, aber darum noch nicht die Fähigkeit überhaupt. Diese hängt von dem Verstande ab, der wiederum entweder mehr für allgemeine Begriffe und Wahrheiten, oder mehr für die Beurteilung einzelner Fälle, mehr theoretisch oder mehr praktisch ist. Mancher Kopf scheint in gewissen Fällen stumpf und trocken, denn er hat wenig Scharfsinn und Witz. Ein anderer hat viel natürlichen Witz und leichte Fassung ohne be=deutende Ausbildung des Verstandes. Selbst das Genie, das an der Erfindung neuer, aus sich selbst geschöpfter Ideen kenntlich ist, äußert sich verschieden. Man redet daher auch von wissenschaftlichen Köpfen, von Sprach= und Kunstgenies.

2. Hier nur einige allgemeinere Winke, wie dieses Studium anzustellen sei:
a) In den früheren Jahren richte der Beobachter seine Aufmerksamkeit auf das Empfindungsvermögen der Kinder, das sich am ersten entwickelt. Er hat Ur=sach, muntere, fähige, bildsame Köpfe zu erwarten, wenn die Eindrücke der Dinge auf die äußere und innere Sinnlichkeit stark und dauernd sind; wenn Kinder das, was sie erst einmal oder wenigemal empfunden — gesehen, gehört, gefühlt — gleich wieder erkennen; wenn sie mit sichtbarer Aufmerksamkeit die Gegenstände bemerken, die sie umgeben; wenn sie, gleich denen, auf welche nichts einen rechten Eindruck macht, zu schnell von einem zum andern hinübereilen, oder auch, jedoch nicht aus Trägheit, lange bei manchem ausdauern; wenn sich eine gewisse Abneigung vor allem Abstrakten, Unsinnlichen, Unverständlichen, allem Wörterkram, der ihnen keine Ideen zuführt, bei ihnen zeigt; wenn sich dagegen manche Triebe, den Trieb zur Thätigkeit, Nachahmung, Veränderung des Zustandes, früh regen

und so wie die Empfindungen von Lust und Unlust stark äußern. Wo sich das Gegenteil von dem allen fände, da würde man auf ein schwaches Empfindungsvermögen und einen langsamen Kopf schließen müssen. Auch würde der Eindruck selbst zu beobachten sein, welchen die Gegenstände auf den Sinn der Kinder machen, um daraus ihre besondern Anlagen und Fähigkeiten beurteilen zu können. Sinn für Wohllaut und Harmonie, Sinn für Symmetrie, für Schönheit und Häßlichkeit äußert sich offenbar bei dem einen weit früher, als bei dem andern. Alle diese Merkmale eines starken Empfindungsvermögens sind entscheidender, als die physiognomischen. Aber auch diese — der helle, sprechende Blick, die Beweglichkeit und der Ausdruck der Mienen, die Lebhaftigkeit in allen Bewegungen werden für den Beobachter nicht ganz unbedeutend sein.

b) Gedächtnis und Einbildungskraft äußern sich ebenfalls ziemlich früh. Ein bloß behaltendes Gedächtnis, dem aber der Stoff gleichgültig ist, kündigt weniger, als das Sachgedächtnis den guten Kopf an. Kinder, die jenes allein haben, werden künftig viel merken, vermutlich aber weniger denken. Die, welche weniger an den Worten und ihrer Reihenfolge, aber desto mehr an den Ideen hangen, zeigen ungleich mehr innere geistige Thätigkeit. Der Grad und die Vollkommenheit der Einbildungskraft sind an der Richtigkeit der Bilder, welche sie erneuert, und an der Regelmäßigkeit ihrer Verknüpfung kenntlich. Sie interessiert sich für Dichtungen. Ist sie bloß stark, so mögen sie immerhin abenteuerlich sein; ist sie zugleich geordnet, so verlangt sie auch Wahrheit und Wahrscheinlichkeit, wenn sie sich daran ergötzen soll. Der Jüngling von reger Phantasie ist der Freude so wie der Traurigkeit empfänglicher. Beides äußert sich oft in ihm, ohne daß man genau weiß, woher es kommt; es kann, ohne alle äußere Veranlassung, oft seine ganze Seele erfüllen. — Man sieht ihn häufiger zerstreut, als den trocknen Kopf, der immer bei sich, aber oft ganz ideenleer ist. Letzterer fühlt aber auch leichter Langeweile, weil er nichts aus sich selbst schöpfen kann. Jener kann in seiner Ideenwelt, in seiner Schöpfung ist, sehr glücklich sein, sich in der Einsamkeit oft vortrefflich unterhalten, wenn dieser nicht einen Augenblick ohne eigentliche Beschäftigung oder Zerstreuung von außen ausdauern kann und sich daher augenblicklich nach geendigter Arbeit in den Strom der Gesellschaft stürzt oder den geistlosesten Beschäftigungen sich überläßt.

c) Die eigentliche Denkkraft äußert sich zwar überhaupt in der Leichtigkeit, womit Begriffe gefaßt und verbunden und Urteile gefällt werden; doch ist sie wieder bei dem einen für gewisse Arten von Gegenständen geschickter, als bei dem andern. Manche junge Leute sind aufgelegter, alle Ideen bis auf ihren ersten Grund zu verfolgen; sie wollen alles erklärt, alles bewiesen wissen, von allem Grund und Ursach vollständig einsehen. Sie sind bei Sprachkenntnissen für die Regeln, bei wissenschaftlichen Kenntnissen für die vollständigen Beweisführungen; sie finden besonders Wohlgefallen an mathematischen Wissenschaften; sie sind, mit einem Wort, mehr wissenschaftliche Köpfe, und ihr Verstand mehr raisonnierend oder theoretisch. Andre machen vielleicht in den eigentlichen Wissenschaften, in den Regeln einer Sprache weniger Fortschritte und haben den eisernen Fleiß, welcher jene auszeichnet. Aber sie wenden die Regeln oft glücklich an, ohne sich dessen bewußt zu sein; sie haben eine gewisse natürliche Gewandtheit des Geistes, einen hellen Blick für das Einzelne, ein richtiges Urteil über Menschen und Dinge, eine große Leichtigkeit, sich in alles zu finden, viel innere Ausbildung ohne großen Vorrat gelehrter Kenntnisse, mit einem Wort, viel praktischen Verstand und eben daher viel Brauchbarkeit für die Geschäfte des Lebens.

d) Bei manchen Köpfen ists, als ob erst eine gewisse Arbeitsperiode eintreten müsse, ehe sie aufwachen. Man verwechselt leicht ihren Schlummer mit einer völligen Abwesenheit. Man giebt sie auf, weil man vergebens an ihnen zu bilden scheint. Unvermutet erwachen sie, und man muß erstaunen, wie schnell sie ein-

8*

holen, was andere früher geleistet haben. Sehr merkwürdige Männer aus den verschiedensten Zeiten bestätigen die Bemerkung durch ihr Beispiel. Aber auch eine entgegengesetzte Erfahrung begegnet uns oft. Mehr als einmal hat sich mir bestätigt, was auch Arndt (Fragmente über Menschenbildung, 2. Teil 119) bemerkte, daß Knaben, von welchen man Großes hoffte, nichts, andere, von welchen man nichts hoffte, viel werden." „Schwer — setzt er hinzu — ist es überhaupt, von Kindern und Knaben zu bestimmen, was sie einst durch Energie und Talent leisten werden; wenigstens müssen die, welche solches bestimmen wollen, ein sehr scharfes Auge haben. Eine gewisse Lebendigkeit der Organisation, die sich früher zeigt, ein gewisses wildes Gefühl des Wohlbefindens wird gar zu leicht für Stärke der Naturkraft und des inneren Lebens genommen; in dem Stillen, Unbehilflichen und Schweren der frühen Jahre sieht man gar zu leicht eine angeborne Langsamkeit. Die wichtige Epoche kommt. Hier sinkt die Schwere zu Boden; für das Stumme kommt Ernst, für das Unbehilfliche auf der Oberfläche des Lebens eine bewundernswürdige Energie und Elasticität im Innern. Dort wird die Lebendigkeit entweder Wildheit und Unstätigkeit, oder aus dem wilden Buben wird wohl gar ein blöder und stiller Kopf, den man treiben muß, wenn er vorwärts soll. Diese Erscheinung bestätigt sich noch täglich, und man könnte große Namen nennen, die lange auf ihren Adlerflug warten ließen. Es sollen alle Übergänge in der Natur Mysterien sein, damit die menschliche Willkür nicht zu sehr daran künstle."

3. Lehrreiche Winke über die Prüfung der Fähigkeiten und die Beurteilung ihres gegenseitigen Verhältnisses findet man unter anderm in Quartes Prüfung der Köpfe in den Wissenschaften, übersetzt von Lessing, aufs neue von J. J. Ebert. Wittenberg 1785. Helvetius de l'homme, de ses facultés intellectuelles et de son Education. Tom. I. II. Deuxponts 1791. Deutsch: Breslau 1785. (Zwar voll oberflächlicher französischer Philosophie, aber doch auch sehr reich an Stoff zum Prüfen und Beobachten). — Garvens Versuch über die Prüfung der Fähigkeiten, in der Sammlung einiger Abhandlungen aus der Bibl. der schönen Wissenschaften, 1. Teil S. 1 ff. Steeb — mehr physiologische — Untersuchungen über den Menschen. 3 Teile. 1785. Tetens philosophische Versuche über die menschliche Natur. 1. u. 2. Teil. Leipzig 1777. Wetzels Versuch über die Kenntnis des Menschen. Leipzig 1784. In Platners Anthropologie das Lehrstück von der Aufmerksamkeit. In Schwarz Erziehungsl., 2 T. S. 445. 3 Teile. 1. Abteil. besonders S. 280. J. C. A. Grohmann, Psychologie des kindlichen Alters. Hamburg 1814. Desselben Ideen zu einer Geschichte der Entwickelung des kindlichen Alters. Psychologische Untersuchung. Elberfeld 1817. — Unter den Neueren s. Beneke's psychologische Schriften. Ziller, Einleitung in die allgem. Pädagogik § 9—14.

66. Rücksicht auf die Verschiedenheit der Köpfe bei ihrer Bildung.

Hat der Erzieher diese und ähnliche Beobachtungen angestellt (65), so ist ein zweites Geschäft, überall bei der Geistesbildung auf jene natürlichen Anlagen Rücksicht zu nehmen. Es ist allerdings zu versuchen, ob man das, was gewissermaßen von der Natur versäumt oder erschwert scheint, einigermaßen durch die Kunst ersetzen und erleichtern könne. Das Empfindungsvermögen, selbst Gedächtnis und Einbildungskraft läßt sich stärken und durch Übung vervollkommnen. Je mehr es von Natur daran fehlt, desto mehr muß man darauf hinarbeiten. Auch kann eine gewisse ursprüngliche Unverhältnismäßigkeit der Kräfte, z. B. der Einbildungskraft gegen den Verstand, ein Wink sein, ein besseres Verhältnis durch Mäßigung der einen und Stärkung der andern hervor zu bringen; wenigstens sich sorgfältig zu hüten, das zu sehr zu nähren, was an sich schon das Maß überschritten hat; den trocknen Kopf nicht durch beständige Beschäftigung mit abstrakten Wahrheiten oder grammatischen Subtilitäten völlig zum Pedanten, den lebhaften Kopf durch Nahrung seiner glühenden Phantasie nicht ganz zum Schwärmer zu machen. Da indes offenbar in dieser Verschiedenheit der natürlichen Anlagen ein weiser Zweck der Vorsehung nicht zu verkennen ist, so befördert man diesen Zweck, wenn man, statt eines natürlichen Zwanges, aus jedem Kopfe, so viel es irgend möglich ist, das zu bilden sucht, wozu er die meiste natürliche Anlage hat. Es gehört dazu von seiten des Erziehers oft eine gewisse Selbstverleugnung. Denn es ist sehr natürlich, gerade die Talente am meisten kultivieren zu wollen, auf welche man selbst den größten Wert setzt. Aber man würde dadurch sehr oft Zeit und Mühe verlieren und Gefahr laufen, andere nicht minder schätzbare Naturanlagen unangebaut zu lassen.

Zweites Kapitel.

Von der Bildung des Gefühlsvermögens

oder

ästhetische Erziehung.

67. Bildungsfähigkeit des Gefühlsvermögens.

Von dem Erkenntnisvermögen unterscheidet sich das Vermögen, bei gewissen Vorstellungen und empfangenen Eindrücken ein Wohlbehagen oder Mißbehagen zu empfinden. Durch dasselbe wird uns unser jedesmaliger innerster Zustand kund, und so bald sich das Selbstbewußtsein thätig zeigt, unterscheidet dies auch das Gefühl von der Vorstellung und von der Thätigkeit des Willens. Nun scheint es zwar, der Mensch verhalte sich dabei bloß leidend, und die Erziehung könne auf das Gefühl keinen Einfluß haben. Bei einer näheren Beobachtung findet sich indes, daß allerdings auch hier die natürliche Anlage einer weitern Ausbildung fähig sei. Wie könnte man auch sonst von Erweckung, von Vernachlässigung, von Abstumpfung der Gefühle reden? Wie könnte man warnen, das Gefühl nicht auf Unkosten anderer Seelenkräfte zu nähren? Wie könnte man es jungen

Leuten zur Pflicht machen, ihre Gefühle zu bewachen, zu bewahren, zu mäßigen? Nach welchen Grundsätzen und durch welche Mittel dies erreicht werden könne, lehrt die Theorie der ästhetischen Erziehung.

Anmerk. Der Ausdruck ästhetische Erziehung wird hier in der weiteren Bedeutung genommen, die früherhin nicht gewöhnlich, so wie überhaupt der Name der Ästhetik selbst im engeren Sinn vor Alex. Baumgarten (1750) nicht gebräuchlich war. Dieser bezog ihn bloß auf die Bildung des Geschmacks für das Schöne, so wie die intellektuelle Erziehung das Wahre, die moralische das Gute bezweckt. Erst seit man in der Psychologie das Gefühlsvermögen von dem Vorstellungs= und Begehrungsvermögen gesondert, hat sich auch in der Erziehungslehre ein besonderer Abschnitt über die Kultur desselben gebildet.

68. Verschiedenheit der Gefühle.

Schon in den früheren Jahren äußert sich das Gefühlsvermögen auf mannigfaltige Weise. Das Gewahrwerden gewisser Zustände im Bewußtsein, welche durch Eindrücke auf die Sinnlichkeit oder auf das Geistige im Menschen entstanden sind, läßt eine Empfindung der Lust oder der Unlust, ein Gefühl der Erhebung oder der Niedergeschlagenheit zurück, wovon die bestimmten Ursachen kaum angegeben werden können, und das in der Tiefe unsrer Natur und ihrem innersten Wesen den Grund haben muß. Betrifft das Angenehme oder Unangenehme des Zustandes nur den Körper, so ist das Gefühl bloß ein sinnliches. Gemischter, jedoch mehr geistiger Natur sind die Gefühle, welche wir mit dem Namen der sympathetischen, der moralischen, der religiösen, der ästhetischen und der intellektuellen bezeichnen. Sie alle stehen mit den Vorstellungen sowohl, als mit dem, was begehrt oder verabscheut wird, im genauesten Zusammenhange und haben an der Hervorbringung und Ausbildung des Charakters einen sehr nahen Anteil. Um so weniger darf sie die Erziehung unbeachtet lassen.

Anmerk. In der Bestimmung und Verb'ndung der vorstehenden Begriffe weichen bekanntlich die Theoretiker von einander ab. Der praktische Erzieher versäume um so weniger ihr tieferes Studium. Die Schriften von Moses Mendelssohn über die Empfindungen, von Sulzer über den Ursprung der angenehmen und unangenehmen Empfindungen, die Preisschriften über das Erkennen und Empfinden von Eberhard und Campe, die Untersuchungen des moralischen Gefühls von Feder, Smith und Jakob, die Theorieen des Schönen und Erhabnen von Burke, Kant, Platner und unsern Ästhetikern, wie Engel, Heidenreich, A. W. Schlegel, Richter, Bouterweck, Carrière, Zimmermann, Lemike, Bischer, Fechner, Meyer u. a. werden ihn sämtlich auf eine Menge feiner, für die Erziehung brauchbarer Bemerkungen führen.

69. Kultur der sinnlichen Gefühle.

Die Behandlung der sinnlichen Gefühle gehört zum Teil in das Gebiet der körperlichen Erziehung; aber sie hängt doch auch von einer andern Seite mit der moralischen genau zusammen. Von der frühesten Kindheit an ist jeder der Eindrücke körperlicher Lust und körperlichen Schmerzes empfänglich. Der Grad ist verschieden und für die Beobachtung der Individualität nicht gleichgültig. Eine zu schwache Reizbarkeit des Körpers, eine gewisse Gefühllosigkeit, macht zwar die unvermeidlichen unangenehmen Empfindungen erträglicher; aber sie beraubt auch des Genusses mannigfaltiger Freuden, welche, wenn gleich sinnlicher Natur, doch für ein sinnlich vernünftiges Wesen, wie der Mensch ist, nicht aufhören Freuden zu sein. Auf der andern Seite macht eine zu große Reizbarkeit gemeiniglich mehr unglücklich als glücklich und ist eine Art von Krankheit des Körpers, welche auch auf die übrigen mehr geistigen Empfindungen einen sehr bedeutenden Einfluß hat. Ferner kann ein allzugroßes Wohlgefallen an körperlich angenehmen Empfindungen dem Interesse an Freuden einer höheren Art nachteilig werden. Endlich ist ein bedeutender Unterschied zwischen den Arten dieser sinnlichen Empfindungen. Die, welche uns durch das Gesicht und das Gehör zugeführt werden, sind weit edlerer Art und hängen weit unmittelbarer mit den geistigen zusammen, als die Freuden des bloß sinnlichen Gefühls, Geruchs und Geschmacks. Mit Hinsicht auf diese Erfahrungssätze, wird der praktische Erzieher überhaupt dahin zu sehen haben, daß, so viel als möglich, ein gewisses glückliches Mittelmaß erhalten oder, wo es nicht in der Naturanlage ist, hervorgebracht werde. Fehlerhaft würde es sein, es selbst bei dem, was bloß für den äußern Sinn angenehm und reizend ist, auf die Bewirkung einer völligen Apathie oder Empfindungslosigkeit anlegen und Zöglinge absichtlich selbst gegen Wohlgeschmack, gegen Wohlgeruch und andere Sinnenreize ganz gleichgültig machen zu wollen. Gesetzt es wäre möglich, ihre Nerven bis dahin abzustumpfen, so würde man sie dadurch einer unzähligen Menge angenehmer Gefühle berauben, deren Genuß das Lebensgefühl erhöht, und die, da dem Bedürfnis jedes Sinnes so manche Befriedigungsmittel in der Natur entsprechen, unstreitig auch zu ihren Zwecken gerechnet werden müssen. Denn wozu Wohllaut, Wohlgeruch, Wohlgeschmack in der Natur, wenn wir die Organe vorsätzlich zerstören wollen, welche für diese Genüsse bestimmt sind? Jede unnatürliche Apathie hat ohnehin einen nachteiligen Einfluß auf den Charakter, macht ihn barsch und kalt und bringt um den Vorzug einer bequemen Geselligkeit. Wo die Organisation an sich schon sehr roh und stumpf ist, könnte es sogar Pflicht sein, Versuche zu machen, der Natur durch Reiz und Verfeinerung nachzuhelfen. Niemand tadelt es, das Ohr den Eindrücken harmonischer

Töne empfänglich zu machen. Warum sollten andere Sinnenwerkzeuge nicht ein ähnliches Recht haben?

70. Verhütung des Übermaßes sinnlicher Gefühle.

Aber der Mensch hat eine höhere Bestimmung, und das Über= maß, sowohl in der Reizbarkeit und dem Wohlgefallen an dem sinnlich Angenehmen, als in der Verabscheuung des sinnlich Unangenehmen, kann jener höheren Bestimmung nachteilig werden. Daher ist, wo junge Leute von selbst oder, wie oft der Fall ist, durch schwächende Krank= heiten zu reizbar geworden sind, durch Diät, sowohl des Körpers als der Seele, dahin zu arbeiten, daß der zu starke Reiz geschwächt und ein gewisses Gleichgewicht hervorgebracht werde, das zum Glücklichsein so wesentlich ist. Wer solche Zöglinge, statt sie nach und nach abzuhärten, gegen gewisse angenehme Empfindungen, Bequemlichkeiten, Leckereien u. s. w. gleichgültiger zu machen, noch mehr reizen, wer ihrer Phantasie noch mehr Nahrung geben wollte, würde ihr Gefühl von einer Seite immer mehr verfeinern, aber sie auch desto unglücklicher und unbrauchbarer machen. Eben so wenig sollte man das bei so manchen Kindern so hervorstechende Wohlgefallen an allen Arten sinnlicher Genüsse durch stete Befriedigung nähren. Man legt dadurch den Grund, daß ihnen Sinnenfreuden weit wichtiger als Geistesfreuden erscheinen, und nährt die grobe Sinnlichkeit, statt sie der Zucht der Vernunft zu unterwerfen. In sofern ist es doch allemal besser, wenn es Kindern und jungen Leuten einerlei ist, was sie essen, ob sie feine oder grobe Kleidung haben, ob die Witterung rauh oder angenehm ist, ob sie hart oder weich liegen, als wenn sie leckerhaft, ekel, wählig und bequem sind, immer nach dem Besten greifen, überall die bequemste Stelle für sich aussuchen und wohl gar etwas darein setzen lernen, sich so gut auf Leckerbissen und verfeinerte Bequemlichkeit zu verstehen. So erzieht man junge Epikuräer und setzt sie der Gefahr aus, sich künftig sehr oft höchst unglücklich zu fühlen, wo der Abge= härtete nichts entbehrt, und sich bei allen Gelegenheiten schwächlich und weichlich zu zeigen, wo die Beherrschung sinnlicher Gefühle not= wendig wird.

Anmerk. Die Mittel, eine zu weit gehende Kultur der sinnlichen Gefühle zu verhüten, sind teils negativ, teils positiv. Man hat schon viel ge= wonnen, wenn man nur das entfernt hat, was jene zu große Reizbarkeit und Lebhaftigkeit befördern würde. Die Natur — paucis contenta — fordert wenig. Es würde den Kindern der reichsten Leute nicht einfallen, Leckerbissen zu verlangen, wenn man sie ihnen nicht aufdrängte; und lange Zeit befinden sie sich bei einer sehr einfachen Kost weit froher, als bei einer mit den Produkten aller Weltteile besetzten Tafel. Sie schlafen auf hartem Boden ohne Decken so süß, als man immer in Federn schlafen kann; sie begehren kein anderes Lager, wenn sie nicht erst durch unsere Weichlichkeit verwöhnt sind. Man erziehe sie also

einfach, und ihre Sinne werden von erkünstelten Bedürfnissen nichts wissen.
Dazu mögen denn auch eigentliche Übungen im Entbehren besonders für solche
kommen, die schon verzogen sind. Man mag andere Triebe, z. B. den Ehrtrieb,
den Nachahmungstrieb, den Trieb zum Neuen und Ungewöhnlichen zu Hilfe
nehmen; es mag die Form des Spiels haben: wenn sie nur durch solche Spiele
die große Kunst, entbehren zu können, gewinnen; wenn sie nur dahin gebracht
werden, besonders in der Empfänglichkeit für die größeren Sinnenfreuden, z. B.
des Geschmacks, keinen Ruhm mehr zu suchen. Kommt dann Ausbildung des
Geistes hinzu, schärft sich der Sinn für Wahrheit und Schönheit, so darf
man hoffen, es werde jener Genüsse immer seltener gedacht werden; der Jüngling
werde Essen und Trinken und alle Art körperlicher Bequemlichkeit über einer an-
ziehenden Lektüre oder im Anschauen eines vollendeten Kunstwerks vergessen. Wenn
diese Begeisterung schon in der Jugend fehlt, was soll man dann erst von dem
Alter hoffen, das gemeiniglich, und oft sehr früh, sich wieder zu sinnlichen
Genüssen hinneigt?

71. Kultur der sympathetischen Gefühle.

Die Teilnehmung an allem, was menschlich ist — daher auch
selbst an dem, was sich dem Menschlichen nähert, z. B. an Tieren —
äußert sich sehr früh in dem jugendlichen Gemüt. Der Ausdruck der
Freude im empfindenden Wesen erregt Mitfreude, das Gegenteil
Mitleid. Aus der Wahrnehmung fremden Wohlwollens, uneigennütziger
Güte entsteht die weiche Rührung, die zu gleichen Äußerungen bereit
macht. Der Grad dieser Gefühle hängt sichtbar mit der ganzen Organisation zusammen. Daher die leicht beweglichen, daher die weniger
empfindlichen Gemüter. Selbst die Zeichen sind verschieden. Das
Gefühl ist entweder ein tiefes, im Innersten verschlossenes, oder ein über-
strömendes in Worten und Thränen. Die Anlage zur Sympathie
verspricht für die Zukunft einen teilnehmenden, wohlwollenden Charakter
und deutet auf Güte des Herzens. In sofern verdient sie von der Erziehung vorzüglich beachtet und kultiviert zu werden. Gleichwohl hat sie
auch ihre Gefahren, und es gehört zu den gemeinen Fehlern in der Beurteilung und Behandlung der Kinder, das, woran das Temperament
so viel Teil hat und was von der echt moralischen Gesinnung gegen
andre noch so sehr verschieden ist, viel zu hoch anzuschlagen. Denn selbst
in den Jahren der Reife können diese Gefühle einen hohen Grad der
Stärke haben und gleichwohl kann dabei das echt moralische Gefühl
sehr schwach, wenigstens, wenn es bloß durch jene bestimmt wird, sehr
trüglich sein. Der Jüngling kann für Handlungen, die man großmütig,
edelmütig zu nennen pflegt, die es auch sein mögen, sehr viel, und doch
dabei für Gerechtigkeit sehr wenig Sinn haben; kann eben daher, durch
jenes Gefühl, das ihm den Namen des guten Herzens erwirbt, unrichtig geleitet, in derselben Stunde sogar großmütig zu handeln

scheinen, wo er die schreiendste Ungerechtigkeit begeht. So entsteht
bei andern die tadelhafte Empfindelei[1]), welche sich von der Zartheit des sittlichen Gefühls oder der echt moralischen Empfind-
samkeit schon dadurch unterscheidet, daß bei ihr gar kein Verhältnis der
Stärke des Gefühls zu dem Gegenstande, der es erweckt, stattfindet.
Wo man so bedenkliche Anlagen wahrnimmt, da ist diese Reizbarkeit viel
mehr zu unterdrücken als aufzuregen[2]), der Seele mehr Kraft zu geben,
und vor allem das sittliche Urteil zu berichtigen[3]). Wo hingegen das
sympathetische Gefühl sehr schwach ist, da wird die Erziehung versuchen,
es zu wecken. Liebe erzeugt Liebe, und selbst die rauhe Natur widersteht ihrer Gewalt nicht auf immer. Wäre unzähligen Menschen, wäre
ganzen rohen Nationen mehr Liebe in der Kindheit und Jugend entgegen
gekommen, sie würden in einem viel höheren Grade humanisiert sein.

Anmerk. 1. Die Empfindelei wurde eine Zeit lang in Deutschland
durch manche Schriftsteller nur allzusehr befördert, wenn gleich von andern zu
einseitig beurteilt, wohl gar mit echten und ehrenden Empfindungen verwechselt.

2. Ein zu reges Gefühl des Mitleids, zu starke Rührungen bei den kleinsten
Anlässen, leichtes Weinen, besonders bei Knaben und Jünglingen, erwecken gemeiniglich die Idee von Herzensgüte, können auch damit bestehen, sind aber doch
sehr trügliche Zeichen. Denn sehr oft beweiset diese Weichherzigkeit nur Schwäche
und Mangel an innerer Kraft und läßt in manchen Fällen mehr fürchten als
hoffen. Der Erzieher hat daher sehr Ursach, vor Täuschungen auf seiner Hut zu
sein. Durch Verhütung zu starken Reizes, durch Stärkung des unter einer krankhaften Reizbarkeit leidenden Körpers, durch Gewöhnung an Selbstbeherrschung,
durch Übung in Ertragung des Ungemachs wird viel ausgerichtet werden können.
Verkehrte Mittel wären indes, wenigstens in den früheren Jahren, die
absichtliche Gewöhnung an empörende Anblicke, grausame Behandlungen von
Menschen oder Tieren, Exekutionen, Tiergefechte. In unvermeidlichen Fällen
lernt sichs von selbst, solche Anblicke zu ertragen. — Kinder sehen wohl aus
Neugier Tiere schlachten; das mögen sie auch, wenn sie sich nur nicht an langer
Qual ergötzen. Nur absichtlich soll das Gefühl nicht abgestumpft werden.
Sonst wird leicht auch der Charakter hart. Und nun gar Unmenschlich-
keiten, wie alle willkürliche Tierquälungen sind, mit ansehen, wohl gar Vergnügen daran finden können, wie der rohe, vornehme und geringe Pöbel: dazu
muß kein Mensch erzogen werden.

3. Zur Reinigung und Berichtigung der sympathetischen Gefühle kann man
viel beitragen:

a) Durch eine gewisse Kälte bei Empfindungen und Handlungen, auf
welche sich vielleicht der Zögling gerade am meisten zu gute that (Aufwallung des
Mitleids, große, oft übel angewendete Geschenke an Nichtswürdige); durch scharfe
Rüge solcher Pflichtvergessenheiten, bei welchen die gemeinen Tugenden, an die
kaum noch erinnert werden sollte, gelitten haben, z. B. Nichtbezahlung auch
kleiner Schulden, Beschädigung fremden Eigentums, kleine Betrügereien im Handel.

b) Bei reiferen Zöglingen durch eine öftere sorgfältige Auseinandersetzung einzelner Fälle, mit Entwickelung des wahren moralischen Wertes der Handlungen; woraus sie lernen, den richtigen Maßstab der Sittlichkeit anzulegen und sich nicht durch den ersten Eindruck auf das Gefühl täuschen zu lassen. Nach und nach wird hierdurch das Gefühl zugleich berichtigt. Die namentlich auf Akademien herrschende Denkungsart ist so verkehrt, daß vorzüglich ein Hauslehrer sich sehr zu hüten hat, daß ihm nichts davon anhänge. Schulden bezahlen wird da von vielen für eine Nebensache, einem Unredlichen durchhelfen, der sein Wort nicht hält, für Freundschaftspflicht, wohl gar für etwas Edles gehalten; gewisse Betrügereien gelten nicht für etwas Schimpfliches u. s. w. Auch bei manchem Besseren stumpft sich das Gefühl durch den täglichen Anblick schlechter Beispiele so ab, daß er es ja erst wieder schärfen muß, ehe er das Gefühl andrer zu bilden unternimmt.

72. Moralisches Gefühlsvermögen.

(Vergl. die VII. Beilage: Über das erste Erwachen und die früheste Bildung moralischer und religiöser Gefühle).

Als das allgemeine sittliche Gefühl erscheint uns sehr zeitig in der Seele des Kindes, in jedem — auf keinen Vernunftschlüssen beruhenden, durch keine Lehre von außen erzeugten — Wohlgefallen an dem, was recht und gut ist und worin sich die Herrschaft der freien Vernunft über den rohen Trieb, die sinnliche Neigung und die selbst= süchtige Begierde offenbart. Schon im zarten Alter äußert sich Selbst= achtung und Selbstzufriedenheit bei dem Bewußtsein recht gehandelt zu haben; im entgegengesetzten Falle Reue, Beschämung, Niedergeschlagenheit, Unruhe. Schon das Kind äußert Hochachtung und Vertrauen gegen alles, worin sich ein Sinn der Rechtlichkeit, der Uneigennützigkeit, des Edel= muts zeigt; wo das Gegenteil erscheint, Geringschätzung und Mißtrauen.[1] Wie verschieden nun auch die Vorstellungen von der Natur und den letzten Gründen dieses moralischen Sinnes sein mögen, so kann doch über sein Vorhandensein kein Streit sein. Erscheine er auch anfänglich mehr als eine Billigung dessen, was als allgemein angenommen, als die rechte Sitte und Handlungsweise in den Umgebungen des Kindes be= trachtet wird, so drückt sich selbst darin die frühe Achtung gegen die Entscheidungen der gemeinsamen Vernunft aus, deren Ausspruch das Kind in der öffentlichen Stimme zu hören glaubt.[2] Aber gewiß liegt dem oft bewundernswürdig früh hervorbrechenden und sich selbst physiognomisch ankündigenden Gewissenstriebe noch etwas Tieferes, wenn auch nicht weiter Erklärbares, zum Grunde. Die Kultur dieser Anlage, die, wenn sie unbeachtet bleibt, auch gar leicht verschwinden kann, muß der Erziehung um so wichtiger sein, je mehr ein reines sitt= liches Gefühl zur eigentlichen Moralität des Charakters mitwirken, und je öfter es, besonders in den Jahren der noch nicht ausgebildeten Ver= nunft, die Stelle ihrer höheren Principien vertreten kann. Die ästhe= tische Erziehung arbeitet daher, sofern sie auf das sittliche Gefühl gerichtet ist, der höheren moralischen Erziehung und Ausbildung vor.

Anmerk. 1. Über b'eſe wichtige Materie wird man mit Nutzen vergleichen: A. Smith, Theorie der ſittlichen Gefühle. Aus dem Engl. 1. und 2. Teil. Leipzig 1791 und 1795. Feder, über das moraliſche Gefühl. 1792. Kant, Kritik der praktiſchen Vernunft, S. 126; die ſcharfſinnige Entwickelung des Begriffs der Uneigennützigkeit in Reinholds Briefen über die Kantiſche Philoſophie, 2. Teil Br. 7, S. 241; und die trefflichen Bemerkungen in Schiller über Anmut und Würde, beſonders S. 105 — Braubach, Pſychologie des Gefühls 1847; Nahlowsky, Das Gefühlsleben, Leipzig 1862; Polorny, Zur Geſchichte der Lehre von dem Gefühl 1863.

2. Wahr iſt in dieſer Hinſicht, was Schwarz hierüber bemerkt:

„Das Sittliche 'ſt dem rohen Menſchen das Schickliche; die äußere Sitte giebt ihm den Unterſchied von Recht und Unrecht, ein dunkles Gefühl heiligt ihm dieſe Sitte, er findet es anſtändig, ſich danach zu betragen; und da er einmal daran gewöhnt iſt, ſo will er darin bleiben, und Recht, Sitte und Anſtand ſind ihm nichts anders, als nach dem Beiſpiele der Menge nicht aus dem Gleiſe gehen, d. h. bei dem Thun und Laſſen bei der Regel bleiben. Erſt wenn er anfängt über das Sittliche nachzudenken und ſich zu bilden, führt er ſeine Begriffe von Recht und Unrecht auf Grundſätze zurück und ſtrebt nach der Vollkommenheit in der Ausübung derſelben, und ſo berichtigt ſich nach und nach ſein ſittliches Gefühl, das immer einen Anſtoß empfindet, wenn es zu einer ungewohnten oder nicht von andern gebilligten Handlung ſchreiten ſoll. Nicht anders entwickelt ſich dies Gefühl bei der Jugend. Das Gewohnte und Gebilligte wird ihr das Schickliche und Anſtändige; ſo nimmt ſie die Sitte an; nur erſt mit der reelleren Bildung gewinnt ſie die Idee des eigentlichen Sittlichen u. ſ. w."

Hieraus erklärt ſich, warum es ſo ſchwer iſt, in Schulen und andern Korporationen manche zu überzeugen, daß etwas zwar der angenommenen herrſchenden Sitte, dem Brauch gemäß und dennoch höchſt unrecht oder nie ſittlich ſein könne, was ihnen, wenn ſie aus dieſer Sphäre herausgetreten ſind, bald ſelbſt ſo erſcheint.

3. Ob neben den moraliſch guten Regungen des jugendlichen Gemüts auch urſprünglich böſe Neigungen in Kindern wahrgenommen werden oder gar die vorherrſchenden ſind, darüber § 84, 85 ein Mehreres.

73. Kultur des moraliſchen Gefühls.

Die Aufgabe für die Kultur des moraliſchen Gefühls iſt: das Unbeſtimmte und Unſichere der erſten ſittlichen Empfindungen beſtimmter und ſicherer zu machen, den Regungen des Böſen entgegen zu arbeiten, und ſo dem ſittlichen Charakter auch im Gefühl eine Unterſtützung zu verſchaffen. Das erſte wichtigſte Hilfsmittel iſt das Beiſpiel. Was Kinder von denen, welche ſie achten und lieben, beſtändig thun, wie ſie dieſe beſtändig handeln ſehen, davon urteilen ſie ziemlich bald, man müſſe es thun, ſo müſſe man handeln. So entſteht die Sitte und die Sittlichkeit ganzer Nationen; ſo einzelner Geſellſchaften und Familien.[1] Dann wirken 2. ſchon indirekt öftere in Gegenwart der Kinder gefällte Urteile über moraliſche Gegenſtände, Geſinnungen, Handlungen, mögen ſie die Kinder ſelbſt oder andre Menſchen betreffen, mögen ſie aus der jetzigen Welt hergenommen, oder erdichtet, oder von

der Geschichte entlehnt sein.[2]) Nächstdem benutze man 3. wirkliche Situa=
tionen des Lebens, worin Kinder aufgefordert werden, das Rechte
vom Unrecht zu unterscheiden, folglich vorläufig zu beurteilen, was in
dem vorliegenden Falle zu thun sei oder hätte gethan werden sollen.
Endlich richte sich 4. stets nach dem Grade des sittlichen Werts ihrer
Handlungen[3]) der Grad des Wohlgefallens und der Achtung, welche
man sie durch Billigung und Aufmunterung bemerken läßt.

Anmerk. 1. Beständiger Anblick ungerechter oder harter Handlungen
(z. B. Betrügereien, Bedrückungen, Mißhandlungen untergeordneter Personen)
macht, daß das Gefühl des Unrechts entweder gar nicht erwacht, oder, wenn es
schon erwacht ist, sich doch leicht abstumpft; da im Gegenteil das Gefühl solcher
Kinder, die von Jugend auf unter dem wohlthätigen Einfluß von Beispielen der
Gerechtigkeit, Humanität, Uneigennützigkeit, Freigebigkeit u. s. w. aufgewachsen sind,
sich wenigstens in den meisten Fällen gegen alles empört, was eine entgegenstehende Gesinnung verrät. So urteilt auch der Gemeinsinn. Es befremdet ihn
die Schlechtigkeit oder die Güte der Kinder immer, wenn man weiß, von wem
und unter welchen Einflüssen sie erzogen sind.

2. Vermöge des natürlichen Triebes zur Sympathie und zur Nachahmung,
stimmen sich die Empfindungen und Urteile der Kinder unvermerkt auf den Ton,
der am häufigsten um sie her angegeben wird; und dies immer um so mehr, je
weniger man ihnen seine Urteile aufzubringen scheint. Wäre es also möglich, sie
von ihrer zartesten Jugend an keine andere, als die allerrichtigsten Urteile
über sittliche Gegenstände hören zu lassen, so würde auch in ihr eignes Gefühl
kaum etwas kommen können, was nicht rein und echt wäre. So wichtig ist's,
was und wie man vor Kindern spricht, was und in welchem Grade man
billigt, lobt, tadelt; so wichtig ist's, daß jeder Erzieher sein eignes moralisches
Urteil durchaus berichtigt habe. Die unbefangenen, oft so scharf treffenden Urteile
der Kinder würden ihn sonst nicht selten beschämen.

3. Anfangs erleichtere man Kindern die Herrschaft über die sinnlichen und
selbstsüchtigen Triebe, welche so früh in ihnen hervorbrechen, teils durch eine Art
von Notwendigkeit, wore'n man sie versetzt (z. B. daß sich niemand ausschließen
darf, wo vom Aufopfern eines Genusses, um dem Bedürfnis eines Unglücklichen abzuhelfen, die Rede ist); teils durch Aufmunterungen, wodurch auch
die Übung schwerer Pflichten etwas Angenehmes bekommt. Die öftere Wiederholung
pflichtmäßiger Handlungen macht sie zur Gewohnheit; und das so geweckte Gefühl
sagt ihnen nach und nach, wie man handeln müsse, ohne daß es nötig ist, es
vorzuschreiben.

74. Fortsetzung.

Man kultiviert 5. das moralische Gefühl, indem man das
Gewissen der Kinder wach erhält, da ja das Gewissen nichts anderes
ist, als das innere Urteil über den sittlichen Wert der eignen Handlungen, ihre Gesetzmäßigkeit, oder was dadurch verschuldet ist. Sucht

man daher den Zögling, je nachdem er gehandelt hat, in dem Zustande
innerer Zufriedenheit mit sich selbst, oder der Unzufriedenheit, Scham
und Reue zu erhalten, auch wohl diese Empfindungen noch zu verstärken,
so bildet man unfehlbar durch solche Gewissensübungen den morali=
schen Sinn. Nur sei man dabei in der Wahl der Mittel behutsam:
sonst kann man ihn auch eben so leicht abstumpfen. Unaufhörliches oder
zu lautes Rühmen und Preisen guter Handlungen macht eher gleichgültig,
als daß es aufmuntern sollte. Aber beständige harte Vorwürfe, tägliche
Mißhandlungen, öffentlicher Tadel lassen eben so wenig tiefe Empfindungen
zurück. Da 6. Gefühle zufällig auch durch Sympathie erweckt werden,
so lassen sie sich auch auf diesem Wege absichtlich mitteilen. Hierin
liegen für die Kultur des moralischen Gefühls neue Winke.[1] 7. Auch
Vorstellungen wecken Gefühle, so bald sich mit ihnen angenehme oder
unangenehme Empfindungen unmittelbar oder mittelbar durch Er=
weckung verwandter, vormals mit Lust und Unlust gehabter Vorstellungen
vergesellschaften.[2]

Anmerk. 1. Sympathie nennt man die bekannte Einrichtung der Natur,
„wonach das Gewahrwerden teils körperlicher, teils geistiger Zustände in
andern ähnliche Zustände in uns hervorbringt." Durch starken Ausdruck der
Hoffnung, der Freude, des Schmerzes, der Furcht teilt man alle diese Empfindungen
auch andern mit.

Kinder werden oft von einer allgemeinen Freude hingerissen, ohne zu wissen,
worüber sie sich freuen; werden von Furcht und Bangigkeit ergriffen, ohne sich der
Ursache bewußt zu sein. Auf gleiche Art können auch moralische Empfindungen
— des Wohlwollens, der Mitfreude, des Mitleids, der Bewunderung schöner
Handlungen, selbst die Begeisterung, durch hohe Entschlüsse zur Aufopferung für
fremdes Wohl — mitgeteilt werden. Man lasse nur junge Leute Zeugen davon
sein, lasse sie selbst teilnehmen oder veranstalte Feste der Humanität, der
Wohlthätigkeit, der Freundschaft, des Andenkens an edle Menschen,
bei welchen sich alle Herzen in reinen Gefühlen der Liebe ergießen; wirke bei
solchen Gelegenheiten selbst durch die äußern Sinne, z. B. durch Harmonie der
Töne, auf die Seele, und man wird sehen, wie selbst die, welche natürlich kein
starkes Gefühlsvermögen haben, lebhafter zu fühlen anfangen. Dies alles läßt
sich in der häuslichen Erziehung weit leichter erreichen, als in der öffentlichen.
Doch macht auch diese dergleichen nicht unmöglich. S. Das Fest der Grazien
von Herder in den Horen. Jahrgang 1795. 11. Stück.

2. Von bloßen Verstandesvorstellungen ist diese Wirkung nicht zu erwarten.
Im Gegenteil wird das Gefühl schwächer, je thätiger der theoretische Verstand ist.
Eine zu frühe Anstrengung des Geistes durch höhere Wissenschaften kann das Ge=
fühl töten. Wenn aber die Vorstellungen sich mehr an die Sinnlichkeit anschlie=
ßen, der Einbildungskraft in sinnlichen Bildern erscheinen und durch diese Bilder
anschaulicher werden; wenn man diese Bilder recht auszumalen und darzustellen
versteht: so wirken sie unfehlbar auch auf das Gefühl, erfüllen die Seele mit Lust
oder Unlust und werden folglich gern oder ungern von ihr erneuert. Lebhafte
Gemälde von Vater=, Mutter=, Freundesliebe, lebendige Darstellungen der guten

ober bösen Folgen einzelner Handlungen, Beschreibungen des Lasters und der Tugend in konkreten Fällen bleiben nicht ohne Wirkung auf das Gefühl. Auch Kinder werden dadurch gerührt; und so wird Gefühl für Freundschaft, für Elternliebe, für Tugendliebe in ihnen geweckt und genährt.

75. Religiöses Gefühl. Anlage dazu.

So wie die Religion ein allgemeines Bedürfnis des Menschen ist, so gehört sie auch unstreitig zu seinen ursprünglichen Anlagen, und in der religiösen Bildungsfähigkeit liegt schon Wink und Aufforderung an die Erziehung. Bei vielen Kindern wenigstens nimmt man schon sehr früh eine Stimmung für religiöse Eindrücke und Empfindungen wahr. Meistenteils hängt dies mit den frühesten Regungen des moralischen oder dem Erwachen des Gewissenstriebes zusammen. In der Regel erwacht dieser sogar früher. Kinder vernehmen ein geheimes Billigen und Mißbilligen, Anklagen und Entschuldigen in ihrem Herzen; später empfinden sie das Bedürfnis, den letzten Urheber dieser Einrichtung oder die Hand aufzusuchen, welche jenes Gesetz in ihre Brust geschrieben hat, und sich von ihm abhängig zu denken. Auf jeden Fall kommt der Ehrfurcht gegen Gott, der Liebe, der Dankbarkeit, dem willigen Gehorsam gegen seinen heiligen Willen, dem kindlichen Vertrauen zu seiner Macht, Weisheit und Güte, dem frommen Bestreben seines Wohlgefallens und der daraus entspringenden reinen Glückseligkeit würdig zu werden, folglich der Religiosität, eine sorgfältige Kultur des moralischen Gefühls gar sehr zu statten. Wenn Kinder ihre ersten Wohlthäter, ihre Eltern recht innig lieben, achten, dankbar und Gehorsam verehren; wenn sie denen vertrauen lernen, die sie sehen: — bald werden sie dann auch alle diese Gefühle auf den übertragen können, den sie nicht sehen. Wenn die Religion im Menschen nichts als eine Reihe von Verstandesideen, positiven Sätzen und Formeln wäre, so möchte es wohl denkbar sein, daß auch bei gänzlichem Mangel an innerer Moralität sich diese Begriffe bilden und erlernen ließen. In diesem Sinne wissen viele unmoralische Menschen sehr viel von Religion. Aber wie zerstört man durch solche Verwechselung das innerste Wesen des Heiligsten, was die Menschheit über die niederen Naturen erhebt!

76. Erweckung des religiösen Gefühls.

So bald die Jahre der bloßen fast tierischen Sinnlichkeit vorüber sind, Verstand und Vernunft sich, wenngleich noch langsam und schwach, doch nun schon bemerkbarer zu entwickeln anfangen, und das Kind Beweise von guten Empfindungen, Neigungen und Gesinnungen zeigt, besonders aber das Gewissen sich regt: so mache man auch die ersten Versuche, ein Interesse für das Übersinnliche zu erwecken. Dies geschieht nun durch häufige Lenkung des Gemüts von dem Sichtbaren, Beschränkten,

Veränderlichen auf das Unsichtbare, Unendliche, Ewige; von der Liebe der Eltern zu dem Gott, der selbst die Liebe ist. Man sage es in der dem Alter angemessensten Sprache, daß von diesem alles Gute komme, daß er aber nur die Guten liebe, es nur den Guten dauernd wohlgehen lasse; daß sein heiliges Gesetz zu uns durch unser Gewissen rede, und einen unbedingten Gehorsam fordere und verdiene. — Dies hat viel weniger Schwierigkeit, als man oft zu glauben scheint. Da, wie schon bemerkt ist, in ihrer Natur eine Ahndung des Übersinnlichen oder eine Begierde nach Vorstellungen, welche allen schon erworbenen unähnlich sind, wodurch das innere Streben und Sehnen sich erst ganz befriedigt und zugleich die erwachende, nach den Ursachen der Dinge begierige Vernunft, die kürzeste Auflösung alles dessen findet, was sie sich nicht zu erklären vermag,[1]) so werden Kinder, durchdrungen von der Liebe und Güte, die sie umgiebt und über ihnen waltet, freudig die Idee einer höchsten unendlichen Güte auffassen. Umgeben von allem Großen und Herrlichen in der Natur, werden sie, ohne allen Widerspruch die Vorstellung eines Welturhebers ergreifen, und je unbekannter sie mit den Naturgesetzen und Mittelursachen sind, desto williger in seiner unumschränkten Macht den Grund alles dessen, was ihnen unbegreiflich bleibt, suchen und finden; so wie — was das Wichtigste ist — in der Stimme, die sich in ihrem Innersten, wenn sie Recht oder Unrecht thun, so laut hören läßt, die Stimme eines heiligen Gottes vernehmen. Gerade ihr Alter ist recht eigentlich geschickt, die schönen religiösen Empfindungen eines sich hingebenden Glaubens, einer herzlichen Liebe und einer zutrauensvollen Hoffnung aufzunehmen.[2])

Anmerk. 1. S. F. V. Reinhard, Psychologischer Versuch über das Wunderbare und die Verwunderung, S. 161 ff. Wittenberg 1782, und J. A. Rösselt, Von der Erziehung zur Religion, Halle 1774, womit der Aufsatz über seine eigene religiöse Bildung in seiner Lebensbeschreibung, 2. Abt. S. 8 ff., wie überhaupt die Selbstbiographieen und Bekenntnisse religiöser Menschen zu vergleichen sind. Aus dem Standpunkt der Kant'schen Philosophie behandeln den Gegenstand (Greilings) philosophische Briefe über das Prinzip und die ersten Grundsätze der sittlich religiösen Erziehung. - Leipzig 1794. Über die neuesten Ideen über die religiöse Erziehung aus der Pestalozzischen Schule und der Einwirkung der Mütter findet man das Weitere in der 6. Beilage.

2. Man hat oft gefragt: wie früh man religiöse Ideen und religiöse Gefühle in den Kindern erwecken solle. — Viele antworteten nicht früh genug! Andre, wie Rousseau: weit später als gewöhnlich geschieht! Bald sollten Kinder den Namen Gottes schon stammeln, wobei man sich auf Ps. 8, 3 berief: bald sollte die Periode der Vernunft, wie man sich ausdrückte, oder das volle Jünglingsalter abgewartet, und dann mit großer Feierlichkeit, unter vielen Zurüstungen der Name Gott, der bis dahin noch nicht über die Lippen des Lehrers gekommen sein müßte, zum erstenmale genannt werden. Gesetzt das letztere

wäre wirklich die rechte Methode, wie sie es gewiß nicht ist, so würde sie wenigstens in unserm gesellschaftlichen Leben ganz unanwendbar sein. Denn wie ist es
möglich zu verhüten, daß Kinder den Namen Gottes tausendmal nennen, so
vieles auf ihn beziehen hören? Werden sie denn nie fragen: was die Kirchen,
was die Prediger, was die feierlichen Tage zu bedeuten haben? Werden
sie nie andre ihrer Gespielen auch über diese Gegenstände sprechen hören? Und
würde es unter diesen ganz unvermeidlichen Umständen nicht schon darum weit
besser sein, frühzeitig einen Grund richtiger Begriffe, so weit sie deren fähig sind,
gelegt zu haben, da es ja sonst bloß dem Zufall überlassen werden müßte, wie
rein oder unrein die Ideen sind, die ihnen von so vielen Seiten zukommen, und
welche man bereinst, zum Teil mit großer Mühe, wieder auszutilgen haben wird?
— Auch Kant äußerte zwar, „wenn es thunlich wäre, daß Kinder keine religiöse
Handlungen mit ansähen, selbst nicht einmal den Namen Gottes hörten, so würde
es der Ordnung angemessener sein, sie erst auf die Zwecke der Dinge und das,
was dem Menschen ziemt, zu führen, ihre Beurteilungskraft zu schärfen, sie von
der Ordnung und Schönheit der Naturwerke zu unterrichten, und hierauf erst die
Begriffe eines höchsten gesetzgebenden Wesens zu eröffnen." Dennoch gesteht er die
Unanwendbarkeit dieser Methode zu. S. Kants Pädagogik, Ausg. v. Vogt, § 104
und Kritik der Urteilskraft, S. 412. Weit treffender ist, was Richter in der
Levana bemerkt, 1. T. S. 137: „Wenn Rousseau Gott, und folglich Religion,
erst als die späte Erbschaft eines mündigen Alters aushändigt, so kann
er — bei großen Seelen ausgenommen — nicht mehr religiöse Liebe und Begeisterung davon erwarten, als e'n Pariser Vater kindliche, der seinem Sohne
kaum früher erscheint, als bis dieser keinen Vater mehr braucht. Wann könnte
denn schöner das Heiligste einwurzeln, als in der heiligsten Zeit der Unschuld,
oder wann das, was ewig wirken soll, als in der nämlichen, die nie vergißt?"

Überdies — möchte ich hinzusetzen, was soll diese feierliche Bekanntmachung wirken? Der Eindruck wird stark sein; aber auch dauernd? Wer
Jünglinge beobachtet hat, weiß, von welcher kurzen Dauer die noch so künstlich
veranstalteten Eindrücke sind. Je länger man mit ihnen umgeht, desto mehr überzeugt man sich von der geringen Wirkung alles bloß Feierlichen. Eine einzige
heftige sinnliche Leidenschaft, ein einziges lustiges Gespräch ihrer Gespielen wird
den ihnen so fremden Gedanken an Gott zu verdrängen imstande sein.
Was überhaupt viele neuere Schriftsteller von der frühen Religiosität der Kinder
rühmen, wird durchaus nicht durch die Erfahrung unterstützt, nicht einmal bei den
frömmsten Erziehungen, Beispielen und Umgebungen, man müßte denn fromme Geberden und Formeln für Religiosität halten. — Unstreitig läßt sich aber das meiste
von einer frühen Gewöhnung an die Erhebung zum Übersinnlichen erwarten. Sie
wirkt sanft, aber, verbunden mit dem Gewissenstriebe, kräftig und dauernd.

77. Wichtigkeit des religiösen Gefühls für die Erziehung.

Ein solches religiöses Gefühl, ein geheimes Ahnden und Suchen
des großen Unbekannten, der nicht fern ist von jedem menschlichen Gemüt,

Niemeyer, Grundf. d. Erziehung. I. 2. Aufl.   9

durch den und in dem wir leben und sind; ein Gefühl, in welchem sich Ehrfurcht, Demut, Bewußtsein der Abhängigkeit mit Liebe und Zutrauen, mit der Furcht ihm zu mißfallen und dem Wunsch ihm wohlzugefallen verbinden, belebt, stärkt und veredelt das moralische Gefühl in hohem Grade und wird dadurch zugleich ein vortreffliches Erziehungsmittel, wenn es auf die Lenkung des Willens ankommt; mögen dabei die Begriffe von Gott noch so kindlich und unvollkommen sein; mag die Unmündigkeit des Verstandes eben so schwach über Gottes Weltregierung und Handlungsweise urteilen, als sie über die Pläne und Handlungen der Eltern urteilt. Da gerade der reine kindliche Sinn ein Zug in dem Bilde der religiösen Menschen ist, der im edelsten Verstande den Kindern ähnlich wird (Matth. 18, 3), so thut dies weder der Reinheit noch der Stärke des Gefühls den geringsten Eintrag. Nur kommt alles darauf an, daß man teils die verkehrten Mittel dasselbe zu wecken und zu nähren vermeide, teils die rechten auf die rechte Art anzuwenden verstehe.

78. Erhaltung und Nährung des religiösen Gefühls.

Vieles, wodurch man selbst in guter Meinung früh in Kindern einen frommen Sinn zu erwecken hofft, verfehlt meistenteils seinen Zweck; vernichtet wohl gar das, was man hervorlocken möchte. Dazu gehört alles zu frühe wortreiche Vorpredigen, alles bloß mechanische Auswendiglernen von Formeln und Gebeten, so lange nichts davon verstanden, nichts mehr dabei empfunden werden kann, als bei jeder andern noch so gleichgültigen Formel; aller Zwang zu religiösen Beschäftigungen; alles Begünstigen eines frommen Geschwätzes und einer Heuchelei solcher Empfindungen, welche in diesen Jahren noch nicht natürlich sind; alles zu frühe Einführen in religiöse Versammlungen und erzwungene Anwesenheit bei religiösen Gebräuchen, alles Betenlassen, wo keine rechte Sammlung und Andacht zu erreichen möglich ist. Dadurch stumpft man das Gefühl ab; man läßt sich von Kindern mit Worten abfinden und nennt sie fromm. So lehrt man sie, auch Gott damit bezahlen zu wollen, dem doch nur die reine Gesinnung gefallen kann. Man darf sich nicht wundern, wenn bei einer so verkehrten Methode sehr oft die Kinder, welche am religiösesten erzogen zu sein scheinen, am irreligiösesten sind; und wenn die nichts, gar nichts von der Religion fühlen, die von Kindesbeinen an gepredigt und wohl gar selbst (unter großem Beifall der Verwandten) aus dem Herzen gebetet haben[1]). Ganz andere Wirkungen sind schon von der Anwendung der §§ 72, 73 genannten Mittel zu erwarten. Vor allem aber nährt die Religiosität der Jugend der Anblick des Beispieles der Erwachsenen, besonders der Eltern und Erzieher, die Benutzung der Momente, wo ihre Seele allen besseren Eindrücken offen und zu höheren Empfindungen gestimmt ist[2]), so wie zur frühen Erweckung eines christlichen Sinnes die Veranschaulichung des Bildes des Erlösers in seiner ganzen Hoheit, Heiligkeit und Güte mehr wirkt, als aller an Formen gebundene Unterricht[3]).

Anmerk. 1. Hierdurch soll eine gewisse selbst regelmäßige Gewöhnung auch an das Äußere, in welchem die innere Religiosität hervortritt, nicht getadelt oder als schädlich verworfen werden. Selbst äußere Gebräuche in der kirchlichen Gemeinschaft, welche eben durch das Gesellige so sehr geeignet ist, zur Andacht zu erheben, müssen der Jugend früh als etwas Ehrwürdiges und Wohlthätiges erscheinen. Nur die Überladung und das Erzwungene, wie alles, was zur Heuchelei Gelegenheit giebt, ist verderblich und zerstört oft den Keim der echten Frömmigkeit für das ganze Leben.

2. Mit Beziehung auf die empfohlenen positiven Mittel hier noch folgende Bemerkungen:

a) Vor allen Dingen lasse der Erzieher selbst die tiefste Ehrfurcht vor Gott blicken, und die Kinder, so oft Gott genannt oder von ihm geredet wird, bemerken, daß von dem Heiligsten die Rede ist. „Newton, der sein Haupt entblößte, wenn der größte Name genannt wurde, wäre ohne Worte ein Religionslehrer für Kinder geworden." (Richter in der Levana). Oft werde dieser Name genannt; alles Gute von Gott hergeleitet; er immer als Urheber jeder Freude, jedes Genusses, alles Übel als von ihm zu einem weisen Zwecke gesandt, jede Hoffnung für die Zukunft als von ihm abhängig, besonders aber jedes Böse als dem Auge Gottes mißfallend und seiner Anordnung widersprechend betrachtet und dargestellt.

Auf diesem Wege ward vordem in so vielen Familien ein religiöser Sinn fortgepflanzt. Nicht lange Reden waren es, nicht gehäufte Andachtsübungen; aber wohl stete Verbindungen der täglichen Ereignisse mit der Erinnerung an Gott, — dem man dafür zu danken habe, der es zugeschickt, dem man sich unterwerfen müsse, der es nicht böse meinen könne, dem man bei allen Unternehmen vertrauen solle, von dem man das zu erwarten habe, wozu Menschenkraft zu schwach sei, dem das Böse mißfalle, und der dem Lügner, dem Falschen ins Herz sehe, der die gute Sache werde siegen lassen u. s. w.

b) Auf diese Art gewöhne man Kinder, gern etwas von Gott zu hören, und rede besonders dann von Ihm, wenn ihre Seele durch Naturfreuden geweckt, im Gefühl ihrer vollen Lebenskraft oder sonst in stärkerer Bewegung und allen Eindrücken offen ist, gewöhne sie, den Gedanken an Ihn gern an jede angenehme und unangenehme Empfindung zu knüpfen. Dies ist zugleich die beste und fast einzig nützliche Art, Kinder beten zu lehren. Manches Gemälde, welches das Innerste und Höchste der Andacht in sichtbaren und sprechenden Zügen darstellt, bringt oft nicht bloß dem Gefühl, sondern selbst dem Begriffe näher, was andächtig beten heißt.

Bei der Lesung des Lebens merkwürdiger Menschen, auch des Altertums, mache man sie auf das Beispiel ihrer Religiosität aufmerksam, und wie auch sie alles auf Gott zurückgeführt, von Gott hergeleitet. Timoleon nihil rerum humanarum sine deorum nomine agi putabat. Nepos. Überhaupt werde

9*

jede Form, worin nur religiöser Geist und Sinn sich ausdrückt, dem Kinde ehrwürdig gemacht. Nie erlaube man sich Spott, wo Gebräuche auch noch so abweichend sind! — Das Kind nehme die verschiedenen Religionen so liebend wie die verschiedenen Sprachen auf, worin doch auch nur ein Menschensinn und Gemüt sich ausdrückt.

3. Das christlich-religiöse Gefühl belebt und erwärmt sich am schönsten an des Erlösers Bilde, wenn er nur recht früh der Seele nahe gebracht wird, als das höchste Urbild der Heiligkeit und Güte, welcher uns den unsichtbaren Gott am besten kennen gelehrt, alsdann von Undankbaren die Gott nicht geliebt hätten, viel zum Heil der Menschheit gelitten habe, aber dafür auch unaussprechlich von Gott geliebt und belohnt sei. Geschieht dies auf eine der jedesmaligen Fassungskraft gemäße Art, so entsteht daraus eine sanfte Rührung. Es erzeugt sich das Gefühl der Achtung, Liebe und Dankbarkeit gegen ihn. So gewinnt das allgemeinere Gefühl den Charakter des christlichen.

Man vergl. hiermit Schwarz, Erziehungslehre, 3. Bd. 2. Abt. S. 173—204, und prüfe Weiße, über die Erz. zur Religion überhaupt und zum Christentum insbesondere, in den Beiträgen zur Erziehungskunst, 2. Bd. 2. St. S. 1 ff.

79. Gefühl für das Schöne. Geschmack.

Auch das Gefühl für das Schöne, welches man das ästhetische in der engeren Bedeutung oder auch den Geschmack nennt, sollte die Erziehung nie ganz, am wenigsten in der Bildung der gesitteten Stände, vernachläſſigen. Denn warum sollte überhaupt das in der Seele unleugbar vorhandene Vermögen, das Schöne — welches doch, wie man auch den Begriff desselben faſſe, von dem Wahren und Guten verschieden ist, — zu empfinden, und sich dieser Empfindung mit einem inneren Wohlgefallen bewußt zu werden, nicht eben so gut als andere Vermögen einer Erhöhung und Bildung fähig und würdig sein; wenn nur diese Kultur nicht einseitig wird, nur nicht gegen alles, was nicht gerade durch die Schönheit der Form gefällt, oder die Phantasie weniger beschäftigt, gleichgültig macht? Notwendig erfolgt dies nicht, da ja auch der Geschmack mit der Kultur der Vernunft und des sittlichen Gefühls zusammenhängt. Er weckt Gefühl für Ordnung, Harmonie, Widerwillen und Verachtung gegen das Schlechte, Unordentliche und Häßliche; und der Mensch, in dessen Seele der gute Geschmack seine völlige Bildung erreicht hat, ist in seiner Art zu denken und zu handeln regelmäßiger, angenehmer und gefälliger als andre Menschen. Er ist einer so beständig anhaltenden Aufmerksamkeit auf Ordnung, Schicklichkeit, Wohlanständigkeit und Schönheit gewohnt, daß er alles, was diesen entgegen ist, verachtet. Ihm ekelt vor allem Spitzfindigen, Sophistischen, Gezwungenen und Unnatürlichen — man kann hinzusetzen, vor allem Platten, Kleinlichen und Gemeinen — in Gedanken und Handlungen.

Anmerk. Über den Begriff des Schönen und des Geschmacks s. m.

Kant, Kritik der Urteilskraft, S. 61; Dessen Anthropologie, S. 169 ff. und Dessen Beobachtungen über das Gefühl des Schönen und Erhabenen, Leipzig 1771. Burke, philos. Untersuchung über den Ursprung unserer Begriffe vom Erhabenen und Schönen, Riga 1773. Herz, Versuch über den Geschmack, 2. Aufl., Berlin 1790. Delbrück, über das Schöne, Berlin 1800. Schiller, über Anmut und Würde und vom Erhabenen, in s. kl. Schriften. D. K. F. W. Solgers Erwin, Vier Gespräche über das Schöne und die Kunst, 2 Bde., gr. 8, Berlin 1815. Vgl. mit Bouterweks Ästhetik und Eberhards Handbuch der Ästhetik, 1. T., S. 50 ff. — Von neueren Schriften: Lemcke, Populäre Ästhetik, 4. A., Leipzig. Carrière, Ästhetik, 2 Bde., Leipzig. Fechner, Vorschule der Ästhetik 2 Bde., Leipzig. Br. Meyer, Ästhetische Pädagogik, Berlin.

80. Einfluß der Erziehung auf frühe Geschmacksbildung.

(Vgl. die VIII. Beilage: Über Bildung des Schönheitssinnes und ästhetischer Sitten.)

Auch die Bildung des Geschmacks ist bei weitem nicht bloß die Sache des Unterrichts. Allerdings kann weiterhin unmittelbare Beschäftigung junger Leute mit schönen Künsten und Wissenschaften sehr viel dazu beitragen, wovon das Nähere in der Unterrichtslehre. Aber es giebt noch andere Mittel, wovon wenigstens einige in der Gewalt der Erziehung stehen. Denn auch hier kommt außerordentlich viel auf die ersten Eindrücke an. Wenn manchen Zöglingen ein guter, selbst feiner Geschmack wie angeboren scheint, so kann der Grund davon zum Teil in der Feinheit der Organe, oder in der vorzüglichen Lebhaftigkeit der übrigen Seelenkräfte liegen; zum Teil aber liegt er gewiß in der glücklichen Lage, worin sie sich von Jugend auf befanden, wo alles, was sie umgab, durch Harmonie, Ebenmaß, schöne Form, auf sie wirkte, wo sie in der Art, wie die sie umgebenden Personen sich äußerten, redeten, handelten, nichts als den Ausdruck eines feinen ästhetischen Gefühls erblickten. Hiermit war nicht immer Sittlichkeit verbunden, und man begnügte sich vielleicht, so bald nur die Sinne durch schöne Formen angenehm beschäftigt wurden. Dann ward auch der Geschmack junger Leute bloß fein, und die sinnlichen Gefühle wurden auf Unkosten höherer Gefühle ausgebildet. Aber war zu dem Schönen zugleich das Gute, zum Guten das Schöne gesellt, so entstand jener reine und edle Geschmack, der sich über alle Urteile, alle Handlungen, alle Gespräche verbreitet und die Tugenden mit den Grazien verschwistert.

Anmerk. Es kann allerdings scheinen, als ob die Verfeinerung des Schönheitssinnes dem reinen Interesse für das Moralische leicht nachteilig werden dürfte. Dies wird aber nur der Fall sein, wo die Harmonie in der Kultur aller Anlagen fehlt. — Man sehe die vortrefflichen Schiller'schen Erörterungen dieser Materie in den Horen 1795, 11. Stück: Über die Gefahr ästhetischer Sitten; und 1796, 3. Stück: Über den moralischen Nutzen ästhetischer Sitten; auch die weitere Ausführung dieses Gegenstandes am Ende dieses Teils.

81. Fernere Verfuche zur Gefchmacksbildung.

Die glückliche Anlage, ·zu welcher mancher in feiner Jugend ohne
Mühe gelangt ift, werde nun auch durch pofitive Mittel vor der Zer-
ftörung bewahrt und weiter angebaut. Dies gefchieht: 1. wenn man
alles, was dagegen gleichgültig machen könnte, befonders jeden Umgang,
in welchem ein gefchmacklofer und gemeiner Geift und Ton herrfcht,
zu entfernen fucht; 2. wenn man alle Gelegenheiten nutzt, durch die fchönen
Künfte dem Sinn für das Schöne Nahrung zu geben; daher auch frühzeitig
auf alles, was Ohr und Auge beleidigt, durch Vergleichung mit dem Gegenteil aufmerkfam macht; felbft Kinder fchon im kleinen gewöhnt, bei allem,
was fie anfchaffen, befitzen, anordnen, den Sinn für das Harmonifche
und Gefallende zu üben. Da nun 3. in der Natur die Ideale des
Schönen und Gefallenden liegen, fo bildet man durch Erweckung des
Sinnes für die Natur zugleich die äfthetifchen Gefühle. Um
dies zu erreichen, lebe man nicht nur mit jungen Leuten recht viel in
der Natur und laffe fie mit allen ihren mannigfaltigen Reizen, im
großen wie im kleinen, in jeder Geftalt, in jedem Wechfel der Jahreszeiten, bekannt werden; fondern man gehe auch mit ihnen ihrer Spur
überall nach, entwickle das Zweckmäßige ihrer Anlagen und laffe fie die
Übereinftimmung des Mannigfaltigen zur Einheit auch da wahrnehmen,
wo vielleicht das ungeübte Auge etwas Häßliches und Disharmonifches
zu entdecken glaubt. Den Genuß der Natur felbft erhöhe man durch
Anregung andrer, felbft finnlich angenehmer Empfindungen, z. B. durch
Mufik, welche die Seele rührt und erhebt und fie dadurch zur Aufnahme der von allen Seiten auf fie eindringenden Naturfchönheiten empfänglicher macht; oder durch Anregung fympathetifcher Neigungen,
der Gefelligkeit, der Freundfchaft. Wer auf diefe Art mit der Natur
vertraut ward, wird fchon dadurch ein feineres Gefühl für das, worin
er fie wieder findet, bekommen, ein Feind alles Gezwungenen, Ver-
künftelten, Unnatürlichen werden, und felbft, wenn es die tyrannifche
Mode für guten Gefchmack erklärte, doch nur fchlechten Gefchmack
darin finden. Von der phyfifchen Schönheit ift der Übergang zur
moralifchen Schönheit nicht fchwer, und es wird nur darauf ankommen,
daß der Erzieher die Aufmerkfamkeit feiner Zöglinge auf den Ausdruck
der letzteren in der erfteren lenke, fie auch namentlich in den Werken der
Kunft bemerken, und dann felbft entwickeln laffe, woher der große Reiz,
den z. B. ein regelmäßiges Geficht, eine fchöne Geftalt, eine edle
Stellung an fich trägt, entftehe; wie fich in ihm die fittliche Schönheit
abfpiegele und eben darum zum Herzen fpreche. Es ift gar nicht fchwer,
auf diefem Wege felbft Kinder bei einem ausdrucksvollen Gemälde des
Schmerzes, der leidenden Tugend, der Dankbarkeit, bis zu Thränen zu
rühren. Ift nun dies alles erreicht, fo darf man hoffen, daß die Zöglinge diefes fo kultivierte Gefühl für das Schöne jeder Art in ihre eigne

ganze Denk-, Empfindungs- und Handlungsweise übertragen, und nach der Erinnerung, welche Plato seinen Schülern gab, selbst überall den Grazien opfern werden.

82. Gefühl für das Erhabene.

Das Erhabene scheint weniger in der Sphäre des Jugendalters zu liegen. Es setzt in den meisten Fällen, um empfunden zu werden, einen höheren Grad von Ausbildung der Vernunft voraus, als er in den früheren Jahren natürlich wäre. Erhabene Vorstellungen entstehen da, wo die Begriffe zu schwach sind, um den Gegenstand ganz zu fassen, weil er alles Bekannte und Gewöhnliche übertrifft. Wenn Kinder wegen der natürlichen Schwäche ihres Erkenntnisvermögens alles bewundern, weil sie noch so wenig kennen, so erweckt doch diese Bewunderung erst in den reiferen Jahren erhabene Ideen in ihrer Seele, indem sie dann erst mit Nachdenken und Bewußtsein verbunden ist. Erhabene Empfindungen entstehen aus dem Gewahrwerden von Kräften, die weit über die unsrigen gehen, und deren Größe nicht anders als durch eine außerordentliche Anstrengung des eignen Gefühls gefaßt werden kann. Sie spannen daher den Menschen zu ungewöhnlicher Thätigkeit. Auch dazu ist erst der reifere Jüngling und Mann fähig; nicht das Kind, nicht der Knabe. Man beschleunige daher auch diesen Zeitpunkt nicht. Durch eine zu frühe Erweckung des Hanges zum Außerordentlichen, das oft an das Abenteuerliche grenzt, entwöhnt sich die Jugend an dem Wohlgefallen zu finden, was eine natürliche Schönheit hat oder mehr die sanfteren Empfindungen in Bewegung setzt. Selbst das moralische Gefühl will dann immer durch etwas ganz Ungewöhnliches bewegt werden, und der Sinn für die sanften und stillen Tugenden geht verloren. Aber nach und nach gehe man doch zur Kultur auch dieses Gefühls über, indem man auf Gegenstände, welche physische oder moralische Größe auszeichnet, aufmerksam macht oder sie herbeiführt. Von dem Großen in der Natur fängt man am besten an; es erfüllt auch den weniger gebildeten Verstand mit Bewunderung und Erstaunen. Das Erhabene in menschlichen Charakteren und Handlungen setzt schon mehr innere Kultur, so wie das Erhabene in der Sprache und den Werken der Kunst eine vollendetere Kultur des Geschmacks voraus.

Anmerk. 1. Junge Leute, welchen man — weil man selbst gerade diesen Geschmack liebt — zu früh hohe Dichter und Schriftsteller der erhabensten Gattung in die Hände giebt, bekommen gemeiniglich etwas Verschrobenes und verlieren den Sinn für tausend Schönheiten, die ihnen zu einfach und gewöhnlich scheinen. Ihr Geschmack wird dadurch mehr verderbt und selbst für das wirklich Erhabene, das sie meist nur in unverstandnen Worten suchen, geht der Sinn verloren. Nur in Stürmen und Wettern sehen sie die große Natur; nur in Thaten eines oft sehr unüberlegten Enthusiasmus, wohl

gar in kraftvollen Verbrecher, erblicken sie große Menschheit. Auch von
dieser Seite haben viele unserer neueren Schauspiele geschadet.

2. Wenn die ästhetische Erziehung mit der moralischen harmonisch wirken
soll, so ist's auch schon deshalb besser, das Kind früher für die Tugend der Gerechtigkeit, als für die oft nur erhaben erscheinende Großmut zu interessieren.
Denn jene liegt eigentlch innerhalb ihrer Sphäre, und es ist äußerst wichtig, daß
sich der Sinn für sie nicht abstumpfe, oder wohl gar Gleichgültigkeit dagegen entstehe. „Junge Leute, sagt Kant, die sich auf ihr Gefühl für das über-
schwenglich Große viel zu gute thun, sprechen sich gar leicht von der Beobachtung
der gemeinen und gangbaren Schuldigkeit, die alsdann ihnen nur unbedeutend klein scheint, frei." Der Mensch muß daher erst gut handeln lernen,
ehe er groß handeln kann. Damit wird nicht ausgeschlossen, daß man zuweilen
auch mit Kindern bei erhabenen Handlungen verweilen dürfte. Aber man geht
doch sicherer, wenn sie sich überzeugen, daß man erst sehr gut im kleinen werden müsse, ehe man es im großen werden könne.

83. Wahrheitssinn und Gefühl für Freuden erhöhter Geistesbildung.

In den ersten Regungen der Wißbegier und des sie begleitenden
Aufmerkens auf die äußeren Erscheinungen, in dem frühen Forschen des
Kindes nach Grund und Ursach erscheint das Anstreben seines Geistes
an die Erkenntnis des Wahren. Ursprünglich ist ihm die Täuschung,
der Betrug und die Lüge verhaßt. Was im Moralischen der Gerechtig-
keitssinn ist, ist im Intellektuellen der Wahrheitssinn. Auch ist in
der Regel das Bewußtsein, an Erkenntnis gewonnen zu haben, zu einer
neuen Einsicht gelangt zu sein, selbst ohne alle Rücksicht auf den Gebrauch,
der davon zu machen ist, sogar für sehr junge Kinder mit einem angenehmen Gefühle verbunden[1]. Dies muß der Erzieher zu nähren bemüht sein. Dazu ist 1. schon dienlich, daß man ihnen von Jugend auf
Erkenntnis der Wahrheit, Aufklärung des Verstandes, Reichtum an vielen
und mannigfaltigen Kenntnissen als etwas höchst Begehrungswertes und
Vortreffliches vorstelle, oder vielmehr sie selbst bemerken lasse, daß darin
etwas Vortreffliches liege. Da die Erfahrung lehrt, wie leicht es sei,
auf diesem Wege sogar Gefühl für sehr außerwesentliche und zufällige
Vollkommenheiten, z. B. ein Gefühl ihrer sogenannten höheren Geburt
und ihres Standes in sie zu bringen, sollte es nicht auch möglich sein,
eben dies für weit wesentlichere Vorzüge zu erwecken[2]? Doch wird
2. der eigentliche Sinn für die Freuden der Erkenntnisse erst dann entstehen, wenn jede erhöhte Thätigkeit der Geisteskräfte mit Wohlgefallen
von ihnen empfunden wird; wenn der Zögling selbst wahrnimmt, wie es
heller wird in seiner Seele, wie er vordringt, wie er Schwierigkeiten über-
windet, wie mit jeder überwundenen die Leichtigkeit zunimmt; dann, wie
viel er anfangen kann mit seiner erworbenen Kenntnis, wie doch von allen
Seiten Wahrheit so viel mehr als Irrtum, Gewißheit als Ungewißheit

wert sei. Diese Wahrnehmung bleibt nicht aus, wenn man nur die Aufmerksamkeit darauf lenkt; wenn man die Wißbegier reizt; wenn man den Zögling in Situationen versetzt, wo er das Übergewicht empfindet, das ihm seine erworbenen Kenntnisse über die Unwissenden verschaffen. Besonders aber ist 3. der ganze Gang der intellektuellen Erziehung hier von der höchsten Wichtigkeit. Vor allem verhüte sie, daß die Erschwerung der Verstandesbildung nicht das Gefühl für die dadurch zu erlangende Vollkommenheit abstumpfe und Lust in Unlust verwandle. Dies geschieht aber durch jede fehlerhafte Methode des Unterrichts; sei sie es in der Materie, welche für das Kind noch kein Interesse haben kann, oder durch die Form, welche die Lehrstunden lästig und quälend macht[3]). Auch stumpft sich 4. der Sinn für das Wahre ab durch jede Oberflächlichkeit und Ungründlichkeit im Beantworten der Fragen. Wer sich oft unbefriedigt fühlt, wird nach und nach gegen die Belehrung gleichgültig. Auch verliert sich das Wohlgefallen am Lernen und der Trieb weiter zu kommen, wenn die Seele nicht Zeit genug hat, ihrer erworbenen Kenntnisse froh zu werden und sich an dem Anschauen des wachsenden Ideenvorrats zu ergötzen; wenn sie, durch die große Mannigfaltigkeit der ihr zugemuteten Beschäftigungen hierhin und dorthin gezogen, nie zu sich selbst kommt; ein Übel, welches von der öffentlichen Schulerziehung fast unzertrennbar ist, und dem die häusliche wenigstens weit eher abzuhelfen imstande sein wird.

Anmerk. 1. Die inneren oder geistigen Gefühle werden durch Vorstellungen bewirkt, die Stärke des Eindrucks aber, welchen diese Vorstellungen machen, scheint allerdings von dem Mangel oder der Feinheit der Lebensorgane oder der ganzen inneren und verborgenen Organisation einzelner Menschen abzuhängen. Es wird also auch die thätigste Erziehung nie imstande sein, einen Zögling darin eben so weit als den andern zu bringen. Sie kann die Temperamente nicht umschaffen; kann den von Natur Gefühllosen nicht empfindsam machen. Eben so wenig kann sie hoffen, das Gefühl für das Wahre, für das Gute, für das Schöne bei allen mit gleichem Glück hervorzulocken und zu erhöhen. Aber sie muß auch hierin thun, so viel sie vermag.

2. Ein deutlicher Beweis, daß man so auf Kinder wirken könne, liegt unter andern darin, daß in der Regel Kinder aus Familien, in welchen Verstand und Kenntnisse wenig, Geld, Adel, Rang alles gelten, in welchen Wissenschaft und Kunst wohl gar verachtet wird, äußerst selten nur einigen Sinn für die Freuden des Wissens und Lernens haben. Ganz anders ist es bei denen, welche entweder tägliche Beispiele höherer Bildung sehen, oder aus den niederen Ständen emporstreben und durch die Schwierigkeit nur desto eifriger gemacht werden. Auch ganze Provinzen unterscheiden sich in dieser Hinsicht recht auffallend von einander.

3. Id inprimis caveri oportet, ne studia, qui amare nondum potest, oderit puer, et amaritudinem semel perceptam etiam ultra rudes annos reformidet. Quintil. l., c. 1.

___

Drittes Kapitel.

Von der Bildung des Begehrungsvermögens
oder
von der moralischen Erziehung.

Vorerinnerungen.
84. Rückblick.

Man ist, wie verschieden sich auch die Systeme der Schule darüber
ausdrücken mögen, einverstanden, daß der Mensch eigentlich nur so viel
wahren Wert habe, als er sittlichen Wert hat; daß es auch eigentlich
nur die sittliche Vollkommenheit oder die Güte des Charakters,
die Heiligkeit der Gesinnungen und Handlungen sei, was einem
jeden, selbst dem, der von dieser Würde noch sehr weit entfernt ist, Achtung
abnötiget; daß alle übrigen Vollkommenheiten des Menschen, die geistigen
wie die körperlichen, nur bedingt Schätzung verdienen, die Bedingung aber,
in ihrer gesetzmäßigen Anwendung zu den Zwecken der Sittlichkeit oder
aus dem Standpunkte der Religion betrachtet, in der Heiligung aller
Kräfte zu der einzig würdigen Verehrung Gottes durch eine Gott ähnliche Gesinnung bestehe. Die Erziehung hat nun schon in dem früheren
Alter des Kindes auf die ersten sittlichen Regungen geachtet, und durch
die Erweckung, Nährung und Bildung des moralischen Gefühls ihrem
Zögling die eigne freie Selbstbestimmung zu dem, was das Gesetz als
allgemein gültig vorschreibt, vorbereitet. Es ist nun ihre fernere Sorge,
daß das, was vorher mehr dunkles Gefühl oder Nachahmung dessen war,
was in der Umgebung für Recht und Sitte galt, zu einem wirklichen
Handeln nach Grundsätzen werde. Insofern unterscheidet sich die
moralische Erziehung von der ästhetischen und intellektuellen,
wiewohl beide schon eine bestimmte Richtung auf das Sittliche haben.

85. Bemerkungen über die ursprüngliche sittliche Beschaffenheit der Kindernatur.

Die Erziehung muß die Aufgabe, durch ihre Einwirkung einen moralisch guten Charakter zu begründen, leichter oder schwerer finden, je
nachdem sie in der Kindernatur ursprünglich weit mehr Gutes, oder weit
mehr Böses, oder wenigstens beides, ungefähr in gleichem Grade gemischt,
wahrnimmt. Nach dem Urteile vieler neueren Pädagogen und Moralisten ist das erste der Fall. Ihnen ist die Kinderwelt ein Stand der
Unschuld, in welchem von bösartigen Neigungen und Begierden noch
keine Spur zu finden sein soll. Was andre mit diesem Namen benennen,
erscheint ihnen entweder bloß als eine notwendige Folge des kindlichen

Unverstandes, oder natürliche, deshalb nicht strafbare Sinnlichkeit, wohl gar als etwas positiv Gutes. Mit dieser Ansicht stehen die Urteile anderer im geradesten Widerspruch, die entweder eine gänzliche Verdorbenheit der menschlichen Natur in allen Trieben und Neigungen, daher auch eine gänzliche Unfähigkeit zu allem wahren Guten, ohne die Hilfe eines höheren Beistandes, behaupten, und in diesem Sinne alles Denken und Begehren des Menschen für böse von Jugend auf erklären; daher auch dem Kinde nicht nur Sinnlichkeit, Schwäche, Verführbarkeit, sondern auch einen bestimmten Hang zum Bösen (Bösartigkeit) zuschreiben oder wenigstens in der Kinderseele eben sowohl eine frühere Richtung auf das Böse als auf das Gute, wiewohl bei einzelnen in verschiedenen Verhältnissen, annehmen.

Anmerk. Für die erste Meinung stimmten seit Rousseau die meisten Pädagogiker: Basedow, Campe, Salzmann, Rochow, gewissermaßen auch Pestalozzi, Schwarz und viele andre. Bekam doch der Artikel von dem angebornen Verderben um diese Zeit auch in vielen theologischen Systemen eine andre Gestalt. Man sehe unter andern die — doch oft mehr beredten als tief gehenden — Erinnerungen gegen die gewöhnliche dogmatische Behandlung der Lehre von dem Verfalle der menschlichen Natur in Jerusalems Betrachtungen über die Religion, 2. T. S. 191 ff.

Für die letzte Meinung erklären sich seit der Kantischen Abhandlung über das radikale Böse in des Verf. Religion innerhalb der Grenzen der Vernunft, (womit einige Bemerkungen über Kants philosophische Religionslehre, Kiel 1795, S. 54 zu vergleichen sind), außer den älteren Theologen, auch die meisten kritischen oder doch aus der kritischen Schule hervorgegangenen Philosophen (z. B. Fichte in dem System der Sittenlehre), Erziehungslehrer und Moralisten. — Doch sagt Kant in seiner nach seinem Tode erschienenen Pädagogik, Ausg. von Vogt, § 102: „Der Mensch ist von Natur weder moralisch gut noch böse. Denn er ist von Natur gar kein moralisches Wesen. Man kann indes sagen, daß er ursprünglich Anreize zu allen Lastern in sich habe, denn er hat Neigungen und Instinkte, die ihn anregen, ob ihn gleich die Vernunft zum Gegenteil treibt u. s. w." — So hatte schon früher Eberhard in der Apologie des Sokrates, 1. T. und 2. T. bes. S. 134 ff. geurteilt. Ausführlicher ist der Gegenstand in meinen Briefen an christliche Religionslehrer, 3te Samml. 7ter Brief von mir behandelt.

86. Aussprüche der Erfahrung.

Wenngleich die Frage, auf welcher Seite bei diesen so widersprechend scheinenden Vorstellungen die Wahrheit liege, für jeden Erzieher ein ganz vorzügliches Interesse haben muß, indem seine Hoffnungen oder seine Befürchtungen wegen des Erfolgs seiner Arbeit steigen oder sinken werden, je nachdem die Entscheidung ausfällt: so ist es doch eigentlich die Sache andrer Wissenschaften, namentlich der Philosophie

und der Theologie, die Spekulation über die urſprünglich ſittliche Be-
ſchaffenheit der menſchlichen Natur weiter zu verfolgen. Die Erziehung
wird ihres Zweckes nicht verfehlen, wenn ſie nur die unläugbaren Erſcheinungen in der Kinder- und Jugendwelt nicht überſieht; geſetzt, es
bliebe auch vieles über die letzten Gründe dieſer Erſcheinungen dunkel
oder zweifelhaft. Die wichtigſten und unwiderſprechlichſten derſelben ſind
folgende: 1. In allen Kindern wird man Anlagen zu guten Neigungen,
Geſinnungen und Handlungen gewahr. Einige zeichnen ſich von der
erſten Kindheit an durch Liebe zum Wahren, Guten, ſelbſt zum Edeln
aus. Das Böſe iſt ihnen eigentlich ganz fremd und anfangs kaum
begreiflich. Man ſetzt daher auch in der Regel Unſchuld und Un-
verborbenheit in Kindern voraus[1]). Daneben aber ſind 2. alle
Kinder nicht nur verführbar, ſondern ſie haben auch mehr oder
minder einen Hang zu ſo manchem, was in reiferen Jahren unrecht
oder böſe genannt wird, wenn man gleich es ihnen noch nicht als
Schuld anzurechnen geneigt iſt. In einigen ſcheint indes ſehr früh
eine ſtärkere Diſpoſition dazu hervorzutreten, welches bei einzelnen ſo
weit geht, daß man geneigt wird, ihnen eine natürliche Bösartigkeit
zuzuſchreiben[2]). Wenn ſich dies 3. bei vielen aus ihrer Lage, aus den
erſten auf ſie gemachten Eindrücken, aus dem Zwange, den man ihrer
Natur anthat, aus der ſchiefen Richtung, die man dem Charakter gegeben hat, verbunden mit der Macht des Beiſpiels, bei andern aus
gewiſſen körperlichen Beſchaffenheiten (z. B. Trägheit oder große Reizbarkeit des Temperaments, früher Schwächlichkeit oder Gebrechlichkeit) erklärt: ſo finden ſich wieder andre Beiſpiele, wo alle dieſe Urſachen entweder gar nicht vorhanden ſind oder doch nicht hinreichen, um begreiflich
zu machen, wie bei gleichen Eltern, bei gleicher Einwirkung der Beiſpiele
von außen ſo viel frühe Verdorbenheit entſtehen konnte. 4. Obgleich
die in früheren Jahren, wo die Vernunft noch ganz ſchweigt, faſt allein
herrſchende Macht der Sinnlichkeit es erklärbar macht, wie die natürlichen an ſich ſelbſt noch ganz unbeſtimmten Triebe in der Folge ſchädlich
und unmoraliſch werden und ſo viel Gewalt bekommen können, ſo erſcheinen daneben doch auch in der Seele mancher Kinder Züge, welche
ſich nicht allein aus der Sinnlichkeit erklären laſſen. Höchſt bedeutend
und beachtungswürdig iſt 5. der Einfluß des Erkenntnisvermögens
auf das Begehrungsvermögen, ſo daß man ziemlich ſicher von gewiſſen intellektuellen auf gewiſſe moraliſche Anlagen ſchließen kann.
Schwacher Verſtand iſt ſehr oft mit Gutmütigkeit, aber auch oft mit
Unlenkſamkeit und tieriſcher Leidenſchaftlichkeit verbunden, die keinen Vorſtellungen Gehör giebt und ſinnliche Zwangsmittel notwendig macht[3]).
Zu vorzüglichen Geiſtesfähigkeiten geſellen ſich bald Leichtſinn, bald
Starrſinn; bei ſehr mäßigen Verſtandeskräften findet ſich eine gewiſſe
Schwäche im Begehren und Verabſcheuen. Starke Beweglichkeit und

Flüchtigkeit verspricht wenig Charakter. Da übrigens sittliche Güte und eigentliche Tugend nur ein Produkt der Freiheit ist, folglich, ehe der Mensch zum Gebrauch einer freien Vernunftthätigkeit gelangt ist, ihm gar nicht zugeschrieben werden kann: so kann man auf keinen Fall von Kindern sagen, daß sie positiv gut oder positiv böse sind; wohl aber, daß die Keime zum Guten und Bösen, wenn gleich in verschiedenen Mischungen und Verhältnissen, in ihnen liegen.

1. Sehr wahr sagt Rollin in seiner Manière d'enseigner etc.: Il y a des enfans si bien nés, d'un naturel si heureux et si docile, qu'il suffit de leur montrer ce qu'il faut faire, et qui, sans avoir besoin des longues leçons d'un maitre, au premier signal saisissent le bon et l'honnête et s'y livrent pleinement: rapacia virtutis ingenia. Und Seneca: Omnium honestarum rerum semina gerunt, quae admonitione excitantur: non aliter quam scintilla flata levi adjuta, ignem suum explicat. Auch mir kam wohl unter vielen Kindern, die ich kannte, hier und da eine Kinderseele vor, in welcher es schwer war, nur etwas von dem, was man allein böse nennen sollte, zu entdecken; wo sich mit aller Fähigkeit des Verstandes die reinste kindliche Unschuld, mit großer Lebhaftigkeit des Temperaments der willigste Gehorsam, mit feiner Klugheit die strengste Liebe zur Wahrheit, und eine völlige Unfähigkeit zur Täuschung und Betrug, bei entschiednen Vorzügen vor den Gespielen nicht eine Spur von Erhebung, vielmehr die strengste Gerechtigkeit, bei dem zartesten Gefühl für Billigkeit die sich hingebendste Gefälligkeit an andere, bei dem beifallswürdigsten Verhalten die völligste Sorglosigkeit um das Bemerktwerden — mit einem Wort, alle Eigenschaften, welche man in dem Gemälde einer reinen Kinderseele vereint denken müßte, zusammenfanden. Aber sie sind selten, diese Kinder, selbst bei den treuesten Erziehungen und der ungeteiltesten Sorgfalt der Eltern. In den meisten ist ein Gemisch des Besseren und des Schlechteren, und man hat Ursach schon sehr zufrieden zu sein, wenn nur dem Besseren leicht durch die unterstützende Erziehung die Oberhand zu verschaffen ist.

2. Schadenfreude, Wohlgefallen an Kränkungen anderer, Tücke, Falschheit und Lügenhaftigkeit, Hang zu Betrügereien, sogar zum Entwenden, scheinen in der That oft wie angeboren. So der Neid, wovon wieder in andern keine Spur zu finden ist. Vidi ego et expertus sum zelantem parvulum. Nondum loquebatur, et intuebatur pallidus amaro adspectu collactaneum suum — sagt Augustin schon; und wer Kinder genau beobachtet hat, und sie nicht bloß aus Theorieen oder unpsychologischen Romanen kennt, muß ähnliche Bemerkungen gemacht haben.

3. Illis aut hebetibus aut obtusis, aut mala consuetudine obsessis, diu rubigo animorum efficanda est Senec.

87. Wichtigkeit einer richtigen Beurteilung des Moralischen in der Kindernatur.

Sind die vorstehenden Bemerkungen gegründet und bestätigen sie sich jedem beobachtenden Erzieher in der Nähe der Kinderwelt, so findet dieser auch darin sogleich die vorläufige Regel: höchst vorsichtig in seinem Urteil über die sittliche Beschaffenheit seiner Zöglinge zu sein, und es sich dabei ganz klar zu machen, was er eigentlich mit seiner Einwirkung auf ihr Inneres beabsichtige. Überhaupt kann er nur wollen, daß das früh hervorbrechende Gute bewahrt, und daß es immer kräftiger werde in seiner Wirkung; daß jeder Trieb nur dem sittlichen Gefühl gemäß sich stärke, und daß der Wille selbst stark genug werde, die Neigung der Vernunft, oder dem, was anerkannt das Rechte ist, zu unterwerfen. Die meisten ursprünglichen Triebe und Neigungen sind anfangs gleichgültig. Sie werden erst durch die Gegenstände, worauf sie sich richten, oder das Verhältnis ihrer Stärke gegen die Vernunft gut oder böse. Wenn folglich die Erziehung nicht der Natur oder den Absichten des Urhebers derselben gerade entgegen arbeiten will, so darf sie eigentlich nie auf Unterdrückung der Naturanlage ausgehen. Gerade die, welche dem ersten Anscheine nach am gefährlichsten sind, da aus ihnen manches, was man bei Kindern — weil es den Erwachsenen lästig, und zufällig auch wohl äußerlich schädlich ist — Unarten zu nennen pflegt, können in der Folge am meisten zu der vollkommneren sittlichen Ausbildung beitragen; und was als roher Trieb in seiner frühesten Äußerung mißfällt und auch geregelt werden muß, trägt oft die Blüte einer edlen Frucht in sich, die sich erst mit der allgemeinen Entwickelung der ganzen Natur aufschließt [1]). Dagegen sind wieder manche andere frühe Dispositionen, welche man gewöhnlich sehr zu rühmen und für die Wahrzeichen guter Kindernaturen zu halten pflegt, weit bedenklicher, da sich aus ihnen, wenn man sie nicht früh bewacht, ein sehr fehlerhafter, höchst unmoralischer Charakter entwickeln kann [2]). Von keiner Seite wird von Eltern und Erziehern häufiger, sowohl in der Beurteilung, als in der Behandlung der Kinder, gefehlt. Daher ist richtige Ansicht des natürlichen Charakters das erste und allgemeinste Erfordernis einer zweckmäßigen moralischen Erziehung [3]).

Anmerk. 1. Man würde unstreitig irren, wenn man die Notwendigkeit der moralischen Erziehung in den Jahren der Kindheit überhaupt bezweifeln wollte, weil die Kinder so früh noch keine Moralität hätten und selbst der Grund von dem, was man Unarten nennt, mehr in ihrem Unverstande oder der Flüchtigkeit ihres Temperaments, als in ihrem Herzen zu suchen sei. Was eigentlich böse ist, setzt zwar Bewußtsein des Unrechts voraus. Gleichwohl äußert sich die Macht des moralischen Gefühls weit früher in den Kindern, als man denkt; und sie wissen recht wohl zu unterscheiden, wo Unwissenheit, Unachtsamkeit, oder wo Vorsatz und böser Wille Teil an ihren Handlungen gehabt hat. Überdies kann die öftere Wiederholung dessen, was sie doch irgend einmal ablegen und unterlassen müssen, ihnen Unarten zur andern Natur machen, die in Verbindung mit unsittlichen Neigungen, in der Folge höchst verderblich für ihren Charakter werden. Dagegen tritt durch Zerbrechen der rauhen Schale der edle Kern desto früher hervor.

Heftigkeit im Begehren, Hang zum Zerstören, Mißhandlung empfindender Geschöpfe, herrisches Wesen gegen Schwächere, Nichtachten andrer Menschen u. s. w., dies alles ist anfangs in Kindern nicht moralisch böse zu nennen. Aber wird es nicht Gewohnheit? Und hofft man, wenn sie zu Verstande kommen, nun so gleich durch Raisonnement oder Befehle Jünglinge von dem zurückzubringen, was sie sich so lange als Knaben für erlaubt hielten; oder, wenn selbst dies möglich wäre, die Abneigung dagegen so zu verstärken, als dann billig geschehen müßte?

2. Hierbei ist die IV. Beilage: Über die Prüfung ursprünglicher Anlagen, und was schon oben § 65 bemerkt ward, zu vergleichen. Doch mögen zur Erläuterung des im § Behaupteten hier sogleich einige Beispiele folgen:

Von Kindern, welche sich in früheren Jahren heftig, eigenwillig, unruhig, immer thätig zeigen, eben daher viel zerstören, zerreißen, verderben und ihre Empfindungen mit Nachdruck, selbst ungestüm äußern, Beleidigungen auf der Stelle zurückgeben, bei ernsthaften Gegenständen leicht zerstreut sind, wenig stillsitzen, viel Unbesonnenes sagen und thun, viel Wagstücke machen, sich höchst ungern einschränken lassen, bei vermeinten oder wirklichen Ungerechtigkeiten ihre Mißbilligung mit Ungestüm äußern, wenig Sinn für äußere Manierlichkeit, wenig blinde Folgsamkeit haben, lebhaft widersprechen, so lange sie nicht überzeugt sind, dabei sich leicht betrügen lassen und immer schlechte Rechenmeister auf ihren eignen Vorteil sind: — von solchen Kindern läßt sich in der Regel hoffen, daß bei gehöriger Behandlung ihr Charakter in der Folge sehr viel sittlichen Wert bekommen werde. Nicht als ob dies alles gut an sich wäre oder gerade gerühmt und genährt werden müßte; sondern nur, weil es Anlagen und Kräfte in ihnen voraussetzt, welche bei zweckmäßiger Ausbildung sehr vortrefflich wirken können. Denn es liegen darin die Keime des nützlich=thätigen, selbstständigen, wißbegierigen, unternehmenden, gerechten, uneigennützigen, offenen und zuverlässigen Charakters.

Kinder hingegen, welche in den früheren Jahren sehr ruhig und bedachtsam umherschleichen, an Lärm und Gewühl kein Wohlgefallen haben, mit gleicher Aufmerksamkeit trockene und interessante Gegenstände anhören, oder die sich überall anschmeicheln, besonders wo etwas zu haben oder zu gewinnen ist; Kinder, die nie eine eigene Meinung haben, nie widersprechen, auf den ersten Wink folgen, die sich nie zu ihrem Schaden verrechnen, viel moralisieren, viel Sentenzen auskramen, besonders wo darauf gehört und wo es bewundert wird; die ein scharfes Auge für die Fehler andrer, und nichts angelegentlicher zu thun haben, als aufzulauern, zu horchen, eiligst alles Unrecht, was sie sehen, wieder zu erzählen, auch wohl zu vergrößern; die bei zu erziehenden Wohlthaten erst weislich untersuchen, ob der Unglückliche es auch wert sei, daß man ihm helfe; die Beleidigungen scheinbar ruhig ertragen, sie aber gelegentlich zurückgeben; die das äußere Schickliche sehr wohl zu beobachten wissen und sich daher auch gut produciren: — solche Kinder gelten zwar gemeiniglich für sehr gute, lenksame, verständige, artige Kinder, — aber es ist sehr zu befürchten, daß sie ohne sorgfältige Bildung, — zuweilen kalte Bösewichte, oft wenigstens höchst unthätige, schwache und jedem Eindrucke nachgebende Menschen werden. — Leider werden manche dieser Fehler recht geflissentlich von Eltern und Erziehern genährt; Kinder werden zum Lügen, Betrügen, Wiedersagen erzogen! Die Heimträger sind die Lieblinge! Wen soll man da anklagen?

3. Die allgemeineren psychologischen Schriften, überhaupt alle, welche Menschen= und Charakterkenntnis befördern können, sind auch für den Pädagogen vorzüglich wichtig. Selbst in mehreren der besseren Romane, namentlich den Fieldingschen, sind reiche Beiträge zu feineren Bemerkungen.

Außerdem kann man sich auch schon dadurch eine richtigere Ansicht einzelner

Charaktere verschaffen, daß man vieler Menschen Urteile über sie hört und dem seinigen nicht allein traut. Sowohl die Urteile der Gespielen, als ganz un-parteiischer, auch wohl untergeordneter Personen, vor denen sich der junge Mensch nicht verbirgt, sind hier sehr zu beachten.

Erster Abschnitt.

Allgemeine Grundsätze der sittlichen Erziehung.

88. Überblick ihrer Aufgabe.

Die Sittlichkeit eines Charakters kann nie etwas von außen-her Gegebenes oder durch einen andern in dem freien Menschen Hervor-gebrachtes sein. Tugend läßt sich nicht anbilden. Sie muß, aus dem Innersten hervorgegangen, da Wurzel geschlagen, aus dieser Wurzel die Blüten und Früchte jeder Tugend hervorgetrieben haben. Sie ist das Freieste; sie wird nur Tugend durch Freiheit. Sie ist nicht ein Einzel-nes, wie etwa eine Kenntnis oder Fertigkeit; sie ist das geistige Leben selbst in seiner vollen Gesundheit und Kraft, welches in das ganze Denken und Handeln des Menschen ausströmt und sich in seiner Tüchtigkeit zu jedem guten Werk offenbart. Es kann also auch keine Erziehung eigentlich unternehmen wollen, dem Zögling einen sittlichen Charakter zu geben oder ihn etwa eben so tugendhaft oder gar fromm zu machen, wie der Unterricht ihn vielleicht gelehrt machen kann. In den Jahren der sich mehr entwickelnden Vernunft ist alles, was sie vermag, — außer der Vorarbeit durch die Bewahrung und Kultur der ersten dunkeln Ge-fühle für das Sittliche: — 1. die fortgesetzte Sorge, daß das ursprüng-liche Gute in der Anlage nicht verdorben und zerstört werde oder gar untergehe, und das Böse, welches sich ebenfalls früh regt, nicht Boden, Raum und Nahrung gewinne; welches man die negative und indirekte moralische Erziehung nennen könnte; dann 2. die Einwirkung auf den Charakter durch Aufstellung fester Regeln für den Willen im äußeren Handeln, welche man zuweilen mit dem Namen der Zucht (Disciplin) im engeren Sinne bezeichnet; endlich 3. die unmittelbare Bildung des Innern durch Hervorbringung und Belebung der Ideen, von welchen alle moralischen Bestimmungen und Bestrebungen ausgehen müssen.

I.

Negative und indirekte Einwirkung auf die Sittlichkeit.

89. Überblick.

Aus der Sphäre, in welcher Kinder aufwachsen, den Umgebungen, die auf sie am ersten einwirken, der Behandlung, welche sie erfahren, aus dem allen erklärt sich oft allein schon ihre sittliche Güte oder ihre sittliche Verderbnis. Eben daher erwecken so viele ganz Ausgeartete und Verwilderte weit mehr unser Bedauern, und die Verbildeten klagen wir weniger an, als ihre Verbilder. Auch lassen sich aus der Natur des Sittlichen, so wie aus unzähligen Erfahrungen gewisse allgemeine Resultate ableiten, nach welchen man ziemlich sicher vorher bestimmen kann, in welchen Kreisen, unter welchen Einwirkungen, durch welche allgemeine Behandlung in den meisten Kindern — denn allerdings kann es auch hier Ausnahmen geben — die bessere Natur nach den Gesetzen der höchsten Wahrscheinlichkeit sich erhalten und stärken, die schlechtere von jener überwunden werden wird. Wer in Kindern den Frohsinn erhält; wer sie zu beschäftigen weiß; wer das Gefühl der Freiheit in ihnen nährt und ihnen, wo sie es irgend verdienen, Vertrauen beweist; wer unvermerkt den Reiz schädlicher Triebe und Neigungen zu vermindern, sie endlich mit Beispielen des Guten und Schönen von allen Seiten zu umgeben vermag: der darf wenigstens weit sichrer auf das Gedeihen des Guten rechnen, als wo sich von dem allen das Gegenteil findet.

90. Frohsinn.

Bei einem frohen Sinne kommt jedes Gute leichter und kräftiger als das Böse in Kindern empor. Wohlsein des Körpers hat in vielen Fällen großen Anteil an der Gesundheit der Seele. Kränkliche Kinder fallen weit mehr auf Unarten als gesunde; ihre Seele neigt sich weit eher zu allerlei Bösem, besonders zu selbstsüchtigen, feindseligen Leidenschaften hin, als dies bei gesunden Kindern der Fall ist. Die meisten Fehler in der körperlichen Erziehung sind also zugleich Fehler für die moralische. — Ferner nehmen Kinder, die so unglücklich sind, mit mürrischen, launischen, heftigen Personen früh umgeben zu sein, so leicht einen finstern Charakter an, in welchem hernach ähnliche Leidenschaften hervortreten. Dagegen öffnet der Frohsinn, den man durch Freundlichkeit, Herzlichkeit und Wohlwollen, durch sanfte Behandlung, welche den Ernst und die Festigkeit nicht ausschließt, durch Beförderung jeder unschädlichen Lust, durch angenehme Unterhaltungen und Spiele nährt, die Seele allen guten Eindrücken, macht sie willig zum Gehorsam und stark sogar zur Selbstbeherrschung, weil die innere Kraft sich frei entwickeln kann.

Anm. 1. Wer es weiß, unter welchen Umgebungen und in welcher Gesellschaft unzählige Kinder des Volks aufwachsen, welche Übellaune ihrer eigenen Eltern sie fast von ihrem ersten Eintritt ins Leben an empfängt und aufzieht, weil sie nun einmal (oft unerwünscht genug) da sind; wer selbst an die Mißhandlungen, das Anfahren, Schelten, Schlagen, das sie erfahren müssen, denkt und wahrnimmt, wie oft nicht ein Ton der Liebe in das Ohr, nicht ein milder, menschlicher Blick in das Auge solcher Unglücklichen dringt: der hört auf, sich über die frühe moralische Schlechtigkeit des Volks zu verwundern. Aber er wird dop-

pelt von Kummer ergriffen, wenn er sich zugleich gestehen muß, daß die drückende
Lage so vieler Eltern sie selbst keinen Augenblick zum Frohgefühl ihres Daseins
kommen läßt.

2. Man wird hoffentlich nicht einwenden: je froher die Jugend sei, desto
lauter und lärmender werde sie, und gerade da äußerten sich die meisten Unarten. — Denn 1. braucht Frohsinn nicht gerade Lärm und Geschrei zu
sein; dies ist nur eine natürliche Folge, wo viele Menschen froh sind. Was
nennt man aber 2. Unarten? — Lautes Reden, Rufen, Lachen, große
Beweglichkeit des Körpers? Auch wohl einmal zu weit getriebene Lustig-
keit? Dies alles mag gemäßigt werden, aber etwas Böses ist es nicht. Die
stummen, eingesperrten Kinder thun des Bösen viel mehr. Oder meint man die
leicht entstehenden Zänkereien und dergl.? Dies hängt von der Wahl der Gespielen, von der fehlenden oder trägen Aufsicht des Erziehers, oder von sehr zufälligen Umständen ab. Auch ist ja nicht jeder Streit etwas Böses. In und
durch ihn entwickelt und übt sich oft manche herrliche Kraft.

91. Beschäftigung.

Wer Kinder immer beschäftigen, ihrem natürlichen Thätigkeits-
triebe stets Spielraum und Gegenstände verschaffen kann, wird weit seltner
Ursache haben, über sie Klage zu führen. Unzählige Unarten, die nach
und nach in positives Böse übergehen, entstehen aus Geschäftslosigkeit
und Langerweile; Kinder dagegen, die man beinahe aufgegeben hatte,
bedurften keines Verweises, sobald man sie nur zu beschäftigen wußte.
Eine solche, dem jedesmaligen Alter angemessene Beschäftigung
zu finden ist daher das Haupt- und Meisterstück der ersten Erziehung.
Giebt man ihrem Körper und Geist Anlaß zu Thätigkeiten, die nicht
über die Kräfte gehen, so kann man fast sicher sein, daß sie kaum eine
Versuchung fühlen werden, Böses zu thun oder auf Thorheiten zu verfallen. Sogar was schon beschlossen war, hört auf Reiz für sie zu
haben, sobald den Thätigkeitstrieben eine bestimmte Richtung gegeben ist.
Nur Zwang zu lästigem Geschäft würde die entgegengesetzte Wirkung thun.
Doch sei die Beschäftigung nicht zu anhaltend, selbst Spiel ermüdet auf die Länge und führt üble Launen herbei. Das Anhaltende
sei wenigstens freie Wahl, es bleibe den Kindern unbemerkt, was
man dabei beabsichtiget. Am meisten wirkt eine Lieblingsbeschäftigung,
welche die ganze Seele füllt und deren Betreibung allerlei Nebengeschäfte
nötig macht. Kleine Anlagen, Sammlungen, besonders von Naturprodukten, in den früheren Jahren selbst eigentliche Spielereien, sind
dazu treffliche Hilfsmittel. Sie machen Kindern das Haus lieb und
bewahren vor dem unruhigen Streben nach außen hin. Sie üben den
praktischen Verstand. Tage und Jahre werden dabei schuldlos verlebt[1]).
In der Veranstaltung und Leitung solcher Beschäftigungen zeigt sich auch
das, was man die Aufsicht auf Kinder nennt, am wohlthätigsten.

Leider ist sie aber oft mehr ein Hindernis der freien Thätigkeit und verfehlt dann ganz ihren Zweck[2]).

1. Nur keine Gewinnstspiele, am allerwenigsten Kartenspiele für
Kinder! — Sie sind die gefährlichste Beschäftigung: denn sie werden, ehe man
es denkt, zur Leidenschaft, zur elenden, geist- und herztötenden Leidenschaft. Man sollte zittern, wenn man Kinder, voll heißer Begier nach Gewinn,
am Spieltische sitzend oder dahinter stehend erblickt. Umsonst versucht man, sie durch
die interessantesten Gespräche, selbst durch fröhliche Spiele von den Karten abzuziehen.
Sie hören nichts; sie sehen nichts; sie denken nichts als das Spiel, und aller Sinn
für bessere Freuden ist abgestumpft. Es ist unaussprechlich, welche Verwüstung
diese unselige Leidenschaft in jugendlichen Seelen anrichtet. Ich bitte alle Erzieher
aufs bringendste, sich nicht durch eignes Beispiel so sehr an der Jugend zu ver-
sündigen; ich bitte alle Eltern, keine Kinder zu ihren gewöhnlichen Spielgesellschaften
zu ziehen. Die lautesten, wildesten, gefährlichsten Spiele sind so gefährlich nicht,
als zum Bedürfnis gewordene Gewinnspiele. Desto mehr Wert haben andre Er-
holungen und Beschäftigungen, wobei sich Körper- und Geisteskräfte üben und entwickeln. Bei der Wahl würde auch das Geschlecht in Anschlag zu bringen sein.

2. Ganz sich selbst überlassen, können Kinder sich selten lange, wenigstens
nicht zweckmäßig beschäftigen. Alleinsein führt zu Langerweile; häufiges Zusammensein mit andern Kindern, ohne daß man sie beobachtet und leitet, entwickelt in
ihnen nicht nur allerlei gesellschaftliche Unarten, sondern giebt auch wohl schädlichen Trieben Anlaß und Nahrung. Kinder selbst wünschen Leitung; sogar Jünglinge, wenn sie nicht schon sehr verdorben sind. Nur muß der Erzieher sie nach
ihrer Art, nicht nach seiner Art vergnügt sein lassen. Ihre Beschäftigungen
müssen nicht befohlen sein, sonst werden es Frohndienste. Er muß anraten, vorschlagen; sie müssen wählen. So bewahrt er sie vor unzähligen Übeln, die in
dem Mangel an Aufsicht und Leitung ihren Grund haben; so sichert er sie vor
der Ansteckung böser Beispiele, deren Annäherung ganz zu verhüten nicht
immer möglich ist. Die an sich richtige Bemerkung, daß man die Zöglinge mehr
sich selbst überlassen müsse, gehört mehr für das reifere Alter.

Wenn so manche Eltern recht wüßten, welchem Verderbnis sie ihre Kinder
bloß dadurch hingeben, daß sie ihrer nur los zu werden suchen; wenn so manche
Erzieher, die doch das wichtigste aller Geschäfte übernommen haben, berechnen
könnten, wie viel Böses durch ihre Abwesenheit für ihre Zöglinge gestiftet
wird: sie würden doch wohl gewissenhafter in diesem Punkte sein. Es ist bei
weitem nicht genug zur Beruhigung für den, der da weiß, worauf es bei der
Erziehung ankommt, daß gerade jetzt keine Excesse im strengsten Sinne vorgehen.
Die unnützen Gedanken, die Verirrungen der Seele aus Langerweile, die schädlichen oder ganz leeren Gespräche, die Vergiftungen durch einen einzigen schlechten
Gesellschafter sind etwas weit Schlimmeres, als die gewöhnlichen Jugendstreiche,
über die oft ein so strenges Gericht ergeht.

92. Gefühl der Freiheit.

Je mehr sich Kinder frei fühlen, je weniger also die Freiheit
ihrer Äußerungen in Worten und Handlungen durch eine Menge von

10*

Verboten und Geſetzen eingeſchränkt wird, deſto früher entwickelt ſich in
ihnen ein ſittlicher Charakter. Durch unaufhörliche Sittenvorſchriften
läßt ſich vieles zuſtande bringen, was den Schein der Moralität
hat; aber es iſt nicht hervorgegangen aus dem Grunde eines guten Sinnes,
ſondern angebildet durch Kunſt, ohne daß der Sinn gebeſſert wäre.
Man gebe den natürlichen guten Trieben nur unvermerkt Anläſſe, ſich
zu äußern; man ſchneide nur die Gelegenheiten ab, wo böſe Triebe
wirkſam werden können: bald werden jene an Stärke gewinnen, dieſe
geſchwächt werden. Überdies, wer jede freie Äußerung durch gewaltſame
Mittel ſogleich zurück drängt, lernt Kinder nie kennen wie ſie ſind. So
lange ſie ohne Rückhalt alles äußern, was in ihrer Seele liegt, und man
gewiß iſt ſie zu ſehen wie ſie ſind, bekommt man dadurch Gelegenheit
dem, was nicht gerade iſt, unvermerkt eine andre Richtung zu geben.
Nicht brechen, — beugen und ziehen muß man den jungen Trieb, wenn
er eine ſchiefe Richtung nehmen will. Übrigens darf es im Grunde
oft nur eine Scheinfreiheit ſein, die man den Kindern läßt. Man kann
immer die Umſtände ſo leiten, daß ſie durch dieſe beſtimmt werden.
Aber indem ihnen das Gefühl oder der Wahn bleibt ſelbſtthätig zu
handeln und ſich frei zu beſtimmen, lernen ſie moraliſch handeln, was
eine Zwangserziehung nie bewirken wird. Sie ſchafft nur Heuchler oder
Maſchinen.

Anmerk. Es freue ſich folglich der Erzieher, wenn ſeine Zöglinge ohne
Geſetz, ohne Vorſchrift, ohne Furcht oder Hoffnung etwas Gutes gethan haben,
weit mehr, als wenn er Gelegenheit hat, ihren Gehorſam, ihre Achtſamkeit
auf ſeine Worte und Winke zu rühmen. Jenes iſt gewiß ihr Eigentum. Nur
wo die höchſte, freieſte Selbſtthätigkeit iſt, da iſt auch die höchſte Sittlichkeit. Man
vergleiche die treffliche Stelle beim Cicero de fin. I, 14. in der 1. Beilage § 3.

93. Beförderung des Guten durch bewieſenes Vertrauen.

Aus oben angeführtem Grunde (92.) ſoll man ſeinen Zöglingen,
wo ſie es irgend verdienen, oft ſogar, um ſie deſſen würdig zu machen,
Vertrauen beweiſen. Sie werden ſich um ſo früher ſelbſt vertrauen
lernen, da im Gegenteil Mißtrauen nicht nur verſtimmt, ſondern auch
mutlos macht. Was man von jungen Leuten fordert, betrachte man
oft als etwas, „das ſich von ſelbſt verſtehe, das man ihnen nicht erſt
zu empfehlen nötig habe, das man von ihrem Verſtande oder von ihrem
Herzen erwarten könne;" ſtatt daß in der gemeinen fehlerhaften Erziehung gerade der entgegenſtehende Ton gewählt wird; „man könne ſich
nicht auf ſie verlaſſen, ihnen nicht trauen; man werde gewiß viel
Klagen über ſie hören;" oder bei vorgefallenen Fehlern: „ſie würden
die Wahrheit nicht ſagen; man werde ſich anderwärts erkundigen u. ſ. w."
Auch gehe die bei ſehr jungen Kindern oft nötige bewachende Auf-
ſicht unvermerkt in eine mehr entfernte Beobachtung über. Ge-

gebene Freiheit wird gerade um so seltener gemißbraucht, je öfter und unbefangener man sie giebt, und je mehr der Zögling wahrnimmt, daß ihre gute Anwendung ihm nur noch mehr Vertrauen erworben hat. Schon in Kindern ist ein Gefühl für Achtung, und ein Trieb, Achtung zu verdienen. Eben darum hat jeder Erzieher, der junge Leute überlisten, behorchen, beschleichen will, darauf zu rechnen, am meisten betrogen zu werden. Denn da er sie nicht durch Vertrauen zu gewinnen sucht, so finden sie ein Interesse darin, klüger als er zu sein, woran sie bei offener Behandlung nicht denken würden. Auch die besten widerstehen jener Versuchung nicht immer. Aber warum führt man sie in Versuchung? Da in der öffentlichen Erziehung und in Schulen jener Fehler am häufigsten vorkommt und zum Teil in der Natur des Zusammenlebens vieler liegt, so fallen auch gerade da die meisten Überlistungen und Täuschungen der Lehrer vor und haben sogar davon den Namen der Schulstreiche bekommen.

94. Verminderung des Reizes zum Unrechtthun.

Selbst die Sparsamkeit im Verbieten mindert nach einer alten Bemerkung den Reiz zum Bösen. (Nitimur in vetitum). Vieles wird weder in die Ideen, noch in den Willen der Kinder kommen, wenn sie nicht eben durch das Verbot darauf aufmerksam gemacht werden. Gleichwohl haben viele Eltern und Erzieher kaum einen andern Begriff vom Erziehen, als daß es im Verbieten bestehe. Schwächer schon reizt zur Übertretung das Gebot; aber bei dem natürlichen Triebe nach Freiheit reizt es doch auch, und es ist ein Gewinn, wenn selten befohlen, selten durch positive Gesetze etwas bewirkt werden darf, da sich ja das meiste auf andern Wegen erreichen läßt. Am stärksten reizt indes der äußere Vorteil. Das Kind thut Unrecht, nicht weil es Unrecht ist, sondern weil es dadurch gewinnen will und dies als das Mittel dazu betrachtet. Es ist daher viel gewonnen, wenn man veranstalten kann, daß Kinder bei der Abweichung von dem Wege der Pflicht so wenig als möglich gewinnen. Auch in der ganzen Behandlung liegt oft ein schädlicher Reiz. Härte reizt zum Zorn; stetes Tadeln zur Bitterkeit; schwache Nachgiebigkeit zur Schmeichelei und zu den Versuchen, so lange zu quälen, bis der Zweck erreicht ist; unmäßiges Lob zur Prahlerei; Ausfragen zur Heimträgerei aller, besonders schlimmer Neuigkeiten. Jede Art von Leidenschaftlichkeit, welche sich in die Erziehung mischt, sie sei verbietend oder begünstigend, sie heiße Strenge oder sie heiße Güte, reizt zu einem ähnlichen Betragen.

Anm. Kinder werden schon dann die Wahrheit sagen, wenn sie bei der Lüge den Vorteil verlieren, den sie beabsichtigen; sie werden nicht Lust haben, anzuklagen, wenn sie als Ankläger an Liebe einbüßen, hingegen durch Entschuldigen ihrer Gespielen daran gewinnen. Sie werden nichts durch List an sich bringen, wenn sie es nie behalten dürfen. Sie werden nicht ungestüm trotzen, weinen, schreien, wenn sie nie etwas dadurch ausrichten. Sie werden andre Menschen nicht mehr necken und beleidigen, wenn andre Menschen sie nur gehörig zurückweisen und sie fühlen lassen, daß man nicht ungestraft necken dürfe. Eine solche Erfahrung belehrt besser als hundert Sittensprüche. Salzmanns Anweisung zu einer unvernünftigen Erziehung enthält eine Menge höchst praktischer Beiträge zu dieser Materie und beweiset aus einzelnen Fällen, wie die gemeine Erziehung, statt die Reize des Bösen zu verhindern, sie nur vermehrt.

95. Moralischer Einfluß der Umgebung.

Nichts ist endlich so bildend, ohne den Schein des Absichtlichen zu haben, als die Umgebung. Beispiel wirkt auf die meisten Menschen stärker als Vorschrift; es wirkt zuweilen so stark, daß sie sogar wider ihre natürliche Neigung handeln. Wenn es in dem früheren Alter möglich wäre, Kinder überall mit Beispielen des Guten und Schönen in Sinn und Wort und That zu umgeben, sie jedem Umgange zu entreißen, in welchem sie nur Böses sehen, hören, lernen: die meisten würden weit länger unverdorben bleiben, und das sittliche Gute würde an Stärke gewinnen, künftigen schlimmeren Eindrücken zu widerstehen. Eben darum bewährt sich das Erzogenwerden in dem Kreise einer durchaus rechtlichen, liebevollen und gebildeten Familie, wo sich alles auf einen Ton stimmt, in so herrlichen Früchten. Man fürchte nicht, daß durch die Verhütung gefährlicher Versuchungen der Charakter an Festigkeit verliere. Die Welt und die eigene Sinnlichkeit wird zeitig genug dafür sorgen, daß er versucht werde; selbst der Erzieher wird nicht jede schlimme Einwirkung verhüten können. Aber ein junges Herz, das man unaufhörlich in Versuchung führt, gewinnt so wenig innere Kraft, als der junge Baum, der stets von Stürmen bewegt wird, ohne anfänglich durch einen festen Stab gestützt zu sein.

Anmerk. Daß Beispiel und Umgang gleich stark auf Gewöhnung, Verwöhnung und Entwöhnung wirken, hat seinen Grund in dem mächtigen Triebe zur Nachahmung, welcher besonders die Kinder belebt und eben daher auch für die moralische Erziehung ganz vorzüglich wichtig ist. Was besonders jüngere Kinder an älteren sehen, das finden sie sich, oft sogar wider ihre natürliche Disposition, höchst geneigt nachzuahmen. Deswegen hat man, wenn die ersten Kinder — oft nur das erste — gut gezogen sind, bei den folgenden halbe Arbeit. Manche Fehler kommen eben daher auf Schulen gar nicht vor, weil kein Beispiel davon da ist. In wenigen Tagen nimmt der Zögling den Ton an, den er rings um sich her hört, und wundert sich oft selbst, wie er so schnell einen Fehler los geworden ist.

Homines amplius oculis quam auribus credunt. Longum iter est per praecepta, breve ac efficax per exempla. Zenonem Cleanthes non expressisset, si eum tantummodo vidisset. Vitae ejus interfuit — observavit illum an ex formula sua viveret, („ob seine Praxis seiner Theorie gleiche?" Das fragt jeder Zögling bei seinem Erzieher!) Plato plus ex moribus quam ex verbis Socratis traxit. Seneca ep. 17.

II.

Moralische Zucht.

96. Überblick.

So viel auch Kinder schon durch jene mehr negative und indirekte Einwirkung (93—94.) gewinnen können, so bedürfen sie doch auch einer unmittelbaren Hilfe. Was besonders in dem frühen Alter und in den Jahren der Unbestimmtheit in dieser Hinsicht geschehen kann, begreift man, zum Unterschiede von der höheren moralischen Kultur, welche dadurch verbreitet werden soll, unter dem Namen der Zucht (Disciplina). Der Anfangspunkt ist die Gewöhnung; ihr folgt bald und geht dann lange zur Seite die Vorschrift, das Gesetz, welches Gehorsam fordert. Wo auch dies noch zu schwach wirkt, da tritt die Strafe, damit der Wille sich bezwingen lerne, und die Belohnung hinzu, damit er geneigter und stärker werde, bis er auch dieses Reizes nicht mehr bedarf.

Anmerk. Über den Sinn des römischen Wortes Disciplina verdient die treffliche Ernestische Abhandlung: De privata Romanorum disciplina (Opusc. philol. pag. 32) ganz verglichen zu werden.

Permultis — sagt er unter andern — disciplinae, imprimis puerilis et scholasticae nomen audientibus, occurrunt statim vis et servilis metus, verbera imprimis; sive pertinaciae suae non nisi talibus rebus coercendae conscientia, sive quod suos sibi praeceptores parentesque aditum ad rationem animumque per tergum vicinasque partes quaesisse recordantur: ad minimum reprehensiones iracundae et clamores: quique his in sensus teneros grassetur, eum disciplina recta et severa continere illam aetatem putant. — Allerdings muß diese Vorstellung von dem Wesen der Disciplin sehr herrschend geworden sein, da in sogar Strafinstrumente den Namen der Disciplin bekommen haben. — Est vero —führt er fort — disciplina, ut recte docte summus sapientiae magister Plato, nihil aliud, nisi ratio quaedam, animos ad virtutis amorem vitiique odium adducens, et iam hoc ipso, tum assuetudine liberali, in officio hominis continens. — Continetur autem duabus rebus: primum opinionibus ad illud, quod diximus, consilium accommodatis animo paullatim instillandis: deinde institutis quibusdam solerter excogitatis, partim ad illas ipsas opiniones, sparsas iam in animis, alendas et confirmandas, partim ad consuetudinem officii libenter et constanter faciendi induendam.

Etwas anders, als im § geschehen, faßt Herbart in s. Allgem. Pädagogik den Begriff der Zucht und ihr Verhältnis zu dem, was er Regierung und moralische Kultur nennt. Doch ist er im wesentlichen einverstanden. Man vergl. a. a. O. den interessanten Abschnitt in 5. Kap. seiner Schrift. — Das Verhältnis zwischen Regierung, Unterricht und Zucht bei Herbart behandelt Rein in dem I. Heft der „Pädagogischen Studien", Dresden, Bleyl u. Kämmerer.

97. Gewöhnung.

Noch vor dem Gebot und vor der Belehrung, und dann mit beiden zugleich kann dem Sinn und Willen der Kinder durch die Macht der Gewohnheit eine Richtung gegeben werden, die nach und nach zum Charakter wird. [1]) Eltern, die sonst wenig über Erziehung nachgedacht haben und wenig Worte machen, kommen auf diesem Wege oft sehr weit mit den Ihrigen. Sie machen früh das, was doch einst als Pflicht erscheinen soll, zur äußeren Notwendigkeit, und es fügt sich die biegsame Natur in die Form und den Zwang der Sitte und der Ordnung, fast ohne zu ahnden, daß es Zwang ist. Wer Kinder das, was sie künftig ertragen sollen, früh ertragen, was ihnen einst Regel werden soll, gleich zur Regel ihres Handelns werden, und es sie endlich so oft und so lange wiederholen läßt, bis sie nicht mehr fehlen, der hat nicht wenig gewonnen. Dürfen sie niemals zu thun anfangen, was sie irgend einmal zu thun aufhören müssen, so erspart man ihnen die große Schwierigkeit des Verlernens und Ablegens dessen, was schon zur halben Natur geworden. Da sich der Sinn und die Thätigkeit der Kinder anfangs nur in der engeren Sphäre der kleinen Verhältnisse des Lebens äußern kann: so wird sich auch zunächst eine solche Gewöhnung teils auf das leichtere Ertragen körperlicher Unbequemlichkeiten und Entbehrungen, teils auf das, was man zur äußeren guten Sitte rechnet, wie Reinlichkeit, Ordnung, Schamhaftigkeit, Pünktlichkeit, Aufmerksamkeit auf ältere Personen, beziehen; was man mit Luther die feine äußerliche Zucht nennen könnte. [2]) Aber auf gleichem Wege wird auch der Sinn für andere Tugenden, z. B. für Arbeitsamkeit, Mäßigkeit, Bescheidenheit, edle Liberalität, Wohlthätigkeit, Nachgiebigkeit, Ausdauer, Geduld, z. B. mit kleinen Geschwistern, gebildet werden können. [3]) Was von dem allen anfangs fast nur ein mechanisches Handeln aus früher guter Gewöhnung ist, wird nach und nach fast Bedürfnis, geht in ein Handeln aus Grundsätzen über und wird dann das Produkt freier Selbstthätigkeit.

Anmerk. 1. Die Wichtigkeit der Gewöhnung als Vorbereitung zum freien Handeln haben von jeher Moralisten und Pädagogiker gefühlt und ihre Ratschläge auch darauf berechnet. Die Erfahrung hatte sie belehrt, daß sehr viel Gutes, was selbst ganze Gesellschaften, Familien, Schulen u. s. w. unterscheidet, gewisse Tugenden und Sinnesarten, welche ihnen eigentümlich sind, weit mehr auf diesem Wege, als durch positive Gesetze hervorgebracht werden. Locke setzt daher in der Erziehung einen ganz vorzüglichen Wert darauf. Am gründlichsten ist der Gegenstand behandelt in Resewitz Gedanken, Vorschlägen und Wünschen, I. Bandes 3. Stück: Über die Gewöhnung; 4. Stück: Wie und durch welche Mittel kann man die Seelenkräfte der Jugend üben und sie zu guten Gewohnheiten und Fertigkeiten erziehen? II. Band, 4. Stück: Versuche, Beobachtungen und Anmerkungen über die Gewöhnung und Übung verschiedener Seelenkräfte. M. f. auch Campe, Kommentar über die Worte Plutarchs: Die Tugend ist eine lange Gewohnheit, Berlin 1774. — S. Schmid's Encyklopädie II. Bd. S. 902 ff.

2. Die Gewöhnung junger Leute, selbst von den frühesten Jahren an, zur äußeren Ordnung, Reinlichkeit, Anständigkeit und Schicklichkeit bleibt auch auf das Innere nicht ohne Einfluß. Kinder thun damit die ersten Schritte zur Kultur; es bildet sich der Sinn für Regelmäßigkeit. Dies Erziehungsmittel ist aber so leicht, daß die Vernachlässigung desto unverzeihlicher ist. Eltern der unteren Stände leisten darin bei ihren Kindern oft weit mehr, als in den angesehensten Häusern geleistet wird; und eine Menge Ungezogenheiten, welche die Junker und Fräulein an sich haben, sind in dem Hause vieler Handwerker unerhört. Dies erzwingen vielleicht manche Eltern durch bloße Strenge; andre hingegen bloß durch frühe Gewöhnung.

Ungewaschen umherzugehen; irgend etwas nicht an seinen rechten Ort zu legen; fremde Sachen in die Hände zu nehmen oder sich ungefragt zuzueignen; bei Tische zu fordern, ehe die älteren Personen besorgt sind; sich nicht zu rechter Zeit an- oder auszuziehen, aufzustehen, sich niederzulegen, oder bei Tische einzufinden; ohne Ursach die Schule zu versäumen; eine aufgegebene Arbeit nicht abzuliefern u. s. w. — dies alles fällt Kindern gar nicht ein, wenn wir nur gleich anfangs, durch beständiges Anhalten zum Gegenteil, nie die Idee in ihnen aufkommen lassen, daß dergleichen auch nur thunlich sei. Die tägliche Wiederholung einer gewissen Handlungsweise macht sie ihnen zur andern Natur, und es befremdet sie, wenn ihre Gespielen anders handeln. Aber wenn die Idee der Notwendigkeit erst wegfällt, so geht auch die beste Sitte in diesen Jahren verloren.

3. Bei der Bildung des Inneren kann das Mittel auf doppelte Art angewendet werden.

a) Man bringt von üblen Verwöhnungen durch Entwöhnung zurück. Je seltener böse Triebe Gelegenheit bekommen, sich zu äußern, je mehr die Ursachen entfernt werden, wodurch sie gereizt werden können; desto mehr verlieren sie an Stärke, so wie als körperliche Kräfte erschlaffen, wenn sie außer Übung kommen. Je öfter entgegenstehende Empfindungen angeregt werden, desto schwächer werden immoralische Gefühle und Neigungen. Harte und fühllose Herzen werden durch Eindrücke des Mitleids erweicht; stolze Prahlerei nimmt ab durch öftere Erfahrung eigener Unvollkommenheit, Untüchtigkeit, Unwissenheit. Je mehr man Triebe, die an sich gut sind und nur eine verkehrte Richtung genommen haben, auf würdigere Gegenstände hinlenkt; desto mehr kommen sie von den schlechteren ab. Stolz auf Geburt wird weniger in dummen Ahnenstolz ausarten, wenn er die Nachahmung schöner und großer Thaten der Vorfahren zum Gegenstande bekommt. „Richte, sagt Resewiz, das leicht verwundbare Gefühl des Zornigen von seinem Selbst ab auf die Beispiele der Ungerechtigkeiten hin, die andre erdulden müssen; setze ihn anschauend in die Stelle der Duldenden: so wird sein Zorn weniger egoistisch werden, sich verteilen und veredeln, mehr mit gerechtem Unwillen sich mischen und eben dadurch milder und gedämpfter werden."

b) Man macht durch stete Anregung der edleren Triebe, der reineren und besseren Gefühle diese ebenfalls zur andern Natur. Wer der natürlichen Thätigkeit der Kinder immer Gegenstände anweiset, macht sie arbeitsam und geschäftig, ohne den Fleiß zu gebieten. Wer das zarte Gefühl der Scham

in ihnen wach erhält, erreicht gewiß, daß 'hnen alles Schamlose und Schändliche
zuwider wird. Sie lernen nachgiebig, geduldig, gefällig gegen Jüngere sein, wenn
man sie immer dazu angehalten hat und dies als eine Sache betrachtet, die sich
von selbst verstehe. Sie sind bescheiden im Umgang mit Erwachsenen, wenn
sie von Jugend auf gelernt haben, daß man aus Kindern, wenn größere Personen da sind, nicht viel mache, und sie entferne, sobald sie die wenigen Rechte
ihres Alters überschreiten wollen.

Adeo in teneris consuescere multum est!

98. Vorschriften. Gesetze. Gehorsam.

Im willigen Gehorsam gegen das Gesetz, wie sehr auch die Lust
und die Neigung dagegen anstrebe, offenbart sich die Herrschaft des
Geistes über den Trieb, folglich Sittlichkeit des Charakters. Im
reifen Alter lehrt die ausgebildete Vernunft den Inhalt des Gesetzes
überhaupt und für einzelne Fälle. In dem früheren steht sinnliche,
gesetzgebende Erziehung dem Kinde, dem Knaben, selbst noch dem
Jünglinge zur Seite, und hat, je unmündiger noch die Vernunft ist,
desto mehr das Recht, Gehorsam zu fordern. Denn das ist die ewige
Ordnung der Natur, daß die Schwäche der Kraft, der Unverstand dem
Verstande, die Unerfahrenheit der Erfahrung sich füge. Das bewahrte
sittliche Gefühl kommt zwar der Belehrung entgegen; aber entbehrt kann
doch diese nicht werden. Sie erweckt und vermehrt die sittlichen Begriffe.
Der Begriff der Einsicht allein soll den Willen bestimmen und zur Thatkraft werden. Aus der Idee tritt die Handlung hervor. Wie wichtig ists
also, daß es nie an der rechten Vorstellung fehle! Doch faßt der jüngere
Zögling die Gründe in den meisten Fällen noch nicht. Darum muß bei
ihm das Gebot die Stelle des Raisonnements vertreten, und die fremde
Autorität die Forderung an den Gehorsam unterstützen. Aber nichts
weniger als gleichgültig ist es, wie geboten, wie untersagt, wie der
Gehorsam gefordert wird.

99. Praktische Regeln über die Bewirkung des Gehorsams.

Hierüber folgende praktische Regeln: Allerdings müssen 1. Kinder
von den frühesten Jahren an erfahren, daß der Wille ihrer Erzieher
stärker ist, als der ihrige, und daß es kein Mittel giebt, sich ihm zu
entziehen. (Puerum rege! — Qui, nisi paret, imperat! Seneca). Gleichwohl lasse man sie 2. diese Erfahrung nur da machen, wo der Zweck
durch kein anderes Mittel erreicht werden kann. Man gebiete also so
wenig als möglich und versuche, wo es sich irgend thun läßt, ob die
Kinder das Recht und das Unrecht selbst finden. Wo das Gesetz notwendig ist, da werde es 3. mit Ruhe, mit Sanftmut ausgesprochen;
es erwecke nie die Idee der Leidenschaftlichkeit. Dagegen 4. beharre man
darauf mit Festigkeit. Durch sie erleichtert man den Gehorsam.
Man täuscht sich, wenn man dies dadurch zu erreichen meint, daß man

das Nichtgehorchen oft, wie unbemerkt, hingehen, oder sich erbitten läßt, Gesetze zurückzunehmen. Gerade dadurch wird der Gehorsam erschwert. Bei jedem neuen Gesetz bleibt dann die Hoffnung, es werde nicht genau genommen, wohl gar aufgehoben werden. Wird sie getäuscht, so bricht sie in Thränen, Sträuben und ungezogene Widerspenstigkeit aus, die bei festem Willen der Erzieher so leicht nicht vorkommt. Auch bleibe man sich 5. in den Forderungen gleich. Was einmal unbedingt geboten oder verboten ward, bleibe es unwandelbar. Was man bedingt versagte, bleibe versagt, so lange die Bedingung bleibt. Woher soll sonst Folgeleistung gegen eine fremde Vernunft kommen, die bloß durch Launen bestimmt wird? Es mögen zwar 6. die Zöglinge zuweilen durch unmittelbare, ausdrücklich veranstaltete, gute Folgen des Gehorsams und üble Folgen des Ungehorsams die Erfahrung machen, daß sie sich beim Gehorsam besser befinden als bei der Befolgung ihres eignen Willens; — denn dadurch lernen sie dem fremden Willen vertrauen und fühlen sich glücklich unter seiner Leitung; — aber man gewöhne sie ohne unmittelbare Erfahrungen äußerer Vorteile auch schon früh gehorsam zu sein. Sie gewöhnen sich sonst, diese als ein Recht zu betrachten. Sie wollen dafür belohnt sein, daß sie ihre Schuldigkeit thaten. Mit jeder Annäherung an die Jahre der Mündigkeit nähere sich 7. die Sprache der Erziehers der Sprache der wohlmeinenden Zurechtweisung. Dem Kinde gebiete man kurz, und dem Knaben gebe man bestimmte Vorschriften; man rate dem Jünglinge, damit ihm sein Gehorsam immer mehr als die Wirkung eigner Einsicht und Freiheit erscheine. Sonst wird der Übergang vom blinden Gehorsam zu dem Stande der Unabhängigkeit zu rasch, der Abstich zu grell, der Mißbrauch der Freiheit unvermeidlich.

Anmerk. Man hat zuweilen Rousseau, und wohl gar alle sogenannte neue Pädagogen beschuldigt, daß sie die Urheber jener verkehrten Methode wären, wonach Kinder auf keine Weise zum Gehorsam angehalten, sondern erst von allem durch weitläufiges Raisonieren überzeugt werden müßten. Wenn man Kinder sah, die sich alle mögliche Unarten gegen ihre Eltern erlaubten, auf keine Erinnerungen hörten, ihnen selbst mit Ungestüm widersprachen, oder unbescheiden von jedem Befehle Grund und Ursach forderten, so hieß es: sie wären à la Rousseau erzogen. — Was für Ideen müssen, die so urteilen, von diesem großen Kenner der menschlichen Natur, ja wie viel Zeilen mögen sie wohl in seinen Schriften gelesen haben? Vermutlich nur die Stellen, worin er nach seiner Manier sich etwas paradox ausdrückt oder den Despotismus auch in der Erziehung bekämpft. Denn wer dringt wohl sonst mehr darauf, die Kinder in den frühesten Jahren im Gefühl ihrer Schwäche und Abhängigkeit zu erhalten, als gerade er? Was kann man Stärkeres über die rechte Art, Gehorsam und unbedingten Gehorsam von den Kindern zu erhalten, sagen, als er in der Nouvelle Heloise, Part. V. Lett. III. darüber gesagt hat? Hier nur ein paar Beweise.

„Betrachtet man die Kindheit an sich, so giebt es wohl kein schwächeres, hilfloseres Wesen, keins, welches abhängiger von denen wäre, die es umgeben; keins, das des Mitleids, der Liebe, des Schutzes so sehr bedürfte, als ein Kind. Es ist also widriger, aller Ordnung widersprechender, als der Anblick eines herrischen, trotzigen Kindes, welches über alle, die es umgeben, gebietet und sich einen befehlerischen Ton gegen die erlaubt, die es nur verlassen dürften, um es umkommen zu lassen? Was ist widersinniger, als wenn blinde Eltern diesen Trotz billigen, es wohl gar darin üben, der Tyrann seiner Wärterin zu sein, bis es endlich auch der ihrige wird?"

„Ich glaube, daß der wesentlichste Teil der Erziehung der Kinder darin bestehe, sie ihre Hilflosigkeit, ihre Schwäche, ihre Abhängigkeit fühlen zu lassen und an das harte Joch der Notwendigkeit, welches die Natur dem Menschen auflegt, zu gewöhnen; und dieses nicht nur, damit sie besto besser empfinden lernen, was man für sie thut, sondern damit sie auch vorzüglich frühzeitig begreifen, auf welche Stufe sie die Vorsehung gestellt hat; damit sie nie über dieselbe hinausschreiten und ihnen keine Seite der menschlichen Schwachheit fremd bleibe." —

„Da ich nun doch einmal meinen Sohn nicht alles Unangenehmen bis zur Periode seiner Vernunft überheben kann, so habe ich das geringere und das am schnellsten vorübergehende gewählt. Um ihm Versagung erträglich zu machen, habe ich ihn sogleich an Versagungen gewöhnt; und um ihm anhaltendes Mißbehagen, anhaltendes Klagen und Trotzen zu ersparen, habe ich jede abschlägige Antwort unwiderruflich sein lassen. Er erhält niemals etwas durch ungestümes Bitten; Thränen helfen ihm bei mir so wenig als Liebkosungen."

Auch Kant, den man wohl nicht in Verdacht haben wird, als wolle er der vernünftigen, schon im Kinde zu ehrenden Natur, oder dem Wesen der Bildung zur echten Sittlichkeit etwas vergeben, äußert sich in seiner Pädagogik über den Gehorsam auf ähnliche Weise:

Z. B. S. 99.: „Im Anfang muß das Kind blindlings gehorchen. Es ist unnatürlich, daß das Kind durch sein Geschrei kommandiere, und der Starke einem Schwachen gehorche. — Kinder werden verzogen, wenn man ihren Willen erfüllt. Dies geschieht gemeiniglich so lange, als sie ein Spielwerk der Eltern sind, vornehmlich in der Zeit, wo sie zu sprechen beginnen. Aus diesem Verziehen entspringt aber ein gar großer Schade für das ganze Leben." — S. 101.: „Zum Charakter eines Kindes gehört vor allen Dingen Gehorsam. Dieser Gehorsam kann abgeleitet werden aus dem Zwange, und dann ist er absolut; oder aus dem Zutrauen, und dann ist er freiwillig. Dieser letztere ist gar sehr wichtig; jener aber auch äußerst notwendig, indem er das Kind zur Erfüllung solcher Gesetze vorbereitet, die es künftighin als Bürger erfüllen muß, wenn sie ihm auch nicht gefallen. Kinder müssen daher unter einem gewissen Gesetz der Notwendigkeit stehen. — Übertretung des Gebots ist Ermangelung des Gehorsams, und diese muß Strafe nach sich ziehen u. s. w." Kant, über Päd., Ausg. von Vogt §§ 54. 55. 80. 81.

M. s. auch Villaume: wie kann mans erhalten, daß Kinder gehorsam und bereinst nachgebend werden, ohne willenlos zu sein? im Revis. Werk, T. 5 S. 161 ff. und Tillich, vertrauliche Unterhaltungen, in den Beiträgen zur Erziehungskunst, H. 2,; so wie Ziemßen über die Entstehung des Gehorsams in der Erziehung, Greifswald 1805. — Herbart bringt in seiner Allgem. Pädagogik (Regierung, gehoben durch Erziehung) auf pünktlichen Gehorsam, der auf der Stelle und mit ganzer Willigkeit folgt, und den die Erzieher nicht ganz ohne Grund als ihren Triumph ansehen. (S. auch Abschnitt IV, Vorblicke auf die eigentliche Erziehung). Roth, Kleine Schriften. I, 139; Waitz, Allg. Pädag.; Wiese, die Bildung des Willens; Mende, der Gehorsam in der Erziehung; Curtmann, die Schule und das Leben, 2. A., S. 153.

100. Lohn und Strafe.

Das bloße Gesetz, ohne damit vergesellschaftete Vorstellungen seines Grundes, seines Zwecks und der Folgen seiner Beobachtung oder Unterlassung, bewegt den Willen gar nicht oder schwach. Aber der Grund und Zweck ist nicht immer sogleich einzusehen, und die Folgen liegen zum Teil sehr entfernt. Dies hat die Gesetzgeber seit den frühesten Zeiten veranlaßt, auf Mittel zu denken, den Eindruck und die Wirkung der Gesetze zu verstärken. So sind Belohnungen und Bestrafungen entstanden. Ob sie auch in der ersten Periode der Menschenbildung anzuwenden, darüber ist zwar von Zeit zu Zeit gestritten worden; aber selbst die, welche theoretisch dagegen gesprochen haben, sind in der Praxis doch größtenteils dem Üblichen gefolgt. Auch könnten Lohn und Strafe in der Erziehung nur dann überhaupt verwerflich sein, wenn durch sie der sittliche Charakter notwendig verdorben oder auch nur geschwächt würde. Dies kann geschehen, und der Mißbrauch liegt nahe. Tyrannische Zucht, Bestechung durch Lohn, beides hat zu allen Zeiten gleich gefährlich auf junge Seelen gewirkt. Aber dies war auch in der Regierung der Staaten der Fall. Trotz dieser gar wohl vermeidlichen Übel bleibt es gewiß, daß die Regierung einer Kinderwelt, wie man sie in der Wirklichkeit findet — denn von einer idealen kann hier die Rede nicht sein — ohne positive Gesetze, folglich auch ohne positive Belohnungen und Strafen, eben so wenig als die Regierung der Staaten bestehen könne.

Anm. Das Willkürliche in den Folgen der Handlungen kann bloß dann schaden, wenn der raisonnierende Zögling eine blinde Willkür, nicht einen wohl überlegten und auf sein Bestes abzweckenden Plan darin erblickt, oder, sofern er dazu noch nicht fähig wäre, künftig erblicken wird. Nur dann, wenn ihm die Absicht des Erziehers verdächtig wird — er ahne nun Laune, Eigennutz oder Härte — schaden sie unfehlbar. An sich aber steht er selbst in dem kleineren Kreise seiner Erfahrung bald ein, wie nötig es sei, feste Gesetze zu haben und diesen Gesetzen durch ihre Folgen Ansehen zu verschaffen.

Rousseau selbst, der so sehr wider das Positive in der Erziehung, namentlich auch bei Belohnungen und Strafen war, wollte gleichwohl, man sollte Veranstaltungen treffen, wo auf die Fehler der Kinder Übel, oder auf ihre Tugenden Belohnungen so erfolgten, als ob sie natürlich und notwendig erfolgen müßten. Auch er kam also mit der bloßen Zucht der Natur nicht aus. Warum sonst künstliche Veranstaltungen? — Diese würden gleichwohl nur bei kleinen Kindern, die man leicht täuschen kann, anzubringen sein. Knaben und Jünglinge sind zu klug, um nicht zu bemerken, was dahinter verborgen sei; und man erreicht seinen Zweck weit besser, wenn man offen mit ihnen zu Werke geht und kein Hehl daraus macht, daß man Strafe oder Lohn veranstaltet habe, um sie aufmerksam zu machen, was Verdienst und Schuld für Folgen haben werde. Machen doch Kinder bei ihren Spielen selbst Gesetze und verknüpfen damit willkürliche Strafen, welche oft strenger sind, als sie der Erzieher bestimmen würde.

101. Allgemeine Grundsätze bei Anwendung der Belohnungen und Bestrafungen.

Gleichwohl ist in der Anwendung aller positiven Unterstützungs-mittel der Gesetze gerade die meiste Weisheit und Vorsicht nötig. Über-haupt kann man nicht sparsam genug damit sein. Denn die Erfahrung lehrt, daß der Mensch, welcher sich schon früh gewöhnt, bei dem Guten, das er thut, nur den Gewinn und Lohn zu berechnen, bei dem Bösen, das er unterläßt, nur durch Furcht vor gewissen Übeln abgeschreckt zu werden, den Sinn für das Gute allmählich verliert und wenig innere Abneigung gegen das Böse behält; folglich an unbelohntes Gute nicht denken und seinen Trieben folgen wird, so bald er es ungestraft thun kann. Hierauf gründen sich folgende allgemeinere Regeln: 1. So lange noch irgend andre dem Zweck angemessene Mittel übrig sind, so greife man so wenig zum Lohn, als zur Strafe. Beides wird dann in unvermeidlichen Fällen desto mehr Wirkung thun. 2. Verwöhnte, verzogene, vielleicht ganz verwahrloste Kinder machen die Anwendung weit öfter nötig als die, in welchen von Jugend auf der Sinn für alles, was recht, gut und edel ist, genährt ward. Für diese würde es schon Strafe sein, anders handeln zu müssen. Man erkünstle daher auch keine Belohnungen für sie. Sie sind in dem Gefühl ihres inneren Werts belohnt. Man könnte sie leicht verderben und ihrer natürlichen Güte den Gehalt entziehen. 3. Man beobachte das genaueste Verhältnis gegen Verdienst und Schuld. Es werde nichts belohnt, was Geschenk der Natur, oder Wirkung des Zufalls, oder Pflicht und Schuldigkeit ist; nichts bestraft, was unverschuldete Schwäche zur Quelle hatte. Talent, Genie, angenehme Bildung, Gefälligkeit der äußeren Person berechtigen zu keinen Ansprüchen auf Belohnungen, wenn nicht eignes Bestreben dies alles auszubilden hinzukommt; der Mangel an dem allen verdient Mit-leid, nicht Zurücksetzung oder gar Härte. Je mehr Anteil der Wille an der That hat, desto mehr wird sie moralisch. Der Grad der Moralität muß in der Erziehung allein die positiven Folgen bestimmen. Dies setzt sorgfältiges Charakterstudium der Zöglinge voraus. Der Mangel desselben ist die Quelle unzähliger ungerechter Bestrafungen und parteiischer Belohnungen. 4. Man achte genau auf die Wirkungen, welche Lohn oder Strafe in dem Charakter hervorbringt. Auch der vor-sichtigste Erzieher kann fehlgreifen, kann durch Furcht abschrecken, wo er durch Hoffnung reizen, durch Verheißungen locken, wo er durch Drohungen zurückhalten sollte. Die erste Wahrnehmung verfehlter Wirkung wird und muß ihn auf andre Maßregeln führen. Man erhöhe 5. den Eindruck der Strafen sowohl, als der Belohnungen durch den Ausdruck seiner Gesinnungen gegen den Zögling. Er bemerke die wahre Teilnehmung des Erziehers an seinen Fehlern, wie an seinen Tugenden; er sehe den Unwillen oder das Bedauern desselben, wenn er sich selbst geschadet und diesen genötigt hat, durch kleinere Übel größeren vorzubeugen; aber er erblicke nichts von Leidenschaftlichkeit oder wohl gar von geheimer Freude und Rachsucht. Er bemerke das Wohlgefallen und die Mitfreude, wenn er Lohn verdiente. Man sorge, daß ihm dies noch mehr wert sei, als der Lohn selbst.

Anmerk. Aus diesem Grunde ist es auch mißlich, bestimmte Handlungen mit feststehenden Strafen oder Belohnungen zu verbinden. Sind es Kleinigkeiten, an welchen das Herz wenig Teil nimmt, z. B. Vergeßlichkeit, Unordnung und dergleichen, so hat dies zwar nichts zu sagen. Aber bei andern wichtigen Fällen gilt nur gar zu oft der Satz: Duo cum faciunt idem, non est idem. Das Naturell oder Temperament, die Lebhaftigkeit des Geistes, der größere oder geringere Grad der Ehrliebe, der Empfindlichkeit oder des herrschenden Sinnes, die besondere Lage des Gemüts im Augenblicke der Handlung, die Stimmung des Charakters und hundert andre mannigfaltige Schattierungen der jungen Seele können hier einen beträchtlichen moralischen Unterschied machen. Daher kann man oft die allergrößeste und selbst für den Charakter gefährlichste Ungerechtigkeit begehen, wenn man da bösen Willen sieht, wo nur Übereilung und Hitze war. Oder man kann weit über Verdienst belohnen, wenn man Temperamentstugend als Verdienst anrechnet. Bei einmal feststehenden Strafen kann gleichwohl auf dies alles wenig Rücksicht genommen werden.

102. Verschiedene Arten der Lohn- und Strafmittel.

1. Die Natur nachahmende.

Die Beschaffenheit der Lohn- und Strafmittel betreffend, so sind unstreitig vor allen die zu empfehlen, auch am häufigsten anzuwenden, welche sich den natürlichen Folgen der Handlungen am meisten nähern, daher man sie die gemischten genannt hat. Sie sind Nachahmungen der Natur. Das Willkürliche liegt mehr in der Veranstaltung, in der schnelleren Herbeiführung, in der Erhöhung des Grades, in der Verbindung mit zufälligen Umständen. Man achte also nur darauf, welche Folgen gewisse Tugenden und gewisse Fehler nach dem gewöhnlichen Laufe der Dinge in der wirklichen Welt zu haben pflegen, wenigstens sehr leicht haben können. Indem man nun jene ähnliche Folgen selbst veranstaltet, macht man dem Zögling das Verhältnis seiner Handlung zu seinem Wohl und Wert anschaulich. Er lernt dadurch Erfahrungen machen, ohne viel zu wagen; und zugleich bleibt ihm die Vorstellung fremd, als behandle man ihn nach bloßer Willkür.

Anmerk. Zur näheren Erläuterung des Gesagten wird Folgendes dienen:

1. Das nächste Mittel zu strafen oder zu belohnen hat der Erzieher in der ganzen Art, wie er den Zögling behandelt. Bei einigen werden dadurch allein alle andren entbehrlich. So bald nämlich Achtung und Liebe gegen den Erzieher in der Seele des Zöglings wohnt, so geht ihm nichts über seine Zufriedenheit oder Unzufriedenheit. Der Erzieher vermag daher durch eine Miene, ein Wort, eine kältere oder freundlichere Behandlung alles auszurichten. Das gutgeartete, fein fühlende Kind ertrüge lieber die härteste Züchtigung, als das Mißfallen seines Vaters, seiner Mutter, seines väterlichen Freundes. Ihr Beifall wiegt ihm alle Prämien und Ordenszeichen weit auf; in ihren Augen lieset es zugleich den Ausdruck der öffentlichen Meinung, ob es Achtung oder Verachtung verdient habe. (§ 101). Nur ist freilich bei den beweglichen Gemütern der Eindruck nicht dauernd. Auch begreift oft der Knabe kaum, daß, und in welchem Grade ein Leichtsinn, bei dem er sich nichts Schlimmes gedacht, seine Erzieher so kränken könne. Daher die scheinbare Gleichgültigkeit und Kälte, worüber man sich nicht zu sehr abhärmen, sondern mehr seiner eigenen Jugend gedenken muß.

2. Außerdem haben viele Handlungen gewisse Folgen, die man leicht verhindern könnte, wenn man wollte. Statt aber dies zu thun, kann man sie vielmehr beschleunigen und verstärken. — Wer sich reinlich hält, werde in angenehme Gesellschaft gezogen; der Schmutzige werde ausgeschlossen. — Wer verträglich, nachgebend, gefällig ist, dem verschaffe man öfters frohe Gespielen; im Gegenfalle bleibe er einsam, oder man entferne sie, wenn er sich nicht mit ihnen vertragen kann. — Wer im Kleinen pünktlich und sorgsam ist, werde über Mehr gesetzt; dem Unachtsamen nichts mehr anvertraut. — Wer nichts verschweigen kann, werde entfernt, wenn man etwas noch nicht will bekannt werden lassen. Dem Verschwiegenen vertraue man manches recht absichtlich an, um ihm Vertrauen zu zeigen. — Der Lügner finde keinen Glauben; dem Wahrhaften erlasse man Beweise. — Dem Listigen zeige man Mißtrauen, dem Offenhandelnden umschränktes Vertrauen. — Der Unmäßige, ungehorsam Leckerhafte werde angehalten übel schmeckende Arznei zu nehmen, und der Schulkranke, sich ins Bett zu legen, indes andere Freude genießen. — Der Bescheidene werde aufgemuntert und hervorgezogen; der zudringlich Unverschämte werde beschämt. — Der Fleißige und Thätige nehme an Vergnügungen teil, und man sorge für seine Erholung nach der Arbeit. Der Träge entbehre die Erholung; er hat sie nicht verdient. — Wohlgebrauchte Freiheit verschaffe Ansprüche an noch größere; den Mißbrauch strafe Einschränkung. — Wer andern boshaft wehe thut, den lasse man aus sinnlicher Erfahrung lernen, was wehe thun heiße. — Wer schlägt, werde wieder geschlagen. — Wer andern eine Grube gräbt, falle selbst hinein. Wer Freuden stört, entbehre der Freude. — Wer seine Pflicht erfüllt, erhalte lobende, wer sie vernachlässigt, tadelnde Zeugnisse. — Dies alles ist bloß Nachahmung der Natur und des gewöhnlichen Weltlaufs.

103.

2. Positive Lohn- und Strafmittel.

Außer jenen, gewissermaßen der Natur nur abgeliehenen und mit etwas Willkürlichem vermischten Erziehungsmitteln giebt es aber auch rein positive, wo der Zusammenhang zwischen ihnen und der Handlung lediglich in dem Willen des Erziehers gegründet ist. Sie beziehen sich auf die beiden mächtigsten Triebfedern der menschlichen Seele,

Hoffnung und Furcht. Diese hängen aber wiederum mit gewissen ursprünglichen Trieben zusammen, namentlich 1. dem Streben nach sinnlich oder geistig angenehmen Empfindungen, nach innerem Wohlsein und Zufriedenheit, sowie auch der Verabscheuung des Gegenteils; oder 2. mit dem Streben nach Achtung und Ehre. Es fragt sich daher: was von den Lohn= und Strafmitteln zu urteilen sei, welche auf Anregung, Erhöhung und Verstärkung jener beiden mächtigen Triebe im Menschen berechnet sind.

104. Benutzung des Triebes nach angenehmen Empfindungen.

Der Trieb nach angenehmen Empfindungen und Zuständen, nach Wohlsein und Zufriedenheit, gehört so wesentlich zu der Einrichtung unserer Natur, daß sich nicht die geringste Thätigkeit denken läßt, an welcher er nicht einen nähern oder entfernteren Anteil hätte. Auch kann die strengste Moral nicht verlangen, daß man diesen Trieb unterdrücken, sondern nur, daß man die Schätzung des Guten, das begehrt wird, den Urteilen der Vernunft unterwerfen solle. Dies muß auch schon in der Erziehung der Kinder beabsichtigt werden. Sie sollen Freuden der Sinne nicht höher achten, als geistige Freuden; die vorübergehenden nicht höher, als die dauernden. Es muß größere Übel für sie geben, als den körperlichen Schmerz. Gleich dem jungen Spartaner am Altare sollen sie den zerfleischenden Geißelhieb weniger fürchten, als den Schimpf feiger Weichlichkeit. Im Alter der Sinnlichkeit ist diese Forderung nicht erreichbar. Um höhere Freuden von niederen, um kleinere Übel von größeren unterscheiden zu lernen, ist eine Ausbildung der Vernunft nötig, welche nur das Werk der Zeit ist. Hieraus fließen für die Theorie der Belohnungen und Bestrafungen folgende Grundsätze: 1. In den ersten Jahren der Kindheit, wo der Mensch beinahe an Tierheit grenzt, sind nur solche, die unmittelbar auf die Sinne wirken, anwendbar[1]). 2. Mit der zunehmenden Ent= wickelung des Geistigen werde das, was bloß auf Sinnlichkeit wirkt, immer mehr entfernt[2]). 3. Die unschädlichsten Belohnungen und Strafen bleiben die, welche neben dem Zweck, zum Guten zu reizen und vom Bösen zurückzuhalten, zugleich irgend eine Vollkommenheit befördern oder eine nützliche Thätigkeit veranlassen[3]).

Anmerk. 1. Folgendes zur Erläuterung.

Freundliche Liebkosungen, kleine Geschenke an Spielzeug, als Ausdruck der Zufriedenheit für Folgsamkeit, schaden bei kleinen Kindern so wenig, als — im bringenden Fall — angedrohte, und wenn dies fruchtlos bleibt, auch ausgeführte körperliche Züchtigung, um künftigen Übeln beizeiten vor= zubauen und den Kraftäußerungen der Kinder alsbald die Richtung zu geben, die sie für die Zukunft behalten müssen, wenn sie nicht sich selbst zerstören sollen. Menschliche Behandlung und Schonung des zarteren Körpers lehrt schon die Humanität. Wer noch nötig hat, erinnert zu werden, daß man kein Henker gegen Kinder sein, zwar nicht mit Strafe spielen, aber auch nicht in Wut geraten, auch insonderheit die sehr verletzbaren Teile des Körpers, namentlich Kopf und Fingerspitzen schonen, überhaupt alles, was wie studierte Peinigung aussieht, verhüten müsse, für den ists fast umsonst, über Erziehung zu schreiben. Einige Pädagogiker wollten alle körperliche Strafen verbannen. Im Altertum schon Quintilian, Instit. I. 3, faßt das Stärkste und Scheinbarste hat unter den neueren Arndt (Fragmente, 2. T. S. 49—97) darüber gesagt. S. Campe, Rev. X.; Rochholz, „Die Rute küssen" (Pfeiffer's Germania 1. S. 134, ff.). Wer wird ihm im ganzen nicht beistimmen? Aber hier ist zunächst von dem Alter oder den Ausbrüchen roher Sinnlichkeit die Rede. Selbst in den Philanthropinen, woraus alle Ruten und Stöcke verbannt werden sollten, hat man zuzeiten dazu gegriffen, und der Menschenfreund Pestalozzi sagt: „eine Maulschelle zu rechter Zeit sei gar nicht unrecht." Gerade vor dieser Art der Strafe sollte man aber am meisten warnen, weil die Exekution so nahe liegt und doch so gefährliche Folgen haben kann.

2. Bloß sinnlicher Genuß als Belohnung, sinnlicher Schmerz als Strafe, steht mit dem Moralischen fast in gar keiner Verbindung.

Es ist kein natürl'cher Zusammenhang zwischen Naschereien oder schönen Kleidern und geistigen oder sittlichen Vollkommenheiten abzusehen. Fleiß mag aber wohl mit brauchbaren Hilfsmitteln zum Lernen, Industrie mit leichterem Erwerbe, Reinlichkeit mit besserem Anzuge belohnt werden. Aber Unterlassung des Bösen, z. B. der Beleidigung andrer, des Ungehorsams gegen den Lehrer, der Unruhe in den Lehrstunden, mit Geld bezahlen — wie widernatürlich! Körperliche Schmerzen, Entbehrungen u. s. w., oft als Bestrafung gebraucht, gewöhnen den Zögling, nichts so sehr zu scheuen, als sie, und dadurch weichlich und sklavisch furchtsam zu werden. Nur da, wo der Zögling trotz seiner Jahre noch ganz roh und sinnlich ist, mögen sie in manchen Fällen als letzte Zuflucht ihre Anwendung finden. Aber dann sei wiederum in ihnen nichts Empörendes, nichts Studiertes, nichts der Gesundheit Nachteiliges. Dies ist namentlich der Fall bei häufigen Versagungen der Nahrungsmittel, und den so gewöhnlichen Schlägen an Kopf und Ohren, deren man sich gänzlich enthalten sollte, weil sie so bald zur Gewohnheit und zu leicht gefährlich werden können. Die neuere Pädagogik überläßt gern der ältern die Ehre, erfinderisch an Qualmitteln für Kinder gewesen zu sein. Wenn man ja harte Strafen anwenden muß, verbinde man leidenschaftlosen Ernst mit der Güte. Nichts also von ungestümer Heftigkeit, aber auch nichts von weibischer Weichlichkeit! Die Strafe selbst sei eben so wenig Scherz als Folter!

3. Folgende Beispiele werden die dritte Regel erläutern:

Man veredelt den Trieb nach angenehmen Empfindungen, wenn man zur Aufmunterung für die guten Gesinnungen und Handlungen das Vorrecht vergönnt, neues Gute zu thun, Wohlthaten auszuspenden, noch mehr Menschen zu erfreuen; oder wenn man durch Bekanntmachung mit einem neuen trefflichen Geisteswerke belohnt. So senkt man ihn zugleich auf die reinsten Freuden des Herzens und Geistes, welche ein Mensch genießen kann. — Man benutzt die natürliche Furcht vor unangenehmen Empfindungen, wenn man den Schuldigen von der Gesellschaft ausschließt und in die Einsamkeit verbannt. Nur geschehe es nicht so, daß er durch Langeweile auf schlimmere Fehler falle oder sich erbittere, sondern man sorge zugleich, daß er irgend etwas Nützliches vornehmen und das mit Anstrengung fertig machen müsse, was er, wenn er seine Pflicht that, weit leichter hätte vollenden können.

105. Benutzung des Ehrtriebes. Kritik seiner Anwendung.

Eine andere Reihe von Lohn- und Strafmitteln ist aus der Anreizung des Ehrtriebes hervorgegangen. Indes ist man über die Anwendung des Triebes selbst zweifelhafter; und man hat Ursach, es zu sein. Allem Großen und Vortrefflichen, das er von jeher in der Welt hervorgebracht haben mag, stehen gewiß eben so viele unglückliche Wirkungen entgegen; und wer mag berechnen, ob durch das Gute, das ohne den Reiz der Ehre vielleicht unausgeführt geblieben wäre, alles das Elend, das der Ehrgeiz einzelner Menschen über Staaten und Familien gebracht hat, aufgewogen wird? Überdies bleibt die Ehre im gewöhnlichen Sinn immer eine unlautere Quelle der Handlungen. Es ist eigentlich nur das Gute an sich, das, nach der reinen Sittenlehre der Vernunft und des Christentums, ohne alle Rücksicht auf menschliche Urteile (Ehre bei der Welt) begehrt werden soll. Und von dieser Ehre ist doch eigentlich nur die Rede, wenn so viele Eltern darauf bringen, daß man überall Ambition haben oder nach den Maximen der Ehre handeln müsse; einer Ehre, nach deren Begriffen, wären sie auch gerade das Widerspiel aller gesunden Vernunft,[1] und gingen auch Gesundheit und Leben dabei zu Grunde, man sich dennoch zu richten verbunden sei. Auf der andern Seite ist nicht zu leugnen, daß sich zu der Vorstellung eines Menschen ohne Ehrgefühl allezeit der Begriff der Verächtlichkeit und des sittlichen Unwerts gesellt; man hält ihn keiner guten Empfindung, keiner schönen Handlung fähig. Je allgemeiner man in der menschlichen Natur ein Gefühl der Scham, ein Wohlgefallen an Lob und Beifall wahrnimmt, desto geneigter ist man, in der Gleichgültigkeit dagegen etwas Unnatürliches zu finden.[2]

Anm. 1. Nach den Begriffen dieser Ehre muß man in gewissen Fällen Selbstmörder oder Mörder eines andern im Zweikampf werden; muß man Spielschulden eher als die dringendsten Schulden an hungernde Familien bezahlen; darf man natürlichen, aber nicht anerkannten Kindern natürliche Rechte entziehen. Nach den Begriffen dieser Ehre ist in den Augen mancher Leute das Geschäft, vernünftige Menschen zu unterrichten und zu erziehen, für gewisse höhere Stände lange nicht so ehrenvoll, als Jagdhunde und Pferde zu dressieren, und was der Ungereimtheiten mehr sind!

2. Die Materie von der Benutzung des Ehrtriebes in der Erziehung ist in neueren Zeiten von mehreren angesehenen Pädagogikern untersucht worden, deren Abhandlungen Stoff zum weiteren Nachdenken geben werden. Die wichtigsten sind: Campe, ob es ratsam sei, die Ehrbegierde zu einer moralischen Triebfeder bei der Erziehung zu machen? (Pädag. Unterh. 3. St.). Dagegen rückte Feder Erinnerungen im deutschen Museum ein und nahm den Ehrtrieb in Schutz. Beide Aufsätze, nebst Campens nochmaliger Erklärung, stehen zusammen in des letzteren Erziehungsschriften, 2. Teil S. 73. Holsten — über den Wert der Ehrbegierde in Anwendung auf Erziehung und Unterricht, Rostock und Leipzig

11*

1793 — führte Campens Meinung noch weiter aus. Auch Wetzel schrieb eine Apologie des Ehrtriebes in den Päd. Unterhaltungen, 1799. Vollständig untersuchten hierauf die Ehrliebe als Triebfeder der Erziehung Resewitz in den Gedanken, Vorschlägen und Wünschen, 2. B. und Ch. W. Snell, im Versuch über den Ehrtrieb, mit besonderer Rücksicht auf Menschenerziehung, Frankfurt a. M. 1800. — Herbart, Umriß päd. Vorles. § 169 ; S. Waitz, Allg. Pädagogik; Baur, Erz.-L.; Völter, Über die Erziehung des Ehrgefühls (Beiträge 2c. 1852); Ackermann, Das Ehrgefühl im Dienste der Erziehung, Dresden, Bleyl und Kämmerer.

106. Versuch eines allgemeinen Resultates.

Das Resultat eines ruhigen Nachdenkens, worüber auch am Ende sowohl die Gegner als die Apologeten der Anwendung des Ehrtriebes bei der Erziehung ziemlich einig sind, führt auf folgende Grundsätze. Das natürliche Gefühl für Ehre und Schande kann an sich nicht gefährlich sein. Vielmehr soll der Erzieher alles thun es zu erhalten und auszubilden; von der natürlichen Scham Vorteile für die Sittlichkeit zu ziehen, den Beifall achtungswürdiger Menschen als ein Gut, folglich als etwas Begehrungswürdiges, ihren Tadel als ein Übel, folglich als etwas, was man fliehen müsse, vorzustellen suchen. Dabei versteht sich von selbst, daß er die wahre Ehrliebe und die vernünftige Ehrbegierde von dem Ehrgeize und der Ruhmsucht zu unterscheiden wissen und warnen wird, bei den freien Handlungen nicht die Ehre zum letzten Zweck, zum höchsten Gut zu machen, und dabei die Mittel, zu ihr zu gelangen, wohl gar für gleichgültig zu halten. Er wird ferner auf die große Verschiedenheit der Charaktere, und besonders auf die natürliche Schwäche oder Stärke des Ehrtriebes Rücksicht nehmen. Er wird danach bestimmen, ob er mehr aufzuregen oder mehr zu mäßigen sei. Vor allen Dingen verhüte er, daß gewisse herrschende Vorurteile von dem, was · nach der Meinung der Menge Ehre oder Schande bringt, so stark werden, daß sie den gesunden Menschenverstand benebeln und alle richtige Ansichten der Dinge verrücken. Er lasse vielmehr den natürlichen Verstand schon früh den wahren Wert der Dinge bemerken; bringe ihn besonders, da es so leicht zu fassen ist, zu der Einsicht, daß nur das, was uns eigentümlich zugehört und das Werk unsres Verdienstes ist, uns wahre Würde geben könne. Diese sich zu erwerben und durch Achtung gegen sich selbst zu erhöhen, werde der edle Stolz des Zöglings. So lehre man ihn alles Geborgte, Zufällige, Geburt, Reichtum, Schönheit und alles, was man mit den verächtlichsten Menschen gemein haben kann, geringschätzen, so bald eignes Verdienst daneben fehlt, überhaupt es bloß als ein Mittel betrachten, sich die wahre Ehre leichter zu erwerben und sich der menschlichen Gesellschaft brauchbarer zu machen. Eben so sorgfältig berichtige man die Vorstellungen von dem Werte menschlicher Urteile durch eine lebendige Dar stellung des Wankelmuts und der Unwissenheit des großen Haufens und des so viel größeren Gewichts, welches der Beifall eines einzigen Kenners hat. Durch solche Ansichten gewöhnt man zugleich seine Zöglinge die Entbehrung des Zufälligen leichter zu ertragen.

107. Anwendung des Ehrtriebes bei Belohnung und Strafe.

Viel Behutsamkeit ist vorzüglich da nötig, wo man sich des Ehrtriebes, um positiv zu belohnen und zu bestrafen, bedienen will. Was 1. die davon ausgehenden Strafen betrifft, so laufen sie sämtlich auf Beschämung und in ihrem höheren Grade auf Beschimpfung hinaus. Jene kann auch bei edleren, diese nur bei rohen Gemütern versucht werden. Aber beide können auch, unrecht angewendet, sehr viel verderben; können sogar, zu oft versucht, gerade die entgegenstehende Wirkung thun und gegen Ehre und Schande gleichgültig machen [1]). Sofern aber 2. durch Ehre belohnt werden soll, ist teils nie etwas als Zeichen der Ehre zu wählen, was einen allzu vorübergehenden Wert hat, teils sorgfältig zu verhüten, daß man statt eine sittliche Vollkommenheit herbeizuführen, vielmehr schädliche Leidenschaften, Hochmut, Eitelkeit, Ruhmredigkeit, schadenfrohes Wohlgefallen an der Herabsetzung anderer und ähnliche so leicht aufkommende Neigungen in die junge Seele bringe und sie am Ende gewöhne, alles Gute bloß um des Ruhms und der Ehre willen zu thun. Wenn dies verhütet wird, so können allerdings auch Lob und Auszeichnungen nützliche Erziehungsmittel sein [2]).

Anmerk. 1. Über die auf den Ehrtrieb sich beziehenden Strafen bemerke man noch folgendes:

a) Wenn bei dem Bewußtsein, unrecht gethan zu haben, sich die natürliche Scham schon stark genug äußert, so verstärke man sie nicht. Es ist sogar oft wirksamer, wenn Kinder bemerken, daß man ihnen die Beschämung ersparen wolle. — Auch bei Handlungen oder Äußerungen der Kinder, in denen wenigstens sie selbst nichts Unrechtes oder Unschickliches sehen können, sollte man nie das so gewöhnliche „Schäme dich doch!" anwenden.

b) Je besserer Art die Gemüter, je edlerer Empfindungen sie empfänglich sind, desto schonender sei man in ihrer Beschämung vor Zeugen. Man sei daher sparsam mit lautem Tadel. Er macht zaghaft oder mürrisch, bitter oder gleichgültig. Je weniger das eigene Gefühl regsam ist, desto eher mag man es durch Beschämung wecken.

c) Schimpf und Schande gehören nur für ganz verwahrloste Gemüter. Man verwahrlost aber die besseren, wenn man damit zu freigebig ist. Es entsteht Gleichgültigkeit dagegen. Mißhandelte Ehrliebe giebt dem Erzieher Haß und Verachtung zum Lohn.

d) Alle Beschämungsmittel, die an sich etwas zu Unedles, selbst mit der Würde des Erziehers Kontrastierendes haben, Leidenschaftlichkeit verraten, zu raffiniert sind oder zu lange fortstrafen, schließe man gänzlich aus. Dahin gehören: alle niedrige oder doch übelgewählte Schimpf- und Scheltworte, die manchem Erzieher zur andern Natur geworden sind; alle niedrige, z. B. aus der Pöbelsprache entlehnte Ausdrücke; alle Beinamen und Kleinamen; alle unedle oder doch übelgewählte Vergleichungen, die wohl gar eine Unge-

rechtigkeit gegen ganze Menschenklassen enthalten, z. B. den Bauernstand oder
gegen manche Provinzen, mit deren Bewohnern man die Idee von grob, un-
geschliffen, dumm verbindet; alle sonst wohl üblichen Beschimpfungen durch
Schandbilder, Schandlöcher; alles Preisgeben des Straffälligen an den
Hohn seiner Mitschüler; alle öffentliche, besonders die Sittsamkeit beleidigende
Züchtigungen, die entweder den Gezüchtigten dem Gelächter aussetzen, oder für
die Zuschauer etwas Kränkendes und Demütigendes haben.

e) Wenn man einen Strafwürdigen beschämen muß, was bei manchen Gemütern unvermeidlich ist, so nehme man auch, wo mehrere Zöglinge da sind,
auf den Eindruck Rücksicht, den es auf sie machen wird. Das natürliche Mit-
leid bestärkt oft ihr Urteil: oder sie fühlen sich mit gedemütigt. Man schone
daher wo man kann 'hre Empfindlichkeit, die ja an sich etwas Gutes ist, und
beschäme lieber gar nicht in ihrer Gegenwart.

f) Nie lege man es eigentlich darauf an, daß einer den andern beschämen
muß. Man schadet dadurch oft dem Charakter beider zugleich. Ein edler Charakter giebt sich nicht dazu her.

2. Über die Belohnungen durch Ehre bemerke man:

a) Je mehr sich die Belohnungsmittel dieser Art den natürlichen Folgen
guter Handlungen nähern, desto besser sind sie. Natürlicher Lohn ist Achtung,
Liebe und Vertrauen. Diesen gefunden zu haben, darin lerne der Zögling
seine Ehre suchen. S. oben § 93.

b) Je mehr sich der Charakter schon wirklich zu den Fehlern, welche aus
dem irregeleiteten Ehrtriebe entstehen können, hinneigt, desto sparsamer sei man
in der Anwendung desselben.

c) Überhaupt sei man nicht zu freigebig mit den Lobpreisungen in Anwesenheit der Kinder. Wenn Eltern unaufhörlich von dem guten Herzen in
Gegenwart der Kinder zu dem Lehrer sprechen: muß dieser nicht fast bei jedem
Tadel ihrer Gesinnungen als ein Ungerechter erscheinen? Und doch besteht dies
gute Herz nur zu oft bloß in vorübergehenden Empfindungen, schnellen Abbitten, oder in Thränen bei Vergehungen, womit Eltern so leicht zu bestechen
sind! — Wenn man Kinder schon in sehr frühen Jahren musterhaft, edel,
vortrefflich nennt: was soll denn für den Jüngling und was für den Mann
übrig bleiben? Und wie klein muß ihr Begriff von edeln, vortrefflichen
Menschen werden, die man ihnen in der Geschichte aufstellt, wenn sie diese Prä-
dikate schon selbst zu erhalten gewohnt sind? — Überhaupt — häufiges Lob
ins Angesicht ist Gift für das junge Herz. Es verführt zu unmäßigem Selbst-
dünkel, zu übertriebenen Erwartungen. Es erschlafft, oder macht störrig und
spröde gegen nötige Erinnerungen.

b) Alle Zeichen der äußeren Ehre, wodurch das Verdienst zu sehr zur
Schau getragen wird, z. B. Meritenzeichen, Ordensbänder u. dgl., die
man sogar in der Privaterziehung einigen neueren Instituten nachgeahmt hat,
schließe man gänzlich aus. Von einer Seite nähren sie offenbar die Eitelkeit;
von der andern erscheinen sie dem heranwachsenden Zögling als etwas Kindisches
und verlieren dadurch ihre Wirkung.

e) Belohnungen durch Ehre, welche mit Herabsetzung der Unwürdigen verbunden sind, kann man selbst in der häuslichen Erziehung nicht ganz
vermeiden. Nacheiferung kann zwar zu Neid, Haß und Mißgunst führen,
aber auch ohne diese stattfinden. Dann wird sie doch ein vortreffliches Hilfsmittel und man soll sie eben daher nicht ganz unterdrücken. Nur muß der Zögling früh bemerken, daß, sobald man gewahr wird, daß dem Triebe, es andern
gleich oder zuvorzuthun, sich jene unfreundlichen Neigungen beimischen, selbst sein
Verdienst weniger geachtet werde. Auch muß man ihn nie durch die Art, wie
man andern sein Verdienst bemerklich macht, zu triumphieren gewöhnen, wenn

anbre sinken, indem er steigt; vielmehr immer den Zurückstehenden bedauern und Freude ausdrücken, wenn er vorwärts kommt. Der Ton des Erziehers wird der Ton des Zöglings.

Über die Materie von Strafen und Belohnungen in der Erziehung, verdienen vorzüglich, außer dem, was die allgemeineren Erziehungslehren enthalten, verglichen zu werden: Resewitz, über die Natur und Anwendung der Strafen, in den Gedanken und Wünschen, II. T. 2. St. S. 103 ff. und 3. St. S. 3 ff.; Grosse, über die Anwendung der Schulstrafen, Ebend. I. T. 4. St. S. 57; Fried. Gedicke, Hoffnung und Furcht, Lob und Tadel auf der Wage des Pädagogen, Schulschriften, I. T. S. 49 ff.; Campe, über das Zweckmäßige und Unzweckmäßige in den Belohnungen und Strafen, Revis. Werk, X. T. S. 445, auch besonders abgedruckt, Braunschw. 1788; Albanus, über pädagogische Strafen und Belohnungen, Riga 1797. In Pölitz Erziehungswissenschaft, Leipzig 1806, I. T. S. 275, die Lehre von der Disciplin. — Schmid's Encyklopädie IX. Bd. S. 285 ff.; J. Böhm, Die Disciplin der Volksschule, S. 88 ff., Nördlingen 1870; Dersf., Die Lehre von der Schuldisciplin (Pädag. Studien 17. Heft).

III.

Höhere Bildung des sittlichen Charakters.

108. Vorerinnerung.

Die letzte Tendenz aller Erziehung ist die sittliche Veredlung des Charakters durch die Erhebung der Vernunft zur Gesetzgeberin und die Unterwerfung des Willens unter ihre Gebote, in welchen zugleich die Stimme Gottes spricht. Je selbstthätiger nun der Wille im Zögling wird, um sich mit Freiheit dem Gesetz zu fügen, desto mehr muß der fremde Wille zurücktreten. Dieser Zeitpunkt wird schneller herbeigeführt, je früher die Einsicht in das Recht immer mehr an Klarheit gewinnt, je früher das Wahre und das Gute dem Verstande als das Begehrungswürdigste erscheint. Mit Unmündigen über ihre Pflicht und über das, was überhaupt der Mensch leisten soll, räsonnieren, ist zwecklos und kann sogar schädlich werden. Wenn man sich darauf einläßt, Kindern Rechenschaft von solchen Dingen zu geben, die sie zu begreifen noch nicht imstande sind, so schreiben sie die vernünftigsten Forderungen, sobald sie den Grund noch nicht einsehen, dem Eigensinn zu, werden Sophisten; und das Räsonnieren mit ihnen muß doch endlich ein Machtspruch endigen. Aber so bald die Fähigkeit, es zu fassen, vorhanden ist, müssen jede Vorschrift Gründe begleiten und alle Gesetze durch Motive unterstützt werden. Die bloße Einsicht in das, was Pflicht ist, bewirkt zwar nicht sofort das pflichtmäßige Verhalten; aber es ist schon viel gewonnen, wenn es bei der Übertretung des Gesetzes dem Menschen klar ist, daß er es übertreten habe, und wenn er das Bewußtsein hat, daß er anders hätte handeln sollen.

109. Kultur der Sittlichkeit durch Überzeugung des Verstandes.

In der That wird es auch so schwer nicht sein, den Verstand für das Gute zu gewinnen, wenn die Erziehung nur vom Anfang an als ein Ganzes behandelt und durchgeführt ist. Die Kultur des mora= lischen Gefühls ist dann eins ihrer ersten Geschäfte gewesen. (S. oben 72—74). Durch die Gewöhnung zur Achtung des Guten und zur Verachtung des Bösen, in Urteilen sowohl als in Handlungen, ist dieses moralische Gefühl unterhalten. Die ursprüngliche Dispo= sition der Vernunft (in der Schriftsprache „das in das Herz ge= schriebene Gesetz" Röm. 2, 8) zur Achtung des Sittlichguten kommt der Belehrung über das, was allein unbedingt der Achtung würdig oder unwürdig sei und welcher wesentliche Unterschied zwischen dem bloß Nütz= lichen und dem Guten, dem bloß Schädlichen und dem Bösen statt= finde, entgegen. Diese Belehrung durch Beispiele ist in der Regel wirksamer als allgemeines Räsonnement, zumal wenn jene aus dem eignen Kreise der Zöglinge gewählt werden; wenn man ihre Urteilskraft an den Äußerungen ihres eignen Sinnes übt und sich von ihnen selbst die Gründe entwickeln läßt, warum sie sich in einzelnen Fällen selbst achten können, oder bei einer entgegengesetzten Handlungsart verachten müssen.

Anmerk. „Ich weiß nicht, sagt Kant (Kritik der prakt. Vern.), warum die Erzieher der Jugend von dem Hange der Vernunft, in aufgeworfenen prak= tischen Fragen selbst die subtilste Prüfung mit Vergnügen einzuschlagen, nicht schon längst Gebrauch gemacht haben und, nachdem sie einen bloß moralischen Katechism zum Grunde legen, nicht die Biographieen alter und neuer Zeiten in der Absicht durchsuchten, um Beläge zu den einzelnen Pflichten bei der Hand zu haben, an denen sie, vornehmlich durch die Vergleichung ähnlicher Handlungen unter ver= schiedenen Umständen die Beurteilung ihrer Zöglinge in Thätigkeit setzen, um den mindern oder größeren moralischen Gehalt derselben zu bemerken. Sie werden hierin selbst die frühe Jugend, die aller Spekulation sonst noch unfähig ist, bald sehr scharfsinnig und dabei, weil sie den Fortschritt ihrer Urteilskraft fühlt, nicht wenig interessiert finden. Was aber das Vornehmste ist, sie werden mit Sicherheit hoffen können, daß die öftere Übung, das Sittlichgute in seiner ganzen Reinig= keit zu kennen und ihm Beifall zu geben, dagegen selbst die kleinste Abweichung davon mit Bedauern oder Verachtung zu bemerken — ob es gleich bis dahin nur als ein Spiel der Urteilskraft, in welchem Kinder mit einander wetteifern können, getrieben wird — dennoch einen dauerhaften Eindruck der Hochschätzung auf der einen und des Abscheues auf der andern Seite zurücklassen werde, welches schon durch die bloße Gewöhnung, solche Handlungen wiederholt als beifalls= oder tadelnswürdig anzusehen, zur Rechtschaffenheit im künftigen Lebenswandel eine gute Grundlage ausmachen würde."

110. Unterstützung der Sittlichkeit durch äußere Beweggründe.

Die Sittenlehrer, uneinig in Worten und Formeln, sind dennoch mehr als es scheint einverstanden, daß das Wesen der echt moralischen Gesinnung in der reinen Liebe zum Guten, lediglich um sein selbst willen, zunächst ohne alle Rücksicht auf die davon zu hoffenden äußeren Vorteile, bestehe. Gleichwohl schließt dies, selbst nach dem Urteil der strengsten Schulen, die Bewegungsgründe nicht aus, welche von den Folgen der Handlungen hergenommen sind, so bald nur das Wesentliche der Sittlichkeit dabei nicht in Gefahr kommt. Am wenigsten können diese in der moralischen Bildung der Jugend entbehrt werden. Nur werde dabei 1. das Verhältnis, worin die Folgen des Guten und des Bösen unter sich stehen, sorgfältig beobachtet; sonst kann keine richtige Schätzung derselben in der Seele des Zöglings entstehen. Je weniger die Folgen der Gesinnungen und Handlungen vom bloßen Zufall abhängen, je mehr sie in ihrer inneren Natur gegründet sind, desto mehr Wert ist darauf zu legen. [1] — Nächstdem ist 2. bei der Anwendung das Alter der Zöglinge und wie weit sie gewisser Vorstellungen empfänglich sind, [2] endlich auch 3. ihr persönlicher Charakter in Anschlag zu bringen. [3] Ohne diese Rücksichten würde oft alle Wirkung verfehlt werden.

Anm. 1. Für die Pädagogik ist, wie das Studium der Psychologie, so das Studium der Moral von der höchsten Wichtigkeit. Aus beiden Wissenschaften entlehnt sie ihre meisten Gesetze. Vorzüglich aber sollte, wer den moralischen Charakter bilden will, seine Begriffe über die Natur und das Wesen desselben wahrhaft aufgeklärt haben. Das bloße Wohlmeinen kann nicht zum Zweck führen. Die Bemühungen der kritischen Philosophie, in die Moral mehr Festigkeit zu bringen, sind, was man auch mit Recht gegen einzelne Übertreibungen erinnern mag, von den entschiedensten guten Folgen gewesen und haben sich auch in der Erziehung bewährt. Man vergl. in dieser Hinsicht, außer den Hauptwerken des Stifters die Anwendung seiner Principien in einigen mehr populären Schriften, z. B. J. Schuderoffs Briefen über die moralische Erziehung, in Hinsicht auf die neuere Philosophie, Leipzig 1796; Snell's Kritik der Volksmoral, Frankfurt 1797, und Mutschelle, über das sittlich Gute, München 1788. — Schleiermacher, Christliche Sitte; Chalibäus, Spekulative Ethik; Fichte, System der Ethik; Daub, Prolegomena zur theolog. Moral; Rothe, Theol. Ethik; Schwarz, ev. christliche Sittenlehre; Domer, Ethik (Herzog's Theol. Real- Encykl. IV. S. 185); Stäudlin, Geschichte der christl. Moral; Wirth; Syßtem der spekul. Ethik; Martensen, Grundriß des Systems der Moralphilosophie; Herbart, Allg. prakt. Philosophie; Hartenstein, Die Grundbegriffe der ethischen Wissenschaften, Leipzig, 1844; Strümpell, Die Vorschule der Ethik, Leipzig 1844. Ziller, Allg. Philos. Ethik, Langensalza 1880.

Wie in der Moral für Erwachsene, so wird auch in der moralischen Bildung der Jugend folgende Rangordnung der Motive zu beachten sein:

Den ersten Rang nehmen die unmittelbaren inneren Folgen, die durch das Gute bewirkte Erhöhung oder Verschlimmerung der Seele, ein: z. B. eifrige Ausbildung des Verstandes durch nützliche Kenntnisse erhöhet die Seelenkräfte, Versöhnlichkeit veredelt das Herz; Neid erniedrigt, Schadenfreude erstickt die schönen Triebe zum Wohlwollen u. s. w.

Im zweiten Range stehen die unmittelbaren physischen Folgen der Handlungen — Mäßigkeit, Keuschheit, gute Lebensordnung erhalten und stärken in der Regel die Gesundheit; Ausschweifungen zerstören sehr oft den Körper überhaupt oder auch einzelne Teile, das Auge, die Nerven u. s. w.

Im dritten Range stehen die Folgen, welche die Handlungen für die menschliche Gesellschaft haben. — Verstandesbildung, Klugheit, Eifer für Menschenwohl machen geschickt, vielen Menschen zu dienen, sich um Vaterland und Freunde Verdienste zu erwerben. — Der Betrüger, der Ungerechte, der Verbreiter schädlicher Grundsätze stiften im Gegenteil ungemein viel Böses in der Gesellschaft.

Im vierten Range stehen die Urteile der Menschen über uns. — Durch Tugenden aller Art erwirbt man sich Liebe, Achtung, Vertrauen. Das Böse wird durch Verachtung, Mißtrauen, Entfernung vom näheren Umgange mit guten Menschen bestraft.

Im fünften Range stehen die nur zufälligen, aber ziemlich gewöhnlichen guten oder bösen Folgen der Handlungen. — Fleiß erwirbt Geld, Amt und Ehre; Ehrlichkeit wird doch endlich belohnt; Wohlthätigkeit erweckt Wohlthätigkeit, wenn man ihrer selbst bedarf. Gute Eltern, gute Kinder. Der Unwissende und Faule bleiben unversorgt. Hochmut kommt vor den Fall. Unrecht Gut gedeiht nicht. Diebstahl kann endlich zu allen Verbrechen führen.

Im sechsten und untersten Range stehen die zufälligen aber sehr seltenen Folgen. Außerordentliches Glück, hohe Ehrenstellen, ununterbrochenen Wohlstand und dauerhafte Gesundheit, Gelingen edler Unternehmungen, ausgebreiteter Ruhm als Lohn der Tugend; verfolgendes Unglück, stete Kränklichkeit, öffentliche Schande als Strafe des Bösen.

Bei weitem am häufigsten hat man sich in der moralischen Erziehung der Folgen des ersten bis dritten Ranges zu bedienen; der letzteren aber immer mit großer Vorsicht, damit nicht die ganze Tugend Eigennutz werde und der bessere Mensch bloß der klügere sei. Dennoch sind auch die letzteren nicht ganz auszuschließen; sie werfen oft einen Funken in die Seele, der zu einem reinen Feuer für das Gute auflodern kann.

2. Manche Vorstellungen von den höhern Freuden der Tugend rauschen wie ein leerer Schall vor dem Ohre junger Kinder vorüber. Man benimmt ihnen ihre Kraft durch zu frühen Gebrauch, wenn man das Alter nicht in Anschlag bringt.

Kinder sind bloß angenehmer Empfindungen oder solcher Freuden empfänglich, welche mehr auf Gefühlen als deutlichen Begriffen beruhen, z. B. der Elternliebe. An die Zukunft denken sie überall noch selten. Entferntes Gute affiziert sie so wenig, als entferntes Übel. Und doch konnten manche Pädagogiker im Ernst raten, kleine Kinder z. B. vor der Selbstschwächung durch die Vorstellung zu warnen, daß sie einst schwächliche oder gar keine Kinder erzeugen und in der Ehe unglücklich leben würden! Wie ganz würde die Androhung einer spanischen Fliege, oder eines chirurgischen Messerschnitts gewirkt haben! Überhaupt, — wie viel steht in unzähligen unsrer Kinderschriften, was ohne alle

Kenntnis der Kinderseelen hinmoralisiert ist. Welcher weit strengeren Kritik sollten die Rezensenten auch von dieser Seite die Bücher für die Jugend unterwerfen!

3. Aus der Verschiedenheit des Charakters läßt sich oft schon im voraus der Eindruck bestimmen, welchen gewisse Vorstellungen auf jeden machen werden. Überhaupt darf man nie etwas als Motiv gebrauchen, was an sich zwar wirksam, aber rein moralischen Grundsätzen nicht gemäß sein würde. Diese müssen der einzige Prüfstein jedes in der Erziehung gewählten Bewegungsgrundes bleiben. Wie könnte es daher zu billigen sein, Kinder durch das Versprechen, sie aus der Schule zu behalten oder ihnen etwas Besseres als ihren Geschwistern zu schenken, zum Gehorsam; ehrgeizige Jünglinge durch Aussicht auf Befriedigung ihrer Eitelkeit oder Mädchen durch Verheißung der Eroberungen, die sie machen würden, zur Reinlichkeit oder Sorge ihrer Gesundheit zu bewegen? Wenn aber Motive auch an sich unschuldig sind, soll dennoch eine Auswahl angestellt und gefragt werden, was auf den einzelnen Charakter, seine Neigung, selbst auf das Temperament nicht nur am stärksten, sondern auch am wohlthätigsten wirken, wodurch der einzelne am sichersten von diesem und jenem Bösen zurückgehalten werden möchte.

Der despotisch behandelte Sohn wird durch Erinnerungen an seine Eltern nicht sehr bewegt werden; einen andern wird gerade dieses Motiv zu den schwersten Pflichten willig machen. Kälte von seiten der Erzieher macht manchen noch kälter; ein anderer erträgt sie nicht und thut alles, was man verlangt. Ein junger Mensch, der sich oft kleine Diebereien erlaubte, blieb bei den rührlichsten Auseinandersetzungen, „wie niedrig die Handlung sei; wohin sie ihn führen könne, welche fürchterliche Strafe ein armer, oft aus Hunger stehlender Soldat ausstehen müsse, wie es seinen Vater kränken würde, wenn er es erführe u. s. w." völlig unempfindlich. Auch keine Spur von Reue! „Geh — sagt' ich endlich, müde noch etwas hinzusetzen — geh, ich will Dich hinfort nicht mehr sehen. Denn Du verdienst hinfort statt Liebe Verachtung." Kaum hatte ich ausgesprochen, so brach er in einen Strom von Thränen aus und wollte nicht von mir gehen, das ich das zurücknähme. Er stahl hernach nie wieder. — Das Feld psychologischer Bemerkungen ist hier unermeßlich. Wie wenig wird dies von so vielen bedacht, die Erzieher heißen wollen! — Hier konnten indes nur Winke gegeben werden.

111. Methoden der moralischen Bildung.

Die natürlichste Art, den sittlichen Ideenkreis zu bilden, ist häufige Unterhaltung mit dem Zögling über moralische Gegenstände, es sei nun ohne nähere unmittelbare Veranlassung oder bei besondern Gelegenheiten durch Anregung, Aufmunterung, oder wo gefehlt ist, durch Vorhaltung, Rüge, Zurechtweisung; oder, bei gefürchteter Gefahr, der Zögling möchte fehlen, durch Abmahnung, Warnung; oder bei irgend einem feierlichen Anlaß, durch Gewissensübung und Erhebung der Seele. Manche Eltern und Erzieher mögen freilich von solchen moralischen Belehrungen zuweilen zu viel erwarten und ihrer ganzen Pflicht ein Genüge geleistet zu haben glauben, wenn sie es an Ermahnungen nicht fehlen ließen. Sie bemerken nicht, daß es, um den Willen in Bewegung zu setzen, allein noch nicht hinreicht, dem

Menschen gezeigt zu haben, was man thun und lassen müsse, und daß
es noch eine ganz eigne, von dem Lehren der Tugend verschiedene
Kunst sei, die Tugend hervorzubringen, indem man ihr Anlässe
verschafft, den Reiz vermehrt und die Hindernisse aus dem Wege räumt.
Aber nichts desto weniger bleibt sittlicher Unterricht von der höchsten
Wichtigkeit, wenn er auf die rechte Art erteilt wird.

Anm. Folgende Regeln sind hierbei am wenigsten zu übersehen:

a) Man moralisiere und predige nicht zu viel. Man macht dadurch die
Sache lästig und schwächt die Wirkung

b) Man benutze die vorliegenden Anlässe, um von ihnen zu allgemeinen
Betrachtungen überzugehen, besonders die Geschichte des Tages. Ohne sich dabei
gerade an die Jugend unmittelbar zu wenden, ziehe man sie doch mit ins Gespräch.

c) Man mische in seine moralischen Unterhaltungen und Ermahnungen
nichts, was noch zu wenig in die Sphäre der Kinder paßt, wovon noch gar keine
Anwendung gemacht werden kann, was eben daher nicht interessiert. Es wirkt
nichts. Daher läßt sich von der Anhörung unsrer gewöhnlichen Predigten
kein sehr bedeutender Nutzen für die Jugend erwarten, weil der Prediger auf
ein zu gemischtes Auditorium Rücksicht nehmen muß.

d) Bei allen Verweisen, Rügen und Vorwürfen bewache man
seine eignen Affekte; rede mit Interesse, mit Wärme, aber nie in Leidenschaft,
nie mit Bitterkeit. Jede Ermahnung, Aufmunterung, Gewissens-
schärfung werde immer im Tone des herzlichsten Wohlwollens gegeben. Oft
lasse man eine kurze Zeit vorbeigehen, ehe man etwas sagt, teils damit man sich
selbst, teils damit auch der Zögling sich erst fassen könne und zu sich selbst
komme. So lange noch das Vergehen zu neu ist, sinnt er auf Ausflüchte. Es
erscheint ihm nicht in dem Lichte, worin es ihm in kurzer Zeit erscheinen wird.
Er will nicht Unrecht haben. Der Affekt des Erziehers scheint ihm eine Recht-
fertigung seines eignen. Dieser geht bald vorüber — das weiß er — und so
verschwindet auch der Eindruck.

e) Sowohl die Rüge als die Warnung sei kurz und nachdrück-
lich. Es giebt Erzieher, die kein Ende finden können, stundenlang predigen, sich
unaufhörlich wiederholen und besonders den lebhaften Jüngling zur höchsten Ungeduld bringen. Dadurch wird nichts ausgerichtet. Der so langweilig Er-
mahnte würde lieber eine Strafe ertragen haben, als eine so wortreiche Predigt.
Er denkt zuletzt etwas anders und sucht sich durch Zugeben zu retten, so wenig
er auch überzeugt ist. Wo die Seele des Zöglings, wie z. B. bei gewissen
feierlichen Gelegenheiten, schon ohnehin bewegt ist, da sei man am wenigsten wortreich. Ein starkes Wort, das ans Herz dringt, bleibt fester im Herzen, als
eine Menge Ermahnungen, die in dem Wortstrom untergehen. Selbst eine Miene,
ein Händedruck wirkt oft mehr als der längste Sermon.

112. Zweifel gegen die Wirksamkeit des Moralisterens mit der Jugend.

Gegen den Nutzen moralischer Ansprachen und Belehrungen
hat ein gewisser Zeitgeist, der oft nur, um Aufsehen zu erregen, das
Gegenteil der allgemeinen und durch die Praxis aller Zeiten bewährten
Maximen aufstellt, mancherlei Zweifel erhoben. Zweierlei, meint man
insonderheit, stehe der Kraft jeder sittlichen Vorschrift zur Bestimmung
des Willens entgegen: die Gewalt der natürlichen Triebe und die
Natur des sittlichen Guten selbst, das ja vielmehr ein Erzeugnis

des Herzens, als des räsonnierenden Verstandes sei. Gegen jene, meinte man, richte doch so wenig bei dem heranwachsenden, als bei dem erwachsenen Menschen das Gesetz etwas aus; weit mehr wirke Zwang und gewaltsamer Widerstand. Auch sei noch die Frage, ob es wohlgethan sei, der regen Kraft in der Jünglingsnatur entgegen zu arbeiten, statt es lieber der Zeit zu überlassen, aus dem brausenden Charakter nach und nach einen gesetzten zu bilden. Wo aber die sittliche Natur in der Anlage fehle, da werde sie durch keine moralische Vorschrift hervorgebracht. — Eine genauere Prüfung beider Einwürfe wird zugleich Licht über den Gegenstand und die rechte Methode verbreiten können.

Anmerk. 1. Wenn man sich bei dem ersten Einwurfe: „moralische Vorschriften vermöchten doch nichts gegen die Gewalt natürlicher Triebe" auf gewisse, auch wohl sehr allgemeine Erfahrungen beruft, so sollte man wenigstens die entgegengesetzten nicht ins Dunkle stellen. Allerdings kann der Erzieher, so gut wie der Beobachter der Erwachsenen, täglich die Erfahrung machen, wie schwach die Wirkung der Grundsätze, wie vorübergehend der Eindruck der bündigsten Vorstellungen sei, wenn die Gewalt eines Triebes zum Gegenteil hinreißt. Da das Alter der Kindheit und Jugend überhaupt das Alter der Schwäche ist, die sich ganz natürlich auch in der Ohnmacht, sich selbst regieren zu können (impotentia sui) zeigt: so macht gerade der Pädagoge diese Erfahrung am häufigsten. Ihm kommen täglich die Fälle vor, wo der Trieb und die Leidenschaft mächtiger ist als der Gedanke; und er sieht sich eben darum oft genötigt, diesem eine fremde Hilfe (Lohn und Strafe) beizugesellen, damit jene überwunden werden könne.

Den heftigen Widerstand, welchen das Rechte und Gute in den natürlichen noch ungeregelten Trieben findet, hüte man sich zuvörderst für einen Beweis von Kraft, wenigstens solcher Kraft, die etwas Vorzügliches in den Zögling ahnden lasse, zu halten. Es kommt alles auf die Art der Triebe und die Richtung an, welche sie nehmen. Bei Menschen von sehr geringen Geisteskräften ist das Tierische oft so vorherrschend, daß an die Anlage zu einer schönen kräftigen Natur bei solchen gar nicht zu denken ist. Bei weitem nicht jedes Ungestüm, nicht jeder Trotz, nicht jeder Zorn in dem Kinde und Jünglinge ist das Wahrzeichen einer solchen Natur, deren man sich (wie unerfahrne Pädagogen und blinde Eltern sehr leicht glauben), zu freuen Ursach hätte. Es findet sich dies alles eben so oft in Verbindung mit der entschiedensten Beschränktheit und Stupidität des Geistes.

Schon hieraus wird begreiflich, warum bei vielen Zöglingen, so wie bei ganzen Klassen verwahrloster Menschen, mit Vorstellungen und Grundsätzen so wenig auszurichten ist. Denn nichts kann ja wirken, was nicht erst in das Wesen des Gegenstandes seiner Wirksamkeit aufgenommen und übergegangen ist. So lange die Rezeptivität fehlt, hofft man vergebens auf eine Veränderung; so wie eine Arznei, deren Bestandteile der kranke Körper nicht mehr zu verarbeiten und in Saft und Blut aufzunehmen vermag, wirkungslos bleiben muß. So manche

Eltern und Erzieher ermahnen und predigen dem trotzigen, unbändigen, eigensinnigen Knaben die herrlichsten Sachen vor und werden in ihrem gutgemeinten Eifer gar nicht gewahr, daß er von dem allen so gut als nichts begreift; daß sie hundert Ideen in ihm fälschlich voraussetzen, an die sich die neuen anschließen müßten, wenn er sie fassen sollte; daß er, indem er sie anzuhören gezwungen ist, schon immer im Stillen darauf denkt, wie er dennoch zu seinem Zwecke kommen will. Erst später bemerken sie, daß sie nicht einen Schritt weiter gekommen sind, und nun ganz andre positive Mittel anzuwenden haben, an denen sich das Ungestüm der tierischen Natur fürs erste nur brechen und der Wille dem Gesetz der Notwendigkeit unterworfen werden muß. Würde aber auch wirklich eine stärkere Bewegung in der Seele bewirkt, so kann selbst diese, zu häufig wiederholt, zur Abstumpfung führen. In sofern hat man allerdings recht, vor dem zu vielen Rühren, Ermahnen und Vormoralisieren, als vor unnützen und verlornen Worten zu warnen und zusammenhängende weitläufige Vorträge über moralische Gegenstände an Kinder beinahe für ganz unnütz zu halten; es sei denn, wie manche Eltern ganz naiv gestehen, der Zweck bloß der, „daß sie still sitzen lernen."

Aber auf der andern Seite soll man sich eben so sehr hüten, von Begriffen und Vorstellungen, welche in der Seele zum deutlichsten Bewußtsein kommen und dadurch ihr Eigentum werden, zu wenig zu erwarten; so bald man nicht in das unseligste aller Systeme, wie es Helvetius und viele geistlose Nachsprecher in unsern Tagen gepredigt haben, einstimmen will: „daß die tierischen Triebe doch am Ende unsre ganze Natur ausmachen; daß wir nur Sinn für das Sinnliche, nur Begierden haben, aber keine Anlage für ein Höheres, kein unmittelbares Wohlgefallen an Wahrheit, Tugend und Liebe." Glaubt man an das Letztere, so muß man auch eingestehen, daß jene Anlage für das Höhere, das weit über alle Sinnenlust und alle Befriedigungen eines zeitlichen Interesses hinausgeht, jener beste Genuß unseres Wesens, der jenseits dessen liegt, was sich in einem ewigen Wechsel verändert und zerstört, — mit einem Worte, daß die Tugend, im reichsten vollsten Sinne des Ausdrucks, allerdings durch die Herrschaft des Gedankens und der Vernunft, — als des Systems wahrer und großer Ideen, — in dem Menschen erzeugt, genährt und vollendet werden könne; und daß es also in der Erziehung von der höchsten Wichtigkeit sei, durch Vernunftbildung diesen Zweck so früh als möglich zu befördern.

Nun wird derselbe doch ganz unfehlbar erreicht, wenn man auch schon früh den Verstand der Kinder über das, was gerecht und ungerecht, was billig und unbillig, was anständig und schimpflich, was erhaben und niedrig ist, nach dem jedesmaligen Maß ihrer Fähigkeiten aufklärt und beständig die praktischen Sätze, denen die Billigung der ruhigen Vernunft immer entgegenkommt, daran anknüpft: „Jenes müsse man wollen und ausüben; dieses verwerfen und unterlassen." — Sehen wir doch täglich, welche Gewalt das Vorurteil über menschliche Gemüter und ganze Klassen von Menschen ausübt und zu welchen fast unglaublichen Selbstüberwindungen ein herrschender Gedanke, ein einziger Begriff, der seine ganze Seele erfüllt, den Menschen fähig machen kann (Ehre,

Vaterland, Esprit de Corps). Wie mag man denn behaupten: nur Triebe und Begierden regierten den Menschen und die Vorstellung vermöchte nichts über ihn? Nein, es bleibt ewig wahr, was Jacobi im Woldemar sagt: „mit falschen Begriffen verschonte Köpfe behalten desto mehr Raum für wahre und fruchtbare Begriffe; und eigentliche Grundsätze können nur in ihnen recht gedeihen. Verständigung des Gewissens läutert das Herz notwendig und macht seine Bewegungen richtiger und zuverlässiger. Wahre Erleuchtung bessert den Menschen unter allen Umständen, und darum muß selbst die geringste wirkliche Verbesserung der Erziehung und des Unterrichts immer von guten Folgen sein." (Man sehe den ganzen vortrefflichen Abschnitt in Woldemar von F. H. Jacobi 1. T. S. 256 ff. und vergl. damit, was Herbart an mehreren Orten s. Pädagogik über das enge Verhältnis des Gedankenkreises und der moralischen Gesinnung — für Leser, die an ein philosophisches Denken gewöhnt sind, sehr einleuchtend — bemerkt hat).

„Aber vielleicht doch erst in dem reiferen Alter der Vernunft?" — Als ob der Mensch nicht mit der Vernunftfähigkeit geboren würde; und als ob man den Moment bestimmen könnte, wo sie anfängt, wirksam auf seinen Willen zu werden! Beobachtet nur die Kinder. Ich habe gefunden, daß wenn es ihnen in einzelnen Fällen recht gewiß geworden, wenn es in ihre eigne Empfindung übergegangen war: „dies und jenes müsse man nicht thun, z. B. nicht lügen, nicht sich das anmaßen, was dem andern gehöre": solche Vorstellungen sie schon in sehr zartem Alter gegen die stärksten Versuchungen gesichert, ja sie sogar bestimmt haben, ihren noch jüngeren Geschwistern dieselben Maximen einzuprägen. Woraus erklärt sich auch die moralisch bessere Gesinnung derer, welche das Glück haben, unter lauter verständigen und sittlichen Menschen aufzuwachsen, natürlicher als daraus, daß von allen Seiten ihrem Verstande richtige Vorstellung von dem, was der Mensch thun soll, um sich selbst achten zu können, zugeführt werden, und daß sich 'n ihnen durch das beständige Anschauen des Besseren ein Mißfallen an dem Schlechteren erzeugt?

Unstreitig bleibt es indes wirksamer, wenn Verstand und Einsicht das Wahre und Rechte selbst ergreift, als wenn es andemonstriert wird. Aus diesem Grunde werden moralische Grundsätze und Regeln, die man in Gegenwart seiner Zöglinge scheinbar ohne Rücksicht auf sie äußert und wie im zufälligen Gespräche verhandelt, oft schneller aufgefaßt und in der Stille verarbeitet als das, was man ihnen mit bestimmter Absicht und nur in den Momenten, wo sie unrecht gethan haben und wo ihr sinnliches Interesse sich gegen die Wahrheit sträubt, vorstellt. Im ersten Fall befinden sie sich in einer ruhigen Gemütsverfassung und in dem Zustande der vollkommensten Freiheit. Und da gedeiht alles Wahre und Gute am besten. Daher ist es auch bei Vergehungen am ratsamsten, der That zuerst das natürliche oder durch Gesetze bestimmte Übel, der Schuld die Strafe, gleich einer Naturnotwendigkeit, auf dem Fuße nachfolgen zu lassen; nachher aber, wenn das Gemüt gefaßt ist und die Strafe nicht mehr schmerzt oder erbittert, mit der Vernunft hinzuzutreten und nun die Begriffe aufzuklären,

um künftige Fälle zu verhüten. Wie oft sagt dann der so behandelte Zögling:
„Jetzt sehe ich es ein!" und nimmt sich eine Lehre daraus für die Zukunft.

2. Der zweite Einwurf; „daß die Sittlichkeit vielmehr ein Erzeugnis
des Herzens als des Verstandes sei," hat ebenfalls eine Seite, von welcher
er sehr scheinbar ist. Auch die Erfahrung so vieler Erzieher scheint ihn zu bestätigen, die mit aller möglichen Mühe aus so manchem Subjekte nichts herausbilden, da bei andern, ohne allen Einfluß der Erziehung, die bessere Natur überall
hervorbringt. Müssen doch die sorgfältigsten Eltern dasselbe an ihren Kindern
wahrnehmen. Gewisse Untugenden sind wie unvertilgbar in einigen, so wie in
andern keine Verführung den edlen Keim zu verderben vermag. Daher, sagt man,
mögen die moralischen Vorschriften recht gut für die sein, deren natürliche Güte
ihnen willig entgegen kommt und sie gern befolgt, weil sie der eignen Neigung
entsprechen. Aber durch Moralisieren werdet ihr niemand moralisch machen
und höchstens ein legales Verhalten, ein Rücksichtnehmen auf konventionelle Sitten,
oder eine gewisse Vorsicht im Handeln aus Furcht vor Strafen erreichen.

Was in der Sache wahr ist und keinem beobachtenden Erzieher entgehen
kann, das haben auch schon längst alle anerkannt, die über den Gegenstand gedacht
und geschrieben haben. Sie alle mußten ja wahrnehmen, daß, was bei dem
einen ein leichtes Geschäft ist, bei dem andern fast unüberwindliche Schwierigkeiten
hat. Auch richteten von jeher die, welche mit psychologisch-philosophischem Geist
erzogen und die individuellen Naturen studierten, weit mehr aus als solche, die
nur aus einem Kompendium der Moral wußten, was die Tugend sei und was
man ihre Gesetze, Motive und Hilfsmittel nennt.

Giebt man aber überhaupt eine Kultur der menschlichen Anlagen zu,
worin ja eben die Aufgabe der Erziehung besteht, so muß man doch auch
die Kultur der moralischen Anlagen für möglich halten; und wenn überall
Begriffe und Meinungen auf den Willen Einfluß haben können, so ist nicht
abzusehen, warum eine Läuterung und Befestigung des Verstandes in moralischen
Vorstellungen und Urteilen ohne alle Wirkung auf das Herz bleiben sollte.

Die natürlichen Dispositionen zum Edlen und Guten, zur Wahrheit des
Charakters, zur Uneigennützigkeit, zum Wohlwollen, zum Edelmut, bleiben etwas
Unschätzbares, und sie machen die wahre Eugenie, den echten Geburtsadel
aus, indem man sehr oft in ihnen eine gewisse Forterbung der Natur vortrefflicher Eltern nicht verkennen kann. Aber man thut deswegen nicht wohl, wenn
man, wie hier und da Sitte werden will, sich mit vornehmem Ton über die
Pflichtenlehre als Armseligkeiten der Schule äußert; ein Ton, der gläubigen
Jüngern sehr willkommen ist und von ihnen am ersten nachgeahmt wird. Die
größten Männer des Altertums und der neuen Zeit, von Sokrates, Platon,
Aristoteles bis auf Shaftesbury, deren Namen man immer im Munde
führt, werden dadurch selbst in die Klasse der Moralpedanten gesetzt. Denn
sie haben, wie ja ihre Schriften beweisen, sämtlich geglaubt, daß durch weise
Lehren, wenn man sie dem Verstande frühzeitig einpräge und zu Regulativen des
moralischen Denkens und Urteilens mache, eine gewisse Harmonie in das Han-

deln gebracht werden könne; indem sie die besseren Neigungen durch ihr Ansehen unterstützten und den schlechteren wenigstens durch stete Anregungen des moralischen Gefühls den Sieg erschwerten. Auch haben sie ihre edelsten Schüler vor den Verirrungen des Verstandes gewarnt, indem sie wohl wußten, daß die sophistischen Apologeten der Sinnlichkeit und des Lasters es ebenso darauf anlegten, die Begriffe von Recht und von Unrecht bei denen, die sie zu Proselyten ihrer Lehre machen wollten, zu verwirren, als das Herz zu vergiften. Jene gewiß nicht schlechten Kenner der Natur müssen also doch geglaubt haben, daß Begriffe Einfluß haben auf Neigungen, eben sowohl zur Förderung des Schlechten als des Guten. Sucht nicht auch jetzt noch der Verführer — gleich dem ältesten im Paradiese — den Verstand an dem Gesetz irre zu machen, oder das Gesetz als einen Irrtum aufzustellen, um den Sinn für das Rechte zu berücken und so die schönsten Gefühle in das Interesse der Sinnlichkeit zu ziehen?

Übrigens ist es wohl noch keinem Pädagogiker im Ernst eingefallen, wie man ihnen zuweilen im allgemeinen vorwirft, durch moralische Vorschriften und Regeln jeder Natur dieselben Tugenden und Vortrefflichkeiten anerziehn oder anzaubern zu wollen.

113. Belebung des moralischen Interesses durch Lektüre, unmittelbares Anschauen des Sittlichen im Leben und auf der Bühne.

Die Jugend ermüdet, wie bei allem Abstrakten, so auch leicht bei moralischen Belehrungen und Gesprächen, und nichts hindert alle Wirkung so sehr, als Langeweile. Nicht nur das mündliche Moralisieren, dem doch die lebendige Stimme noch zu Hilfe kommen kann, fast noch mehr die Lektüre theoretisch=moralischer und ascetischer Schriften (Sittenlehren für Kinder, Jünglinge, Töchter) läßt bei den meisten diese Langeweile zurück. Aber wo das Allgemeine zum Besondern wird, wo die Gesinnung in der That erscheint, da kommt ihr die Aufmerksamkeit willig entgegen. Geschichtliche Einkleidung und Dichtung zu moralischen Zwecken kann anziehend für die Jugend werden: am meisten da, wo sich der Lehrzweck verbirgt, und nur ein reges, mannigfaltig gestaltetes Leben, das Edle wie das Niedrige, vor die Seele tritt. Möchte nur in allen Schriften dieser Art ein reinmoralischer Geist zu finden und selbst in manchen der berühmteren für die Jugend die Wirkung auf das jugendliche Gemüt richtiger berechnet sein! Vor der Lektüre unsrer gewöhnlichen Romane, selbst vieler sogenannten moralischen besonders zu warnen, ist beinahe überflüssig. Von den Schauspielen gilt dasselbe. Die besseren können auch die edleren Gemüter mächtig ergreifen; einzelne gute Empfindungen können aufgeregt, Entschlüsse gefaßt, das Laster kann momentan gehaßt und verschworen werden. Aber das alles ist nicht hinreichend, um einen sittlichen Charakter hervorzubringen und wird durch so viele begleitende Umstände in seinen Folgen wieder zerstört.

Anmerk. 1. Über die Lektüre in moraliſcher Hinſicht ſehe man ein Mehreres in der IV. Beilage § 10. Hier nur folgendes:

a) Moral in Beiſpielen gefällt Kindern und Jünglingen. Daher iſt Geſchichte und hiſtoriſch-moraliſche Dichtung die angenehmſte Lektüre für beide. Die Beiſpiele wähle man nur dem Alter gemäß, und laſſe nicht Kinder die Leben großer Helden, oder größere, wenn gleich noch ſo moraliſche Romane in den Jahren leſen, für die noch Salzmanns moraliſches Elementarwerk und ähnliche faßliche Schriften gehören. Aber man gewöhne doch bald an das Höhere. Knaben könnten ſchon vieles aus Plutarch und Homer mit mehr Nutzen leſen, als in manchen ſogenannten moraliſchen Erzählungen. Reifere Zöglinge können noch weiter geführt werden. Auch die Meiſterwerke im Fache des Romans werden ihnen nach und nach mit Auswahl, nach ihrem individuellen Charakter und Geſchlecht lehrreich werden können, zumal wenn ſie die Söhne unter den Augen der Erzieher, die Töchter unter den Augen verſtändiger Mütter leſen. Moraliſche Ideale ſchaden wenigſtens in dieſem Alter gewiß nicht; und es verdiente wohl unterſucht zu werden, wie ſich der Schade, welchen des unſterblichen, faſt ſchon undankbar vergeſſenen Richardſons immerhin zu idealiſcher Grandiſon bei Jünglingen oder Jungfrauen geſtiftet haben ſoll, gegen das Unheil verhielte, welches die verführeriſchen Schriften vieler unſrer berühmteſten und geleſenſten deutſchen Autoren, auch manche unſrer myſtiſchen, halbreligiöſen Romane, Dramen ꝛc. — der niedrigen Sudeleien gemeiner Romanſchreiber gar nicht zu gedenken — geſtiftet haben. Trapp iſt im Reviſionswerk (7. T. S. 317) wirklich obiger Meinung.

Schrieb doch Rouſſeau ſelbſt in der Vorrede vor ſeiner berühmten Nouvelle Heloiſe: Jamais fille chaste n'a lû de Romans; et j'ai mis à celuici un titre assez décidé, pour qu'en l'ouvrant on sût à quoi s'en tenir. Celle qui malgré ce titre en osera lire une seule page, est une fille perdue; mais quelle n'impute point sa perte à ce livre; le mal étoit fait d'avance.

b) Vor allen Dingen ſorge der Erzieher, daß nichts in die Hände der Jugend komme, was den Verſtand verdunkelt, ſtatt ihn aufzuklären; die Einbildungskraft befleckt, ſtatt ihr reine Bilder zuzuführen; die Empfindungen überſpannt, ſtatt ſie zu mäßigen; die Grundſätze einer echten Gottesfurcht, Tugend und Rechtſchaffenheit wankend macht, ſtatt ſie zu befeſtigen; Unzufriedenheit mit der Welt durch irregeleitete, ungeregelte Phantaſien erweckt, ſtatt ſie zu gewöhnen, aus jeder Lage Gutes zu ziehen; Theatertugend, wohl gar rohe Wildheit, unter dem gefallenden Namen von Rittertugend, auf Unkoſten der ſtillen häuslichen Tugend empfiehlt; zum Freiheitsſchwindel führt, ſtatt an Geſetz und Ordnung zu gewöhnen u. ſ. w. Sind dieſe Grundſätze richtig, wie äußerſt ſchwer wird in unſern Zeiten die Auswahl!

c) Billig ſollten ſorgſame Eltern und Erzieher alles ſelbſt geleſen haben, was ihre Kinder leſen ſollen. Es müßte wenigſtens nicht von dem Zufalle der Leſegeſellſchaften abhängen, ob ein elender Roman, ein Poſſenſpiel, eine ſchlüpfrige komiſche Erzählung, eine Satyre über alles, was dem Menſchen heilig iſt, eine Sammlung bitterer Epigramme, oder eine religiös ſchwärmeriſche Abhandlung in die Hände junger Leute kommen werde. Sie müßten überall nur wenig und dies wenige recht leſen, das ·Geleſene verarbeiten; und Rechenſchaft davon geben. Wie will man ſonſt Überladung verhüten, die moraliſch eben ſowohl als diätetiſch ſchädlich iſt? Aber daran denkt man ſo wenig, daß man vielmehr die Leſewut, welche mancher Knabe und manches noch unglücklichere Mädchen hat, für etwas recht Vortreffliches hält, vielleicht weil man ſelbſt an dieſer Krankheit leidet.

2. Die Untersuchung des Einflusses der Schaubühne auf die Sittlichkeit, oder überhaupt der Sittlichkeit des Theaters, desgleichen über die Schulkomödien, gehört nicht hierher. Eine sehr vollständige Aufzählung der darüber vorhandenen älteren und neueren Schriften findet man in der neuesten Ausgabe von Sulzers Theorie, Artikel Drama, S. 726—741, womit C. F. Stäublins Geschichte der Vorstellungen von der Sittlichkeit des Schauspiels ꝛc. Göttingen 1823, zu vergleichen ist. Das Stärkste, was jemals gegen das Theater überhaupt, von seiten seines Einflusses auf die Sitten, gesagt worden, ist J. J. Rousseau Lettre à Ms. d'Alembert, — sur le Projet, d'établir un Théâtre. Paris 1758. Oeuvres, T. XI. — trotz mancher Sophismen und Übertreibungen bennoch wert, von allen, die so viel moralischen Gewinn von der Bühne erwarten, beherzigt zu werden. Man sehe auch: Campe, Sollen Kinder Komödie spielen? im Braunschw. Journal; ferner: Schröder, über den Einfluß der Schauspiele auf die Bildung der Jugend, Gotha 1804; und in den Briefen über die wichtigsten Gegenstände der Menschheit, B. 4, S. 84 ff. Hier ist nur die Frage: ob man die Bühne als ein moralisches Erziehungsmittel betrachten und daher zu ihrem häufigen Besuche raten könne? Ich zweifle daran; denn

a) ist die Welt, welche auf der Bühne dargestellt wird, zu oft eine andre als die wirkliche, ohne jedoch nur rein idealisch zu sein; und dies veranlaßt falsche Ansichten des Lebens.

b) Befördert selbst das sittlichste Schauspiel jene Frühreise der Kinder bei beiden Geschlechtern, deren Folge körperliche und geistige Siechheit ist. Sie treten zu früh aus ihrer Sphäre heraus, werden affektiert, wollen scheinen, was sie nicht sind, oder spielen Liebes-Intriguen; wovon man sich in allen den Städten überzeugen kann, wo ein stehendes, auch von Kindern häufig besuchtes Theater ist.

c) Es sind noch viele unsrer beliebtesten Stücke voll von schielenden Grundsätzen, selbst Ungezogenheiten, Zweideutigkeiten, die billig gar nicht zum Ohre der Jugend bringen sollten. Magna puero debetur reverentia!

d) In zehn Schauspielen gegen eins — sogar in manchen Weißischen im Kinderfreunde! — sind die Alten, selbst Väter, Vormünder, Magister oder Hauslehrer, oft sehr lächerliche Personen. Im andern erscheinen Menschen von bloß gesundem Verstande und häuslicher Tugend als Dummköpfe; junge Wüstlinge, mit dem sogenannten guten Herzen, Verschwender, Wollüstlinge, sind die Helden und Lieblinge des Publikums. Die Verführer der Weiber und Töchter machen Glück; die Männer und die Eltern müssen in die Thorheiten der Weiber und Kinder einstimmen, wenn sie nicht ausgezischt sein wollen. — So ists freilich in der Welt! Aber soll man in diese Welt die Jugend schon einführen?

e) Auch bei den allersittlichsten Stücken, deren wir mehrere besitzen, soll die Tugend durch die Hilfe der Einbildungskraft und der Leidenschaften hervorgebracht werden. Das sind aber zweideutige und treulose Helferinnen. Die Täuschung der Sinne ist fast unvermeidlich; man glüht z. B. für den Schauspieler oder die Schauspielerin und bildet sich ein, für den tugendhaften Charakter, den sie darstellen, entbrannt zu sein. — Die Tugend besteht in einer Beherrschung der Sinnlichkeit; die Bühne thut alles, um die Sinnlichkeit anzuregen.

12*

L'émotion, le trouble, l'attendrissement qu'on sent en soi-même, et qui se prolongent après la pièce, annoncent-ils une disposition bien prochaine, à surmonter et régler nos passions? Les impressions vives et touchantes, dont nous prenons l'habitude et qui reviennent si souvent, sont elles bien propres à modérer nos sentimens au besoin? — Ne sait-on pas que les passions sont sœurs, qu'une seule suffit pour en exciter mille; et que les combattre l'une par l'autre, n'est qu'un moyen de rendre le coeur plus sensible à toutes? Le seul instrument qui serve à les purger est la raison, et j'ai déja dit, que la raison n'avoit nul effet au Théâtre. Rousseau, Lettre à M. d'Alembert.

f) Dies alles beweiſet übrigens nichts bagegen, baß zuweilen ein nach vorſichtiger Wahl des Stücks verſtatteter Beſuch der Bühne unſchäblich ſein könne, zumal wenn man die Einbrücke beobachtet und zu berichtgen bemüht iſt. Bei Kindern iſt der Schabe am geringſten; in bem Alter ber erwachenben Triebe am größten. Für reine Gemüter iſt ein gutes Schauſpiel ſelbſt ein ſehr ebler und reiner Genuß. Denn auch hier gilt: Den Reinen iſt alles rein! — M. vergl. Ifflands theatral. Laufbahn, S. 134 ff und Schillers kleine proſ. Schriften, T. 6, S. 1 ff.

114. Fernere Unterſtützungsmittel der moraliſchen Bildung.
Perſönlichkeit des Erziehenden.

Was bei der moraliſchen Bildung des Charakters alle Lehren und Ermahnungen, jebes Gebot, jebe Warnung oder Aufmunterung am meiſten unterſtützt, iſt teils die Perſönlichkeit der Erziehenden, teils die Umgebung. Was ſte vollenbet, iſt die Kraft eines religiöſen Sinnes. Gelingt es zuvörderſt benen, welche junge Seelen bilden, dieſe mit Liebe und Achtung gegen ſich zu durchdringen, ſo wird auch das Schwerſte leicht; und es iſt der Triumph der Erziehung, es bis bahin gebracht zu haben. Allerdings muß man aber ſelbſt auf einer höheren Stufe ſittlicher Vollkommenheit ſtehen, muß beinah über jebe Schwäche, die auch Kinderaugen nicht unbemerkt bleibt, erhaben ſein, und dabei Zöglinge von einer ſeltenen Gutartigkeit des Charakters haben, um gleich dem perſonifizierten Geſetz vor ihnen zu ſtehen, und dabei durch die unendliche Kraft der Liebe ſie zu allem, was man zu ihrem Beſten wünſcht, geneigt zu machen wiſſen. Eine Erziehung, die das Herz ergreift, kann nie ganz vergeblich ſein. Aber ſchon baraus erklärt es ſich, warum ſo viele Eltern und Lehrer mit aller ihrer Moral nichts bewirken. Sie werden nicht geachtet; ſie werden nicht geliebt. Das Gemüt widerſtrebt mehr dem Lehrer als der Lehre, und basſelbe Wort, womit ſie nichts ausrichten, aus einem andern Munde geſprochen, würde Wunder thun. Indes wird es neben dem Beiſpiel noch immer notwendig bleiben, auch die Vernunft über die Natur des Guten und die moraliſche Beſtimmung des Menſchen aufzuklären, unb baburch alles, was etwa noch ein bloß bunkles Gefühl iſt, zu deutlich vorgeſtellten, Grundſätzen zu erhöhen.

Anmerk. 1. Was die Liebe vermag, zu welchen Opfern ſie ſchon junge Kinder, wenn ſie mit ganzer Liebe an der Mutter oder dem Vater hängen, bringen

wie sie alle noch so starke sinnliche Neigungen überwinden kann, wird jeder in
der Erfahrung finden. Freilich erhält sich, was auch hierin nur sinnlich ist, nicht
in den reiferen Jahren, und es scheinen wohl manche unsrer Pädagogen —
Schwarz, Pestalozzi — in ihren Schriften zu viel darauf zu bauen. (S.
die VII. Beilage). Aber nehme das Sinnliche auch ab: das Prinzip steht dennoch fest.

2. Noch in den Jahren reiferen Alters, selbst wenn solche Erzieher nicht
mehr leben, wirkt das Andenken an sie fort und giebt oft am meisten Kraft
zum Widerstande in den Stunden der Versuchung, am meisten Mut zur Erfüllung
schwerer Pflichten, zur Ausführung großer Unternehmungen. Wer es dahin gebracht hat, durch die Würde seines eigenen sittlichen Charakters, gepaart mit der
vollendetsten Humanität gegen seine Zöglinge, einen solchen Eindruck auf sie zu
machen, daß Achtung und Liebe die Seele aller ihrer Handlungen wird und unaufhörlich wirkt, selbst ohne daß sie es sich deutlich denken, der hat mehr als die
Hälfte der moralischen Erziehung vollendet. Er darf nur Winke geben, so kommt
ihm der gute Wille entgegen. Sein trüberer Blick auf sie ruft beredter als
alle Predigten von jeder Verirrung zurück. Seine Zufriedenheit belohnt sie
mehr, als alle Ehrenzeichen, von denen man vergeblich Wirkung hofft.

3. In Plato's Gastmahle sagt Alcibiades von seinem großen Lehrer:
„Wenn man den Sokrates hört — so wird man erschüttert und gefesselt.
Höre ich ihn, so bekomme ich Herzklopfen, als ob ich von korybantischer Begeisterung ergriffen würde; die Thränen stürzen mir aus den Augen bei seinen Reden, und ich sehe, daß es vielen andern eben so geht. Wenn ich den Perikles
hörte und andere große Redner, schien es mir allerdings, daß sie schön sprächen;
dergleichen aber erfuhr ich nicht; meine Seele ward nicht außer sich gesetzt,
nicht unwillig auf sich und ihre Sklaverei. Ich fliehe vor ihm, um nicht
an seiner Seite vor der Zeit alt zu werden. Er ist der einzige Mensch, vor
dem ich mich schäme. Denn ich kann nicht mißbilligen, was er mir zu thun
oder zu lassen gebietet. Daher laufe und fliehe ich vor ihm, denn ich schäme mich,
wenn ich gegen mein Versprechen gehandelt habe. Oft möchte ich wünschen, er
möchte nur von der Welt sein; und doch, geschähe es, würde es mich noch weit
tiefer schmerzen."

über die „Mittel, Achtung und Liebe bei seinen Zöglingen zu
begründen und namentlich über die Wichtigkeit eines ruhigen und besonnenen Charakters für die moralische Erziehung" ein Mehreres im
3 T. I. Abt. § 45—55.

115. Umgebung. Umgang.

Wie stark Umgebung, Beispiel, Umgang auf Kinderseelen
wirkt, wie viel die Nachahmungssucht an ihnen bald bessert, bald ver-
birbt, ist schon oben (73.) bemerkt worden. Auch in der zweiten und
dritten Periode der Erziehung ist dies der Fall. Unzählige wären gut
geblieben, oder noch weit edler, kräftiger zu jeder höheren Thätigkeit geworden, wären sie besser umgeben gewesen. Schon die Nähe des Guten,
wie die des Schlechten und Niedrigen, hat einen, wiewohl oft unmerklichen

Einfluß. Ideen erwachen, die nie erwacht wären; Neigungen regen sich, die immer geschlummert, Reize entstehen, die man sonst nicht gekannt hätte. Das öftere Hinweisen des Erziehers auf die Beispiele des Edlen und Schönen, das Vergleichen des Fehlerhaften mit dem Vollkommenen kann, mit Weisheit angewendet, allerdings ein rühmliches Streben veranlassen. Die unmittelbare und doch unabsichtliche Berührung damit, daneben die Bewahrung vor der Verpestung verderblicher Gesellschaft, wirkt dennoch weit mehr. Die häusliche Erziehung kann dafür unstreitig am besten sorgen. Jede öffentliche ist in dieser Hinsicht ein Wagstück. Denn wer kann da über Umgebung und Umgang gebieten? Beides kann auf gewisse Charaktere gerade hier am wohlthätigsten einfließen; aber auch — wie viel verderben! Der Kreis einer durchaus edlen, in Liebe vereinten Familie ist doch stets die Sphäre, worin auch alles Sittliche am besten gedeiht. Wären diese Kreise nur so häufig, als sie den Idealen der Dichter und in den Schilderungen unsrer Pädagogen erscheinen!

Anmerk. 1. Man kann mit mehr als bloßer Wahrscheinlichkeit behaupten, daß die moralische Erziehung unzähliger Jünglinge und Jungfrauen ein besserer Erfolg, selbst bei allen Gefahren ihres Temperaments und allen Fehlern in den Anlagen ihres Charakters gekrönt haben würde, hätte man sie vor dem Einfluß der Verdorbenen bewahren können. Denn der Nachahmungstrieb ist oft, ja sogar in der Regel stärker, als das Temperament. Aber wer vermag es? — Und so müssen denn viele auch durch diese Proben gehen. Dies ist der einzige beruhigende Gedanke für die, welche ihre Kinder Erziehungsanstalten übergeben müssen, und für die Vorsteher dieser Anstalten selbst.

2. Von Beispielen erwartet man nicht ohne Grund die wohlthätigsten Wirkungen auf den Charakter des Zöglings, sowohl um aufzumuntern als abzuschrecken. Aber gewiß wird auch oft in der Anwendung dieses Mittels gefehlt. Hier noch einige Winke über diesen Gegenstand!

a) Je unmittelbarer und vielseitiger das Edle oder das Unedle auf das Gemüt wirkt, desto tiefer ist der Eindruck. Erzählungen wirken meistens schwächer als Anschauungen, der Erzähler müßte denn sehr geschickt sein, durch lebendige Darstellung die Wirklichkeit zu ersetzen. Daher ist Umgang mit edlen Menschen bildender, der Anblick des Schlechten abschreckender, und die Darstellungen der Bühne lassen tiefere Spuren zurück, als die Lektüre der besten Exempelbücher. Wäre nur die Wirkung nicht so gemischt.

b) Je freier die Seele ist, wenn sie über ein Beispiel reflektiert, desto kräftiger wirkt es. Was man ihr aufdringen will, nimmt sie weniger willig auf und hält es selten fest. Sogar Naturschönheiten und Kunstschönheiten, wobei uns der Führer keinen Augenblick Zeit läßt, sie selbst zu bemerken, und wir nur immerfort mit seinen Augen sehen sollen, verlieren dadurch, weil man die freie Bewegung unsrer eignen Kräfte aufhält und unterbricht. — Je mehr daher junge Leute fähig werden, selbst zu sehen und zu urteilen, desto weniger bemächtige man sich ihres Geistes. Man lasse die That selbst zu ihrem Gefühle sprechen und gebe nur so viel Winke, als in dem obigen Fall der verständige Führer thut, damit nicht gerade das Wichtigste übersehen werde. — Wie ganz anders darf man auf ein Gefühl der Achtung oder des Abscheues bauen, das sich ohne alles Zuthun in dem Innersten des Gemüts erzeugt hat, als auf alles, was man etwa durch einen — jedes Beispiel begleitenden — Kommentar bewirkt! In der Umgebung eines reinen Äthers, welcher durch alle Poren eindringt und mit jedem Atemzuge eingesogen wird, gesundet der Kranke doch viel eher, als wenn ihr ihm eine künstliche Lebensluft zubereitet und von Stunde zu Stunde nach der Vorschrift einatmen lasset. Umgebt nur den Zögling mit dem Edlen und Guten, damit es ihm wie dem Bergbewohner unerträglich werde, in der erstickenden Ausdünstung der Niederungen auszudauern: er wird die reine Atmosphäre ohne euer Zuthun suchen. Allein wenige Erzieher können es über sich erhalten, die Natur gewähren zu lassen.

c) Zuweilen hat indes geschichtliche Darstellung guter und schlechter Beispiele den Vorzug vor ihrem Anblick in der Natur, daß teils das Gute idealischer erscheint, teils das Schlechte nicht durch die glatte Außenseite erträglicher wird. Die besten Menschen verlieren oft in der Nähe, weil das Schwache und Unvollkommenere zugleich hervortritt; die Schlechten gewinnen, weil ihre gebildeten Sitten und manches Gute, das man neben dem Schlechten in ihnen nicht verkennen kann, den Eindruck des Mißfälligen mindern.

d) Um ein Beispiel in seiner Vortrefflichkeit oder Unwürdigkeit aufzufassen, muß der Zögling einen gewissen Punkt der Ausbildung erreicht haben. Es ist Verschwendung des Herrlichsten, wenn man schon Kindern zu erhabne Beispiele aufstellt. Es ist Versündigung an ihrer Unschuld, wenn man sie schon in die Nähe der Schändlichkeit und des Verbrechens führt. In die Höhe muß auch das Kind schon sehen; sonst gewöhnt es sich, nur um sich oder unter sich zu blicken. Aber was sein ungeübtes Auge gar nicht erreichen kann, verschwindet ihm im Nebel. Manche große Männer, die man oft in Kinderschriften zur Nachahmung für Kinder aufgestellt hat, stehen auf einer solchen Höhe, daß frühestens der gereiftere Jüngling ihre Größe ahnden kann. Teuflische Bosheit liegt eben so fern von der Sphäre der Kindheit. Überhaupt muß noch immer für die Bewunderung und den Abscheu etwas übrig bleiben. Giebt man alles auf einmal, so stumpft man den Sinn ab. Unsere Jugendschriften werden gar zu selten auch aus diesem Standpunkte beurteilt.

e) Jedes selbstsüchtige und eigennützige Interesse mindert die Wirkung des Beispiels, besonders wenn man den natürlichen Eindruck künstlich verstärken will. Dies ist vorzüglich der Fall, wenn man die Nacheiferung durch das Vorhalten von Beispielen anzuregen sucht. Zöglinge, die immer auf bessere, fleißigere und gesittetere Geschwister oder Gespielen hingewiesen werden, finden ein Interesse dabei, an diesen Vielgepriesenen Fehler aufzusuchen, oder sich mit ihrem bessern Kopf u. s. w. zu trösten, „den sich niemand geben könne"; worin sie auch oft recht haben. Sie würden gerechter sein, wenn man ihnen die Vergleichung selbst überließe, nur das wirkliche Verdienst lobte, ohne immer auf die, denen es abgeht, zugleich einen tadelnden Seitenblick zu werfen.

Auch das Warnen vor Beispielen des Schlechteren verfehlt leicht seine Wirkung, weil durch die Herabsetzung eines andern das Mitleid erregt wird; daher sind auch auf Schulen „Strafen, des Beispiels wegen" selten von so großer Wirkung, als man erwartet. Die Mitschüler sinnen auf Entschuldigungsgründe für den Gestraften, zumal wenn sie glauben, daß er zu hart behandelt sei. Sie lernen höchstens, sich vorsichtiger benehmen. — Für den man sich interessiert, dem giebt man nicht leicht unrecht. Darum bewirken schlimme Beispiele der Eltern und Freunde selten Abscheu vor dem Schlechten, weil sie eine natürliche Neigung mit dem Mantel der Liebe bedeckt. Dies wußten die Spartaner wohl;

daher machten sie die Heloten trunken, damit die Freigebornen in der ohnehin verachteten Menschenklasse das Laster verabscheuen lernten.

f) Zu häufiger Gebrauch der Beispiele gewöhnt junge Leute zu sehr, sich nur aus Vergleichungen zu schätzen, statt in ihrem Urteile mehr von sich selbst abhängig und dadurch selbständig zu werden.

Wenn man sie gleich oft an die erinnert, die mehr als sie leisten, so werden sie doch noch immer genug andere finden, die ihnen nachstehen. Wenn man sie warnt, den Schlechten ähnlich zu werden, so werden sie leicht andre noch Schlechtere finden, von denen sie noch weit entfernt sind. Weit wichtiger ists, daß man es in ihnen zum lebendigen Bewußtsein bringe, daß sie noch nicht leisten, was sie leisten könnten. Dies macht bescheiden; tröstet aber auch, wenn ihre Kraft schwächer ist, durch den Gedanken, gethan zu haben, was sie vermochten.

In Familien sind die Vergleichungen mit Geschwistern selten ratsam, am wenigsten da, wo Eltern von parteiischer Vorliebe nicht frei und wohl gar so unvorsichtig sind, in Gegenwart der Kinder das Kapitel, „welche Kinder sie am liebsten haben", abzuhandeln. Als ob Kinder es nicht ohnehin genug bemerkten, ob sie die Begünstigten oder Zurückgesetzten sind, wodurch so mancher Charakter bitter, manches zartere Herz unglücklich wird!

3. Was der häuslichen Erziehung in Hinsicht der moralischen Bildung einen so entschiedenen Vorzug vor der öffentlichen geben würde, wäre der Familiensinn; wäre er nur überall das, was er sein sollte. Weil er aber so häufig entweder fehlt, oder, statt eines guten und rechtlichen, ein schlechter Sinn ist, so rettet in diesem Fall manchen Jüngling die Entfernung aus dem elterlichen Hause und das Leben auf einer Schule oder unter Fremden. — Hierüber noch folgende Bemerkungen:

a) In sehr vielen Familien tritt leider Familienzwist an die Stelle des Familiengeistes. Disharmonie der Eltern, Einmischung fremder Personen, oder oft so gefährlicher Hausfreunde, bloßes Zusammentreffen der Familienglieder bei der Mahlzeit, die schnell eingenommen wird, um sich desto früher trennen zu können: das ist nicht bloß, wie man gewöhnlich klagt, das Leben in den Häusern der Großen; es ist nur zu oft auch in den Familien des Mittelstandes zu finden, und der herrschende Geist der Zeit, Egoismus und Vergnügungssucht arbeiten mächtig daran, die Überreste des Besseren zu zerstören. Darum sollten alle, die noch Sinn dafür haben, zusammenhalten, damit nicht in der künftigen Generation jene seltner gewordnen Überreste ganz verschwinden, oder härtere Mittel, Geißeln des Krieges und der Verheerung, wozu ohnehin fast jeder Friede neue Keime ausstreut, nötig werden, um die Menschen wieder zusammenzudrängen und mit der Familienliebe auch die Vaterlandsliebe wieder aufzuwecken.

b) Ein Familienleben, wie es sich idealisieren läßt, ist allerdings auch unter sehr guten Menschen selten, weil außer der Güte des Sinnes noch ein eignes Zusammentreffen glücklicher Umstände dazu gehört. Aber auch da schon, wo nicht alles ist, wie es wohl sein sollte, wo vielleicht selbst einzelne Familienglieder ausfallen, kann doch noch sehr viel Gutes übrig sein. Gerade der Ausfall kann die übrigen desto mehr zusammendrängen; die Kinder an die gedrückte Mutter, oder an den Vater, wo die Mutter fehlt. Solche Verhältnisse führen gewisse Naturempfindungen herbei, die keine Pensionsanstalt geben kann. Das Menschliche wird in den Kindern mehr entwickelt, die Wildheit und der Leichtsinn der Jugend wird nicht durch Gesetze, Strafen und Predigten, sondern durch die ernsthaften Situationen, Geburten, Krankheiten, Todesfälle, Verluste, Nahrungssorgen gezügelt. Die Teilnehmung wird geweckt; die Liebe wird angeregt; und in ihr und durch sie — wie viel sittlich Schönes entfaltet sich nicht, was bei denen, die zu früh in die Fremde verstoßen sind, so selten zur Entwickelung kommt! Darum sind auch in der Familienerziehung weit weniger Kunstmittel für die moralische Bildung nötig, als in der öffentlichen.

Vorzüglich wirksam ist auch der herrschende Ton einer Familie, wie im Schlechten so im Guten. Man kann ziemlich gewiß (denn Ausnahmen giebt es überall) darauf rechnen, daß der Geist der Gerechtigkeit, Freigebigkeit und Wohlthätigkeit, der Rechtlichkeit in allen Geschäften, der Großmut, der Religiosität, wenn sie rechter Art ist, sich ohne positives Zuthun eben so wohl dem Kreise mitteilen werde, als das Gegenteil von dem allen; vielleicht mehr noch, weil manche eblere Natur durchaus dem widersteht, was sich daraus entwickeln könnte.

c) Wie sich das Gleiche gern zum Gleichen gesellt, so bildet sich auch die Jugend am liebsten nach denen, die ihr dem Alter nach am nächsten stehen. Daher hat man in Schulen gewonnen, wenn die älteren Schüler einen guten Ton angeben, und in der häuslichen Erziehung, wenn ältere Kinder den jüngeren zum Muster aufgestellt werden können.

Die Erstgebornen gut zu erziehen, ist die schwerste Aufgabe. An ihnen verdirbt die Liebe oder die pädagogische Künstelei gemeiniglich recht viel. Jene will oft nur physisch erhalten, folglich behüten und bewahren; diese will in dem ersten Produkt des neuen Vereins gleich ein Meisterstück vorführen, ohne noch mit sich selbst über die Theorie aufs reine zu sein. Überdies steht das erste Kind allein. Alles was es lernt, wird ihm schwerer, weil es nicht nachahmen kann. Die jüngeren haben an den ältern immer etwas abzumerken, abzusehen und in der Regel schreitet ihre körperliche und geistige Bildung ungleich rascher fort, selbst wenn die Erstgebornen in jedem Sinne an Kraft überlegen sind. Die jüngeren empfangen durch die älteren unvermerkt eine Menge von Ideen und Eindrücken, welche diese weit später aus einem langsam bildenden Unterricht schöpfen mußten.

Ist es aber gelungen mit den Frühergebornen, so hat man in aller Hinsicht, und namentlich auch im Moralischen, leichtes Spiel mit den folgenden. Jene können wahre Erziehungsgehilfen werden, wo Familienliebe herrscht. Die älteren Söhne und Töchter nehmen sich da vereint der kleineren an und behaupten bei ihnen eine gewisse Ansehen, das nicht nur das elterliche unterstützt, sondern zuweilen wohl gar übertrifft. Sie bewahren ihre physische und moralische Gesundheit und geben den Eltern verständige Winke, da sie oft schärfer als diese sehen, und wohl manches beobachten können, was jenen entgeht, oder was das Kind vor ihnen freier, als vor den Eltern äußert. Das nachahmende Kind nimmt unvermerkt, wie die Vorurteile und Thorheiten, so auch die besseren Maximen und die edlere Gesinnung und Handlungsweise des erwachsenen Bruders, der älteren Schwester an, gerade wie in Schulen die Kleinen gewöhnlich das Echo der Größeren sind.

Auch darum mögen es doch alle Väter und Mütter recht darauf anlegen, sich in ihren älteren Kindern Freunde und Freundinnen zu erziehen! Wie sie so oft bei dem früheren Tode der Eltern die Stützen ihrer noch hilflosen Geschwister werden müssen, so erwecke man zeitig in ihnen das Interesse, zu ihrer Bildung mitzuwirken, damit man je desto sicherer ihren Händen anvertrauen könne, wenn man vielleicht von Unerzognen scheiden muß.

116. Religiosität.

Die Religiosität vollendet die sittliche Ausbildung des Charakters. Ist sie gleich ein von der Sittlichkeit selbst noch Verschiedenes, sowohl in ihrem Entstehen als in ihren Äußerungen und läßt sich auch ein

moralischer Charakter gar wohl denken, ohne zugleich ein religiöser
zu sein; so bleibt doch umgekehrt jede Religiosität, mit der sich nicht
zugleich alle sittlichen Empfindungen und ernste Bestrebungen des Willens,
dem Gesetze zu gehorchen, verbinden, ein sehr verdächtiges Gefühl, das
der Sinnlichkeit näher als der Vernunft verwandt, auch eben so leicht
wie diese ausarten und irre führen kann [1]). Wo dagegen das ganze
Gemüt ein wahrhaft frommer Sinn durchdrungen hat, da ist auch die
Hingebung an alles Rechte und Gute gewiß, und da wird auch Kraft
und Tüchtigkeit zu jedem guten Werke nicht fehlen. Dieser fromme
Sinn läßt sich so wenig als der moralische von außen geben. (88).
Aber was durch frühe Kultur der Anlage dazu in dem jugendlichen Ge=
müte vorbereitet ist, (75—78) das läßt sich auf mannigfaltige Weise
fortsetzen und erhalten [2]).

    Anmerk. 1. Die Trennung des Sittlichen und Religiösen, welche von
mehreren Schriftstellern einer neuen philosophischen Schule in theoretischen
Schriften so stark ausgesprochen ist, scheint mir kein Gewinn, so wenig für die
Theologie als für die Moral, und steht mit ihrer eignen praktischen Behandlung
beider Gegenstände sogar in Widerspruch. Wo diese Trennung stattfindet, da ver=
liert sicher das eine oder das andere. Es wird niemand gereuen, zu vergleichen,
was unter andern Wegscheider über die Trennung der Religion und Moral
(Hamburg 1804) gegen mehrere Stellen in Schleiermachers Reden über die
Religion erinnert hat.

    2. Man hat Religiosität von jeher als eins der edelsten Erziehungs=
prinzipien angepriesen, wie sich selbst aus unzähligen Stellen der Alten beweisen
ließe. Die Zweifel, welche dagegen erregt sind, kamen entweder nur von solchen,
die überall nichts von Religion und ihrer Kraft auf den menschlichen Willen
wissen wollten; oder sie betrafen mehr das früheste Alter der Kinder, das man
dieser erhabenen Motive nicht fähig glaubte. In gedrängter Kürze und Bündig=
keit findet man die Wichtigkeit der Religion für die Moral in Gardens Anm.
zum Cicero, 2. T., S. 23 ff. dargestellt, womit Neckers bekanntes Werk über
die Wichtigkeit religiöser Meinungen für den Staat, Spaldings Religion, eine
Angelegenheit der Menschen (Berlin 1799) und Desselben vertraute Briefe
(Berlin 1788) von allen Erziehern verglichen zu werden verdienen. S. auch oben
§ 76. 77.

117. Schwierigkeiten der religiösen Bildung.

    Wer mag aber leugnen, daß sich einer solchen religiösen Fortbil=
dung in den meisten Fällen große, oft fast unüberwindliche Hindernisse
entgegen setzen? Manche mögen durch den Geist der Zeit, der im
allgemeinen aufgefaßt allerdings kein religiöser Geist ist, herbeigeführt
sein. Viele waren schon längst da, auch in früheren Zeiten, die man
in Vergleichung mit den unsrigen für frömmer zu halten geneigt ist,
weil sie wenigstens das Äußere der Religion weniger vernachlässigten,

woburch immer auch für das Innere etwas gewonnen wird. Das häusliche Leben, in welchem die meisten aufwachsen, die Zerstreuung in irdischen Geschäften und Bestrebungen, bei vielen der Kampf mit dem
äußeren Druck, bei andern die Vereitelung des Gemüts durch die leichte
Befriedigung aller Neigungen und sinnlichen Triebe; dann wieder die
Unbeholfenheit so vieler Eltern, von denen doch vorzüglich diese Bildung
ausgehen muß, ihre Kinder auf die rechte Art zur Religion zu erziehen;
daneben die Inkonsequenz oder Kälte bei dem öffentlichen Religions-
unterricht, zumal in den höheren Schulen; endlich der durch alle Stände
mehr als je verbreitete Hang zum Zweifeln und Vernünsteln: dies alles
ist dem Gedeihen der Religiosität in jugendlichen Seelen nicht günstig
und die heilige Feier, woburch die Erwachsneren zu mehr selbständigen
Mitgliedern des religiösen Vereins aufgenommen werden, ist doch für die
meisten zugleich das letzte, was von dieser Seite für sie geschieht, und
wird selbst von vielen Eltern bloß als eine einmal bestehende bürgerliche
Einrichtung behandelt. Selbst die Teilnehmung an den öffentlichen Versammlungen wird häufig von dieser Zeit an als eine ganz gleichgültige
Sache betrachtet, und so auch diese so wichtige Gelegenheit zur religiösen
Fortbildung versäumt! Ob die allgemeine Aufregung der Gemüter in
der neuesten Zeit sich lange erhalten, und in dem allen wesentliche Veränderungen herbeibringen werde, hat man mehr Ursach zu wünschen und
zu hoffen als sicher zu erwarten.

118. Befestigungsmittel der Religiosität.

Thue denn jede Erziehung wenigstens so viel, als sie auch unter
ungünstigen Umständen vermag, und überlasse das übrige der Vorsehung,
welche der Mittel so viele hat, auch von dieser Seite das menschliche
Gefühl zu erwecken und auszubilden. Das Wichtigste für Eltern und
Lehrer bleibt auch hier, durch eignes Beispiel bei allen Gelegenheiten zu
beweisen, daß der Gedanke an Gott ihre Seele mit Ehrfurcht erfülle,
und, oft erneuert, ihnen Kraft zur Selbstbeherrschung, Geduld bei mißlingenden Unternehmungen, Ruhe bei widrigen Schicksalen einflöße [1].
Nächstdem lasse man sie oft die Wirkungen des religiösen Sinnes und
seines Einflusses auf Tugend und Gemütsruhe an andern Menschen
wahrnehmen, und entferne endlich, so weit es möglich ist, alles, was den
Leichtsinn und die Gleichgültigkeit gegen das Religiöse befördert, aus dem
Gespräch und dem Umgang. Aber auch unmittelbar mögen, wenn
man überhaupt oder in einzelnen Fällen zur Pflicht auffordert, religiöse
Motive versucht werden, jedoch sparsam und nicht gerade eben so oft
bei leichteren Pflichten, als wo es auf schwerere Selbstüberwindungen
ankommt, woburch sie leicht an Kraft und Wirksamkeit verlieren [2]. Ein
vernünftiger Unterricht muß dabei verhüten, daß Kinder nie in den Wahn
geraten, durch die Erfüllung ihrer Pflichten etwas für Gott thun,

ober durch ihr Betragen seine Seligkeit mehren oder mindern zu können. In seinem nur für sie wohlthätigen, aber dabei unverletzlichen heiligen Gesetz muß ihnen seine Güte und sein Ernst erscheinen, und so müssen sie sich angetrieben fühlen, sich des Wohlgefallens dieses besten und heiligsten Wesens würdig zu machen [3]). Vorzüglich geschickt sind merkwürdige Tage oder Lebensveränderungen, Genuß der Naturfreuden, verbunden mit religiösen Gesprächen, Anhörung rührender Vorträge, religiöse Musik, um Sinn und Gefühl für Religion wach zu erhalten. Wo in einem Charakter Hang zur Schwärmerei wäre, da würde die Kultur der Vernunft das beste, Spott das schlechteste Mittel sein. Dagegen kann der Heuchelei nicht Kraft genug entgegengesetzt werden; denn in ihr geht nicht nur alle wahre Frömmigkeit, sondern auch alle Rechtlichkeit des Charakters zu Grunde.

Anm. 1. Es ist fast unbegreiflich, wie manche Erzieher, wenn sie einmal im Klagen über die Jugend sind, auch über den Mangel an religiösem Sinne klagen können, da sie doch nicht das Allergeringste von ihrer Seite thun, um diesen Sinn zu wecken und zu nähren. Denn die Religionsstunde allenfalls abgerechnet, ist ja zwischen ihnen und den Zöglingen nie die Rede von Religion; und sie vermeiden, als ob es Schwachheit wäre, außer diesen Stunden auch nur den Namen Gottes zu nennen. Wenn ja religiöse Gespräche vorkommen, so sind es gemeiniglich Diskussionen schwieriger Sätze, Streit über Orthodoxie und Heterodoxie, lustige Anekdoten vom geistlichen Stande, scharfe Kritiken von angehörten Predigten, aus denen junge Leute noch immer sehr viel lernen konnten, wenn man sie mehr auf das Wahre und Gute darin, als auf die Schwächen und Fehler aufmerksam gemacht hätte. Überdies merken es die Zöglinge nur gar zu oft ihren Lehrern an, wie lästig ihnen alle Übungen der Andacht sind. Dasselbe ist der Fall mit so vielen Eltern, und doch wird zuweilen, dem Herkommen gemäß, von den Kindern gefordert, daß sie auf Religion halten sollen! Wie kann man das von ihnen erwarten, wovon man an sich selbst gar keine Spur blicken läßt, oder mit Kirchenbesuch, wenn man gerade Langeweile hat, alles abgethan glaubt?

2. Es giebt schwere Pflichten, besonders im Jünglingsalter, für welche man die religiösen Motive vorzüglich sparen muß; z. B. bei Überwindung sehr mächtiger Neigungen und Leidenschaften, bei großen Fehltritten, bei harten Schicksalen u. dgl. Indes läßt sich auch in den kleinsten Handlungen eine gewisse Beziehung auf Gott bringen. Auch daran zu gewöhnen, hat, wenn es nicht bloßes Geschwätz wird, seinen Nutzen. (S. oben § 77).

3. Es ist recht gut, daß man Gott als einen Vater beschreibt; aber man müßte ihn nur nicht als einen schwachen Vater darstellen. Echte Gottesfurcht verträgt sich eben so gut mit Liebe zu Gott, als Ehrfurcht vor Eltern mit kindlichem Sinne. Wir sind von einem Extrem in das andere gefallen; und mancher ist zweifelhaft, ob man wohl in unsern Zeiten noch sagen dürfe, daß Gott das Böse strafe. Dadurch wird die Religion ein Ruhekissen für die Trägheit,

und wirkt wie ein Opiat auf das Gewissen, was äußerst gefährlich ist. Mehr hierüber enthält der II. Brief in der 2ten Sammlung meiner Briefe an Religionslehrer.

Auch hier sind die schon angeführten Schriften, besonders die Greiling'sche (§ 76 Anmerk. 1) zu vergleichen. Desgleichen Rousseau's Emil.

119. Befestigung und Stärkung des Charakters.

Von allen diesen Mitteln, wenn sie beharrlich angewendet und mit Weisheit modifiziert werden, läßt sich unstreitig sehr viel für die Bildung des moralischen Charakters hoffen. Nur werde der Begriff der Charaktergüte nicht zu einseitig gefaßt, und entweder zu viel Wert auf negative Eigenschaften oder auf gewisse Tugenden, z. B. Wohlwollen, Gefühl für fremde Not, Liberalität, Dienstfertigkeit, Bescheidenheit, u. s. w. gelegt, an denen das Temperament gewöhnlich den meisten Anteil hat. Das Sittliche, wenn es den Menschen durchdringt, wird sich vorzüglich in der Kraft, der Stärke, der Festigkeit, dem Mut bewähren, der auch, wo es darauf ankommt, etwas Großes und Kühnes für Wahrheit, Tugend und Recht zu wagen versteht[1]). Dazu findet sich bei manchen schon eine treffliche Naturanlage: Regsamkeit des Geistes, Stärke der Empfindungen, Wärme des Gefühls und eine angeborne Energie; hüte man sich nur, aus falscher Besorgnis, sie möchten Schwärmer oder Enthusiasten werden, einer solchen Anlage entgegen zu arbeiten[2]). Je schwächer und negativer aber alles in der Natur andrer ist, desto mehr soll man wenigstens versuchen, immer neue Anlässe der Thätigkeit zu geben; auch wohl den Zögling absichtlich in Schwierigkeiten verwickeln, aus denen er sich selbst herauszuwinden hat; guten Entschlüssen scheinbare Hindernisse in den Weg werfen; ihm überhaupt eine gewisse Selbständigkeit dadurch zu verschaffen bemüht sein, daß man die leitende Hand oft von ihm zurückzieht und ihn allein stehen läßt. Mag er doch gleiten und fallen; mag er manche Unbesonnenheit begehen! Im Jünglingsalter lernt er dabei mehr, als am Gängelbande zu lernen möglich ist. Auch an Beispielen kraftvoller Menschen kann er lernen, daß für die menschliche Gesellschaft von jedem Menschen, der Wert haben soll, noch etwas anders als weiches Gefühl, daß auch Energie, Entschlossenheit, Furchtlosigkeit, Stärke und Gegenwart des Geistes gefordert wird[3]). Wenn man ihn dabei auf die Kräfte, die vielleicht noch in ihm schlummern, aufmerksam macht und zum rechten Selbstgefühl bringt, so hat man viel gewonnen. Überhaupt soll man nicht bloß Unterwerfung unter das, was oft nur unabänderlich scheint, nicht bloß Resignation predigen. Durch das Bild einer besseren Zukunft muß man der Jugend Mut machen, gegen die Übel der Zeit anzukämpfen; man muß ihr den freien, kräftigen Geist zu erhalten suchen, der schon mehr als einmal ganze Völker gerettet hat. — Zeit und Schicksal, das jene herbeiführt, werden es nicht fehlen lassen, sie weiterhin in eine strengere Schule zu nehmen und ihre Kraft im Kampfe zu üben. Die entscheidende Stunde, wo der Kampf zum Siege führen soll, wird über den Sternen bestimmt; fehle es nur unter ihnen nie an Kämpfern, stets gerüstet zum Streite gegen die Übel und Verderbnisse, die in keinem Zeitalter fehlen.

Anmerk. 1. Von dem vollkommenen Menschen stellt Schlosser (Kleine Schriften, I. Teil S. 12) folgendes schöne Bild auf:

„Der Kopf muß heiter und gerade denken. Das Herz muß warm fühlen und Wahrheit und Gerechtigkeit sein Element sein lassen. Es muß in sich Kraft haben, sein Glück selbst und unabhängig von anderen Menschen sich zu schaffen; muß thätig sein; was er thut, mit Empfindung und Stärke, um des Guten, nicht um andrer Menschen willen thun. Er muß körperliche Kraft genug haben, um die ihn umgebende Natur zu dulden, sich mutig aus Gefahren zu reißen, mutig und kühn dem zu widerstehen, was ihn nötigen will, seinem Kopf und Herzen zu entsagen. Er muß voll Liebe sein gegen andre Menschen, und voll Liebe zu Gott; muß begeistert sein von Wollust bei dem Anblick der innern Wahrheit, inneren Schönheit, innern Güte."

2. Eine Zeit lang schienen viele auch unter uns daran zu arbeiten, den Menschen in einen Zustand der Gleichgültigkeit zu versetzen und alle Nerven der Seele abzuspannen. Dies war besonders in den höheren Ständen der Fall, wo man so oft gerade diese Gleichgültigkeit für das eigentliche Ziel der Philosophie und der Aufklärung hielt. Diese Kälte gegen alles Große, Kühne und Erhabene, dieses Spotten über jede Äußerung des Enthusiasmus in dem tugendhaften oder religiösen Manne, dem Weltbürger, diesem vornehme Hohnlächeln über die erhabne Aufopferung für Wahrheit und Recht, dies sich genügen lassen mit dem gemeinsten Verdienst: dies alles führte notwendig zur Erschlaffung und Trägheit. Trägheit aber ist der Tod aller Tugend. Die meisten Enthusiasten haben etwas in sich, was sie über gemeine Menschen erhebt, was irre führen kann, aber doch an sich immer Achtung, und für große Zwecke benutzt und dem moralischen Gesetz untergeordnet, Bewunderung verdient. Dies kann man so vielen schwach organisierten, von Haus aus abgestumpften reichen Edelknaben, Kaufmannssöhnen und anderen vornehmen Burschen nicht oft genug sagen, damit sie sich wenigstens nicht beigehen lassen, dessen zu spotten, was man ihnen selbst bei ihrer Abgespanntheit ja gern erlassen will. Wir müssen hoffen, daß die Lehre der letzen Zeit nicht vergebens sein werde. Man vergl. auch hier die III. Beilage: Über die Erziehung für eine ideale Welt.

3. Die Lektüre der Alten, besonders das Studium der griechischen und römischen, und überhaupt eine jede Geschichte großer kräftiger Naturen, die fast jedes Zeitalter aufzuweisen hat, auch Abts vortreffliches Werk vom Verdienst, liefert hierzu reichen Stoff. Freilich war bei den Alten die Vaterlandsliebe (von welcher § 136 ein mehreres) ein mächtiger Sporn. Aber auch jetzt läßt sie sich, wie die Erfahrung gelehrt hat, und vielleicht ein noch reinerer Enthusiasmus für Menschenwohl, erwecken. —

120. Pädagogisch-moralische Heilkunde.

Nur zu oft ist auch der moralische Erzieher in dem Falle, das Geschäft eines Arztes zu treiben. Seine Zöglinge sind entweder durchaus verwahrlost und schon sehr verdorben; man erkennt kaum noch in ihnen die natürlichen schönen Anlagen andrer Kinderseelen; oder sie haben sich wenigstens auf eine oder die andre Art von dem Wege des Rechts verloren, ein größeres Vergehen begangen, sich des Vertrauens durch eine wichtige Pflichtverletzung unwert gemacht. Im ersten Fall ist eine radikale Kur notwendig; im andern muß nur das momentane Übel gehoben, nur vor der Verirrung bewahrt werden. Beides ist das Geschäft der moralisch-pädagogischen Heilkunde. Sie folgt im allgemeinen eben den Grundsätzen, welche bisher entwickelt wurden. Indem man die guten Triebe und Neigungen stärkt, schwächt man die bösen. Nur ist dem Erzieher, je kränker sein Zögling ist, desto mehr seine Kenntnis der Natur der Krankheiten, desto tieferer Blick in den Zusammenhang und die Komplikation der Übel, desto genauere Aufspürung der wahren Ursachen derselben, ein desto richtiger Maßstab in der Beurteilung ihrer Moralität, besonders aber desto mehr Geduld, Ausdauer und weise Wahl der Heilmittel zu wünschen, damit er nicht vielleicht, indem er ein Übel ausrottet, ein andres hervorbringe, oder Gutes hoffe, ehe das Böse weggeschafft ist. Er muß zu dem Ende nicht nur mit den einzelnen Krankheiten der Seele, sondern auch mit ihren mannigfaltigen Modifikationen bekannt sein, wozu die bald folgenden spezielleren Ansichten der moralischen Erziehung (2 ter Abschn.), eine nähere Anleitung geben werden. Er muß damit anfangen, die Quellen des Übels, so weit es in seiner Gewalt ist, zu verstopfen, wozu aber oft die Versetzung des Zöglings in eine ganz andere Lage notwendig ist. Er muß sich gewöhnen, auch mit langsamer Besserung zufrieden, bei schnell scheinender höchst vorsichtig vor Selbsttäuschung, überhaupt aber darauf gefaßt zu sein, daß jede radikale Kur eines verdorbenen Charakters eine der schwersten Aufgaben sei, die nur unter sehr seltnen Bedingungen ganz gelöst werden kann.

121. Fortsetzung.

Nicht so schwer ist das Geschäft des Erziehers da, wo von einzelnen Fehltritten die Rede ist, obwohl die Fälle zuweilen auch in ihren Folgen sehr wichtig werden können. Man beachte, 1. zumal bei jüngeren Kindern, sehr genau die erste Abweichung von irgend einer guten Gesinnung, die man bis dahin an ihnen gekannt hat, und nehme sie so hoch auf, als es nur immer mit der Beschaffenheit der Handlung im Verhältnis steht. Sie, weil es das erste Mal ist, ganz unbemerkt zu lassen, ist niemals, sie nicht zu ahnden, nur sehr selten ratsam. Doch kann das letztere da geschehen, wo man die größere

Wahrscheinlichkeit hat, daß sie nicht leicht wieder vorkommen werde. Man unterscheide 2. Vergehungen, die auf eine schon ältere Verderbnis des Herzens schließen lassen, von solchen, die durch einen ungewöhnlichen Zusammenfluß der Umstände beinah unvermeidlich geworden sind. Jene sind die nachdrücklichsten Erinnerungen für den Erzieher, daß er bis dahin nicht scharfsichtig genug in seinen Beobachtungen gewesen ist, oder den Charakter gerade von der Seite nicht genug bearbeitet hat, von welcher er dessen am meisten bedurfte. Man sei 3. äußerst aufmerksam auf das Benehmen des Zöglings nach einem Fehltritt. Es lassen sich hier tiefere Blicke in seinen Charakter thun, als bei einem steten Gleichbleiben desselben möglich wäre. Da zeigt es sich am deutlichsten, ob der gute Sinn noch der herrschende in ihm geblieben ist, oder ob er nicht unvermerkt abgenommen hat. Im letzteren Falle sind Störrigkeit, Trotz, Kälte, Fühllosigkeit oder großer Leichtsinn unfehlbare Kennzeichen. Man erneuere 4. das Andenken an den einzelnen Fehltritt nicht zu oft, am wenigsten da, wo der Fehlende glauben könnte, es habe gereizte Leidenschaft teil daran. Aber man vergesse ihn deshalb doch selbst nicht zu schnell, um wenigstens indirekt den Charakter von der Seite zu stärken und zu verbessern, von welcher er sich am schwächsten gezeigt hat. Ist man 5. genötigt gewesen zu strafen, so hüte man sich eben so sehr, seinen Unwillen oder seine Kälte fortzusetzen, als zu übereilt in das vorige Verhältnis zurückzutreten, oder wohl gar den Bestraften nun mit Liebkosungen zu überhäufen. Er muß dadurch beinah auf den Verdacht kommen, daß man ihm Unrecht gethan zu haben fühle. Das meiste ist 6. von der Entfernung der Ursachen zu hoffen, welche das Verderbnis erzeugt haben. So lange diese fortwirken, ist alles Ermahnen und selbst die öftere Rührung des Gemüts vergebens. Aber oft ist dazu eine gänzliche Veränderung der äußeren Lage die erste Bedingung.

Zweiter Abschnitt.

Spezielle Grundsätze der moralischen Erziehung, mit Hinsicht auf einzelne Charaktertugenden und Charakterfehler.

122. Vorerinnerung.

Alle moralische Erziehung muß auf die Veredlung der ganzen Gesinnung, auf die innere Harmonie aller Vorstellungen und Neigungen, alle innere und äußere Thätigkeiten hinwirken. Nur daraus geht der tugendhafte Charakter hervor, den man so oft mit einigen guten Eigenschaften, oder der Freiheit von manchen Untugenden verwechselt, und sich daher so leicht zufrieden stellt, wenn man seinen

Zöglingen nur einiges Böse abgewöhnt, einiges Gute in ihnen er=
halten oder hervorgebracht hat, wodurch gleichwohl für ihren sittlichen
Wert noch so wenig erreicht ist. Indes muß die moralische Erziehung
auch fördernd und bessernd auf das Einzelne Rücksicht nehmen, und in=
sofern lassen sich von den allgemeinen Grundsätzen noch besondre
Regeln unterscheiden, welche einzelne Tugenden und moralische Fertig=
keiten, so wie die Verhütung und Vertilgung einzelner Unarten
zum Gegenstande haben. Die Pädagogik dürfte dabei gewissermaßen
auf jedes Moralsystem verweisen; wenn nicht das, was in dieser Hin=
sicht zu thun ist, manches Eigentümliche in dem Verfahren des Jugend=
erziehers notwendig machte; und wenn nicht namentlich auf das Ent=
stehen guter und schlimmer Eigenschaften des Charakters und ihre erste
Behandlung gerade hier so vieles ankäme. Schon viel ist gewonnen, wenn
nur der Erzieher in den Ursprung und die Natur des Guten und des
Fehlerhaften und seine allmähliche Entwickelung richtige Einsichten hat
und sich von diesen in der Behandlung jugendlicher Gemüter leiten
läßt. Hierzu eine speziellere Anleitung zu geben, ist die Bestimmung
dieses Abschnittes.

Anmerk. Fleißige Beschäftigung mit der Erfahrungsseelenlehre ist bei
der moralischen Bildung junger Seelen die Hauptsache. Hierzu ist auch viel vor=
gearbeitet. So findet man z. B. eine sehr lehrreiche Entwickelung des Anteils
der Temperamente an einzelnen Fehlern und Tugenden in Platners philoso=
phischen Aphorismen 2. T. S. 251 u. f., vergl. mit Dessen neuer Anthro=
pologie, I. Bd. S. 336 ff. 605 ff., Garves Bemerkungen in den Abhand=
lungen zum Cicero von den Pflichten, I. T. S. 190 ff., und Kants Anthro=
pologie S. 273 — 281. Von der Behandlung einzelner Fehler und
Tugenden handeln, außer dem, was man bei Locke und Rousseau darüber
findet, Basedow im Methodenbuche und Elementarwerke; desgleichen Villaume
im Revis. Werke, 2. T. 5. Abteil.: Über das Verhalten bei den ersten Unarten
der Kinder, 4. T. II. Abteil.: Theorie, wie gute Triebe und Fertigkeiten durch
die Erziehung geweckt, gestärkt und gelenkt werden müssen. 5. T. 14. Abteil.:
Von den schädlichen Trieben; im ganzen lehrreich, nur allzu wortreich, oft zu
unbestimmt und in den vorgeschlagenen Mitteln nicht ganz harmonisch mit dem
obersten Zwecke der Erziehung. Vieles findet man auch über diesen Gegen=
stand in der Familie Werthheim von Heusinger. Noch vorzüglichere Beiträge
auch zu diesem Kapitel liefert der 2te Teil von Schwarz Erziehungslehre, be=
sonders sofern von dem Entstehen und der Behandlung und den ersten Unarten des
Kindes die Rede ist; vergl. 3. T. I. Abteil. S. 233. — Sehr populär und auch
für weniger gebildete Eltern verständlich zeigt die verkehrte Behandlung der Kinder
in einzelnen Fällen Salzmanns Krebsbüchlein, oder Anweisung zu einer un=
vernünftigen Erziehung der Kinder. 4te Aufl. Erfurt 1807, und Desselben:
Konrad Kiefer, oder Anweisung zu einer vernünftigen Erziehung der Kinder, 1796.

123. Über die natürliche Lebhaftigkeit aus dem moralischen Gesichtspunkte.

Gesunde wohlorganisierte Kinder äußern früh Kraft und Leben, und nichts sollte uns schon in dem ersten Alter in ihnen willkommner sein. Neben der Gesundheit deutet es auf Regsamkeit ihrer inneren Kraft und verspricht Fähigkeit und Bildsamkeit. Verbannt sei also aus der Erziehung alles, was die natürliche Lebhaftigkeit unterdrückt. Sie bemühe sich vielmehr, diese zu erhalten, den Trieb nach Thätigkeit zu stärken, ihm folglich auch angemessene Gegenstände zu verschaffen. Weder Körper noch Geist werde an Fesseln gelegt. Stillsitzen werde eben so wenig als sehr langes Ausdauern bei ernsthaften Beschäftigungen verlangt. Beides zeigt entweder schon Stumpfheit der Kräfte, oder geht nur zu bald in sie über. Lebendigkeit erhält Kindern jenen schönen Frohsinn (90.), der nicht bloß das Aufkommen böser Neigungen verhütet, sondern auch die besseren Triebe hervorlockt: Lenksamkeit, Willigkeit, Fleiß, Wohlwollen, gefällige Dienstfertigkeit, schnelles Gefühl für das Gute und Schöne; lauter liebenswürdige Eigenschaften, welche man an Kindern, in welchen eine tyrannische Zucht den Geist gedämpft hat, vergebens sucht, die aber durch das einfache Mittel, sie froh und lebendig zu erhalten, mehr als durch alles Moralisieren in den früheren Jahren geweckt und erhalten werden.

124. Mäßigung der ausartenden Lebhaftigkeit.

Allerdings aber ist eben diese Lebhaftigkeit auch die Mutter vieler Unarten und Fehler, über welche so häufig bei Kindern geklagt wird, und die, so verzeihlich sie an sich in den früheren Jahren sein mögen, gleichwohl nicht unbeachtet bleiben dürfen. Sie erzeugt nicht etwa bloß den leichten Sinn, welcher auch noch im reiferen Alter so wohlthätig ist, sondern auch den fehlerhaften Leichtsinn, welcher überall das Wichtige von dem Unwichtigen nicht unterscheidet, unachtsam macht, keine Rücksicht auf die Folgen nimmt, und daher zu oft zu Unbesonnenheiten aller Art, selbst zu Schlechtigkeiten verleitet. Lebhafte Kinder sind dabei ungleich flatterhafter, vergessener, unordentlicher, unsteter und ungeduldiger, zerstreuter und flüchtiger beim Lernen und Arbeiten, nachlässiger in ihrer Kleidung, unachtsamer auf ihre Sachen und ungesitteter in der Gesellschaft. Dies alles sind zwar noch keine Fehler des Herzens, aber es sind doch Fehler, welche sie ablegen müssen und wozu frühe Gewöhnung beinahe das einzige sichere Mittel ist. Auch mögen weise gewählte positive Mittel dann hinzukommen, wenn man anfängt, Mangel an gutem Willen zu bemerken, oder so bald jene Fehler schon einen höheren Grad erreicht haben.

Anmerk. 1. Es ist ein großer Unterschied zwischen Naturen, die sich durch Lebhaftigkeit und die sich durch rohe Wildheit auszeichnen. Jene können, so bald Teilnahme an einem Gegenstande geweckt ist, sogleich in die Schranken zurückgebracht und sogar höchst besonnen werden; diese sind fast gar nicht fest zu halten. Ihr Sinn ist immer zerstreut, unbändig, und dabei wohnt doch wenig wirkliche Kraft im Innern. Sie zersplittert sich wenigstens unaufhörlich.

2. In Absicht der Behandlung der genannten Fehler wiederhole man zunächst, was oben (97.) von der Gewöhnung überhaupt gesagt ist. Es ist auf die meisten derselben anwendbar.

Die gewöhnliche Methode, Kinder tausendmal zu erinnern, auch wohl von Zeit zu Zeit zu strafen, ohne darauf zu bestehen, daß, was zu ändern möglich ist, auf der Stelle geändert werde, hilft wenig oder gar nichts. Wer etwas vergessen hat, muß sogleich den Weg noch einmal machen; wer etwas aus Unordnung verloren hat, muß sofort angehalten werden, so lange zu suchen, bis er es findet. Wer eine Arbeit zu flüchtig machte, schrieb, zeichnete, werde nicht sowohl ausgescholten, als genötigt, sie noch einmal von vorn zu machen, bis sie so gut wird, als er sie machen kann, sollte er auch noch so viel Vergnügungen darüber versäumen, deren sich indes die Fleißigeren freuen. Wer gewarnt seine Kleider mutwillig verdirbt, trage die Schande; auch ersetze er unter gewissen Umständen den Schaden. Wer aus Unachtsamkeit oder Wildheit etwas zerbricht, dem werde entweder der Gebrauch entzogen, bis er zeigt, daß er achtsamer geworden ist, oder in manchen Fällen werde er auch zum Schadenersatze genötigt.

3. Manche jene Fehler muß man indes in gewissen Fällen zwar weder billigen noch belächeln, wohl aber kaum zu bemerken scheinen, weil man sie eigentlich nicht strafen und kaum verweisen kann.

Kinder sagen oft etwas oder urteilen rücksichtslos auf Personen und Umstände, auf eine Weise, die man zwar unbesonnen nennen muß, wobei sie jedoch im Grunde recht haben. Man würde sie falsch machen, wenn man sie deshalb sogleich tadelte. Ihre Unmanierlichkeit ist zuweilen reiner Ausdruck unverkünstelter Natur. Es ist leicht, sie zu Marionetten zu verkünsteln; — aber auch wohlgethan? In reiferen Jahren werden sie schon fähig werden, etwas von dem Konventionellen unter den Menschen zu begreifen und einzusehen, daß Klugheit und Redlichkeit neben einander bestehen können. Dann ist es Zeit, sie darüber zu belehren. Sollen sie in früheren Jahren nichts von andern Leuten sagen, was diese verdrießen kann, so lasse man sie lieber nichts dergleichen hören; oder jene mögen sich hüten, keine Blöße zu geben. Doch sollen Erinnerungen, im Urteil bescheiden zu sein, hierdurch nicht ausgeschlossen werden.

4. Unstetes Wesen und Ungeduld bei den Arbeiten und Beschäftigungen entstehen gemeiniglich aus mangelndem Interesse an der Sache, oder weil man im Anfang der Flüchtigkeit und Oberflächlichkeit zu sehr nachgesehen hat; daher die meiste Klage darüber in denen Schulen, wo man vieles vorträgt, was nicht für Kinder gehört, und wo man oberflächlich lehrt. Man schaffe dies weg und interessiere die Kinder nicht durch Erleichtern, sondern durch Anstrengen nach dem Maß ihrer Kraft. Die lebhaftesten werden dann gerade die unermüdetsten sein. Es liegt fast immer an dem Lehrer, wenn sie ungeduldig dem Ende entgegenseufzen.

125. Natürliche Trägheit der Kinder.

Viel leichter scheint es allerdings, Kinder zu erziehen, welche von Jugend auf ruhig und still sind und kaum leise Erinnerung nötig

13*

machen, weil ihre natürliche Schwerkraft schon dafür sorgt, daß sie
nicht zu beweglich werden. Aber etwas positiv Gutes ist dies gewiß
nicht in ihnen; es ist bloß bequem für die Erzieher, aber desto nach=
teiliger für die Ausbildung körperlicher, intellektueller und moralischer
Kräfte. Liegt der Grund in einem krankhaften Zustande des Körpers,
so muß man Sorge für seine Gesundheit tragen, damit er regsam
werden könne; liegt er mehr in seine im ganzen Temperament, so läßt sich dies
zwar nicht umschaffen, und immer wird etwas Schwerfälliges und Lang=
sames im Geschäft übrig bleiben. Doch kann verhütet werden, daß der
Hang dazu wenigstens nicht zunehme. Viel Veranlassung zu Bewegung,
Einführen in die Gesellschaft munterer Kinder, Reiz von innen und außen
zur Thätigkeit und zur Weckung des Ehrgefühls, kann sogar manches
verbessern. Am allerverkehrtesten wäre es, träge Ruhe zum Verdienst
anzurechnen. Sie kann ihnen in manchen Lagen des Lebens höchstens
schmerzhaftere Empfindungen ersparen, sie gleichmütiger machen und wie
ein Opiat wirken. Aber das ist auch der ganze Gewinn.

126. Untugenden aus Trägheit.

Oft verbindet sich mit jener — wenigstens unschädlich scheinenden
— Trägheit ein starker Hang zu gröberer Sinnlichkeit, obwohl
dieser sich auch bei Kindern von lebhafterem Temperamente findet, von
welchen man eben dann zu sagen pflegt, „daß sie viel Temperament
haben." Dieser Hang greift bald in mancherlei Untugenden über. Da=
hin gehört: Scheu vor aller Anstrengung und schlaffe Bequem=
lichkeitsliebe, zu großes Wohlbehagen an allen Arten sinn=
lichen Genusses, des Geschmacks (Leckerheit) und des Gefühls
(Weichlichkeit und frühe Neigung zur Wollust). Eben daher ent=
steht auch im gesellschaftlichen Leben epikureischer Egoismus, der nur
für sich besorgt, aber für andre unbekümmert ist und, so bald es auf Stö=
rung einer Bequemlichkeit ankommt, ungefällig gegen sie wird; wobei
es übrigens gerade nicht ganz am Wohlmeinen fehlt, so bald nur die
Dienstleistung keine Mühe macht und es bloß auf Bewilligen, nicht
auf Handeln ankommt. In den Jünglingsjahren erzeugt sich Abnei=
gung vor jeder Gesellschaft, wäre sie auch noch so reizend und
verspräche sie noch so viel Unterhaltung des Geistes, so bald man darin
auf sich acht geben (sich genieren) muß; Aufopferung wichtiger
Vorteile, wenn man dadurch aus seiner Ruhe gestört würde. Alle
diese Untugenden bedürfen einer kräftigen Gegenwirkung; denn Menschen,
die von ihnen beherrscht werden, verlieren zuletzt allen eignen Wert und
alle Brauchbarkeit für die Gesellschaft.

Anm. Hierüber folgende praktische Bemerkungen:

1. Dem Hange zur Sinnlichkeit wirkt man überhaupt schon durch
Entfernung alles dessen, wodurch sie genährt wird, entgegen. Man vermeide

folglich a) alle Verzärtelung, Verweichlichung; b) die Befriedigung jedes Wunsches; c) mütterliche, aber eigentlich kindisch schwache Besorgtheit für jede Bequemlichkeit des Kindes; d) Unterhaltung der Phantasie mit Verheißung bevorstehender sinnlicher Genüsse. — Entgegen wirkt a) frühe Abhärtung, Gewöhnung an Beschwerden und Mühseligkeiten; b) lebendige Darstellung des Verächtlichen der rohen Sinnlichkeit und der Gefahr, durch Nährung der feineren in die gröbere zu verfallen; durch stark ausgesprochene Verachtung im Urteil über Menschen, denen sinnliche Genüsse das höchste Gut sind; c) oft veranlaßter Wetteifer, sich mit andern in Erduldung des Unangenehmen, der Witterung, der schlechten Kost und mancher Entbehrungen zu messen; d) Kultur des Geistes und Erweckung des Sinnes für das Schöne, Wahre und Gute.

Jünglinge, welche so leicht zum Wohlleben und zur Schwelgerei hingerissen werden, schützt, besonders wenn sie im Überfluß erzogen sind, nichts als rege Liebe zu den Wissenschaften und überhaupt zu geistigen Beschäftigungen. Ohne diese gehen sie fast ohne Ausnahme verloren. Daher sollte man gerade die, welche um des Brodes willen wenig zu lernen brauchen, am meisten lernen lassen, damit sie vor der unglücklichen Meinung bewahrt werden, sich ganz ruhig für bloße fruges consumere natos zu halten und mit dem Sinne für Geistesbildung und dem Geschmack an jeder Art gemeinnütziger Beschäftigung zugleich die Scham vor einem bloß tierischen Sinnenleben in ihnen erwache. Daß, im ganzen genommen, unser Adel gesitteter geworden und noch etwas mehr als jagen, trinken und schwelgen gelernt hat, (was vordem so häufig zu den nobles passions gerechnet wurde): dies ist doch unstreitig die Folge besserer Erziehung und allgemeiner Geisteskultur.

Von den Mitteln gegen frühe Wollust ist oben (§ 35 ff.) gehandelt. Daß die Leckerhaftigkeit bei beiden Geschlechtern sehr oft die Vorbedeutung davon sei, ist schon von mehreren Pädagogen bemerkt worden.

2. Die Scheu vor Arbeit und Anstrengung, welche in Trägheit und Unfleiß bei allen Geschäften übergeht, muß durch Erweckung irgend einer Neigung, die nur durch Thätigkeit befriedigt werden kann, geschwächt werden. Je nachdem der Charakter ist, muß man es mit dem richtigen Ehrgefühl, oder mit dem Wohlwollen, das nach Liebe und Zufriedenheit des Erziehers strebt, oder mit dem Erwerbstriebe, oder auch mit unangenehmen Empfindungen, so fern sie Folgen der Trägheit sind, z. B. Entbehrungen, besonders auch Mortifikationen für die Bequemlichkeitsliebe, versuchen. Bei jüngeren Kindern ist die Hauptsache, die Arbeit interessant zu machen, wär's auch nur durch einen Nebenumstand. Sie schreiben besser in ein neues Schreibbuch, lesen fleißiger, wenn das Buch gut gebunden ist u. s. w. Alles Einerlei ermüdet sie. Aber man muß sich doch hüten, zu oft zu wechseln; sonst kennen ihre Wünsche nach Veränderung kein Ziel.

3. Ungefälligkeit aus Bequemlichkeit wird abgewöhnt, wenn Kindern nie gelingt, eines Dienstes entlassen zu werden, dem sie sich entziehen wollen. Haben sie sehr aufmerksame, gefällige Geschwister oder Gespielen, so sind diese immer zuerst bei der Hand. Läßt man dies zu, so werden sie von Tag zu Tag bequemer, und der Vorwurf, „daß sie sich beständig aufwarten lassen," gleitet nach und nach an ihnen ab oder wirkt höchstens eine vorübergehende Schamröte. Man muß in solchen Fällen in der Regel bestimmt sagen, wer etwas thun soll, zuweilen nur fragen, wer von mehreren etwas thun will. Dann wird Schande halber auch der Bequeme Miene machen. Dies nehme man für Ernst, bemerke die Langsamkeit nicht, womit er's thut, und ernenne nun ihn zur Ausrichtung des Geschäfts, als Lohn für die bewiesene Bereinwilligkeit. Manche Eltern sind verkehrt genug, solche durch Erlassung des Dienstes zu belohnen, „weil er doch den guten Willen gezeigt hätte."

Auch an lebendig dargestellten Beispielen lehre man, wie viel Gutes selbst wohlwollende Menschen unterlassen, bloß aus Bequemlichkeit. Lange gesäumt ist halb, oft kaum halb gethan.

4. Die Art von Liebe zur Bequemlichkeit und Ruhe, die sich nicht genieren will, ist besonders Jünglingen eigen und in hohem Grade verderblich. Sie kann die Quelle von Rohheit und zuletzt sogar von niedriger Lasterhaftigkeit werden. Durch sie versinken junge Leute aus den besten Familien in den akademischen Jahren in ein jämmerliches asotisches Sinnenleben, wobei sie Tausende verschwenden, ohne den geringsten wahren Genuß, welcher sie in den gebildetsten Gesellschaften erwartete, zu finden: und dies bloß, weil sie sich da mehr als in den Reitställen und Weinhäusern genieren müssen. Bei denen, welche auch übrigens eine gesicherte Moralität haben, macht dieser Hang doch menschenscheu, nach und nach menschenfeindlich und höchst unleidlich, zumal wenn sich, wie so oft, Stolz dazu gesellt, der immer aufgesucht sein will und hinter dem sich das Gefühl von Unbeholfenheit in der Gesellschaft versteckt. Man kann daher die ersten Äußerungen dieser Art von Bequemlichkeit und Zwangscheu nicht sorgfältig genug bewachen. Anfangs kann die Furcht, Langeweile zu haben, zu wenige seinesgleichen zu finden, oder auch das Gefühl, sich der Gesellschaft nicht interessant genug machen zu können, eine gewisse Blödigkeit erzeugen; aber zu dieser Blödigkeit kommt sehr leicht Mangel an gutem Willen. Man gebe sich daher Mühe, es jungen Leuten zuerst zu erleichtern, ihnen Vorschläge zu thun, wie sie sich zur Teilnehmung auch an dem Umgange der Erwachsenen gewöhnen können. Wo man irgend kann, sorge man, daß die Gebildeteren auch junge Leute mit in das Gespräch ziehen, sich einige Mühe um sie geben, damit diese sehen, daß man sie achte und sich besonders ihrer Wißbegier freue. Auch suche man in ihnen ein Interesse für geistliche Unterhaltung, Sehen und Hören merkwürdiger Personen zu wecken. Ihre anfängliche Verlegenheit bemerke man kaum, muntere sie aber bei den kleinsten Proben von Besiegung des maulfaulen Wesens auf; lobe den schwächsten Versuch gesprächig und mitteilend zu werden und andern durch Aufmerksamkeit kleine Dienstleistungen zu beweisen.

Am wenigsten gebe man dem Hange nach, unter allerlei elenden Vorwänden von Geschäften u. s. w. sich immer zurückzuziehen; trage aber auch Sorge, ja nicht durch viele, große und steife Gesellschaften die Abneigung junger Leute vor diesem wirklichen Zwange zu rechtfertigen. Denn dem innerlich thätigen und lebendigen Jünglinge können langweilige Gesellschaftskreise allerdings nicht gefallen. — Hierher gehörige treffliche Bemerkungen sehe man in Mösers patriotischen Phantasieen, besonders im 2. T.; auch in Schelle über den Frohsinn, Leipzig 1801.

127. Aufrichtigkeit und Lügenhaftigkeit.!

Gott hat den Menschen aufrichtig gemacht, und daß im Munde der Kinder Wahrheit sei, ist zum Sprichwort geworden. Ob die Offenheit, zu welcher sie ursprünglich alle geneigt scheinen, sich durch Heraussagen jedes Gedankens lauter ankündigt oder nur bei einzelnen Gelegenheiten bewährt, hängt von der Eigentümlichkeit des Temperaments ab [1]. Wenn aber schon Kinder auf Künste des Betrugs sinnen, so scheint die natürliche Anlage von außen verderbt zu sein. Das Lügen, das Verstellen, das Ausweichen, das Verbergen der Wahrheit, das Nichtgestehenwollen eigner Schwäche, das Sinnen auf kleinere oder größere Betrügereien, bis zur hartnäckigen Behauptung der Unwahrheit, hat irgend eine äußere Veranlassung; irgend ein Interesse liegt im Hintergrunde. Sehr viele Unwahrheiten veranlassen die Erzieher selbst. Sich, nicht die Kinder sollten sie anklagen. Andre entstehen, wenn die Verhältnisse mannigfaltiger werden, in welche Kinder treten, oder wenn Neigungen in ihnen herrschend geworden sind, zu deren Befriedigung sie der Lüge nicht entbehren können[2]). Nach und nach kann der ganze Charakter seine natürliche Wahrheit und mit ihr eine seiner achtungswürbigsten Eigenschaften verlieren, dagegen Verstellung, Falschheit und Gleisnerei zur andern Natur werden. Desto wichtiger ist die Erhaltung der Aufrichtigkeit und Wahrheitsliebe[3]).

Anm. 1. Ein unglücklicher Sprachgebrauch verwechselt schon in der Kinderwelt ehrlich und einfältig, wohl gar die edle Einfalt des Sinnes mit Unverstand und Dummheit. Dies kommt daher, daß dem offnen Kopfe Lügen und Betrügen leichter wird und daß der Schwächere weniger Reiz fühlt, ein Mittel anzuwenden, das er nicht durchführen zu können fürchtet. Übrigens giebt es auch sehr verständige und kluge Menschen und sehr offne Köpfe unter Kindern und Jünglingen, in deren Herzen dennoch kein Falsch ist.

2. Den meisten Anteil an dem Lügen und Betrügen der Jugend hat:

a) Fehlerhafte Behandlung schon in den früheren Jahren. Man macht Kinder lügenhaft und falsch 1. durch eignes Beispiel, indem man vieles in ihrer Gegenwart redet, wovon sie genau wissen, daß es nicht wahr ist; 2. durch eignes Gewöhnen zu mancherlei, wenn auch unschädlichen Lügen gegen andre Menschen; 3. durch bezeugtes Wohlgefallen, wenn sie andre fein belogen und sich durch schlaue List und Trug aus einer Verlegenheit gezogen haben; 4. durch unverhältnismäßige Strenge bei den kleinsten Vergehungen; 5. durch hartes Zureden und in Versuchungführen, wo man vermuten kann, daß sie nicht gern die Wahrheit bekannt machen wollen, z B. um eines andern zu schonen, ihm Vorwürfe, Strafe zu ersparen; 6. durch Leichtgläubigkeit, die ihren Äußerungen nicht auf den Grund geht und zu vieles, was sie sagen oder klagen, dahin gestellt sein läßt, wodurch sie oft versucht werden, dieses Vertrauen zu mißbrauchen; 7. umgekehrt auch durch Mißtrauen gegen ihre Aussagen, geäußerte Zweifel, ob man ihnen auch glauben könne. Dazu kommt allerdings

b) bei den Zöglingen selbst oft bloßer Leichtsinn, Zerstreutheit, Flatterhaftigkeit, Unüberlegtheit; dann eigennütziges Interesse, Hoffnung etwas zu gewinnen, straflos zu bleiben, sich wenigstens Beschämung, auch wohl geliebten Eltern und Lehrern einen Verdruß zu ersparen, einem Freunde durchzuhelfen; oft auch nur, um nicht für einen Wiedersager oder für furchtsam gehalten zu werden. Auch sehr lebhafte Einbildungskraft verleitet zuweilen zu Unwahrheiten, meistens zu Übertreibungen, die zur andern Natur werden und sehr unzuverlässig machen können.

3. Die Moralität der Kinder beim Lügen ist allerdings sehr verschieden. Bei einigen ist bloßer Leichtsinn, bei andern Furcht und Angst, bei noch andern Bosheit und Arglist die Quelle. Bei einigen muß man Motiv und Zweck sogar achten, z. B. Treue gegen einen Freund, wenn man gleich die Mittel nicht billigen kann. Erzieher ohne Herzenskenntnis werfen dies alles in eine Klasse und behandeln eine Lüge so hart wie die andere. So geneigt man indes auch sein mag, manche zu entschuldigen, so ist es doch von großer Wichtigkeit, daß der Charakter wahr und offen bleibe. Nichts sichert seine innere Güte so sehr als dies.

Dahin führt zuvörderst despotische Erziehung niemals. Sogar der liebevollsten wird es bei manchen Subjekten schwer. Sie mache es sich nur, außer der Vermeidung aller der (2. a.) angeführten, sehr gemeinen Fehler, zum ersten Grundsatz, die Zöglinge bemerken zu lassen, daß Redlichkeit über alles gehe, daß Ehrlichkeit selbst gröbere Verletzungen der Pflicht mildere, wenn gleich nicht immer straflos mache, Lüge und Falschheit die Schuld vergrößere; daß sich Aufrichtigkeit allemal durch Vertrauen belohne; daß sich die kleinste Entfernung von der Wahrheit wenigstens durch Mißtrauen bestrafe und immer weniger Glauben finde, je öfter der Glaube hintergangen sei. Nächstdem erleichtre man dem Zögling die Offenheit; führe ihn nicht in Versuchung; umwinde ihn nicht mit künstlichen Inquisitionsfragen; stelle sich nicht leicht unwissend, wenn man etwas von ihm heraus haben will, und verschone ihn sogar mit Bekenntnissen, wenn man berechnen kann, daß sein Herz zuviel dabei leiden würde. Hat er täuschen wollen, sei die Sache noch so unbedeutend, dennoch lasse man ihn nie in der Meinung, daß man es nicht bemerkt habe. Er muß nicht glauben, daß er der Klügere sei. Beschämung und Verachtung des beharrlichen Lügners ist übrigens in den meisten Fällen besser, als andre positive Strafen; es sei denn, daß mit der Lüge noch irgend ein andres großes Vergehen verbunden wäre, und daß man gleich anfangs übler Angewöhnung dadurch zuvorzukommen hoffen dürfte.

Man lasse sich aber auch selbst durch den Schein der Aufrichtigkeit und Offenheit nicht täuschen.

Kinder, die alles wiedersagen und heimtragen, was sie sehen und hören, sind oft sehr bösartig. Ihre Offenheit ist entweder elende Waschhaftigkeit, ein Zeichen seichter Köpfe, die sich nie mit sich selbst beschäftigen können, oder sie ist Eigennutz. Sie wollen sich angenehm machen oder nur der Strafe entziehen, wenn man zu allgemein der Ehrlichkeit die Erlassung der Strafe verheißen hat.

Sehr oft ist dieses Wiedersagen ein Anklagen. Dies muß erlaubt sein, wenn Bedrückung und Beleidigung des Zöglings selbst vorhergegangen ist; es muß Pflicht sein, muß für edel erklärt werden, wenn einem gedrückten Schwächeren dadurch geholfen werden kann; sonst begünstigt man die Selbsthilfe. Nur vorsichtig darf der Erzieher zu verstehen geben, daß es Verstand und Gewandtheit anzeige, wenn man Streitigkeiten selbst beizulegen verstehe, ohne gleich zum Richter zu laufen, und daß es auf Wohlwollen deute, wenn man auch etwas ungerochen ertragen und verzeihen könne. Aber Anklagen, um einen andern in Schaden zu bringen, besonders heimliches Zutragen dessen, was andre gesagt oder getan haben, verrät Niedrigkeit im Charakter, ist fast nie arglos, und man verdirbt Kinder im tiefsten Grunde ihres Gemüts, wenn man sie — was gleichwohl so oft in Familien und in Schulen geschieht — dazu aufmuntert.

Man sorge endlich auch dafür, daß in die Äußerung der Empfindungen und inneren Zustände nichts von Falschheit und Heuchelei komme; wohin die gewöhnliche Modeerziehung, die frühe Politur, oder auch die so herrschende Geneigtheit der Menschen, sich mit Schein zu begnügen und die Grimasse des inneren Gefühls für das Gefühl selbst zu halten, geradezu führen muß.

Was geschieht in der Welt nicht alles zum Schein, und wie fügen sich oft auch die besten nach dem Herkommen, welches nun einmal mit sich bringt, sich zum Schein zu freuen, zu betrüben, Teilnehmung vorzugeben, etwas schön, häßlich u. s. w. zu nennen, so wenig man es im Grunde so findet! Bewahrt doch ja die Kinder so lang als möglich vor dieser Heuchelei und Gleisnerei der

Empfindung; legt ihnen nichts in den Mund, was nicht in ihrem Herzen ist; verübelt ihnen nicht die freieste Enthüllung ihres Innern! Laßt euch die unrichtigste Empfindung, selbst Mangel an allem Gefühl, lieber sein als Heuchelei, die da redet, wie ihr es gern hört. Ihr erzieht sonst Schauspieler, die überall nur eine Rolle spielen und eben daher zuletzt allen eignen Charakter verlieren.

128. Über starke und schwache Reizbarkeit der Kinder im früheren Alter.

Stärkere Reizbarkeit der Kinder tritt in verschiedenen Erscheinungen hervor. In den ersten Jahren äußert sie sich durch Heftigkeit, Schreien und Weinen, starkes sinnliches Begehren, gewaltsamen Ausbruch jeder angenehmen oder unangenehmen Empfindung, durch lebhaft geäußerte Freude oder Schmerz und durch den Ausbruch des Gefühls gegen die wirklichen oder vermeinten Urheber derselben. Dieses mehr Tierische verliert sich zwar gewöhnlich mit dem Erwachen der Vernunft, jedoch bei dem einen früher, später bei dem andern. Wo die Reizbarkeit schon an sich zu schwach war, wird sie dann noch schwächer und geht in phlegmatische Unempfindlichkeit des Charakters über, die man zuweilen für Gutmütigkeit, Biegsamkeit und moralische Duldsamkeit hält, ob sie wohl eigentlich gar keinen sittlichen Wert hat. Denn Charaktere dieser Art können nicht hassen, aber auch nicht lieben; nicht zürnen, aber sich auch keines Guten freuen. Sie mögen leicht genug durch die Welt kommen; aber sie haben keinen eignen Wert und bekommen weder Selbständigkeit noch Kraft zu eigner Wirksamkeit.

Anmerk. Speziellere Bemerkungen:

1. Das Weinen und Schreien der Kinder in den beiden ersten Jahren ist sehr oft die Folge körperlicher Schmerzen, oft auch der Unbehaglichkeit, worin sie enges Wickeln, Schnüren oder Unreinlichkeit versetzt. Ein großer Physiologe, Sömmering, urteilte: „Das ungeberdige Schreien ist schlechterdings, nach meinen zwanzigjährigen Beobachtungen, Fehler der Erzieher, nie des Kindes, oder es ist Krankheit. Wenig weiß ich so gewiß." — In dem folgenden dritten, vierten und fünften Jahre kommt es auch wohl noch vor. Die einfachste und wirksamste Methode dagegen ist nicht — sogleich Schelten, Schlagen, auch nicht Bedauern, Zureden, Nachsehen, wodurch immer Übel ärger, oder nur für den Augenblick geholfen wird; sondern — keine Notiz davon nehmen, und allenfalls das weinende, schreiende, sich ungeberdig stellende Kind so lange entfernen, bis es ruhig ist; oder weggeben, und es sich selbst überlassen. Daß es sich durch fortgesetztes Schreien schade, ist so leicht nicht zu fürchten. Oft führt das Schreien zur Ermüdung und endet mit Einschlafen und heiterm Aufwachen. Kann das Kind sich schon ausdrücken, so mag man es bei dem ersten Ausbruch des Schreiens bestimmt fragen: „warum es schreie?" Erfolgt eine Antwort, so nehme man den ruhigen Ton, um das Kind zu bedeuten, wiederhole auch wohl, was es gesagt, zerstreue es durch allerlei Zwischenreden, lenke dadurch die Aufmerksamkeit auf etwas ganz anderes. Erfolgt keine Antwort, so gebiete man kräftig Stillschweigen. Gehorcht es nicht, so muß man durch körperlichen Schmerz, das stärkste Reizmittel in diesem Alter, der Ohnmacht des Kindes zu Hilfe kommen; und nun wird eine ernstliche Züchtigung gewiß heilsam sein, wenn nur dann auch wirklich der Wille des Stärkeren durchgesetzt, und so das

Kind sinnlich überzeugt wird, daß es sich besser befinde, wenn es sich der Leitung desselben immer sogleich überlasse. Dadurch wird man dem Kinde selbst für die Folge viele böse Stunden und gewaltsame Zustände ersparen. — S. Revis. Werk II, 399; Emil, (Ausg. v. Sallwürk) I, § 149 ff. Horstig über das Weinen und Schreien der Kinder, Gotha 1798, und Schwarz Erziehungslehre, 2. T. 259, 329.

2. Manche Eltern und Erzieher nennen die ruhigen Kinder gut, wohl gar fromm; freilich machen sie wenig Not! Sehr viel kann die Kunst nicht zu ihrer Belebung beitragen; wenigstens ist für diese Kunst von Psychologen und philosophischen Ärzten noch zu wenig gethan, für eine physisch-moralische Diätetik nach den verschiedenen Temperamenten noch zu wenig vorgearbeitet. Am ersten wachen sie in der Gesellschaft andrer lebhafter Kinder auf. Man muß nur vor allen Dingen verhüten, daß sie ganz unterdrückt werden; denn sehr oft sind sie in Familien die Lastträger, auf die jeder aufpackt, was ihm selbst zu schwer wird.

3. Man thut übrigens unrecht, wenn man natürlich träge Kinder ganz vernachlässigt, weil man meint, es sei doch nichts aus ihnen zu machen. Ist es doch erfahrungsmäßig, daß sogar viele ausgezeichnete Menschen in ihren früheren Jahren unempfindlich, träge, träumerisch schienen und sich erst später wunderbar entwickelten. Überdies giebt es eine Menge Stellen in der Welt, zu denen nur untergeordnete Fähigkeiten nötig sind.

129. Untugenden aus zu starker Reizbarkeit: Empfindlichkeit, Eigensinn, Geist des Widerspruchs, Trotz.

Man hat auf jeden Fall Ursach, es sich lieb sein zu lassen, wenn Kinder reizbar sind. Man darf hoffen, daß, wenn die Vernunft nur Selbstherrscherin wird, gerade diese Empfänglichkeit für jeden Eindruck sie auch vorzüglich geschickt machen werde, durch das Gute affiziert und wider das Böse empört zu werden. Aber das Übermaß hat jene Empfindlichkeit des Charakters zur Folge, welche fehlerhaft ist, weil der Grad der Empfindung zu der Wichtigkeit des Gegenstandes kein rechtes Verhältnis hat. Daraus entsteht zwar unter der Regierung der Vernunft, bei einer gewissen Stärke der Seele überhaupt und besonders der Begehrungen, die Festigkeit, Beharrlichkeit, Selbständigkeit des Charakters; aber auch sehr leicht jener Eigensinn, über welchen in der Erziehung fast aller Kinder Klage geführt wird, und den man so oft gerade durch die Mittel, durch welche man ihn unterdrücken will, am meisten befördert. Er äußert sich durch den Geist des Widerspruchs, durch Ungehorsam, Hartnäckigkeit und Trotz. Große Vorsicht ist in der Behandlung so gestimmter Charaktere nötig, damit die Anlage zum Guten nicht vernichtet, und nur das Fehlerhafte und Schädliche bekämpft werde.

Anmerk. Speciellere Bemerkungen:

1. Die Empfindlichkeit ist an sich nichts Böses im Charakter, und es ist unüberlegt, wenn Erzieher darüber zürnen, daß ihre Zöglinge über Tadel und Verweise empfindlich werden. Wollen sie denn lieber, daß diese Verweise mit halbem Ohre gehört und sogleich gethan werde, als ob nichts vorgefallen wäre? Man sagt: Kinder sollen folgen und den Tadel mit Dank annehmen. Das wird ja selbst Erwachsenen schwer. Es ist der höchste Grad der

Selbstbeherrschung. Kann man diesen mit Recht von jungen Leuten verlangen? Würde, wenn sie so handelten, es nicht ein gekünstelter Zustand, eine studierte Heuchelei sein? Eben daher hüte man sich auch, das Empfindlichwerden an sich übel zu nehmen; man thue vielmehr, als bemerke man es nicht. Desto eher faßt sich der junge Mensch, sieht sein Unrecht ein, fühlt die Gerechtigkeit des Tadels, und bessert sich, je weher ihm der Tadel that. Sogar ein gewisses Aufbrausen, ein lebhafter Zorn bei gewissen Anlässen ist nichts weniger, als ein Zeichen eines verächtlichen Charakters. Der Weise selbst muß zürnen können. Nur die Art der Empfindlichkeit, welche offenbar aus Schwäche des Verstandes entspringt, das kleinliche übelnehmende Wesen, entweder aus Stolz, der durchaus keinen Tadel ertragen kann, oder aus Argwohn, der hinter jedem Wort oder jeder Miene etwas Arges ahndet, ist eine böse Unart und verdirbt den Charakter. Diese muß man bald durch Überführung, daß sie unrecht haben, zurecht weisen oder auch wohl durchgreifend zum Besinnen bringen. Je mehr man diese schwache Reizbarkeit schont, desto unerträglicher werden solche Kinder sich und andern.

2. Eignen Sinn und Willen haben ist an sich etwas Gutes; es muß ja stets einer der letzten Zwecke aller Erziehung sein, dem Menschen zur freien, bloß von der eigenen Vernunft abhängigen Selbstthätigkeit des Willens zu verhelfen. Man achte also schon im Kinde und Knaben das Streben nach Unabhängigkeit und erwarte wenig oder gar nichts von dem, welcher keinen eigenen Willen hat. Man suche daher das Forschen nach Gründen, das Sträuben gegen alles, was der Überzeugung zuwider ist, das Beharren auf seiner Meinung, so lange noch keine Überzeugung da ist, aufzumuntern. Da, wo es das Beste der Zöglinge notwendig fordert, bringe man zwar zunächst auf Gehorsam und Unterwerfung im Handeln, nicht aber auf etwas, das eben so wenig erzwungen werden soll als kann, was ein Werk der Zeit und des besonnenen Verstandes sein muß, auf Gehorsam aus Überzeugung. (S. oben § 98). Am allerwenigsten setze man der Willensfestigkeit der Kinder und selbst ihrem Aufbrausen eigne Leidenschaft, vielmehr die ruhigste Vernunft entgegen; aber auch feste Vernunft, nicht Schwäche und Nachgiebigkeit. Sonst wird durch solche wankelmütige und launenhafte Behandlung nach und nach das, was in seinem Ursprunge gut war, in seiner Ausartung schlimm, wird Eigenwille, Eigensinn, Starrsinn, Trotz u. s. w. In elatione et magnitudine animi facillime pertinacia innascitur. Cic. — Vergl. Platners neue Anthropologie, § 1443, S. 634 f.

3. Die Ausartung des natürlichen Triebes nach Freiheit und Selbstthätigkeit in die genannten Fehler hat
A) mannigfaltige Veranlassungen. Dahin ist zu rechnen:
a) Bei manchen Kindern der körperlich schwache Zustand, nach der allgemeinen Erfahrung, daß der Kranke eigensinniger ist und sich weniger in der Gewalt hat, als der Gesunde.
b) Bei andern Schwäche des Verstandes, mit einem gewissen Dünkel verbunden. Sie begreifen nicht, was ihr Bestes ist; sie hören auf keine Vorstellungen und fassen sie nicht; daher das stete, bis zur Unvernunft gehende Widersprechen. So bald sie begriffen haben, sind sie auch sogleich willig.
c) Bei sehr vielen verkehrte Behandlung. Zwei gerade entgegengesetzte Erziehungsfehler haben hier oft dieselbe Wirkung. Weichlichkeit, Nachgiebigkeit, Bequemung nach jedem Wunsch und Willen der Kinder, „weil sie ja noch klein, noch unverständig sind," muß natürlich in ihnen die Vorstellung erwecken, daß sie die wichtigsten Personen des Hauses sind, in deren Willen sich alles fügen müsse. (S. oben S. 139). — Unverständige bes-

potische Härte, bloße Willkür in ihrer Behandlung, im Gewähren und Abschlagen, Tadeln und Gutheißen nach bloßer Laune, wird sehr schwache Charaktere
niederdrücken und sie willenlos, andre dagegen, in denen nur einige Kraft ist,
störrig, unbiegsam, oft trotzig machen. Unbeständigkeit macht gleich-
falls eigensinnig.

d) Zuweilen kommen andre Leidenschaften mit ins Spiel, die man
nicht unbeachtet lassen darf. Es giebt einen Eigensinn, ein Trotzen, ein
boshaftes Widerstreben aus Feindseligkeit gegen den, der etwas fordert;
leider selbst gegen Eltern und Erzieher, die aber dann gewiß nicht außer
Schuld sind. Jeder andre kann sehr gut mit solchen Kindern auskommen; nur
diese nicht! Es giebt auch Eigensinn aus Stolz, besonders wo mehrere Zöglinge zusammen erzogen werden, in deren Augen der einzelne nicht schwach erscheinen will. Daher kann Widerspenstigkeit und Trotz zum Esprit de corps
auf Schulen werden. Eine andere Gattung ist der Eigensinn aus Scham,
Blödigkeit, Unbeholfenheit, die es nur nicht anzufangen weiß, sich aus
der übeln Lage durch einen mutigen Entschluß herauszubringen, den Vater,
den Erzieher anzureden. Höchst ungerecht verwechselt man sie mit bösem
Willen und Verhärtung des Gemüts, weil sie ihr wirklich ähnlich sieht.
— Was

B) die Behandlungsart eigensinniger, trotziger und wider-
spenstiger Zöglinge betrifft, so ist dabei überhaupt sorgfältig zu untersuchen, wo die Quelle dieser Fehler liegt. Schon danach ist die Heilart zu modifizieren. Insonderheit wird

a) in den früheren Jahren die Gewöhnung, und namentlich die Gewöhnung zum strengen Gehorsam, das Beste thun müssen. (§ 99 f.).
Versteht man dies unter dem Willenbrechen, so wird nichts dagegen zu sagen
sein. Versteht man aber, wie gewöhnlich geschieht, darunter ein beständiges ge-
waltsames Entgegenstreben gegen den Willen der Kinder, eine recht absichtliche
Entfernung aller Vernunftgründe, ein leidenschaftliches Mißhandeln der Kinder bei
jedem Ausbruch ihrer natürlichen Reizbarkeit und Empfindlichkeit: so gehört dies
zu dem Erziehungsdespotismus, der schwache Menschen bildet, zugleich
feindselige Gesinnungen in sie bringt und am Ende doch von ihnen betrogen wird.
Es ist fast unbegreiflich, wie Eltern so unverständig sein können, nach der Maxime
zu handeln, „allezeit das Gegenteil von dem zu thun, was Kinder wollen."
Als ob Kinder nicht bald merken würden, daß sie sich nur immer den Schein
geben dürfen, das Gegenteil von dem zu wollen, was sie wünschen, um den
Zweck zu erreichen!

b) Durchaus wohlwollende Behandlung, Güte und Liebe, selbst
bei Bestrafungen, so bald nur Ernst und Festigkeit damit verbunden, keine
Vorstellung von Schwäche dadurch erweckt wird, und man sich selbst in seinen Urteilen und Forderungen gleich bleibt, verhütet jene Fehler am ersten.

c) Ausbrüche des Eigensinnes werden oft am besten bestraft, wenn man
gar nicht darauf achtet, gar nicht zu hören scheint, was das Kind durch Eigensinn ertrotzen will (99. Anm.) So bald es den rechten Weg einschlägt, zeige
man sich bereitwilliger, seine Wünsche zu erfüllen. Stört sein Eigensinn die Gesellschaft, so werde es auf der Stelle entfernt. Giebt es nach, so moralisiere man
nicht weiter. Die Erfahrung, nichts durch Eigensinn auszurichten, belehrt kräftiger als Worte.

d) Man dulde kein Grollen, Maulen und Trotzen, am wenigsten
bei etwas größeren Kindern. Bei kleinen achte man es nicht, wenn sie böse
thun. So geht es am schnellsten vorüber. Bei größeren aber entsteht daraus
Erbitterung, wenn es gleich anfangs bloß Verlegenheit ist. Man fahre
durch, rede sie an, bringe sie zum Gespräch, und sie werden bald selbst froh werden,
aus der peinlichen Lage gekommen zu sein, aus der sie sich nur nicht selbst zu

helfen wußten. — Es ist ein kleinlicher Stolz mancher Erzieher, daß sie dem Schuldigen nicht das erste Wort gönnen wollen und sich lieber Tage und Wochen lang mit ihm in stummem Zusammensein herumquälen, ehe sie ihn anreden und seinem — anfangs vielleicht gepreßten, endlich aber gleichgültig werdenden — Herzen Luft verschaffen. Als ob man sich dadurch von seinem Ansehen etwas vergäbe, wenn man dem Unverständigen den Kopf zurechtsetzt; und als ob eine erzwungene Abbitte in optima forma irgend einen pädagogischen Nutzen haben könnte! Wer ist in solchen Fällen der wahre Eigensinnige und kleinlich Stolze? Doch wohl der Erzieher!

e) Wenn andere Leidenschaften im Spiele sind, so muß die Behandlung zugleich mit auf diese gerichtet sein. Sind sie besiegt, so fällt der Eigensinn von selbst weg. Wer Liebe und Vertrauen gewonnen hat, wird folgsamere Zöglinge haben. Sind die Begriffe über wahre Ehre, die oft selbst im Nachgeben besteht, berichtigt, so wird mancher kindische Eigensinn wegfallen. Hat der Blöde nur erst Mut und Vertrauen gefaßt, so wird er höchst lenksam sein.

Über den Eigensinn s. m. Emil (Ausg. v. Sallwürk) II. 92. Locke, Revis. W. IX. 209, auch II. 374 und V. 161; desgl. in Arndts Fragmenten, I. T. S. 113. — Über den Trotz: GutsMuths pädagog. Bibl. 1800, II. I. und III. 2.

Natürliches Wohlwollen der Kinder.

So bald das Kind in das Leben eintritt, wird es in der Regel von den Eltern mit Liebe, mit Fürsorge empfangen und wächst unter treuer Pflege auf. Sogar kalte und verwilderte Gemüter erweicht der Anblick kindlicher Hilflosigkeit. Im Kinde selbst ist Gefühl der Schwäche ein sehr frühes Gefühl und wird durch die Erfahrung der helfenden Kraft und Güte von andern gewährt. Darum neigt es sich hingebend zu denen hin, die ihm mit Liebe entgegen kommen, lehnt sich an den Stärkeren, vertraut dem Stärkeren. Je länger und je mehr Liebe es in andern Menschen erblickt, je mehr Erfahrungen von ihrem Gutmeinen es macht, desto weniger Veranlassung zu feindseligen Empfindungen wird ihm gegeben. Argwohn, Mißtrauen wird kaum den Eingang in seine Seele finden. Selbst die in der Erziehung oft nötige Strenge, die, mit dem Unverstande in Kampf tretend, leicht als Härte erscheinen und das Herz abwendig machen könnte, verstärkt oft nur die liebende Anhänglichkeit, indem sie teils die Idee der freien Güte durch die Vorstellung erweckt, daß andre Macht hätten, hart zu verfahren, teils die Achtung bewirkt, auf welcher die Liebe als dem sichersten Grunde ruht. Daher werden Eltern und Lehrer, die Ernst und Güte zu vereinigen wissen, allezeit weit mehr geliebt, als die, in welchen nichts als schwache Güte erscheint. Indes kann man auch nicht verkennen, daß in einem Kinde die Anlage zur Liebe und zum Wohlwollen stärker, daß das eine für Eindrücke dieser Art empfänglicher als das andre und schon in dem zartesten Alter zu dem Ausdrucke wohlwollender Gefühle geeigneter ist. Schon als Säugling ist ein Kind holder, freundlicher, als das andre. Auch ein Knabe schließt sich früher und herzlicher an die Mutter an, ist gefälliger, bereitwilliger, mitleidiger, versöhnlicher, uneigennütziger und findet in dem Wohlsein und Frohsein andrer mehr eigne Befriedigung als der andre, wenn auch beide nach gleichen Grundsätzen erzogen sind. Die ganze Stimmung des Charakters ist Herzlichkeit und Innigkeit bei diesem, wenn bei jenem früh schon Kälte, Teilnehmungslosigkeit, mürrisches, verdrießliches Wesen, wo nicht gar etwas Schlimmeres hervortritt. Liege diese Verschiedenheit, wo sie wolle: die Erziehung hat nur alles zu verhüten, was die schöne Anlage, in welcher sich der Keim der Humanität entwickelt, zerstören, herbeizuführen, was sie erhalten und bilden kann.

Anmerk. Spezielle Bemerkungen.

1. Wo alle wohlwollenden Triebe schon von der Natur selbst in ein jugendliches Herz gelegt scheinen, da hat die Erziehung bloß darauf zu denken, sie zu erhalten, zu nähren und ihre Verirrungen zu verhüten. Denn so lange noch sinnliches Gefühl den meisten Anteil daran hat, sind es eigentlich noch keine Tugenden. Die Erfahrung lehrt vielmehr, daß gerade diese bloß sinnliche Weichlichkeit, niemanden zu kränken, kein trauriges Gesicht ertragen zu können u. s. w. oft sehr vielen Schaden in der Gesellschaft stiftet. Väter, Richter, Regenten, Ärzte, die bloß gutherzig sind, verderben unendlich viel durch ihre Gutmütigkeit und begehen die größten Ungerechtigkeiten, weil nur Gefühl, nicht Vernunft sie leitet.

2. Das natürliche Wohlwollen muß allerdings zu einer vernünftigen Neigung, von allen Menschen geliebt zu sein und allen Menschen durch möglichste Beförderung ihres Wohls Liebe zu erweisen, erhöht werden. Hierzu wird

   a) nötig sein, daß man genau zu erforschen suche:

      wie rein oder wie gemischt, wie allgemein oder wie beschränkt die in Kindern sich äußernden wohlwollenden Neigungen sind;

      wie viel Anteil vielleicht Selbstliebe, Eigennutz, vielleicht bloße Schwäche, die durch nichts beleidigt wird, an dem haben, was man Güte und Menschenliebe in Kindern nennt;

      ob sie auch einen Unterschied unter Menschen zu machen wissen und der moralische Wert anderer einen Einfluß auf ihr Wohlwollen äußere; ob z. B. ihr Mitleid mit einem unschuldig Leidenden stärker als mit einem Schuldigen, oder das Gefühl für ein Lieblingstier vielleicht reger als für einen Menschen sei;

      ob ihre Liebe sich auch tätig zeige und selbst zu Aufopferungen bereit, oder ob sie bloß in momentanen Aufwallungen bestehe;

      ob sie Dauer habe, oder so schnell verfliege, wie sie entstand. Je nachdem sich nun das eine oder das andere findet, wird

   b) zu versuchen sein, das, was dem natürlichen Wohlwollen noch an Gehalt abgeht, zu ersetzen, durch Anregung und Übung besserer Empfindungen, durch scharfe Bemerkung alles Unechten und Einseitigen. Man wiederhole hier, besonders in Absicht auf die Beförderung der unvollkommenen Pflichten auf Unkosten der vollkommenen, was oben § 71 Anm. 3 erinnert ist.

Man sehe: über den Sinn für Gerechtigkeit, als ein Augenmerk der öffentlichen und häuslichen Erziehung, Schletweins neues Archiv, I. B.; Villaume, über die Erziehung zur Menschenliebe, im Rev. Werk, IV, 424, und Reche, Versuch über die humane Sympathie, Düsseldorf 1794. Auch verdient hier vorzüglich nachgelesen zu werden, was Schwarz in der Erziehungslehre I. Tl., S. 294 und in vielen Stellen des II. Tl. von der Liebe, als dem Herrlichsten in der menschlichen Natur, und Jean Paul über Belebung des Triebes der Liebe und Verhütung des Egoismus in der Levana, 3. B. 2. Br. 2. Kap., gesagt haben.

131. Bekämpfung übelwollender und feindseliger Neigungen.

Doch bei manchen Kindern zeigen sich leider sehr früh übelwollende Neigungen und jener selbstsüchtige Egoismus, aus welchem so viel Böses hervortreibt. Dies verrät sich entweder bloß durch Gefühllosigkeit, Teilnehmungslosigkeit an allem, was andre betrifft, durch Unempfindlichkeit und Undank bei noch so oft erfahrner Güte und Liebe von andern; oder es zeigen sich selbst Spuren von Härte, wohl gar von Grausamkeit gegen Menschen oder andre empfindende Wesen, Wohlgefallen an ihrem Schmerz, beifälliges Gelächter bei fremder Verlegenheit und Not. Wie könnte die Erziehung bei solchen Erscheinungen gleichgültig bleiben?

Anmerk. Speziellere Bemerkungen.

1. An Kälte, Gefühllosigkeit und daraus entstehender Gleichgültigkeit, selbst gegen Wohlthäter, mögen oft Temperament und Organisation Anteil haben; aber Gewöhnung und harte Behandlung in früheren Jahren kann auch dazu mitwirken. Im letzteren Falle läßt sich etwas, im ersteren wenig dagegen thun. Auch muß man es gar nicht darauf anlegen, natürliche Kälte und Empfindungslosigkeit in Wärme und Reizbarkeit umschaffen zu wollen. Die Vernunft kann auch den kalten Menschen verwahren, keine Ungerechtigkeit zu begehen, keine Pflicht gegen andre zu versäumen, wenn er gleich den Vorzug eines zart fühlenden Herzens entbehrt.

2. Schon das Altertum hat die Undankbarkeit, und mit Recht, mit dem Namen eines Lasters gebrandmarkt. Aber

a) nicht alles ist Undankbarkeit, was so scheint. Um dankbar zu sein, muß man die Fähigkeit haben, etwas als Wohlthat zu erkennen. Dies fordert man gemeiniglich zu früh von Kindern. Sie sollen wohl gar Zwang und Strafe als Wohlthat empfinden und die Rute küssen, die ihnen Schmerz macht. Welche Zumutung! Bei keiner Idee verweilen junge Leute lange; keine ihrer Empfindungen hat Dauer. Mancher Erzieher verlangt aber, sie sollen den ganzen Tag an nichts denken, als an das, was er an ihnen thut; vielleicht weil er wirklich immer an sie mit einer gewissen Leidenschaftlichkeit denkt, die sie unmöglich erwidern können. War denn er dessen fähig, als er noch Kind und Knabe war? Und würde ein so weich fühlender, immer in Empfindungen zerfließender, immer am Halse der Mutter oder des Lehrers hängender Knabe einen kräftigen Mann versprechen?

b) Wirkliche Undankbarkeit hat zwar nicht immer, aber doch sehr oft ihren Grund in der unrechten Art, wie Wohlthaten erzeigt werden. Entweder man will seinen Geschmack und seine Neigungen den Kindern aufbringen; selbst Liebkosungen sollen den Kindern so viele Freude, als den Erwachsenen machen; oder die Art, Gefälligkeiten zu erweisen, hat etwas Widriges, Hartes, Bizarres, Unzartes; oder man rückt und rechnet oft vor, was man für sie gethan; oder man macht sich nicht erst geliebt, und die Wohlthaten selbst werden dadurch drückend für den Empfänger. Haec seges ingratos tulit et feret omnibus annis. Horat. Vergl. den Seneca de Beneficiis an mehreren Stellen, ferner: Knigge, über Eigennutz und Undank, II. Abteil., S. 337 ff.

c) Dankbarkeit läßt sich so wenig als Reue über bewiesene Undankbarkeit oder Ungehorsam erzwingen. Man erzwingt durch erpreßtes Danken und Abbitten höchstens die Grimasse der Dankbarkeit und Reue. Ermahnungen, Vorwürfe, wohl gar Anfahren, Strafen erbittern desto mehr. Mit der inneren Besserung des ganzen Sinnes kommt das Gefühl von selbst empor, wenn man nur Dank durch die Art des Wohlthuens zu verdienen versteht. Gleichwohl ist die Gewöhnung der Kinder, für das kleinste empfangene Gute jedermann zu danken, nicht, wie einige geradehin meinten, zu tadeln, weil sie wenigstens die Idee rege erhält, daß Wohlthat Dank verdiene. Gebe man ihnen zuerst das Beispiel! Die kleinste Gabe, der kleinste Dienst werde in ihrer Gegenwart mit dem Ausdrucke des Danks angenommen; man danke ihnen selbst für jede freie Dienstleistung. Sie lernen dadurch den Begriff der Wohlthat mit dem Begriffe des Dankes verbinden. Was anfangs nur Sitte ist, kann nach und nach Gesinnung werden.

3. Eigentlich feindselige Leidenschaften, Zanksucht, Schadenfreude, Härte, Grausamkeit sind immer unnatürlich und in jungen Seelen doppelt empörend. Aber sie finden gleichwohl häufig genug. Temperament und Organisation können sie veranlassen, aber jedoch nicht unüberwindlich machen. Fehlerhafte Erziehung, leidenschaftliche Behandlung und der Anblick schlimmer Beispiele sind weit öfter ihre Quellen. Wie natürlich entstehen sie in Kindern, die früh nichts als Zank und Streit um sich her hören; andre Menschen, besonders solche, die Stand und Dürftigkeit abhängig gemacht hat, verachten, unterdrücken, mißhandeln sehen, in sich aber überlegene Kräfte des Verstandes oder des Körpers fühlen; die man eifersüchtig macht, wenn es andern wohlgeht; die man selbst zur Rachgier reizt, sollte es auch gegen etwas Lebloses sein, wenn sie irgend dadurch, gemeiniglich nicht ohne eigne Schuld, gelitten haben. Wie so manche Eltern und Erzieher haben selbst nichts von humaner Gesinnung in ihrer eignen Natur. Wie können sie sie in ihren Kindern wecken? Schadenfrohe Äußerungen werden vielleicht belächelt, die boshaftesten Ränke zum Schaden andrer bewundert. Dennoch wird nicht immer dadurch die bessere Natur vertilgt. Versetze man nur den Zögling in eine andere Lage. Es bedarf nur eines andern Erziehers, vielleicht um jene wieder hervorzuheben. Die tiefe Verachtung, welche dieser gegen solchen Sinn ausdrückt, wird anfangs befremden, aber nicht ohne Wirkung bleiben. Die Humanität, die er lehrt und übt, wird sich dem jugendlichen Herzen durch ihre innere Liebenswürdigkeit empfehlen. Es wird zur Natur zurückkehren. Nemo tam ferus est, qui non mitescere possit. Horat.

Den Zänker, den Freudenstörer, den Beleidiger von allen geselligen Freuden abzusondern, ist ebenfalls oft das beste Mittel, ihn nur erst zu dem Gefühl, wie er sich selbst und andern schade, zu bringen, und dann eine radikale Kur anzufangen. Nur bei solchen, die ohnehin schon ungesellig waren, müßte man damit vorsichtig sein; sonst gelänge ihnen vielleicht ihr Wunsch. Wenigstens müßten solche auf eine ihnen unangenehme Art zur Arbeit und Thätigkeit angehalten werden.

4. Selbst so manches, was, weil es nicht bösartig erscheint, anfangs belacht wird, kann der wahren Humanität nach und nach sehr gefährlich werden. Man muntre doch nie auf, wenn sich junge Leute, über andre Menschen eigentlich lustig machen, über Schwächen bitter spotten, sie necken und überlisten, kleine Possen spielen, Anekdoten auffangen und wieder erzählen. Wenn sich auch wirklich Kopf und Witz darin offenbarten, so unterdrücke man doch lieber die Äußerung des Wohlgefallens und freue sich wenigstens nicht so laut und öffentlich des kleinen durchtriebenen Schalks. Übrigens lehrt die Erfahrung, daß die witzigsten Menschen, und selbst scharfe Satyriker, zugleich einen hohen Grad von Gutmütigkeit haben können, und diese zu bewahren,

davon ist nur die Rede. Es wäre daher fehlerhaft, jedes Hervorbrechen des Witzes, jede Bemerkung des Lächerlichen zu tadeln und den Stachel einer feinen Satyre abzustumpfen. Kein Talent soll gering geachtet oder gar vernichtet werden.

5. Die Humanität zeigt sich auch in der Behandlung tierischer Wesen; man könnte sagen, der ganzen lebendigen und leblosen Natur. Kleine Kinder scheinen zwar unempfindlich und selbst grausam gegen Tiere, so wie überhaupt mehr zum Zerstören als zum Erhalten geneigt zu sein. Sie sind aber im allgemeinen nicht so schlimm als sie scheinen. Ihr Thätigkeitstrieb wird nur durch keine Vernunft und durch kein richtiges Gefühl geleitet. Das Gefühl der Sympathie gegen so ungleichartige Wesen ist noch nicht erwacht oder nur durch Erziehung oder frühe Gewöhnung an Grausamkeiten abgestumpft. Höchst sorgsam soll die Erziehung es pflegen. Das Beispiel wirkt in der Kindheit am stärksten; dann auch die geweckte Aufmerksamkeit auf die Ausdrücke des Gefühls, des Wohlseins und des Schmerzes, des fröhlichen Gedeihens oder des traurigen Vergehens: „Siehe, wie sich das Geschöpf freut, wie es sich am frischen Quell erquickt! Wie sich das frohe Leben regt, des Vogels in dem weiten Luftraume, des Schmetterlings im warmen Sonnenstrahle, des Fisches im hellen Bache, im spiegelnden See! Wie die Pflanze, der Baum, der Acker nach Regen schmachten; wie die dürstende Flur nun erquickt ist; wie die ganze Natur fröhlich am Morgen erwacht! ꝛc." Solche Übertragungen dessen, was man eigentlich von Menschen zu sagen pflegt, auf die untergeordneten Wesen bringt diese gleichsam dem Menschen näher. Es erweckt die Sympathie; es entwickelt die Humanität. Doch hat man auch darüber zu wachen, daß dieses Gefühl nicht in thörichte Empfindelei oder unverständige Zärtlichkeit gegen gewisse Tiere, z. B. Hunde und Katzen, ausarte. Sie schwächt das Wohlwollen gegen Menschen und kostet daneben viel Zeit und Geld. — Beispiele von jener Art des Mitgefühls s. m. bei Suetonius in Tib. c. 72. in Calig. c. 55., beim Curtius de reb. Alex. M. VI. 5. und IX. 3.

Wie könnte der Erzieher wohl gar Grausamkeit und Zerstörung des Organischen in der Natur, wo es nicht notwendig, sondern bloßer Mutwille ist, dulden! Wo Leben ist — lehrte Plato — da soll man Ehrfurcht haben — Selbst in der unvermeidlichen Zerstörung des Lebens soll die Humanität sich nicht verleugnen. Nie werde das empfindende Wesen Spielwerk des Kindes. Es ist himmelschreiend, was Kinder, und nicht bloß aus der Klasse des Pöbels, mit Würmern, Insekten und Vögeln vornehmen, man ihnen gestattet, sie zur Befriedigung ihrer Lust zu gebrauchen. Wie viele Vögel mögen in ihrem engen Bauer des schrecklichsten Todes gestorben, in der Sonnenhitze vor Durst verschmachtet sein! Was erlauben sich nicht kleine und große Kinder oft gegen Katzen, Hunde, Pferde, aus Unbeholfenheit, Vorurteil, zum Teil aus Gefühllosigkeit, die sich in der Art, wie sie davon erzählen, ausdrückt. Mich dünkt, es bedürfe das Verhalten gegen Tiere eine eben so sorgfältige Erörterung, als das Verhalten gegen Menschen selbst. Diese, wenn ihnen zu viel geschieht, können sich doch verantworten und Klage führen; Tiere nicht. Jene können sich mehrenteils ihrer Haut wehren, diese selten. Eine unglaubliche Unachtsamkeit in diesem Punkt herrscht unter unzähligen Eltern und Erziehern. Bei ganz rohen und bei überverfeinerten Egoisten ist sie am begreiflichsten. Daher sollte auch jede Gelegenheit, sich gegen die grausamen Mißhandlungen der Tiere zu erklären, ergriffen werden, z. B. wenn von Tiergefechten die Rede ist. Schon Cicero, in Rom gewöhnt an solche Schauspiele, sagte: „quae potest homini esse polito delectatio, cum aut homo imbecillus a valentissima bestia laniatur, aut praeclara bestia venabulo transverberatur? — Elephantorum die — etiam misericordia quaedam consecuta est, atque opinio ejusmodi, esse quandam illi belluae cum genere humano societatem." Cic. Epp. ad Divers. VII. 1.

Man vergl. L. Smith Versuch eines Lehrgebäudes von der Natur und Bestimmung der Tiere und der Pflichten des Menschen gegen die Tiere; aus dem Dänischen. Kopenhagen 1793. Abbt vom Verdienst, S. 149—154, und Auswahl der besten zerstreuten prof. Aufsätze der Deutschen, 13. T. S. 152 ff.; ferner: Götz, über die beste Methode, Kinder von dem Fehler, Tiere zu martern, abzubringen, in Zerrenners Schulfreunde, 1., 2. und 3. Bd.; und die Schrift: Menschenstolz und Tierqualen; eine Verteidigung der seufzenden Kreatur ꝛc Helmst. 1799. — Mehr in die Hände der Kinder gehört: Der Mensch und die Tiere. Ein gemeinfaßliches Lesebuch von A. J. Kellner, Leipzig 1807. — Neuerdings: Barth, über den Umgang, 3. A. Langensalza, Beyer u. Söhne.

132. Über Selbstsucht, Neid, Eigennutz, Gewinnsucht.

Das Streben nach Vollkommenheit, nach Eigentum und Besitz artet sehr leicht in eine Selbstsucht aus, die kein andres Augenmerk als Verwahrung eigner Ehre und eignen Vorteils hat. So erzeugt sich der Neid bei jeder Wahrnehmung fremder Vorzüge oder Vollkommenheiten; so die Mißgunst, die Abgunst, die tadelhafte Eifersucht[1]. Daher der Eigennutz, der immer das Beste für sich wählt, nie etwas daran wagen will, immer andre vorschickt, wo etwas zu wagen ist; die Gewinnsucht, die unter andern auch manche Kinder so früh für Gewinnstspiele leidenschaftlich macht; die Habsucht, die nicht einmal immer auf das Brauchbare sieht, sondern nur den Vorrat vermehrt wissen will; der ängstliche Geiz, dem es bloß auf Besitz, nie auf Genuß, oder doch nur auf ganz ausschließenden Selbstgenuß ankommt[2], und der, wie die Habsucht, zuweilen selbst bis zum geheimen Entwenden ausarten kann[3]; die Geldliebe und das beständige Sinnen auf Vermehren des Eigentums, verbunden mit einem mühsamen Nachforschen, wie viel oder wenig andre haben[4]. Lauter Untugenden, welche die Aufmerksamkeit und Thätigkeit des Erziehers höchst nötig machen, da sie sich oft schon früh regen.

Anmerk. Speziellere Bemerkungen.

1. Der niedrige Neid, den man mit einer gewissen edleren Nacheiferung nicht verwechseln sollte, findet sich gewöhnlich bei eingeschränktem Verstande, verbunden mit Schwäche der wohlwollenden Triebe. Wo Edles, Großes, Liberales der Seele natürlich ist, kommt er nicht so leicht empor. Oft wird er aber in die Kinder gebracht, wenn man ihnen die Vorzüge andrer als ein Übel vorstellt, worunter sie leiden; wenn man mit andern Kindern freundlich thut, oder diesen etwas giebt, um sie zu kränken; wenn man andere Kinder mit ihnen zu häufig vergleicht, diese vorzieht und auszeichnet, wodurch man neben dem Neide noch Haß anregt; oder wenn man sie wohl selbst anleitet, sich über das aufzuhalten, was andre haben, weil sie es nicht auch besitzen; wenn man duldet, daß sie andern die Freude verderben; wenn man gar zu ängstlich darauf sieht, daß ein Kind nicht mehr bekomme als das andre, und sich auf Kapitulation und Ausgleichungen einläßt, wenn sie sich darüber beschweren. — Durch Erweckung des Wohlwollens schwäche man Neid und Mißgunst; gewöhne die Kinder an Mitfreude; lasse sie fühlen, daß sie selbst glücklicher

werden, wenn es andre sind; behandle endlich jede Äußerung des Neides als etwas sehr Verächtliches, dessen man sich schämen müsse; rechne es ihnen aber nicht als ein besonderes Verdienst an, wenn sie andern etwas gönnen.

2. Die Selbstsucht, die auf den Besitz geht, und engherziges Wesen, Eigennutz, Habsucht, Geiz u. s. w. zur Folge hat, findet sich seltener bei jungen Leuten, als der Hang zum Verschwenden und geringe Achtung des Eigentums. Zuweilen ist aber auch beides zusammen. Etwas mag natürliche, obwohl schwer zu erklärende Anlage sein; das meiste ist Folge der ersten Eindrücke und der Erziehung. Daher sind

a) Geiz und Engherzigkeit oft Fehler ganzer Familien, so wie ganzer Stände, und können da nicht befremden, wo Kinder von Jugend auf „viel haben, viel erwerben, reich sein u. s. w." als höchstes Gut, als letztes Ziel aller Bestrebungen nennen hörten, was besonders in Kaufmannsfamilien der Fall ist. (Horat. Epist. I, 1, 52—59). Eigensüchtiges Wesen muß entstehen, wenn man ihnen oft etwas heimlich zusteckt, sie warnt, es nicht sehen zu lassen, es allein zu genießen, zu verbrauchen, „weil der und jener sonst auch etwas haben wolle." Durch Anregung der Furcht vor der Zukunft, durch erwecktes Mißtrauen gegen andre Menschen, durch Reizung der Begierden, indem man die Befriedigung zu sehr erschwert und sie darben läßt, indes andre vollauf haben, macht man unselbar habsüchtig und geizig. Durch zu starkes und unbestimmtes Lobpreisen der Sparsamkeit, der Klugheit im Gewinnen, der Ängstlichkeit im Aufbewahren, der Wachsamkeit auf eignen Vorteil stärkt man Eigensucht und Geldgeiz.

b) Am glücklichsten bringt von diesen Fehlern zurück: Beispiel einer liberalen Denk- und Handlungsart; Anregung der Scham vor dem Verdachte, für habsüchtig und geizig gehalten zu werden; Mißbilligung jedes nicht ganz edeln, wenn gleich noch so klugen Mittels, sich zu bereichern; Gewöhnung an die Freuden eines geselligen Genusses durch Anlegung eines kleinen Eigentums der Kinder zu freier Disposition darüber; Erwärmung des Herzens, Stärkung des Vertrauens auf Gott und Menschen; öftere Belehrung, wie wenig Geld und Gut allein glücklich macht, und wie wenig Anteil es an der Zufriedenheit hat; lebendige Darstellung aller der Verächtlichkeiten, wozu die Habsucht, aller der Niederträchtigkeiten und der Ungereimtheiten, wozu der Geiz führt. Avaritia fidem, probitatem, ceterasque artes bonas subvertit; pro his superbiam, crudelitatem, deos negligere, omnia venalia habere edocuit. Salustius in Cat. c. 10. vgl. Cic. de Offic. II. c. 21. 22.

c) Häufiges direktes Angreifen oder Lächerlichmachen des Geizes, besonders bei erwachsenen Jünglingen, thut oft eine üble Wirkung. Sie lernen höchstens den Geiz verstecken. Doch kann sehr kleinlicher Geiz oft auch durch Satyre glücklich gezüchtigt werden.

d) In einzelnen Fällen muß niedrige Habsucht und Gewinnsucht durch sich selbst gestraft werden. Man muß den entbehren lassen, der nur immer auf Kosten andrer genießen will.

e) Selten möchte es ratsam sein, ihn durch Überhäufung mit Wohlthun zu beschämen und in seiner Erbärmlichkeit darzustellen. Doch kann zuweilen das Ehrgefühl gegen den Geiz benutzt werden.

3. Diebstahl und Betrug kommt nicht nur bei unerzognen oder wohl gar dazu erzognen Kindern, sondern, obwohl seltner, bei Kindern aus den besten Familien vor. Die Verwöhnung zu Leckerhaftigkeit und Naschhaftigkeit ist die gewöhnlichste Veranlassung dazu, so bald es an Mitteln zur Befriedigung fehlt. In manchen Fällen könnte man in Versuchung kommen, an einen angebornen und fast unwiderstehlichen Hang zu denken. Sonderbar ist auch die Erscheinung, daß zuweilen bloß gestohlen wird, um zu stehlen, nicht um zu genießen. In diesem Falle scheint der Reiz vom Gelingen eines listigen Plans

14*

auszugehen. (S. Feder, Untersuchungen über den menschl. Willen, 1. Tl. S. 241 ff.).
Verhüten könnte man oft gröbere Verletzungen fremden Eigentums, wenn
man kleinere Verletzungen früher doch aufnähme. — Warum heißt nur der,
welcher Geld stiehlt, ein Dieb? Warum nicht auch, wer Blumen oder Obst ab-
bricht, das ihm nicht gehört; Ähren niedertritt oder niederreitet und fährt; Sachen
beschädigt, die andern Geld gekostet haben? Zu streng im ersten, ist man viel
zu nachsichtig im andern Falle. Das Gefühl kann in diesem Punkte nicht zart
genug sein.

Bei den ersten Anfängen des Diebstahls bei Kindern scheint eine körperliche empfindliche Züchtigung ganz eigentlich an ihrem Ort. Sie
ist ja auch in der bürgerlichen Gesellschaft oft die Strafe des Verbrechens; weiterhin besonders die Stärkung des Ehrgefühls, selbst durch schonendes Verschweigen des Fehlers vor andern, so lange noch Hoffnung ist, ihn auszurotten. Ich habe Zöglinge, die als Kinder davon beherrscht wurden, ganz davon
geheilt gesehen.

4. Die Liebe zu Geld und Besitz ist zwar nicht immer mit Geiz und
Illiberalität verbunden, aber sie erstirbt doch das Interesse an besseren Gegenständen, an Beschäftigungen des Geistes, an Wirksamkeit für Gemeinwohl. Man
spricht am liebsten von Finanzspekulationen im Großen und im Kleinen. Bei
dem Kaufmann ist dies natürlich und verzeihlich; aber wenn der Gelehrte den
Krämergeist annimmt, so ist's um seine Fortbildung geschehen. (Vergl. Cicero
pro Roscio, c. 49 und beim Suetonius, in Calig. c. 42).

Revis. Werk, V. 521, 548, 609.

133. Über Einbildung, Stolz und Ehrgeiz.

So fern die herrschende Selbstsucht mehr auf Ehre als auf
Besitz ausgeht, scheint sie zwar besserer Art zu sein, und kann, wenn
der Trieb nach eigner Vollkommenheit in den Schranken bleibt, vortrefflich wirken. Aber so bald er egoistisch wird, erzeugt er auch Untugenden
mancherlei Art: bald die Tadel- und Verkleinerungssucht, welche
nur darauf ausgeht, Fehler an andern zu finden, aus einem dunkeln
Wahn, dabei an eignem Werte zu gewinnen; bald törichte Einbildung, Hochmut und Stolz auf eigne, wirkliche oder vermeinte
Vorzüge; bald die anmaßende Herrschsucht, die sich selbst bis zu Bedrückungen der Schwächeren verirrt; bald den leidenschaftlichen
Ehrgeiz, der, um sein Ziel zu erreichen, alle Humanität, selbst alle
Gerechtigkeit gegen andre verleugnen kann und zu Unsittlichkeiten aller
Art führt. Sehr viel kommt daher auf die richtige Leitung des Ehr-
triebes an.

Anmerk. Von dem Werte des Ehrtriebes als Triebfeder der moralischen Erziehung ist schon oben ausführlich gehandelt worden. S. § 105 ff.
Mehreres von dem dort Bemerkten ist auch hier zu wiederholen. Über seine Ausartungen aber und deren Verhütung und Heilung noch folgendes:

1. In der weiteren Bedeutung nennt man jedes Halten auf seine
Ehre, d. i. die Achtung seiner Vorzüge, Stolz. In dem tugendhaften Charakter
ist er ein edler, in der Ausartung ein unedler Stolz. Letzterer ist wieder eben
so verschieden als die Vorzüge sind, auf deren Anerkennung er den meisten Wert
setzt, und als die Art ist, wie er sich äußert. Jene sind entweder körperliche

oder geistige, erworbene oder zufällige, wahre oder eingebildete.
In der Äußerung offenbart sich entweder Verstand und Kraft, oder Un-
verstand, Schwäche und Kleinlichkeit; und bald erscheint er in einem selbst-
gefälligen Wohlbehagen an schon erworbner, bald in einer unmäßigen Begierde
nach zu erwerbender Ehre. Auf diese Art entstehen nun Eitelkeit, Ehrgeiz,
Prahlerei, Hoffart, Hochmut; und in jener Rücksicht unterscheidet man
Einbildung auf Schönheit, Kleidung, Reichtum, Rang, Geburt,
Genie, Gelehrsamkeit u. s. w.

Eine treffliche Charakteristik der verschiedenen Arten des Stolzes s. m. in
Plattners philosoph. Aphor. 2. Tl. 12 — 346 und in Kants Beobachtungen
über das Gefühl des Schönen und Erhabenen, S. 93 ff.

2. Das Fehlerhafte liegt entweder im Übermaß des Strebens nach
Ehre, oder in der unrichtigen Würdigung der Vorzüge, die man schon
besitzt oder zu besitzen begehrt. Je aufgeklärter daher der Verstand, desto
weniger Gefahr, in den gröberen Stolz, die kindische Eitelkeit und den veräckt-
lichen Hochmut zu verfallen, desto mehr Bestreben, wenigstens den Stolz zu verbergen. Je schwächer der Verstand, desto dummer der Stolz. Dabei liegt
jenen Fehlern allezeit Eigensucht zum Grunde. Je weniger Wohlwollen
daher im Herzen ist, desto härter und drückender werden sie für andre.

Alles folglich, was die Aufklärung des Verstandes hindert, Vorurteile nährt, eigensüchtig macht und erhält, die Achtung andrer Menschen schwächt, was unmäßiger Begierde nach Ruhm und Ehre Nahrung
giebt, befördert die genannten Fehler.

3. Hieraus fließen folgende praktische Regeln zur Verhütung und
Heilung:

a) Schon in der ersten Erziehung werde der Verstand über den wahren
Wert der Dinge aufgeklärt. Jedem sich regenden Vorurteile gehe man entgegen.
Je reifer der Verstand wird, desto genauer setze man auseinander, wie wenig etwas
vom bloßen Zufall Abhängiges, z. B. Geburt, etwas so Unsicheres,
wie Ahnen, etwas mit sittlichem Wert so Unzusammenhängendes wie Reichtum an sich selbst ohne eignes Verdienst ehren könne. Menschen, die solche
Vorurteile nähren und dem Kinde damit schmeicheln, entferne man; sie vergiften
sein Herz.

b) Man erhebe den Zögling zum Gefühl des wahren Wertes, welchen
Verstand, Bildung des Geistes, edler Sinn geben, und mache dadurch
gleichgültiger gegen das, woran Eitelkeit und Hoffart Wohlgefallen finden.
Wer Kindern Putz und Staat so erstaunlich wichtig, zur ernsthaftesten Sache
von der Welt, zum Geschäft vieler Stunden macht; wer ihnen vorsagt, wie viel
Aufsehn sie machen, wie man sie beneiden werde: wie kann man hoffen, daß
sie nicht eitel werden sollen? Selbst in dem, was zum Äußeren gehört, lehre
man sie früh das, was soliden inneren Wert hat, dem Flitterstaate
vorziehen.

c) Vor allem gewöhne man junge Leute zur Bescheidenheit, indem
man sie sehr mäßig von sich denken, aber Alter und Verstand desto mehr
achten lehrt; wogegen die gewöhnliche Erziehung in allen Zeitaltern so oft gefehlt
hat. (Wie sehr schon in alten Zeiten, lese man in dem Dialogus de causis
corruptae eloquentiae c. 28. 29). Dies erreicht man nicht dadurch, daß man
die Jugend immer herabsetzt, ihr das Reden verbietet, oder sie gar verächtlich
behandelt. Dadurch lernt sie Alter und Verstand hassen. Aber man mache sie
oft auf ihre Unerfahrenheit aufmerksam, damit sie sich schäme, etwas Unverstän-
diges zu sagen und dadurch zurückhaltend im Urteil werde. Man rede von älteren,
verdienstvollen Personen immer mit großer Achtung und lasse sich nie darauf ein,
sie durchzumustern und ihre Schwächen aufzusuchen; ein sehr gemeiner Fehler junger

Erzieher und selbst — wie vieler Eltern! Nicht oft genug kann Bescheidenheit als die schönste Zierde der Jugend bezeichnet werden.

d) Verachtender Stolz, lächerlicher Hochmut, elende Prahlerei werde durch Verachtung, Spott und Hohngelächter gestraft. Nirgends sind die Persiflage und Satyre mehr an ihrem rechten Ort, als bei Thorheiten dieser Art. Nur bei Kindern, die in diesem Stück durch die elterliche Erziehung ganz verwahrlost sind, gehe man schonender zu Werke. Sie sind fürs erste zu beklagen, und daher, was oft nicht schwer ist, durch vernünftige Vorstellungen zurück zu bringen. Vielleicht machen sie den Spott unnötig. Noch weniger ist er bei denen angebracht, die, was häufig geschieht, nur stolz scheinen, ohne es zu sein. Dies ist oft der Fall bei Blöden und Verlegnen, die aus Furcht, etwas nicht recht zu machen oder zu sagen, das Ansehn haben, als ob sie andre Menschen nicht achteten und kalt vor ihnen vorübergingen, ihnen kaum das Wort gönnten, da doch im Grunde sie die Schüchternen und Furchtsamen sind. Solchen muß man mehr ein gewisses Gefühl ihres Wertes beizubringen suchen und ihnen Regeln über ein anständig dreistes Benehmen geben. Doch giebt es auch eine Blödigkeit und Unbeholfenheit, die mit vielem inneren Stolze verbunden ist.

e) Je mehr die schönen Empfindungen echter und allgemeiner Humanität herrschend werden, desto mehr wird auch kleinlicher Stolz und Hochmut abnehmen. Die Kultur der sympathetischen Gefühle ist daher ein vorzügliches Gegenmittel; sie bewahrt auch am besten vor der auf bloße Überlegenheit gegründeten Herrschsucht und Anmaßung gewisser Rechte über andre. Es muß der edle Stolz des Zöglings werden, sich des Unterdrückten anzunehmen. Dies ist besonders in der öffentlichen Erziehung von Wichtigkeit.

f) Dem Ehrgeiz gebe man nur recht würdige Objekte, so wird er nichts begehren, als was edel, groß und gut ist.

Man vergleiche hier die oben angeführten Schriften § 105, Anm. 2 und im Revis. Werk, V. 695, 700, 706, 715.

134. Behutsamkeit in der Schwächung selbstsüchtiger Triebe.

Wenn man gleich in der Erziehung jenen selbstsüchtigen Trieben und Neigungen auf alle Art entgegenarbeiten muß, so hüte man sie doch eben so sorgfältig, den natürlichen und wohlthätigen Trieb nach erhöhter Vollkommenheit, sowohl des innern als des äußeren Zustandes, unverhältnismäßig zu schwächen[1]). Dies könnte größere Übel herbeiführen. Schwächt man den Trieb nach Besitz und Erwerb zu sehr, so macht man faul, arbeitscheu, verschwenderisch, ungerecht gegen andre Menschen[2a]); schwächt man den Trieb, von andern geachtet zu werden, so entsteht zuletzt völlige Gleichgültigkeit gegen Lob und Tadel; schwächt man das bessere Selbstgefühl eignen Werts, so macht man blöde und verzagt[2b]); schwächt man die Scham bei dem geheimen Gefühl gewisser Mängel, so vertilgt man die schöne Bescheidenheit und macht dummdreist, zubringlich und bis zum Unerträglichen vorlaut[3]).

Anmerk. 1. Bekanntlich haben sich in älteren und neueren Zeiten einige Moralisten und Asceten in ihren Systemen so weit von der Bestimmung des Menschen verirrt, daß sie den Trieb nach immer steigender Vollkommenheit, sei es der Kräfte oder des Zustandes, vielmehr zu unterdrücken als anzuregen suchten, und, statt in der Thätigkeit den wahren Genuß und die würdigste Anwendung des Lebens zu suchen, sie in der Ruhe, also im Grunde in der Unthätigkeit fanden, folglich aus dem Menschen ein bloß leidendes Wesen machen wollten. Dies hatte auch Einfluß auf einige Erziehungsmethoden, nach welchen man alles Aufstreben des jugendlichen Geistes, alles Gefühl der Kraft, alle Regsamkeit der inneren Organe niederzudrücken, wohl gar als sündliche Selbstheit zu verdammen suchte. Und doch besteht die eigentliche Vollkommenheit und Gottähnlichkeit des Menschen in der Thätigkeit und Wirksamkeit seiner sämtlichen Kräfte. Seine Glückseligkeit hängt von dem Bewußtsein dieser Thätigkeit und von ihrem Wachstum ab. Nur wenn die Vollkommenheiten, welche aus der Anwendung der Kräfte entspringen, nicht verhältnismäßig geschätzt werden, oder eine niedere auf Unkosten einer höheren ausgebildet wird, verirrt sich auch dieser Grundtrieb der Seele. Wo sich indes der Trieb auch wirklich verirrt, muß er doch nur gelenkt, nicht ausgerottet werden.

2. Speziellere Bemerkungen.

a) Das Streben nach Eigentum, nach Besitz, nach Erwerb ist nur in seinem Übermaße zu tadeln. Daher hat man sich

α) zu hüten, nicht gleichgültig gegen wohl erworbenes Eigentum zu machen, vielmehr irdische Güter, sofern sie Mittel sind, unabhängiger, wirksamer und selbst wohlthätiger sein zu können, gehörig schätzen zu lehren. Da aber

β) selbst äußere Güter einen um so reineren und edleren Genuß gewähren, je mehr man sie als Frucht eignen Fleißes und eigner Betriebsamkeit betrachten kann: so suche man recht eigentlich den Erwerbstrieb oder Industrie zu erwecken, d. i. die Neigung, nicht durch Glück, Gewinnst, List, Übervorteilung andrer, sondern durch Kunst, Kraft, Anstrengung, Fleiß sein Eigentum zu vermehren. Dies wird besonders in den höheren Ständen viel zu sehr verabsäumt. Jenes kann

γ) auf mancherlei Art geschehen. In den ärmeren Ständen liegen die Mittel nahe und sind von allen den Schriftstellern, welche sich um die Beförderung der Industrieschulen verdient gemacht haben, (Sextro, Campe, Wagemann, Blasche u. a.) ins Licht gesetzt. Auch Kinder wohlhabender Eltern, welche doch selbst nur erst über ein mäßiges Eigentum zu disponieren haben, kann man anleiten, manches selbst zu verfertigen, was sie sonst bezahlen müßten, und dadurch Geld zu wichtigen Zwecken zu ersparen: z. B. Bücher zu heften, zu binden, Behältnisse zu ihren kleinen Sammlungen von Naturalien, Insekten, Pflanzen zu verfertigen, um das Geld, das diese kosten würden, zu solchen Dingen anzuwenden, die man kaufen muß. Mädchen können allen Anzug ihrer Puppen selbst stricken, nähen u. dgl. m.

δ) Indirekt wird aber der Erwerbstrieb kultiviert durch Gewöhnung zu Sparsamkeit und Verhütung der Verschwendung. Dies wird gemeiniglich von denen, die nicht etwa in den entgegengesetzten Fehler des Geizes fallen, für viel zu unbedeutend in früheren Jahren gehalten, ob es wohl besonders in einem Zeitalter des Luxus und der Umwälzungen so äußerst wichtig ist. Man lehre also:

αα) junge Leute vernünftige Sparsamkeit nicht bloß als Klugheit, sondern als wirkliche, für das wohlwollende Gemüt oft sogar schwere Tugend, (Wohlthätigkeit nur am rechten Ort) betrachten; lehre sie Verschwendung als ein wirkliches Laster, wenigstens als Quelle vieler Laster, z. B. der Ungerechtigkeit, der Wortbrüchigkeit, der Unbilligkeit gegen Eltern, deren Schweiß der Verschwender sorglos verpraßt, der Schwelgerei, der Niederträchtigkeit, der Fühllosigkeit gegen arme Krebitoren u. s. w. verabscheuen. Man sei daher

ββ) auch schon bei Kindern gegen die ersten Äußerungen einer leichtsinnigen, nichts achtenden Verschwendung nicht gleichgültig und lasse Entbehren die unfehlbare Folge des Verschwendens sein. Denn, wenn immer ersetzt wird, was sie verlieren, verderben, vergeuden: wie sollen sie den Wert der Dinge oder des Geldes als Mittel schätzen lernen? Damit sie aber

γγ) haushalten lernen, gebe man ihnen beizeiten ein kleines Eigentum, womit sie ratsam umgehen, und wovon sie Rechenschaft ablegen müssen (Schulsparkassen!); suche dann

δδ) oft Gelegenheiten herbeizuführen, wo sich gute Wirtschaft durch wahren Freudengenuß belohnt, besonders im Wohlthun, indes der Verschwender leer ausgeht und durch solche Erfahrungen gewitzigt wird. Hat er sich

εε) in Verlegenheit durch Borgen und Schuldenmachen u. s. w. gestürzt, so lasse man ihn alles Peinliche dieser Lage empfinden. Ihn schnell daraus zu retten, ist das unfehlbarste Mittel, ihn leichtsinnig zu machen.

Beiläufig sei hier bemerkt, daß das ungeheure Schuldenmachen auf Akademieen mehr als zur Hälfte die Schuld der Eltern ist, die entweder ihren Söhnen fleißig erzählen, wie „sie da gelebt" und was „ihre Alten" hätten bezahlen müssen; oder die gar keinen festen Willen haben und dem Strafbriefe eben so oft die Bezahlung beilegen, als eine demütige Bittschrift kommt; oder zwar wissen, wenigstens erfahren könnten, daß ihre Söhne auf der Akademie durchaus nichts weiter thun, als schwärmen und schwelgen, und sie dennoch jahrelang mit großen Kosten in dieser zwecklosen Lage lassen.

b) Furchtsamkeit und Blödigkeit entsteht aus einem zu schwachen Gefühl seiner Kräfte. — Man bemerke:

α) Einigen Anteil hat Temperament, Gesundheitszustand und Schwäche des Körpers. Es giebt natürlich furchtsame und furchtlose Kinder. Das meiste entsteht aber wieder aus verkehrter Erziehung.

β) Unzählige Kinder werden furchtsam gemacht und verschüchtert. Die unschädlichsten Dinge, z. B. Dunkelheit, Alleinsein, Frösche, Spinnen, Insekten, Leichname, Skelette werden ihnen als gefährlich, mithin als furchtbar vorgestellt; Dinge, die schädlich werden können, lehrt man sie bloß fürchten, statt ihnen Mittel dagegen zu geben. Selbst vor Menschen lehrt man sie sich scheuen, bringt sie bei Seite, jagt sie fort, wenn Fremde kommen, und — schilt dann, wenn sie menschenscheu und blöde sind! Das Zufürchtenmachen wird wohl gar als Erziehungsmittel gebraucht!

γ) Vernünftige Erziehung wird alles thun, um von der Furcht und dem Erschrecken allmählich zu entwöhnen. Furcht ist oft für Gesundheit, Ruhe, Entschlossenheit, Thätigkeit äußerst gefährlich, ist schwächend und zerstörend. — So weit es möglich ist, muß man sie durch Gewöhnung an alles, was nicht schädlich ist, gar nicht aufkommen lassen und dem Zögling zum Gefühl seiner Kraft verhelfen. Man rede nur nichts in Gegenwart der Kinder, was furchtsam macht; behandle nur allen Aberglauben als Dummheit und Lächerlichkeit; mache nichts daraus, wenn sie ins Dunkle gehn, im Finstern schlafen, häßliche oder ekelhafte Tiere, Leichname u. s. w. anrühren. Man sei selbst unterschrocken; sie erschrecken sonst aus lauter Sympathie. — Sind sie schon furchtsam, so entwöhne man. Gewalt und Zwang verfehlen den Zweck; nach und nach erreicht man ihn gewiß. Besonders kann das Ehrgefühl hier mit Nutzen gebraucht werden. Überhaupt wird Furcht am besten durch eine andere Gemütsbewegung,

z. B. durch Wißbgierbe, Verlangen, selbst durch Liebe und Dankbarkeit überwunden. Durchs Feuer geht die Liebe, wenn sie retten kann.

δ) Die Blödigkeit und Menschenscheu ist zum teil periodisch. Fast
jedes Kind hat eine Anwandlung davon. Sie ist auch eben so wenig ein sicheres
Zeichen eines schwachen Verstandes, als eines bösen Gewissens. Gerade die
schwachen Köpfe sind am ersten dummbreist und unverschämt. Das bloße
Zurufen: „sei breist!" macht oft nur noch verlegner; es ist daher in der Regel
besser, wenig Notiz davon zu nehmen. Das sicherste Mittel ist, Kinder zwar oft
unter Menschen zu bringen, sich aber in der Gesellschaft nicht zu viel mit ihnen
zu thun zu machen; sie nähern sich dann von selbst und lernen den Menschen
und sich selbst vertrauen. — Eine gewisse Beobachtung des Schicklichen
muß übrigens von früh an Gesetz für sie sein. Diese kann erzwungen werden.
S. Rev. Werk II, 508. Ebend. IX, 411, 438, XII, 218.

3. Von der Unbescheidenheit und Zudringlichkeit an einem andern Orte.

135. Beförderung des Triebes zu gemeinnütziger Thätigkeit.

Vor allen diesen Fehlern, welche Folgen der Selbstsucht oder des
Egoismus sind, bewahrt den Menschen nichts sicherer, als die herrschende Neigung, zum allgemeinen Besten mitzuwirken, welche
in ihm jenen schönen Enthusiasmus für Menschenwohl erzeugt, der von
jeher das Gepräge der besten und edelsten Menschen gewesen ist. Es
mag wahr oder übertrieben sein, daß die Menschen unsers Zeitalters den
Vorwurf des Egoismus mehr als je verdienen: auf jeden Fall können
wir ihm nicht kräftig genug entgegen gehen. Dies ist durch die Erweckung moralischer und sympathetischer Gefühle vorbereitet (§ 71.
72). Wir müssen es fortsetzen: 1. durch Belehrung des Verstandes,
2. durch Übung der vorhandenen Kräfte und Benutzung der vorhandenen
Mittel, 3. durch eignes Beispiel. In jedem Jüngling, bei dem uns
dies gelungen ist, haben wir seinem Zeitalter einen Wohlthäter erzogen.

*Anmerk. Die natürliche Stimmung und Wärme des Charakters hat
allerdings vielen Anteil an dem stärkeren Triebe, die einzelne moralisch gute
Menschen belebt, in das Ganze wohlthätig einzugreifen. Aber die Erziehung kann
gleichwohl viel dazu beitragen, daß jeder Trieb geweckt und erhalten werde. Die
Mittel sind:

1. Belehrung des Verstandes, Überzeugung, daß jeder nur Teil
des Ganzen ist, und so bald er sich isoliert, der Stelle nicht wert bleibt, die er
einnimmt. Dies mache man seinen Zöglingen von früher Jugend an so anschaulich als möglich.

Am stärksten wird es auf ihren Willen wirken, wenn man sich dabei recht
merkwürdiger Beispiele bedient, „wie viel ein Mensch wirken könne", und zugleich
sich hütet, der Jugend die Menschen als schlecht, als durchaus verdorben und un-
verbesserlich zu beschreiben. Die Geschichte belehre sie, wie vieles sich besser machen
läßt, wenn man nur Hand anlegt.

Mit Jünglingen, besonders aus den höheren Ständen, lese man Schriften
wie Iselins Träume eines Menschenfreundes, und ihre Verteidigung gegen
Schlossers Einwürfe.

Shaftesbury's Abhandlung von der Tugend mag von gewissen Seiten
Berichtigung bedürfen; von seiten der Entwicklung der Idee für das Ganze
zu leben, gebührt ihr ein höherer Rang unter den philosophisch-moralischen Schriften.
Den Auszug findet man in Schlossers kleinen Schriften Bd. 4.

2. Übung der vorhandnen Kräfte. — Die Wirksamkeit eines Menschen muß vom kleinen anfangen. Man könnte dazu allerlei Anlässe herbeiführen, z. B. „mit seinen Zöglingen einen schlechten, gefährlichen Weg nach und
nach ausbessern; ein Stückchen Land oder Heide urbar machen; einer verarmten
Familie aushelfen; ein verlassenes Kind unterbringen und für seine Unterweisung
sorgen." Bei solchen Gelegenheiten zeigt sich am ersten, ob der Charakter Kraft
genug habe, etwas aufzuopfern, und was die Hauptsache ist, auszudauern.

3. Eignes Beispiel. — Eltern können hier das meiste thun. Wenn
sie das Maß ihrer Kräfte und ihres Vermögens zum Gemeinwohl anwenden,
ihren Wirkungskreis sich freiwillig erweitern, sich selbst manches versagen, um nur
andern zu helfen: so ist dies die beste Schule für ihre Kinder. Zuweilen werden
sie diese schon mit in ihren Plan hineinziehen und ihnen wenigstens untergeordnete Rollen bei der Ausführung anweisen können.

136. Vaterlandsliebe.

Die höchste Ausbildung der Moralität erzeugt, in Beziehung auf
andre Menschen, eine weltbürgerliche Gesinnung, welche die Gesamtheit aller vernünftigen Wesen teilnehmend und liebend umfaßt;
und da das Christentum sich gerade jene zum Ziel setzt, so liegt
auch allgemeine Humanität oder Menschenliebe, welche in jedem
Menschen, so bald der Anlaß und die Möglichkeit eintritt, ihm dienen
und helfen zu können, nur den Menschen sieht, in dem Geist der
christlichen Moral. Dieses hebt keineswegs den vernünftigen Patriotismus auf, von welchem der Stifter des Christentums selbst das schönste
Beispiel gegeben hat. Denn auch in dem kräftigsten Menschen kann sein
Vermögen nie seinem Willen gleichkommen, und er muß daher, da er
sich dem Kreise, an welchen er durch die Natur oder seine besondern
Verhältnisse zunächst gewiesen ist, am nützlichsten machen kann, seine Thätigkeit auf diesen beschränken und ihn als die eigentliche Sphäre seines
Wirkens betrachten. So entsteht der Nationalsinn und die Vaterlandsliebe. Mit dem Volk, mit dem Vaterlande, dem man angehört, hängen des Menschen eigentümlichste und heiligste Gefühle zusammen. Nun verhält es sich zwar mit Deutschland anders als mit
England, Frankreich und andern europäischen Staaten. Es ist hinsichts
seiner Regenten und Verfassungen geteilter als jene Länder und hat
daher auch keine Hauptstadt als gemeinsamen Mittelpunkt. Hat dies
auf einer Seite die so häufige traurige Trennung der deutschen Völker-
stämme und selbst so viele blutige Kriege, die Deutsche gegen Deutsche
geführt haben, zur Folge gehabt, so sind doch auch die Vorteile unverkennbar, welche daraus für eine allgemeinere und freiere, namentlich
wissenschaftliche Kultur hervorgegangen sind. Daneben darf man in
dem gegenwärtigen Zeitpunkt hoffen, daß bei aller Verschiedenheit

der einzelnen Verfassungen dennoch der echte Patriotismus in der Anhänglichkeit an das angestammte Vaterland und an weise und gerechte
Regenten immer tiefere Wurzel schlagen werde, nachdem alle deutschen
Regenten das fremde Joch, unter dem sie eine Zeit lang seufzten, nach
dem glorreichen Ausgang eines eigentlichen Nationalkampfs, abgeworfen
und einen deutschen Bund gestiftet haben, der bestimmt ist, die Einig-
keit zu erhalten und zugleich dem Mißbrauch der Gewalt in kleinen
Staaten Schranken zu setzen. Nichts würde diesem edlen Zweck mehr
entgegenwirken, nichts dem Emporkommen herrlicher Früchte aus der Blut-
und Thränensaat der Vergangenheit so gefährlich sein, als der Versuch,
bestehende Verfassungen zu untergraben und die Träume einer erhitzten
Phantasie an die Stelle dessen zu setzen, was die Erfahrung bewährt hat.
Denn wenn gleich in allen menschlichen Einrichtungen noch manches
mangelhaft bleibt oder veraltet, so kann es doch nur durch die ruhigste
Besonnenheit allmählich verbessert werden. Allen, welche das künftige Geschlecht zu bilden berufen sind, bleibt es daher doppelt heilige Pflicht,
dafür zu sorgen, daß zwar, was in der neuen Begeisterung für
das Vaterland nicht bloß erkünstelt oder erheuchelt, nicht bloß Wort
und Gestalt ohne That und Geist ist, oder vorübergehender Mode angehört, sondern gesetzlich und rein sittlich ist, genährt und erhalten,
aber zugleich recht klar gemacht werden, daß jede unbesonnene Neuerungs-
sucht zu dem schrecklichsten aller Übel, die einem Volke begegnen können,
der Revolution und der Anarchie führt, und daß es das größte Unglück
wäre, wenn die große Lehre der Zeit, zu welchen Freveln und Greueln
politischer Fanatismus verleiten kann, an dem jetzigen Geschlecht verloren
gehen sollte.

1. Es giebt unstreitig einen Kosmopolitismus, welcher die Menschheit
zu reformieren in hohen Worten sich anmaßt, und doch oft gerade am allerwenigsten
wirkt. Man hat sich indes zu hüten, das, was in dem Begriffe wahr und in der
Gesinnung achtungswürdig ist, ganz zu übersehen. Hat man doch hie und da schon
über „allgemeine Menschenliebe" zu spotten und den Haß gegen ganze
Nationen, wohl gar gegen ihre Sprache zu predigen angefangen. Aber warum
eines an sich so edlen, des Menschen so würdigen Gefühles spotten? Warum nicht,
was allein darin fehlerhaft sein kann — die gleisnerische Affektation, die
Ausartung in Schwäche oder Charakterlosigkeit, die thörichte Überschätzung des
Fremden — bei seinem rechten Namen nennen? Der echte Weltbürgersinn,
das Achten der Menschheit in jedem Menschen, wie fremd er uns auch sei
in Abstammung, Sitte, Sprache und Bildung, ist offenbar der Geist und die Lehre
des Christentums, und es kann kein Vorwurf für dieses sein, wenn es nichts von
dem engherzigen Patriotismus weiß, von welchem ältere und neuere Völker
nicht frei blieben, und daher alles, was nicht ihres Stammes war, als Barbaren
feindlich behandelten, wenigstens verachteten. Doch über diesem steht die christliche
Philanthropie, die an dem Mißbrauch ihres Namens in neueren Zeiten eben

ſo unſchuldig iſt, als die wahre Aufklärung und die wahre Frömmigkeit
an ihrer Ausartung. In Momenten des aufgeregten Gefühls ſind allerdings leiden-
ſchaftliche Äußerungen zu entſchuldigen, aber dennoch nie gut zu heißen, von wem
ſie auch kommen mögen. Glücklicherweiſe ſind die, von welchen ſie kommen,
humaner in der Praxis als in ihren Worten.

2. Wo ein Volk, hätte es auch getrennte Wohnſitze, doch nur eine Verfaſſung,
Regierung und Sprache hat, wie in England, Frankreich, der Schweiz u. ſ. w.,
begegnet ſich der Nationalgeiſt mit der Vaterlandsliebe in gleichen Empfindungen, ja beides iſt da im Grunde nur eins.

Aber auch bei aller Verſchiedenheit der großen und kleinen Staaten deutſcher
Zungen iſt dennoch ein ſolcher Nationalſinn gar wohl denkbar und iſt von jeher
mit der treueſten Anhänglichkeit an das beſondere Geburtsland und das angeſtammte
Regentenhaus verträglich geweſen. Denn dieſe Anhänglichkeit beſteht ja nicht in
einer parteiiſchen oder blinden Vorliebe für die Erdſcholle, auf der man
gerade das Licht erblickt hat und erzogen iſt, wohl ſelbſt für die kleinſten Sitten und
Einrichtungen der Vaterſtadt, oder in dem eigenſinnigen Beharren bei entſchiedenen
Mißbräuchen. Eine ſolche bis zum Kindiſchen ausartende Anhänglichkeit an den
Geburtsort und alles, was dieſem angehört, an die Einrichtung, die man trotz ihrer
Gebrechen doch nur darum vorzieht, weil man ſie einmal kennt, ſollte billig von
der Erziehung weder beabſichtigt noch genährt werden. Sonſt müßte dieſe es ja
oft recht darauf anlegen, Abderiten erziehen zu wollen. Alles bewundern, was
man zu Hauſe gewohnt iſt, alles mäkeln, was einem fremd iſt, wäre es auch ſelbſt
der beſſere Dialekt, das bringt oft ſelbſt Verſtändige um alle Liberalität und
Gerechtigkeit der Geſinnung; hindert ſie, aus der beengten Lage in eine glücklichere
und freiere, als die heimiſche iſt, überzugehen, und bringt ſie ſo als freiwillige
glebae adscriptos ſelbſt um den frohen Genuß des vielgeſtaltigen Lebens. Der
rechte Nationalſinn zeigt ſich in der Achtung und Erhaltung der Grund- und
Hauptzüge, welche das Gepräge eines Volkes ausmachen, und ohne welche ſehr leicht
der Kosmopolitismus zur Charakterloſigkeit werden kann.

Ganz etwas anders iſt es, dahin zu wirken, daß der geſellſchaftliche Verein,
dem der Zögling künftig angehören wird, ihm vor allen wert und der eigentliche
Kreis ſeiner Wirkſamkeit werde; nicht um gerade alles darin unverändert und
bei dem Alten zu laſſen, ſondern ſelbſt um zum Emporkommen etwas beizutragen
und das Fehlerhafte zu verbeſſern, wie dies ja das Beſtreben aller weiſen Regierungen
iſt. In dieſer Hinſicht kann gerade das Lenken der Aufmerkſamkeit auf die Gebrechen,
auf das Zurückbleiben des Einheimiſchen, auf die Vorzüge des Ausländiſchen, den
Patriotismus am meiſten beleben.

Selbſt wenn ſich durch Gewalt oder politiſche Willkür die Regierung ändert,
ſo wird der Freund des Vaterlandes oft gerade darin ſeinen vernünftigen
Patriotismus am meiſten bewähren, daß er es nicht verläßt, ſo bald er die
Überzeugung hat und die Umſtände es möglich machen, auf dem Boden, in welchem
einmal ſeine ganze Thätigkeit gewurzelt iſt, beſonders unter mißlichen Umſtänden,
am wohlthätigſten fortwirken zu können, da ja die Menſchen, für die er bis dahin

gearbeitet, die Geschäftskreise, denen er sich gewidmet hat, dieselben bleiben und seiner gerade dann am meisten bedürfen. Der Verfasser darf, ohne Widerspruch zu fürchten, von sich sagen, daß er nach diesem Grundsatze selbst in der unglücklichen Trennung von dem ihm über alles teuren Staat gehandelt hat, ohne es bereuen zu dürfen. Auch darf er sich auf das beziehen, was in dieser Hinsicht in seinen 1808 geschriebenen Feierstunden über die Irreligion des knechtischen Geistes geschrieben ist.

3. Über das große Thema von der rechten Kultur des vaterländischen Sinnes und Geistes werde hier nur noch folgendes bemerkt:

a) Sie setzt voraus, daß der Erzieher die Eigentümlichkeit seiner Nation rein auffasse. Wir haben viele Schriften, welche die Charakteristik der Völker versuchen und brauchbare Ideen enthalten (s. S. 206). Am besten aber wird diese unmittelbar aus der Quelle der Geschichte geschöpft und den unsterblichen Denkmalen deutschen Geistes und deutscher Thatkraft abgelernt. Daß die Deutschen ihrer ursprünglichen Natur nach ein treues, biedres, dem Körper nach gesundes und starkes, dem Gemüt nach einfaches, Wahrheit und Recht liebendes, daß sie ein mutiges, tapfres, beharrliches, immer nach Freiheit ringendes, daneben ein bildsames, und besonders auch einer vielseitigen Bildung empfängliches Volk waren und sind; daß sie, was ihnen oft an Leichtigkeit und Gewandtheit abgeht, durch Fleiß, durch Gründlichkeit im Wissen, durch Herzlichkeit im Gesinntsein reichlich ersetzen; daß sie dem ursprünglichen Charakter nach gerecht sind gegen fremdes Verdienst, und was sie Vortreffliches irgendwo finden, sich anzueignen suchen, daß sie gleichwohl treu an ihrem Mutterlande und an ihren Fürsten hangen; — dies alles bestätigt sich überall, wo sich deutscher Geist und Sinn in seiner Reinheit offenbart. Wer diese Grundzüge genau beachtet, findet darin Andeutungen genug, worauf er es bei der Bildung der vaterländischen Jugend anzulegen habe.

b) Um aber zum Zweck zu kommen, wäre

α) ein ganz verkehrtes Mittel, Geringschätzung und Verachtung alles dessen zu erzeugen und zu nähren, was nicht deutschen Ursprungs ist und kein deutsches Gepräge trägt, oder das, was bei den Ausländern vorzüglich ist und worin sie uns durch Natur oder Verdienst übertreffen, in Schatten zu stellen, indes das Mittelmäßigste und Gemeinste, weil es vaterländisch ist, überschätzt wird. Mag dergleichen im Zustande der Leidenschaft einige Entschuldigung finden, wo man durch harte von Fremden veranlaßte Erfahrungen aufgeregt ist. Im Grunde ist und bleibt ein solches wütendes Volkstum eine wahre Undeutschheit des Sinnes. Weit würdiger hat Klopstock den echten deutschen Charakter, in der Parallele zwischen uns und den Engländern, bezeichnet:

> „Wir sind gerecht, das sind sie nicht:
> Wir ehren fremd Verdienst".

β) Ebensowenig sollte auf Tracht und besondre Sprachaffektation ein so hoher Wert gelegt werden. Es ist ja schon schwer zu bestimmen, in welcher Lebensperiode des deutschen Volks seine Eigentümlichkeit, wenn von solchen Äußerlichkeiten die Rede ist, gesucht werden soll. Die Sprache jedes Volks schreitet aber stets mit seiner Bildung fort. Man hat, durch die Überschätzung solcher Dinge veranlaßt, schon wiederholt geäußert, daß das deutsche Herz etwas anders sei, als deutsches Haar und der deutsche Rock, und daß zu fürchten steht, es werde eine in sich herrliche und heilige Sache, durch falsche Mittel gefördert, entweder eine Quelle thörichten Dünkels oder zuletzt ein

Gegenstand des Spottes werden. Daß eine solche verkehrte Richtung des sogen. Deutschtums selbst zu sträflichem Beginnen veranlassen, daß namentlich oft die besten Jünglinge durch Vorspiegelung von notwendigen, wohl selbst revolutionären Reformen und dem Beruf der Jugend sie zu fördern, hingerissen werden können, hat die Geschichte unsrer Zeit gelehrt, und was bei ihnen nur ein blinder Enthusiasmus für eine Chimäre war, ging nur zu oft von Feinden der bestehenden Ordnung aus, die in Deutschland gern die Scenen, die man in Frankreich erlebt hat, erneuert hätten, um nach ihrer Weisheit die Länder zu regieren.

γ) Solche Verirrungen sind nicht da zu fürchten, wo man sich darauf beschränkt, das jugendliche Gemüt durch die lebendige Darstellung alles Großen und Herrlichen, was in und durch unser Volk in alten und neuern Zeiten geschehen ist, zu begeistern. Die That spricht unverdächtiger als die Lobrede, und die Namen der edlen und kräftigen Menschen, die uns angehörten oder noch angehören, erinnern fast ohne Kommentar an das, was sie vollbrachten und kaum in einem andern Lande so unternommen und ausgeführt hätten. Deutsche Geschichte, deutsche Biographik, alles, was in Wissenschaft und Kunst deutscher Art ist, die Sprache selbst, die aus eignem Stamm erwachsene, dies Palladium unserer Freiheit und Unabhängigkeit, muß dem Erzieher den Stoff liefern. Auch in der Bildung des weiblichen Geschlechts kann es an Musterzügen in den Gemälden deutscher Frauen nicht fehlen. Genug ist in den neueren Zeiten für das alles vorgearbeitet. Man vergl. Schriften, wie des Predigers C. Niemeyers deutschen Plutarch, 1—4 T. und dess. Heldenbuch 1817; Kohlrausch, Geschichte der Deutschen, Elberfeld 1817, 2 T. und desselben Befreiungskrieg; Klein, Leben und Bildnisse großer Deutschen, 5. Bde. und das Pantheon der Deutschen, 3 Bde.; Zimmermann, Illustr. Geschichte des deutschen Volkes; Duller u. Pierson, Gesch. d. d. V.; Menzel, Geschichte der Deutschen; Rückert, Deutsche Geschichte; Giesebrecht, Gesch. d. d. Kaiserzeit. Ferner die Werke von Waitz, Raumer, Ranke, Archenholz, Häusser, Cösel, Eberty, Pierson, Hahn, Droysen, Müller, Freytag, Scherr, Riehl u. a.

δ) Es ist zwar jetzt weniger als vordem nötig, vor den Verführungen zu frembartigem Sinne, zu fremden Sitten und Gewohnheiten zu warnen. Die vormalige Anglo- und Gallomanie und die Bewunderung ausländischer Erziehung ist seltener geworden. Man hat erfahren, wohin sie führt. Dennoch kann es in einzelnen Fällen und Familien noch nötig sein, auf die Folgen die Aufmerksamkeit zu lenken, wenn man sich dem Fremden zu unmännlich beugt und fügt, dienstbar und verbindlich macht, oder aus schnöder Gewinnsucht und eitlem Ehrgeiz mit Wohlgefallen trägt, was man vielleicht notgebrungen tragen muß.

ε) Damit aber die Versuchung zu einer sklavischen oder doch erschlafften Gesinnung, durch etwas dem ähnliches, was wir in furchtbaren Jahren der Unterjochung erfahren haben, nicht wiederkehre, muß endlich die Erziehung auch nicht versäumen, in jedem Zögling dem Vaterlande und namentlich dem Staate, dem er angehört, einen Verteidiger, wenn es not thut, zu erziehen. Man beschränkte dieses Ziel nur auf gewisse Stände. Erst durch die großen Erfahrungen der letzten Zeit ist man zu dieser Überzeugung gekommen, daß stets fortgehende allgemeine Übung und Wehrhaftmachung aller Waffenfähigen eine große Bürgschaft für die Ruhe und Sicherheit leiste und dabei minder drückend sei, als immer vergrößerte stehende Heere. Denn ein gemeinsamer Volksgeist kann die rechte Vormauer gegen neue Überwältigung sein, woher sie auch kommen möchte. — Die rechte Art, dazu vorzubereiten, kann hier nicht erörtert werden. Körperliche Übungen sind gut und nützlich. Aber sie machen es nicht allein. Auch Ungeübte in dem allen haben Wunder der Tapferkeit gethan, und ein Monat der Begeisterung hat Helden erzogen, wie sie jahrelange Qual und Anstrengung im Militärdienst nicht hervorgebracht hätte. Die Kraft des Geistes und des Herzens, welches das Vaterland und seine Ehre in sich trägt, ist mehr als alle Körperkraft und Gewandtheit, so wenig diese versäumt werden darf. Der unbeholfene bei Büchern und unter Philosophen aufgewachsene, mit der Kriegskunst völlig unbekannte Kaiser Julian siegte in dem ungleichsten Kampf, unter den schwierigsten Umständen; pflanzte in drei großen Schlachten die römischen Adler jenseit des Rheins und befreite Gallien von der Herrschaft zahlloser Barbarenhorden. „Die spekulative Philosophie, — so urteilt der große britische Geschichtschreiber Gibbon, — welche die Geschäftsmänner so geneigt sind gering zu achten, hatte seine Seele mit den edelsten Grundsätzen und den glänzendsten Beispielen erfüllt; hatte ihn mit Liebe zur Tugend, mit dem Durst nach Ruhm, mit der Verachtung des Todes erfüllt; die Gesetze der Mäßigung förderten vortrefflich die Strenge des Lebens im Felde, die Entbehrungen, die Versagungen. Er genoß, was der Soldat erhielt; er duldete seine Wärme in seinem Schlafzimmer während des rauhen, harten gallischen Winters; nach kurzem Schlaf stand er auf, besorgte das Dringendste, machte die Runde und stahl sich noch Augenblicke für die Wissenschaften. Das Studium der Beredtsamkeit, sonst an leere Schulübungen gewendet, machte ihn nur geschickt, alle großen Leidenschaften in der Armee durch die Kraft seiner Worte aufzuregen". J. T. K. 19.

5) Auch der alte Heldengeist, dem das Vaterland und die Freiheit mehr war als das Leben, muß bei allen Gelegenheiten geweckt und durch die Erinnerung an die großen Beispiele unserer Zeit aufgeregt werden. Auch in dieser hat es sich ja gezeigt, daß die Stimme des Vaterlandes, wie sie in den Versammlungen der Griechen und Römer so mächtig ertönte und selbst dem Ohr der Sterbenden ein lieblicher Klang war, ihre Stärke noch nicht verloren hat. Es hat wieder Mütter gegeben, die bei dem Anblick des ehrenvoll gefallenen Sohnes ausriefen: „Ja habe ihn dazu geboren!" oder die den Feigen wie jene Spartanerin straften: „Und du hast den Tod der Brüder überleben können?" wieder Väter, die auch den letzten hinzugeben bereit waren; und Bräute, die den Sieg dem Tod zum Preis ihres Besitzes machten. — Auch ist tapferer Kampf wieder von den Fürsten mehr als vormals anerkannt und belohnt, und das Gedächtnis der für das Vaterland Gefallenen geehrt und geheiligt durch festliche Erinnerungstage und kräftig sprechende Denkmale ihrer Großthaten

incisa notis marmora publicis,
per quae spiritus et vita redit bonis
post mortem ducibus.   Horat. c. 4, 8.

Auch dies machte es dem Erzieher leichter, neben der Liebe zu allem Guten und Schönen auch die Begeisterung für das Vaterland zu wecken. (Noch einiges hierüber bei der Schuldisciplin § 38.)

Über die ganze Materie vergl. man unter andern Garvens Gedanken über die Vaterlandsliebe und die Vorliebe für seine Provinz in größern Staaten; in den Versuchen über Gegenstände aus der Moral, (5 T., Breslau 1792 bis 1802), T. 2, S. 177 f.; Zimmermann über Nationalstolz, Zürich 1779, bes. Kap. 4—7; Sonnenfels, über die Liebe des Vaterlandes, Wien 1783; Dietz, Versuch über den Patriotismus, Halle 1785; Th. Abt, vom Tode für das Vaterland, in dem 1. T. seiner Werke. Mit besondrer Rücksicht auf deutschen Volkssinn; *E. M. Arndts Geist der Zeit, 1—3 T., Berlin 1807—1813; *J. G. Fichte, Reden an die deutsche Nation, Berlin 1808, Ausgabe von Professor Vogt, Langensalza, 1882. Beyer und Söhne. (Ihr Wert besteht unstreitig — wie schon die treffliche Recension in der Jenaischen A. L. J. v. J. 1808, Nr. 261, bemerkt — mehr in dem edlen Geist und der ergreifen-

ben Beredtsamkeit, als in einzelnen Vorschlägen, die besonders in pädagogischer Rücksicht sehr einseitig sind. Es muß sogar befremden, daß ein so tief-
sinniger Weltweiser von einem gleichförmigen Unterricht aller jungen Deutschen und ihrer Entfernung aus allen Familienverhältnissen so viel erwarten
und ähnliche Ideen mancher mehr wohlmeinenden als unterrichteten schweizerischen
Pädagogen teilen konnte). Guts Muths, Was müssen Eltern, Erzieher und
Lehrer bei der Erziehung der Jugend thun, um die Selbständigkeit unsres Volks
zu sichern? Bibliothek für Pädagog. 1814, 1. Bd. Insonderheit sprach kräftige
Worte an die deutsche Jugend in und nach den Zeiten der Gefahr, F. Jacobs
in den beiden Schriften: Deutschlands Gefahren und Hoffnungen, an Germaniens
Jugend, Gotha 1814, und Deutschlands Ehre, dem Andenken der im heiligen
Kampfe Gefallenen ꝛc. Gotha 1814; Jahn, Deutsches Volkstum, Leipzig 1817.

Neuerdings: Über nationale Erziehung, vom Verf. der Briefe über Berliner
Erziehung, Leipzig 1872; Schultze, über nationale Erziehung, Breslau 1877.

137. Einfluß der Erziehung auf Familienliebe und Freundschaftssinn.

Das allgemeine Wohlgefallen, welches alles, was Mensch ist,
ja selbst alle empfindenden Wesen liebend umfaßt, wird zwar auf der einen
Seite durch die stärkere Anhänglichkeit an Landsleute, Verwandte und
Freunde beschränkt, auf der anderen ist aber der Sinn für die engeren
Familien- und Freundschaftsverbindungen sehr oft die Quelle
jener allumfassenden Liebe geworden. In der Erziehung muß man auf
jeden Fall diese auf jene gründen. Von den Eltern muß die erste Erweckung ausgehen. Es ist fast immer ihre Schuld, wenn sie von ihren
Kindern nicht geliebt werden. Auch haben sie in den meisten Fällen Anteil
daran, wenn es an Geschwisterliebe fehlt. Diese wird durch völlige Unparteilichkeit gegen alle Kinder begründet und durch Bewachung des guten
Umgangstons, wie durch häufige Veranlassung gegenseitiger Gefälligkeiten
erhalten. Auch der Erzieher kann hier auf mancherlei Art mitwirken[1].
Freundschaft ist eine zu freie, oft vom Zufall des Moments abhängige
Empfindung, als daß sie sich veranstalten oder gebieten ließe. Es giebt
aber eine Bildung des Gemüts, die für Freundschaft empfänglicher
macht; und die Erziehung kann wenigstens manche Verirrungen in der
Wahl der Freunde verhüten.

Anmerk. 1. Über Familiensinn. — Wie Liebe eigentlich nur da Wert
und Dauer hat, wo sie auf Achtung beruht, so kann auch Familiensinn nur da
emporkommen, wenigstens nur da Gutes wirken, wo eine Familie innerlich achtungswürdig, folglich reine Sitte, Tugendliebe, nützliche Thätigkeit in ihr herrschend ist. Aber da ist denn auch die Wirkung so groß, daß ein trefflicher Schriftsteller kein Bedenken trug, zu sagen: „er glaube kaum, daß der ein nichtswürdiger
Mensch werden könne, der früh ein Gefühl für diese Seligkeit habe". Schon der
Gedanke, eine Familie unglücklich zu machen, wenigstens die Harmonie des

Hauses zu verstimmen, hält die Glieder selbst, und auch die, welche den oft verdächtig gewordnen und entheiligten Namen der Hausfreunde führen, von manchen Schritten zurück, die sich die Leidenschaft, wenigstens Mangel zarter Schonung des guten Rufs sonst wohl erlauben würde. Aber eben dieser Gedanke treibt auch zu nützlicher Thätigkeit an. An der Spitze einer Familie zu stehen, ihr Unterhalt zu schaffen, sie zu schützen, zu regieren, zu bilden, zusammen zu halten, ihr Freude zu geben: das alles fordert eignen Wert, den man sich erwerben muß. — Zur Beförderung dieses Sinnes gehört

a) eignes reges Interesse an den Kindern von seiten der Eltern; Aufmerksamkeit auf sie, verständige Sorge für ihr Wohl, nicht bloß kindische sinnliche Liebe und noch weniger Verzärtelung; in reiferen Jahren auch eine dem Alter angemessene Behandlung. Behandelt man erwachsene Jünglinge und Töchter zu lange als Kinder, so kann selbst in den besseren Gemütern die Elternliebe abnehmen, das Haus drückend werden, bei Schlechteren sogar Bitterkeit entstehen.

b) Strenge Unparteilichkeit. Ungerechte Zurücksetzung des einen vor dem andern verdirbt oft beide. Eben darum ist in vielen Familienkreisen so wenig reine Freude. Gleiche Stärke der sinnlichen Zuneigung und des inneren Wohlgefallens läßt sich zwar nicht erzwingen; auch ist das Verdienst zu ungleich; aber Gerechtigkeit ist Forderung und Werk der Vernunft.

c) Parteilosigkeit der Eltern fördert wenigstens zum teil die Geschwisterliebe. Gebieten läßt auch sie sich nicht; aber es ist schon viel gewonnen, wenn man erreicht hat, daß ein bescheidner und humaner Ton und herzliches Wohlwollen unter Geschwistern herrscht. Grobe Familiarität erstickt die edlere Liebe. Ferner läßt es sich oft veranstalten, daß unter mehreren Kindern des Hauses eines des andern bedürfe, das jüngere dem älteren mit anvertraut werde; denn dies erzeugt Anhänglichkeit.

d) Der Erzieher wird umsomehr zur Weckung und Nährung dieses Sinnes mitwirken, je mehr er sich als Familienglied betrachten darf. — Die Veranstaltung kleiner Familienfeiern wird um so bessere Eindrücke machen, je mehr die Kinder bemerken, daß er selbst mit eignem Interesse, nicht bloß für die Gebühr dazu thätig ist.

Mehr über diesen Gegenstand findet man in dem Abschnitte von den Pflichten der Eltern.

2. Über Freundschaftssinn. So oft Kinder von Freunden und Freundinnen reden, so ist doch das, was sie an einander bindet, kaum Freundschaft zu nennen; sie haben nur Gespielen und noch keine Freunde. Es ist kindische, oft sinnliche Anhänglichkeit, Gewöhnung an einander, oft ein bloß eigennütziges Interesse, und eben darum so unbeständig, so leicht aufgelöst, verdrängt, in das entgegenstehende Gefühl verwandelt. Erst mit dem reiferen Alter wird das Gemüt eigentlicher Freundschaft empfänglich. Die Erziehung kann allerdings

a) durch Kultur der Anlage dazu vorbereiten; wenigstens indirekt durch Beförderung der Tugenden, die aller echten Freundschaft zum Grunde liegen: des reinen Sinnes, der Uneigennützigkeit, Wahrheit und Offenheit, der Festigkeit des Charakters, verbunden mit Feinheit der Empfindungen und Delikatesse der Äußerungen. Wer Egoisten erzieht, oder dem schon vorhandnen Egoismus nicht gehörig entgegenarbeitet, darf nie hoffen, zur Freundschaft zu bilden. Die Erziehung kann

b) die Verirrung des sich regenden Triebes nach Freundschaft zuweilen verhüten. Die besten Seelen wählen oft falsch. Doch hüte man sich, zu schnell,

Riemeyer, Grundf. d. Erziehung. I. 2. Aufl. 15

wenn nicht eigentliche Gefahr da iſt, die Wahl zu ſtören. Es ſchadet nicht, daß
der junge Menſch ſeinem Urteil aus eigner Erfahrung mißtrauen lerne. Gerade
die heißen Freundſchaften gehen oft am erſten in Kälte über. Doch können auch
Erinnerungen, „erſt zu prüfen, nicht zu heiß anzufangen u. ſ. w." ihren Nutzen
haben; geſetzt, der Zögling lernte, wenn er von ſeinem Irrtum zurück gekommen
iſt, daraus auch nur ſo viel, daß ſein Führer oft richtiger ſehe. (Xenophon,
Mem. Socr. II, 4—6 und Cic. de amicitia, c. 17.)

c) Freundſchaften ſtiften gelingt dem Erzieher ſelten. Zuneigung und
Abneigung will nicht geboten ſein; wo Beſchränkung der Gefühle geahndet wird,
widerſtrebt der innere Menſch. Aber es laſſen ſich doch unvermerkt Verbindungen
herbeiführen; und aus dem Gewöhnen an einander entſteht oft Freundſchaft. Wo
ſie dann rechter Art iſt, wird ſie die Quelle der ſchönſten Tugenden: der Treue,
Beharrlichkeit, Thätigkeit, ſelbſt der Aufopferung für fremdes Wohl.

138. Einfluß der Erziehung auf Geſchlechtsliebe.

Die Geſchlechtsliebe liegt dem erſten Anblick nach außer den
Grenzen der Erziehung. Es ſcheint, ſie habe eine Periode mit dem
Geſchlechtstriebe, und dieſer gehört in das Alter der Reife, wo der
Menſch der fremden Hilfe entwachſen ſein ſollte. Allein teils iſt dieſe
Ordnung der Natur, welche bei unſern germaniſchen Vorfahren ſtattge-
funden haben mag, (sera juvenum Venus eoque inexhausta pubertas. Tacit.)
aus unſerer Welt verſchwunden; teils würde auch da, wo ſie bei ein=
zelnen noch ſtatt fände, eine gewiſſe Vorbereitung auf die ſo entſcheidende
Epoche, wo der gewaltigſte aller ſinnlichen Triebe hervorbricht, von der
äußerſten Wichtigkeit ſein. Die Hauptſorge der Erziehung ſei in dieſer
Hinſicht Bewahrung der Phantaſie, von der faſt alles Übel ausgeht,
und Verhütung anſteckender Verbindungen mit verdorbnen Menſchen; Erhaltung eines Vertrauens, das dem Erzieher nicht leicht etwas, was in
der Seele vorgeht, ganz verbirgt, und Lenkung der erwachenden Neigung
zu dem andern Geſchlecht auf ein reines Ideal, wodurch der Tugendſinn
geſchützt und die Seele mit tiefem Abſcheu gegen das Laſter erfüllt wird.
Selbſt ein ausgewählter Umgang beider Geſchlechter kann hierzu wirkſam
ſein, wenn nur bei allen die Sinne aufregenden Vergnügungen Vorſicht
angewendet wird und alle Familiaritäten als etwas ſchon die guten
Sitten Beleidigendes betrachtet werden.

Anmerk. 1. Nach allgemeinen Regeln läßt ſich hier nicht verfahren. Man
hat eben ſo viel Urſache, ſich zu wundern, wie die auf Geſchlechtsliebe Beziehung
habenden Gefühle bei einigen ſo ſpät, bei andern ſo früh, ſelbſt unter ähnlichen
Umſtänden, erwachen. Den meiſten Anteil daran hat unſtreitig, neben dem
Temperament und der ganzen körperlichen Konſtitution und Organiſation, die
lebhaftere oder ſchwächere Phantaſie. Sehr ſpäte Entwickelung des Geſchlechts-
triebes iſt übrigens zuweilen die Urſache, daß er im Alter der Reife nur um ſo
mächtiger werde.

2. Die Geſchlechtsliebe, ſo wenig man ſie mit der ſinnlichen Wolluſt

verwechseln muß, bleibt doch immer ein Gemisch geistiger und sinnlicher Gefühle und Empfindungen. Die Erziehung muß sich also auf beide Einfluß zu verschaffen wissen.

a) Das Sinnliche wird gefährlich, wenn es stärker als die Vernunft und dem Sinne für das Moralische ganz entfremdet, vorherrscht, und wenn der Phantasie, bei dem Gedanken an ein anderes Geschlecht keine andern Bilder, als die des körperlichen Genusses vorschweben. In diesen Fall kommen junge Leute durch nichts so leicht, als durch schmutzige Bücher, Bilder, Gespräche und Gesellschaften. Der bloße Naturtrieb wird die Phantasie zwar auch aufregen, aber nie in dem Grade wie jene beflecken. Es ist indes eben so schwer als wichtig, jeder schädlichen Einwirkung auf sie zu wehren, da im gesellschaftlichen Leben der Veranlassungen dazu unzählige sind. Sogar auf das Volk wirken unsre gemeinen Schau- und Marionettenspiele und Spielzeuge auch von dieser Seite äußerst nachteilig, in die man gleichwohl Kinder oft so unbedachtsam führt.

. Auch die Einsamkeit ist in der kritischen Lebens- und Entwicklungsperiode des Jünglings gefährlich, denn sie setzt die Einbildungskraft in zu lebhafte Tätigkeit und führt leicht zu unnützen Grübeleien und schädlichen Träumereien. Es ist viel aus der menschlichen Natur und Erfahrung geschöpft, wenn Rousseau sagt: „Man sage, was man will: von allen Feinden, die einen jungen Menschen angreifen können, ist der gefährlichste und der einzige, den man nicht entfernen kann — er selbst. Dieser Feind ist gleichwohl meist nur durch Schuld einer vernachlässigten oder zu wenig aufmerksamen Erziehung gefährlich. Nur durch die Einbildungskraft werden die Sinne erweckt. Wäre nie ein wollüstiger Gegenstand in die Augen gefallen, nie ein unehrbarer Gedanke in den Geist gekommen; so würde vielleicht nie das vorgebliche Bedürfnis empfunden sein. Der Jüngling wäre ohne Versuchungen, ohne Kampf, ohne Verdienst keusch geblieben. Man glaubt nicht, was für heimliche Gährungen gewisse Lagen und gewisse Anblicke in seinem Blute erregen, ohne daß er selbst die Ursache dieser ersten Unruhe, die nicht leicht zu stillen ist, zu entwickeln weiß. Es ist indes unmöglich in unsrer Welt, es ist nicht einmal ratsam, ihn immer in jener heilsamen Unwissenheit zu lassen. Die schlimmere Klippe für die Jugend ist, halb unterrichtet zu sein. Die Erinnerungen an gewisse Gegenstände folgen in die Einsamkeit, bereichern sie wider Willen mit Bildern, die sehr oft verführerischer sind, als die Gegenstände selbst. Suchet daher vor allem den Jüngling vor sich selbst zu bewahren". S. Emil 4tes Buch, und vergl. Zimmermann über die Einsamkeit, T. 2, K. 6, S. 48 ff.

Der Vorschlag, die Gewalt des sinnlichen Triebes bei Jünglingen durch eine recht absichtliche Diversion, z. B. durch Erweckung der Neigung zur Jagd, oder zu Gartenbau, Naturwissenschaft, Musik zu mäßigen, ist wenigstens bei einzelnen Subjekten gewiß nicht verwerflich. Sehr wißbegierige und wissenschaftliche schützt selbst die höhere geistige Thätigkeit.

b) Das Geistige und Sittliche in der Geschlechtsliebe, die Sehnsucht nach inniger Vereinigung mit einem Wesen, welches die sittliche Grazie schmückt, muß in den Jahren der Reife eher genährt, als unterdrückt werden. Man muß dem Jüngling und dem Mädchen es nicht verbieten wollen, es nicht zur Sünde machen, zu lieben. Man muß vielmehr tugendhafte Liebe als Fundament des Familienglücks und als das Begehrungswürdigste darstellen, was aber durch eigne Tugend und durch nützliche Thätigkeit verdient werden müsse. Dazu dient besonders bei Jünglingen

α) die Erfüllung ihrer Seele mit tiefem Abscheu vor der bloß tierischen Wollust, die zum Laster und so oft zum Elend führt. Man hüte sich daher vor allem Leichtsinne, wenn von Verletzung der Unschuld oder gar der ehelichen Treue die Rede ist; nenne die Laster und die Lasterhaften bei ihren alten wahren Namen,

15*

nicht bei den mildernden, welche die gesunkene Sittlichkeit erkünstelt hat: rede von Buhldirnen und Huren, nicht von Lust- und Freudenmädchen u. s. w. — Man veranstalte auch wohl den Anblick des Elends, wohin das Laster führt, in Kranken-häusern, Chariteen, und lasse die oft noch schrecklichere Verzweiflung verführter Unschuld, die ein Verführer auf sein Gewissen ladet, anschauen. Daneben kann

β) besonders bei denen, welche für Liebe früh empfänglich sind, allerdings das, was Rousseau für das einzige Verwahrungsmittel hielt, die Erweckung eines Ideals, was nun in der wirklichen Welt gesucht sein will und immerhin recht hoch idealisch sein mag, von Nutzen sein. Die etwa zu fürchtende Schwär-merei verliert sich bald und macht auf keinen Fall den Menschen schlechter. Solch ein hohes Ideal von dem Verein körperlicher und moralischer Schönheit kann sogar den auf dem Wege der Tugend wankenden Jüngling standhaft machen, jedem verführerischen Reize zu widerstehen. Auch insofern sind Richardsons Romane bei weitem nicht so schädlich, als man hier und da gemeint hat. (S. oben § 143, Anm.) Die, welche die Liebe und das Verliebtsein mit gar zu leben-digen Farben darstellen, sind es weit mehr, wenn sie daneben auch noch so viel Tugend predigen. Und das thun doch unsre gelesensten Schriftsteller. — Auch

γ) der vorsichtige Umgang mit gebildeten und unverdorbenen jungen Frauenzimmern, das eigentliche Familienleben, ist ein treffliches Verwahrungsmittel reiner Sitten.

Man vergleiche über diesen Gegenstand: Venus Urania von Rambohr, 3 T., Leipzig 1798, und Zimmermann i. a. Werk, T. 1, K. 4, und T. 2, K. 7; besonders aber in pädagogischer Rücksicht das ganze 4te Buch in Rous-seaus Emil. Läßt sich gleich nicht alles nachahmen, so liegen doch Maximen zum Grunde, die auf die richtigste Menschenkenntnis gebaut sind, und die man mit den geringsten Modifikationen angewendet zu haben nie bereuen wird.

139. Vereinbarung der Bildung zu äußerer Wohlanständigkeit und Höf-lichkeit mit der moralischen Charakterbildung.

Menschenachtung und allgemeines Wohlwollen, verbunden mit der innern Bildung des moralischen Gefühls, sind die einzig reinen Quellen der äußeren Sittenbildung und Höflichkeit[1]). Und nur so fern sie daraus entspringt, darf sie als ein Teil der moralischen Erziehung betrachtet werden. Denn sie mag sich nun in der allgemei-nen Beobachtung des Wohlanständigen, Üblichen und Schick-lichen, welcher die Ungezogenheit, Grobheit und Plumpheit (Rusticität) entgegensteht,[2]) oder sie mag sich in gewissen kon-ventionellen Zeichen der Achtung zeigen: es darf doch nichts bei ihr beabsichtigt und zu ihrer Hervorbringung kein Mittel angewendet werden), das mit den ewigen Gesetzen des Sittlichen im Widerspruch steht; woran man aber bei der in der großen und feinen Welt üblichen Erziehung viel zu wenig denkt[3]). Billig sollte man nichts thun, als Kinder darauf führen, wie sich der innere Sinn für das Sittliche und für die Hu-manität in den verschiedenen Verhältnissen des äußeren gesellschaftlichen Lebens gestalte[4]). Vor der zu frühen Einführung in die Gesellschaft vom sogenannten feinen Weltton, sollte man sie so lang als möglich bewahren.⁵) Wenn dieser Zeitpunkt eintritt, so wird bei einer durch richtige Prinzipien geleiteten Erziehung der Charakter hoffentlich fest genug sein, um so wenig Thorheiten, als Falschheit und Heuchelei nachzuahmen.⁶)

Anmerk. 1. Wer wirklich moralisch gebildet ist, der begeht ganz gewiß keine eigentlichen Unhöflichkeiten, wiewohl ihm konventionelle Unschicklichkeiten begegnen können. Der bescheidne Sinn bewahrt ihn, sich nie unbescheiden vorzubrängen; die Achtung andrer Menschen, auch der geringsten, läßt nie etwas thun, was andere beleidigen oder kränken, das herzliche Gutmeinen und Wohlwollen läßt nie unachtsam auf das werden, was andern Vergnügen machen könnte. Wer aber so handelt, hat sich schon das Wesentlichste der wahren Höflichkeit angeeignet. Seine Worte sind vielleicht nicht immer ausgesucht, seine Gebärden nicht immer studiert; aber der Ausdruck des Wohlwollens verschönert alles. Kinder aus ärmeren Ständen übertreffen in jenen wesentlichen Tugenden die Vornehmen oft weit, und der Sohn des Handwerkers, Schulmeisters, Predigers ist oft ungleich höflicher, als der vornehmste Junker.

2. Junge Leute, besonders Knaben, die sich zu fühlen anfangen, auch durch äußeren Wohlstand, oder durch ihre ganze Lage in einer gewissen Unabhängigkeit zu sein meinen, haben oft einen recht starken Hang zu Roheit und Nichtachtung andrer Menschen; nehmen auf Verhältnisse gar keine Rücksicht; berechnen bei allem nur ihre Bequemlichkeit und ihr Vergnügen; halten sich über alles auf; maßen sich über alles das erste Urteil an, und werden, besonders wenn ihrer viele beisammen sind, bis zum Unerträglichen übermütig und beleidigend. Auf Akademien und in manchen Garnisonen, so wie in Fabrikstädten springen die Wirkungen dieses rohen Jugendsinnes am meisten ins Auge. Man ist geneigt, es zum Geist unsrer Zeit zu rechnen. Geklagt ist aber darüber in allen Zeitaltern. — Daß man wenigstens diesen Fehlern nicht nachsehe, ihnen vielmehr beim ersten Ausbruch den Krieg ankündige! Auch hier gilt: Opprime, dum nova sunt, subiti mala semina morbi. — Principiis obsta; sero medicina paratur, cum mala per longas convaluere moras. Ovid.

3. In der großen und feinen Welt setzt man auf die äußere Politur einen so hohen Wert, daß man besonders den Jünglingen und Mädchen, die sich gut produzieren können, dafür eine Menge der wesentlichen Vorzüge des Geistes und Herzens erläßt. Eben daher kommt es auch, daß man jungen Leuten nicht früh genug diese Feinheit und Glätte der äußeren Sitten geben, und, da man die Gesellschaften der feinen Welt für die beste Schule der Sittenbildung hält, sie auch nicht früh genug in diese Gesellschaften einführen zu können meint. Wenn man aber eben diese Gesellschaften, selbst die besten nicht ausgenommen, mit dem vergleicht, was Kinder, und selbst Jünglinge und junge Mädchen sein, wie sie denken, wie sie empfinden und handeln sollen; wenn man die Grenzlinie beachtet, welche die Natur so weislich zwischen ihnen und Personen des reiferen

Alters gezogen hat, und welche hier gänzlich verrückt wird; wenn man den unaussprechlichen Schaden berechnet, welchen eine zu frühe äußere Kultur und namentlich der künstlich verfeinerte Umgang der beiden Geschlechter, den man unter
dem Namen der Galanterie kennt, tausend gegen einmal stiftet: so wird man
nichts Anders wünschen können, als daß in dem früheren Alter die natürliche
Höflichkeit allein, und erst in dem reiferen die konventionelle Verfeinerung
(Urbanität) verlangt und bezweckt werde. Dadurch wird der sittliche Charakter
gesichert.

Man vergl. damit Heidenreich, Maximen für den geselligen Umgang,
Leipzig 1801; Derselbe, über die Möglichkeit, seine Lebensart mit Redlichkeit
des Charakters zu vereinigen; in den Betrachtungen über die feine Lebensart,
nach dem Franz. des Abts Bellegard, 1804; Duclos, Betrachtungen über die
Sitten unsrer Zeit.

Wie wahr ist doch, was der letzt Angeführte S. 60 bemerkt:

„Die unglücklichste Wirkung der sogenannten Höflichkeit ist, daß sie die Kunst
lehrt, der Tugenden überhoben zu sein, welche sie nachahmt. Man flöße uns in
der Erziehung Menschlichkeit und Wohlthätigkeit ein, und wir werden
Höflichkeit haben, aber keines Höflichseins bedürfen.

„Gesetzt, wir haben die nicht, die sich durch Grazie ankündigt, so werden
wir diejenige haben, welche den rechtschaffnen Mann und den Bürger ankündigt;
wir werden nicht nötig haben, zu der Falschheit unsre Zuflucht zu nehmen.

„Anstatt die Kunst zu gefallen, verstehen zu müssen, wird es genug sein,
nur gut zu sein; anstatt falsch sein zu müssen, um den Schwachheiten andrer zu
schmeicheln, wird es hinreichen, nur nachsichtig zu sein."

4. Zur Beobachtung des Anständigen, Schicklichen und Üblichen
(oder zu dem, was man die Artigkeit zu nennen pflegt), können ebenfalls schon
Kinder im frühen Alter gewöhnt werden: denn man kann ihnen die Gründe davon begreiflich machen. Daher versäume man dies auch schon in ihren jüngeren
Jahren nicht, da es zumal größtenteils die Sache der Gewöhnung ist.

Dahin gehört namentlich:

a) Das Anhalten zur Reinlichkeit an Körper und Kleidung, durch
frühe Erweckung des Ekels, nicht gegen das, was nicht ekelhaft ist, z. B. Tiere,
Insekten u. dgl., desto mehr aber gegen alle vermeidliche Unsauberkeit und
gegen Schmutz. — Adhibenda est munditia non odiosa, neque exquisita
nimis; tantum quae fugiat agrestem et inhumanam negligentiam. Cic.
de offic. 1, 36, vergl. Epict. Dissert. ab Arriano digest. VI, 11.

b) Die Gewöhnung zur Schamhaftigkeit, auch gegen sich selbst, mehr
durch That und Beispiel, als durch viele Worte. Verba movent, exempla
trahunt.

c) Die Beobachtung des Schicklichen im Anzuge ohne Ziererei. Naturam sequamur, et ab omni, quod abhorret ab oculorum auriumque ap-
probatione, fugiamus. Status, incessio, sessio, accubatio, vultus, oculi
manuum motus, teneant illud decorum. Quibus in rebus duo maxime
sunt fugienda: ne quid effeminatum aut molle aut ne quid durum aut
rusticum sit. Removeatur a forma omnis viro non dignus ornatus, et
huic simile vitium in gestu motuque caveatur. — Eadem ratio est habenda vestitus in quo (sicut in plerisque rebus) mediocritas optima est etc.
— Man lese die ganze schöne Stelle beim Cicero, de offic. I, 35—41, und

vergl. damit Garvens Anmerkungen zu dem ersten Buche, S. 73—185; auch 228—233.

d) das Milde und Besonnene im äußeren Betragen, so bald Achtung verdienende Personen zugegen sind, und die Aufmerksamkeit auf sich selbst, um nicht durch Lautsprechen, Schreien, Lärmen, Poltern, Werfen und andre Ungeberdigkeiten Mißfallen zu erregen.

e) Die Anständigkeit bei der Mahlzeit, wovon die angenommenen Gesetze bekannt genug sind.

f) Die wachsame Aufmerksamkeit auf das, wodurch andern, besonders älteren Personen, ein Dienst geleistet, eine Mühe erspart werden kann.

g) Die Gefälligkeit und der angenehme Diensteifer auch gegen Untergeordnete, verbunden mit einer gewissen Freimütigkeit, Natürlichkeit, Gewandtheit, die nichts Affektiertes oder Gesuchtes hat, was nur sich will bemerklich machen.

h) Ein gewisses Gefühl des Liberalen und Schicklichen im Reden und Schweigen, im Stehen und Sitzen, im Bleiben und Gehen, im Fragen und Antworten, im Annehmen und Abschlagen, im Geben und Nehmen.

i) Besondere Sorgfalt verdient auch im gesellschaftlichen Umgange die Sprache. An eine reine, richtige und angenehme Aussprache sollten Eltern und Erzieher ihre Kinder schon früh gewöhnen, und jeden Fehler im Sprechen sogleich verbessern, aber sich selbst auch nicht die kleinste Nachlässigkeit darin verzeihen. Dies gehört recht eigentlich zur feinen und höheren Bildung, und ist doch so selten!

Eine bestimmte Anweisung und Belehrung über diese Punkte kann wenigstens die Aufmerksamkeit erwecken. Allein thut sie es nicht, so wenig als die gewöhnliche Ermahnung: „sein artig zu sein," die höchstens gezwungen, steif und verlegen machen kann. Gewöhnung muß das beste thun. Ein gewisses Abrichten in früheren Jahren zu dem, was irgend einmal doch Sitte werden muß, ist nicht so schlimm, als es klingt. Es erspart unendlich viel Ermahnen und Schelten. — Unter den Sittenbüchern sind allenfalls für angehende Erzieher brauchbar, außer Erasmus, de Civilitate morum: Campe, Sittenbuch für Kinder, Braunschweig 1814, französisch 1788; Ernesti, Lehren der Höflichkeit, des Wohlstandes 2c., Coburg 1788; Dolz, Anstandslehre für die Jugend Leipzig 1815.

5. Die konventionelle Höflichkeit oder frühe Nachahmung des Tons und der Sitte der großen und feinen Welt gefällt der Eitelkeit mancher Eltern an ihren Kindern, und schmeichelt ihr, scheint mir aber in die große und feine Welt, nicht in die Kinder- und Jugendwelt zu gehören, und ich sage zwei erfahrnen Männern von Herzen nach: „Wenn Knaben und Mädchen im vierzehnten Jahre schon so galant sind, daß sie in Gesellschaften von großem Ton gern gesehen werden und da die Ehre der Erwachsenen genießen: dann — gute Nacht Erziehung, Bildung des Herzens und Verstandes! Die Welt hält sie dann schon für erzogen; sie selbst halten sich dafür; ihre Erzieher erscheinen ihnen als unerträgliche Pedanten, und die Gesellschaften sorgen dafür, sie in diesem Wahn zu bestärken."

Mit Beziehung auf das, was darüber von Rousseau im Emil besonders

Band X, S. 569 f.; XII, 355 und XV, 103 der deutschen Übers. im Rev.
W.; desgl. in den Pädag. Unterh., 1. Jahrg. S. 896—946, 2. Jahrg. S. 145,
3. Jahrg. S. 507—518; in Resewitz Gedanken ıc. 2. Tl. 4 St. S. 3 und 5.
Tl. 3 St. S. 150; in Campens Erziehungsschriften, 1. Tl. S. 149 in der
nötigen Erinnerung von dem Verfasser und von Zollikofer, daß die Kinder
Kinder sind und als solche behandelt werden sollten, desgl. von Villaume im
Revis. W. X. Tl. S. 569 über die äußere Sittlichkeit der Kinder, wie mich
dünkt, unwiderleglich wahr und kräftig gesagt ist, sei hier nur dies Wenige
bemerkt:

a) Es ist schon ein schlimmer Erziehungsfehler in den mittleren und höheren
Ständen, daß überhaupt Kinder zu früh aufhören, Kinder zu sein, und
gerade wie Erwachsene genannt und behandelt werden. Unwissende, ungezogene,
hilflose, nichts Eignes habende Geschöpfe nennt man Herren, Herren von,
in und zu, nennt man gnädig! Eltern selbst können zuweilen in Briefen an
kleine Knaben das Hochwohlgeboren nicht unterdrücken; diese bekommen das
Recht zu befehlen und zu herrschen schon im Flügelkleide. Und dann sollen sie
doch wieder dem Lehrer glauben, daß sie noch nichts sind, noch nichts wissen,
noch nichts zu befehlen haben, noch unter der Zuchtrute stehen! — Aber wie
verhütet man das alles? Wer kann gegen den Strom?

b) Die Folge des ersten Fehlers ist, daß man sie viel zu früh in die
Zirkel der Erwachsenen einführt, nicht etwa um belehrt zu werden, um
ihren Abstand fühlen zu lernen, um den älteren Personen aufzuwarten, kleine
Dienste zu thun; sondern um ihre Rolle zu spielen, sich bedienen zu lassen, die
Konversation oder die Partie zu machen, keinen Tanz zu versäumen, bewundert
zu werden, und was des Unwesens mehr ist. „Man will — sagt Arndt sehr
wahr — man will sich gar zu gern eitel in ihnen spiegeln und reizt sie zu
witzigen Worten und zur Unterhaltung, und freut sich, wenn sie fein, frech und
naseweis sind. Ich erinnere mich des gescheiten Ausspruchs eines sonst eben nicht
gescheiten Alten. Er behauptete, er sei sehr unglücklich geboren; als er jung gewesen, habe er schweigen müssen, und als er alt geworden, haben die Jungen
das Wort allein bekommen. So spielen, so spazieren, so plaudern, so trinken
unsre Knaben mit uns, thun alles mit Absicht, buhlen um Beifall, koketieren
beim Tanz mit den kleinen Dirnen u. s. w." (Fragmente über Menschenb.
1. Tl., S. 205). — Große Gesellschaften sind doch in der Regel auf nichts
weniger, als auf die Bedürfnisse der Kinder berechnet. Alle Leidenschaften treiben
darin ihr freies Spiel. Das Kind sieht, hört tausenderlei, was es mißbrauchen
kann und wird, und empfängt die unglückliche Frühreife, die Geist und Leib
zerstört. Allerdings bekommen junge Leute da Politur, lernen sprechen, sich
benehmen, sich produzieren, verlernen blöde sein und rot werden; werden
geschwätzig, vorlaut, naseweis, zudringlich, absprechend, oder pretiös, affektiert,
spröde, anmaßend. Freue sich, wer kann, dieses Gewinns!

Bündig ist dieser Gegenstand behandelt in den (Schuderoffschen) Materialien zur Beantwortung der Frage: Soll man Kinder mit in Gesellschaft nehmen?
Jena 1794.

c) Noch bedenklichere Folgen der frühen Einführung in die große Gesellschaft sind:

α) Gewöhnung an Müßiggang und Unthätigkeit, die oft noch zu
etwas Schlimmerem führt. Man beobachte nur Kinder, die sich in Assembleen
und auf Bällen, oft von 5 Uhr abends bis nach Mitternacht, herumtreiben.
Eltern wissen nicht, was sie thun, wenn sie ihren Kindern sehr viel Gelegenheit

verschaffen, in so große Gesellschaft, wo das Familienleben aufhört, zu kommen. Als ob die Erwachsenen Lust haben könnten, sich mit fremden Kindern die Zeit lang werden zu lassen! Würden denn diese Eltern, die dies von andern verlangen oder voraussetzen, selbst Lust dazu haben? Oder giebt das schon Bildung, daß der junge Mensch hinter dem Spieltische steht, oder einen Fächer aufhebt, oder sonst tödliche Langeweile hat?

β) Verlust des Geschmacks an allem Ernsthaften, und gänzliche Vereitelung des Sinnes, die weit unheilbarer als eine einzelne Verirrung der Leidenschaft ist.

γ) Ein Hauptteil des feinen Betragens ist das gegenseitige Benehmen der beiden Geschlechter.

Geschlechtsliebe gehört zur Bestimmung des Menschen (§ 138). Soll sie zu dauerhaftem Glücke führen, so ist zu wünschen, daß sie nicht vor der physischen und moralischen Reife erwache. Man wird dann noch immer genug zu thun haben, die Neigung in Ordnung zu erhalten. Durch die überfrühe Gewöhnung zum galanten Umgange befördert man jenes unfehlbar. Knaben und Mädchen, die unbefangen im engern Familienkreise mit einander umgehen, spielen, scherzen, und kaum an die Verschiedenheit des Geschlechts denken, treten hier als Liebhaber und Liebhaberinnen, als Braut und Bräutigam auf, treiben Mienenspiele, suchen das Geheimnis, schmeicheln und werden geschmeichelt. Die Phantasie wird auf das höchste gespannt; aus Natur wird endlich oft Unnatur in jedem Sinne des Worts.

Und dann wundert man sich, wenn bei so galanter Kinderzucht wenig gelernt wird; wenn solche Kinder schon so oft Launen haben und nicht wissen, was ihnen fehlt; wenn ihnen das Haus zu eng wird; wenn ihnen Umgang mit verständigen Leuten Kopfweh macht; wenn sie nach jedem Ball eine Woche lang nur darum mit ihren Freunden und Freundinnen zusammen sein mögen, um die Geschichte des Balls zu wiederholen und den Anzug und die nächsten Engagements zu besprechen! Wie können vernünftige Eltern so blind sein, zu glauben, daß ihr Moralisieren das alles wieder in Ordnung bringen werde?

6. Sollen also junge Leute, besonders in den höheren Ständen, gar nicht für die feinere Sitte gebildet werden? — Allerdings mag auch dies geschehen! Zunächst kann dazu schon dienen, sie zuweilen in große Zirkel zu führen, damit sie sehen, wie wenig sie da noch an ihrer Stelle sind; dann auch, damit sie das tölpische Wesen und die alberne Blödigkeit ablegen, die manchem Menschen durchs ganze Leben anhängt und ihn plagt; damit sie lernen, daß ein Mensch sich nicht vor Menschen, wären sie auch noch so vornehm, zu fürchten habe; damit ihnen, mit einem Worte, das ganze Wesen und Treiben der höheren Gesellschaft alltäglich werde. — Dann hat aber auch der Ton der feinen Welt seine gute Sitte; und die vollendete Bildung verschönert den sittlichen Wert eines Menschen, wenn dieser fest genug gegründet ist. Jünglinge können stufenweise darauf geführt werden; Töchter lernen es am besten von verständigen und edlen Müttern. Auch kann natürlich von Vätern hier mehr, als von gewöhnlichen Hauslehrern erwartet werden.

Materialien dazu giebt der vorsichtige Auszug aus des Weltlings — Chesterfields Briefen in Campens Theophron, 1806, und die (größtenteils daraus entlehnten) Regeln einer feinen Lebensart und Weltkenntnis von J. Trußler. Aus dem Engl. von Moritz; neu bearbeitet von A. Robe, 1799. Auch englisch, Berl. 1784; Knigge, über den Umgang mit Menschen, 3 Bde. Hannover 1804, im Auszuge für die Jugend mit Beispielen von Gruber, 2 Bde., 1805 und 1806; G. C. Claudius Anweis. zur feinen Lebensart, Leipzig 1800. Aus dem Winkel über Weltumgang und Geschäftsleben, in Briefen an einen gebildeten Jüngling, 2 Tle., Zerbst 1805. Einzelne bedeutende Winke, besonders von jungen unerfahrnen Hauslehrern zu beherzigen, giebt auch Markard in der Beschreibung von Pyrmont, I. Bd. 4. Kap., wo man sie schwerlich erwarten würde.

Beilagen,
welche
ausführlichere Erörterungen einiger Hauptmaterien des ersten
Hauptabschnitts enthalten.

Erste Beilage.

Über den Begriff, den Zweck und die höchsten Grundsätze der Erziehung.

(Zusätze und Erläuterungen zu § 6—9).

1. Einleitung.

Man versteht sich über eine Menge von Gegenständen, sobald man sie im gewöhnlichen Leben, ohne Rücksicht auf ein gewisses System behandelt, über die man sich immerfort mißversteht, sobald man darüber zu philosophieren und zu spekulieren anfängt. Daher trifft auch in so vielen Fällen die Praxis der verschiedensten Menschen, ohne alle Verabredung, oft ohne ihr eignes deutliches Bewußtsein, warum sie so und nicht anders verfahren, zusammen. Tauschen sie ihre Theorieen gegen einander aus, so sollte man kaum für möglich halten, sie im Handeln so einig zu finden, da jene im offenbarsten Streit mit einander liegen*).

Gewiß ist dies auch häufig der Fall bei der Erziehung. Die Menschen haben erzogen und sind erzogen, ehe irgend einem eingefallen ist, über das Wesen der Erziehung nachzudenken, oder wohl gar zu fragen, ob es überall möglich sei, zu erziehen. Das Bedürfnis fremder Hilfe lag bei jedem Kinde, das aus dem Schoße der Mutter ins Leben trat, so deutlich vor Augen, daß sich die helfende Hand regte, ehe sie angesprochen wurde. Es war so einleuchtend, daß sorgfältige Wartung und Pflege selbst das Schwachgeborne erhielt, stärkte und für die Geschäfte des Lebens brauchbarer machte, als das selbst Starkgeborne durch die Entbehrung jener Vorteile schwach wurden oder unbeholfen blieben. Als ein vernünftiges Wesen betrachtet erschien das Kind fremder Hilfe eben so bedürftig. Es war nicht nur offenbar, daß ihm anfangs fast alle Begriffe, Kenntnisse und Fertigkeiten fehlten, sondern, daß sie ihm auch um so länger fehlten, je später andre Menschen, reifer an Jahren und Kenntnissen hinzutraten, dem Fragenden antworteten,

---

*) Vergl. Kant über den Gemeinspruch: das mag in der Theorie richtig sein, taugt aber nichts für die Praxis; in den verm. Schriften, 3. T.

240

den Suchenden zurecht wiesen, den Irrenden des Beſſeren belehrten. Es
war nicht nur offenbar, daß der Menſch, anfangs allein durch ſinnliche
Antriebe beſtimmt, unfähig war, das Nützliche von dem Angenehmen,
das Gute von dem Nützlichen zu unterſcheiden, ſondern auch, daß er um
ſo ſpäter die Sinnlichkeit der Vernunft unterwerfen lernte, je ſpäter er
mit verſtändigen, nach einer höheren Regel des Rechts handelnden Menſchen
in Verbindung trat, oder je länger der Sinnlichkeit Nahrung gegeben
ward, ohne die Vernunft zum Kampfe gegen ſie aufzurufen.

Durch dieſe und ähnliche Erfahrungen ward es unvermerkt dem
Nachdenken klar, daß das Kind nicht, gleich den Tieren, ſich ſelbſt über-
laſſen werden, und daß man nicht alles von der Natur, welche jene nach
unwandelbaren Geſetzen zu ihrer Beſtimmung führt, erwarten dürfe.
Auch ward es aus dem Erfolge gewiß, daß eine Einwirkung des Menſchen auf den Menſchen, unbeſchadet der Freiheit und Selbſtändigkeit des
Vernunftweſens, möglich ſei, welche zwar nie die Natur umſchaffen oder
vernichten, aber wohl die Art und den Grad der Ausbildung der natürlichen Anlagen und Kräfte beſtimmen und dann um ſo ſicherer zum Ziel
führen könne.

So lange der Menſch noch nicht auf dem Standpunkte ſteht durch
ſich ſelbſt das zu werden, wovon man annehmen kann, daß er es nach
ſeiner körperlichen und geiſtigen Natur zu werden fähig ſei, ſo findet
man ihn dieſer Hilfe von außen bedürftig. Sich ſelbſt überläßt man
ihn, ſo bald man glaubt, er könne mit ſeiner eignen Kraft ausreichen.
Daher beſchränkte man von jeher die eigentliche Erziehung auf das
Alter, wo die phyſiſche und moraliſche Reife noch nicht vollendet iſt.

2. Die Erziehung kann nur entwickeln und bilden, nicht ſchaffen.

So lange man über die Natur und den Zweck der Erziehung
nachgedacht hat, hat man auch, dunkler oder deutlicher, eingeſehen, worauf
ſie ihr Geſchäft beſchränken müſſe. Man hat es nicht erſt neuerlich
gelernt, daß ſie, unfähig irgend etwas zu ſchaffen oder hervorzubringen, wozu kein Keim vorhanden ſei, es lediglich auf die Pflege
und Wartung deſſen, was ſie in dem Menſchen findet, anlegen und ſich
begnügen müſſe, gerade ſo viel zu leiſten, als der verſtändige Gärtner,
der einen Baum erzieht, zu leiſten imſtande iſt. Die Sprache, welche
ſo oft in ihren Lauten aufs treueſte verkündet, welchen Gang die Entwickelung der Begriffe und Ideen bei den verſchiedenen Völkern genommen, möge auch in dieſem Fall zunächſt unſre Führerin ſein.

Man erinnere ſich an die älteſten Bezeichnungen des Begriffs
der Erziehung, beſonders unter den wiſſenſchaftlich gebildeten Nationen,
nach welchen auch die neueren die ihrigen geprägt haben. Die Hebräer
denken zuerſt, und ſo auch die Griechen an das Ernähren, Groß-

und Starkmachen. In der Folge finden die letzteren wie auch die
Römer, um den Begriff der Erziehung zu bezeichnen, die Ausdrücke
am bequemsten, deren sie sich auch von der Kultur der Pflanzen und
Bäume bedienen, und die überhaupt ein Hervorziehen, Aufziehen,
Hervorlocken und Nichten andeuten*). Wie in der Pflanze alles aus
dem Keim, aus der Knospe, aus der Blüte hervorkeimt, sich entfaltet und
zur Frucht entwickelt, so erschien ihnen auch der Mensch in seinen körperlichen und geistigen Anlagen; so, meinten sie, müsse auch bei diesem
nur gesorgt werden, daß der Keim in fruchtbarem und aufgelockertem
Boden leichter hervortreibe, die Knospe sich in angemessenem Klima fröhlicher entfalte, die Blüte gegen Sturm und Wetter geschützt werde, damit
die Frucht nicht unreif abfalle. Sie wußten so gut wie wir, daß keine
Kultur des Stammes Art und Natur umändere, und daß selbst das

---

*) Bei den Hebräern, in deren heiligen Büchern mehrmals von Erziehung
der Kinder die Rede ist, werden die Ausdrücke mehr von der Sorge für Wachstum und Wohlsein des Körpers hergenommen. So bezeichnet man, das Stamm-
wort von emunim = educare, „stark machen, volle Nahrung reichen,"
daher omaenaet = nutrix — Andre noch gewöhnlichere gadal, rabah, rûm geben
auf das eigentliche Heranwachsen, „groß werden;" daher migdolim = Erzieher,
eigentlich, die das Kind aufbringen, in die Höhe bringen, es größer
machen, sein Wachstum mehren.

Hiermit stimmt auch der ältere Sprachgebrauch der Griechen überein. Ihr
τρέφειν, τροφή, θρέμμα, τροφος beziehet sich ursprünglich auf das Nähren,
Starkmachen, mithin naturgemäß gedeihen lassen. Nächstdem werden auch die
Ausdrücke häufig von der Pflanzenkultur auf die Menschenerziehung übertragen. Denn άγωγή (wovon παιδαγωγός und παιδαγωγία) bezeichnet nicht
nur bestimmt, z. B. in Theophrasts Geschichte der Pflanzen und bei Theodor
Gaza, die Kultur derselben (άγωγή und άναγωγή τῶν φυτῶν — Άναγωγή,
και ήν καλοῦσί τινες τῶν φυτῶν παιδείαν; sondern drückt auch in andern Verbindungen, bald das Heranreifen, bald das Hervorlocken (elicere, ciere)
aus dem Keim und der Anlage aus. Beim Plato findet sich selbst das kräftige
όλκή, das auf einen gewissen Zwang des Gezogenen hindeutet.

Dem Griechischen entspricht in Sinn und Bedeutung genau das römische Educatio und Educare; z. B. Amiternus ager felicibus e ducat hortis.
Martial. — Vuas educat tellus. Ovid — Tertium tempus est cum
educant arbores poma. Plin. L. XII, 50; educare foetum mammis,
Plin. H. N. 13; aurea aetas foetibus arboreis et quas humus educat
herbis fortunata fuit, Ovid. — Klassisch ist die Stelle bei Cicero d. fin.
V. c. 14. „Earum etiam rerum, quas terra gignit, (stirpium) educatio
quaedam et perfectio est non dissimilis animantium. Itaque et vivere
vitem et mori dicimus; arboremque et novellam et vetulam et vivere
et senescere. Ex quo non est alienum, earum augendarum et alenda-
rum quandam cultricem esse, quae sit scientia quaedam ars agricolarum,
quae circumcidat, amputet, erigat, extollat, adminiculetur, ut quo na-
tura ferat, eo possint ire; ut ipsae vites si loqui possint, ita se trac-
tandas tuendasque esse fateantur." Ein trefflicher Wink für den Erzieher,
Kinder so zu behandeln, daß der Zögling, wenn er zugleich Kind sein und doch
vollen Gebrauch der Vernunft haben könnte, wünschen müßte, gerade so behandelt
zu werden.

Pfropfreis seine Nahrung und sein Gedeihen nur aus der unveränder=
lichen Wurzel und von des Stammes Kraft und Saft erwarten müsse,
obwohl es der Kunst gelingen könne, die Frucht zu veredeln. Auch in
unsrer Sprache begegnen sich die Bezeichnungen beider sich so ähnlichen
Geschäfte. Man zieht das Kind an den Baum; man redet von
Kinderzucht wie von Baumzucht. Beides schließt eine gewisse ein=
wirkende Gewalt, eine Art von Zwang nicht aus. Aber beides er=
fordert auch gleiche Mäßigung und Vorsicht in der Anwendung desselben,
da Mißbrauch des Zwanges in beiden Fällen den edelsten Sprößling
zerbrechen und vernichten kann.

3. Die Erziehung achtet die Eigentümlichkeit jedes Zöglings.

Es ist also außer Streit, daß der vernünftige Erzieher nichts an=
deres wollen kann, als seinem Zögling behilflich sein zur Entwickelung,
Bildung, Vollendung seiner ursprünglichen Natur; daß er,
weit entfernt, an die Stelle dieser Natur das Machwerk fremder Kunst
zu setzen, nur sorgen wird, daß aus jener alles das werde, wozu sie die
Anlage in sich trägt. Diesen Grundsatz wird er so fest halten, daß ihm
nicht nur das Gemeinsame, was den Charakter der menschlichen Gat=
tung ausmacht, sondern auch das Eigentümliche jedes einzelnen heilig
bleibt. Er wird es daher nie darauf anlegen, diese Eigentümlichkeit,
oder das, worin bei jedem einzelnen sein bestimmtes, von jedem andern
unterschiedenes Wesen besteht, zu zerstören. Er weiß, welche Mißgestalten
aus solchen Versuchen hervorgegangen, und wie bejammernswürdig junge
Leute sind, deren Erzieher sie alle in gleiche Form einzuzwängen und
durch den Charakter der Kommune, zu welcher sie gehören sollten, in
ihnen den zu vertilgen suchten, welchen die Natur ihnen aufgedrückt hatte.
Er hat endlich aus den Erfahrungen der alten und der neueren Zeit,
von welchen selbst so viele Sprichwörter nur der Widerhall sind, gelernt,
daß doch endlich die ursprüngliche Natur wieder hervorbricht und alle
Künstelei der Erziehung oft in einem Augenblick zerstört.

4. Der ganze Mensch ist Gegenstand der Erziehung.

Je weniger aber der verständige Pädagoge der Natur entgegen
wirken will, desto mehr ist sein Bestreben, ihr gemäß zu wirken; und
je entfernter er ist, etwas Frembartiges durch Kunst dem Zögling
anzubilden, desto mehr liegt ihm daran, alles aus dem Kinde her=
auszubilden, was einer Ausbildung fähig ist. Nur wenn im ein=
zelnen eine bestimmte Richtung auf das Böse vorhanden sein sollte,
würde auch eine bestimmte Gegenwirkung zulässig sein. (S. oben
§ 85, 86 und Beil. Nr. VI). Es ist so wenig bloß der Körper, als
der Geist, so wenig bloß der Verstand, als das Herz, so wenig bloß

das Gefühl, als die Vernunft; es ist der ganze Mensch, den er ins
Auge faßt. Wie dem Naturforscher gerade dies das Studium der organischen und anorganischen Wesen so interessant macht, daß er neben
einer großen Einheit eine solche unendliche Mannigfaltigkeit entdeckt und in jeder eigentümlichen Gestalt und Mischung die Unendlichkeit der Natur bewundert: so giebt auch die durchgängige Verschiedenheit
seiner Zöglinge seinem Geschäft gerade den größten Reiz. Wenn er
gleich für alle, in einem gewissen Sinne, nur eine Bestimmung als die
höchste anerkennen kann und sich diese zum Ziel setzt, zu dem er sie alle
führen möchte, so will er dies doch weder auf einem Wege, noch verlangt er, daß am Ende jede Verschiedenheit verschwinden, oder die Mannigfaltigkeit der Töne, welche eben die große Harmonie der Natur hervorbringt, in ein allgemeines Unisono übergehen solle. Die Phantasie,
das Gefühl, der Verstand, selbst die Moralität soll sich in jedem auf
eine eigentümliche Art äußern, damit der unterscheidende Charakter der
einzelnen, der ja eben in dem Plane der Natur lag, erhalten werde.

5. Einwürfe.

Vermeinte Beschränkung der natürlichen Freiheit des Zöglings durch fremde Einwirkung.

Aber wenn nun das Geschäft wirklich unternommen wird, so treten
dem Erzieher eine Menge von Schwierigkeiten und Hindernissen in den
Weg, die er sich nicht verbergen darf.

Das Kind ist freilich in seiner ersten Erscheinung im Leben nur
durch Gestalt von dem Tier unterschieden. Das Höhere in ihm wird
bloß vorausgesetzt, weil sich aus diesem tierischen Zustande in Unzähligen
das Vernunftwesen hervorgehoben hat, und man eben so sicher auf diese
Entwickelung, als darauf rechnen kann, den harten Kern, den man der
Erde anvertraut, nach Monaten als einen grünenden Sprößling aus ihr
hervorwachsen zu sehen. Zu dem Wesen dieses Höheren in dem Zögling
gehört das Vermögen, durch Freiheit sich innerlich selbst zu bestimmen
und dieser Bestimmung gemäß zu handeln. — Die ersten Anlagen dieser
Freiheit kündigen sich schon sehr früh an, wenn es gleich selten möglich
sein möchte, den ersten Moment derselben, den Übergang aus der —
wenigstens scheinbaren, wenn gleich, bei der ursprünglichen Verschiedenheit beider Naturen, nie wirklichen — Tierheit zur Menschheit
aufzufassen. Das Gefühl dieser Freiheit stellt den Menschen in seinem
eignen Bewußtsein der Natur und ihrer blinden Gewalt entgegen. Aus
ihr hat sich von jeher alles Große und Vortreffliche entwickelt, was je
unter den Menschen durch Menschen geschehen ist.

Verträgt sich nun hiermit das, was die Erziehung will und thut?
Sie will doch, wie entfernt sie sich auch von allem halten mag, was

einem Zwange ähnlich sieht, auf den Zögling einwirken, ihn nach
ihren Zwecken bestimmen; will, bald durch verstärkte Reize, bald durch
Beruhigungsmittel die natürliche Thätigkeit modifizieren, durch dies alles
folglich die innere Freiheit beschränken. In einzelnen Fällen, bei ge=
wissen Naturen, kann sie freilich anfangs bloß darauf ausgehen, den
trägen Willen zur Selbstthätigkeit zu wecken. Aber kaum ist es ihr ge=
lungen, so wird sie schon wieder nötig finden, dieser erwachten Selbst=
thätigkeit eine bestimmte Richtung zu geben. Rousseaus Emil mag
scheinbar noch so frei erzogen werden; sein Erzieher mag uns auf allen
Seiten versichern, daß er der Natur allein ihren Gang lasse und durch=
aus nichts wolle, als ihn auf diesem Gange begleiten: er würde
doch ohne diese Begleitung ein ganz andrer geworden sein. Wird man
also nicht immer einer jeden, auch der liberalsten Erziehung den Vor=
wurf machen können, daß sie den Zögling nur als Mittel zur Erreichung
ihrer Zwecke behandle?

Ich glaube nicht, so bald wir nicht eine regellose Willkür mit der
Freiheit verwechseln. Die wahrste Freiheit ist die vollkommenste Ver=
nunftthätigkeit; die höchste Ausbildung der Vernunft führt zur vollkom=
mensten Freiheit. Diese höchste Ausbildung der Vernunft ist aber nur
da zu erwarten, wo eine Wechselwirkung zwischen Vernunftwesen entsteht,
welches überhaupt die notwendigste Bedingung jeder möglichen Ausbil=
dung zu sein scheint, da wir wenigstens keine sichere Erfahrung von einer
wirklichen Ausbildung eines von aller Gesellschaft isolierten Menschen
haben. Da nun aber unsre Geisteskräfte einer nicht zu berechnenden
Ausbildung (Perfektibilität) fähig sind, um die höhere Gestaltung jedes
Individuums auch höhere Ansprüche an die nachfolgenden Geschlechter
macht, so muß notwendig eine Wissenschaft eintreten, welche die Fort=
schritte der Vorzeit ins Auge fassend, dem aufwachsenden Geschlecht Mittel
und Wege zeigt und erleichtert, auf welchen fortschreitend es noch höher
zu steigen vermag. Wäre dies den Zwecken des Urhebers der Natur
zuwider, so würde eine andere Ordnung in dem Entstehen der Menschen
obwalten, und nicht jeder, auch wenn er die letzte Höhe der Menschheit
erstrebt hätte, irgend einmal in einem Verhältnisse der Abhängigkeit gegen
die gestanden haben, von denen er anfangs gelernt, und die er hernach
so weit hinter sich zurückgelassen hat.

Jede fehlende oder mangelnde Kenntnis dessen, zwischen welchem der
Mensch wählen und wozu er sich frei bestimmen kann, ist eine Beschrän=
kung seiner wahren Freiheit. Ihr gebt einem blinden Dürftigen zehn
Geldstücke von dem verschiedensten Werte, goldene, silberne, kupferne; ihr
verstattet ihm, sich selbst zwei davon zu wählen und als Eigentum zu
behalten; ihr sagt ihm, wenn er gewählt habe, solle auch einem andern,
noch dürftigeren als er, die Wahl angeboten werden. Unfähig den Wert
der Stücke an dem Metall und dem Gepräge zu unterscheiden, höchstens

durch Gestalt und Schwere bestimmt, greift er ohne Besinnen zu und überläßt es dem Zufall, was er greifen werde. Selbst die edlere Rücksicht auf den Ärmeren, dem er vielleicht gern das Kostbarste ließe, wird ihm möglich. Wollt ihr nun seine Wahl freier nennen, als die eines andern, der, in dem vollsten Besitz aller Sinne, sehen und betasten, wägen und vergleichen und prüfen kann, was in diesem Augenblick seinem Bedürfnisse das angemessenste sei? Ehrt ihr nicht dann erst seine Großmut, wenn er nach dem Silber greift, damit den Ärmeren das Goldstück bleibe?

Die Anwendung ist leicht. Wenn die Erziehung sich darauf beschränkt, ihrem Zöglinge auf allen Wegen die Erkenntnis des Wahren und Guten, des Falschen und Verwerflichen zuzuführen, sei es durch Wirkung auf seinen Verstand, sei es durch Vergegenwärtigung der Gegenstände, die sein äußerer oder innerer Sinn anschauen soll; wenn sie es nur darauf anlegt, ihn daneben zum Bewußtsein seiner Kraft zu bringen, frei zu ergreifen oder zu verwerfen, was ihm als das Bessere oder das Schlechtere erscheint: darf man dann fürchten, daß sie seine herrlichste Anlage zerstöre und ihn bloß zum Werkzeug ihrer Zwecke mache? Wenn sie dies aber in dem frühesten Alter zu tun genötigt ist, so liegt es bloß in der Unmöglichkeit und dem Unvermögen des Kindes, die Bande, welche die Natur selbst um dasselbe in diesen Jahren geschlungen hat, zerreißen zu können. Aber sie zu lösen, diese Bande, eine Beschränkung der Körper- und der Geisteskräfte nach der andern wegzuschaffen, bis der entfesselte Mensch endlich, aller Bande los, in das Reich der Freiheit eintreten kann: das verliert der wahre Erzieher nie aus den Augen und freut sich sehnend dem Tage entgegen, wo der Zögling, ihm zum letzten Male die Hand reichend, sagen wird: „Ich bedarf deiner nicht mehr!"

6. Einwürfe.

Unüberwindlich scheinende Schwierigkeit, den Charakter durch Erziehung zu bilden.

Möchte denn nur eine weise Erziehung, die von diesem Standpunkt ausgeht, ungehemmt ihr Werk treiben können! Aber — und dies scheint die weit größere Schwierigkeit — wie beschränkt wird nicht ihre Wirksamkeit durch das, was zum Teil unvermeidlich, zum Teil auch vermeidlich, sich eindrängt in die Sphäre, in welcher sie allein wirken möchte. Die Erziehung, im eigentlichen Sinne des Worts, hat — dies darf man dreist behaupten — bei den allermeisten Menschen nur den kleinsten Anteil an dem, was sie geworden sind; denn bei weitem den größeren haben die äußeren Dinge und viele andere Menschen, die absichtlich oder unabsichtlich auf den Zögling einwirken. Diese so nahe

16*

liegende Bemerkung macht gar leicht oberflächliche Urteiler mißtrauisch gegen alle, zweifelhaft an aller Erziehungskunst. „Was ihr in einer Stunde bauet, sagen sie, reißen andere in der nächsten nieder, und die Zeit, wo ihr wenigstens moralisch auf das Kind wirkt, steht in gar keinem Verhältnisse gegen die, wo es ganz andern, oft den entgegengesetzten Einwirkungen offen ist. Und wenn ihr euch auch sogar auf eine einsame Insel entfernet, um alles in eurer Gewalt zu haben, was das Kind eurer Sorge berühren soll: ihr hättet doch die Natur nicht in eurer Macht, und was würde am Ende aus ihm werden, wenn es sich nun auf einmal allen Eindrücken der Außenwelt preisgegeben sieht?"

Man wendet dies besonders auf Erziehungsanstalten an: „Ihr bildet euch ein, da erziehen zu können, wo alles um euch her mit erzieht und verzieht; wo jeder Lehrer seine eigene Art und Weise hat; wo der Vorteil des Einzelnen so oft dem Vorteile des Ganzen aufgeopfert werden muß; wo nach euern eigenen Überzeugungen so mancher Fehltritt subjektiv ganz anders behandelt werden sollte, als es die Einrichtung des Ganzen verstattet; wo alle Unvernunft, Verirrung, Verwöhnung, selbst alle Verderbnis, welche einzelne Zöglinge durch ihre frühere verwahrloste Erziehung, durch unmoralische Eltern, Hofmeister, Bediente angenommen haben, sich der ganzen Masse ansteckend mitteilt und, ihr mögt hüten und ermahnen, wie ihr wollt, ehe ihr es meint, auch den Gesundesten vergiftet. Vielleicht kann der, von welchem die Ansteckung ausging, durch ein pädagogisches Heilmittel oder durch die Veränderung des Klima genesen; aber wer steht euch dafür, daß nicht die empfänglichere Natur eines andern das Opfer werde? Zu ändern, dies sehen wir wohl ein, ist das alles nicht! Aber eben darum sollte man zurückkommen von dem Wahn, durch Erziehung zustande zu bringen, was allein die gesunde Natur eines jeden, was der Druck und Gegendruck der Umstände, was das Leben nach dem Willen des Schicksals allein zustande bringen soll. Ihr glaubt an eine Vorsehung! Seid ihr denn ihre Stellvertreter, oder meint ihr, sie werde ohne eure Beihilfe nicht zum Zwecke kommen? Sie hat, sagt ihr selbst, jedem seine Bahn gezeichnet. So überlaßt es ihr doch, den Menschen an ihrer unsichtbaren Hand zum Ziele zu führen. Sie wird ihn schon zu halten wissen, wenn er fallen will; oder ihn fallen lassen, damit er gehen lerne; sich verirren lassen, damit er des rechten Weges aus eigener Erfahrung künftig desto gewisser werde."

Wer das Erziehungsgeschäft selbst mit Nachdenken getrieben oder in der Wirklichkeit genau beobachtet hat, muß sehr vieles von diesen Behauptungen unterschreiben. Eine Bildung des jungen Weltbürgers, wobei alles nach Zwecken berechnet wäre und jedes blinde Ohngefähr der äußern Eindrücke entfernt werden könnte, existiert bloß in der Idee, nirgends in der Wirklichkeit. Auch möchte kaum, bei der unendlichen Schwierigkeit, die Individualität jedes Einzelnen zu erforschen, um ihn darnach gerade auf das zweckmäßigste zu behandeln, zu wünschen sein, daß der Natur und dem Zufalle nichts übrig bliebe, wodurch so oft, gerade wie bei physisch Kranken, wieder gut gemacht werden muß, was die Kunst in der besten Absicht verdorben hat.

Allein der Schluß, welchen man hieraus zieht, ist zu übereilt. Eine vernünftige Erziehung will nicht alles thun; sie setzt ihrer eigenen Thätigkeit sogar absichtliche Schranken und läßt die Natur gewähren. Sie denkt es sich recht eigentlich als Bestimmung des Menschen, daß er durch planmäßige Bildung zum Zögling der Vernunft werden soll, so wie er schon ohne diese Hilfe durch das Notwendige in der Natur und das Zufällige im Leben erzogen, und ihm oft ersetzt wird, was ihm von jener Bildung abging. Auch will der Erzieher immer mit der Natur und dem Leben gemeinschaftlich wirken; er will der Natur, von welcher das Ursprüngliche ausgeht, auf ihrer Spur nachgehen; er will dem Leben und Schicksal jeden Vorteil abgewinnen, der sich davon ziehen läßt, und nur da mit ihm in Kampf treten, wo Gefahr darin für den Charakter zu fürchten ist.

So wie der Gärtner zwar nicht nötig hat, den jungen Baum in ein Glashaus zu versetzen, künstlich das Erdreich für seine Wurzeln zu bereiten, Luft und Sonnenschein ihm zuzumessen, durch Pfahl und Umzäunung seinen natürlichen Wuchs zu hemmen oder seine Äste symmetrisch zu ordnen und zu richten, so thut er dennoch wohl und wird verständig genannt, wenn er den natürlichen Boden, wofern er hart und rauh ist, zuweilen auflockert, wenn der Regen säumt, ihn wässert, wo er zu sehr den Stürmen preisgegeben steht, ihn dagegen schützt, das wilde Gesträuch, das ihm die Nahrung nehmen will, ausrottet, das Insekt tötet, das an seiner zarten Rinde nagt, und die wilden Aufschößlinge abschneidet, die dem Stamme die edelsten Säfte entziehen würden. Gerade so soll es sich mit der Erziehung des Menschen verhalten. Dann darf sie nach allen Gesetzen der Wahrscheinlichkeit auch gewiß sein, sie werde sich einst eines gelungenen Werkes zu erfreuen haben.

Eben darum ist, neben dem Unabänderlichen, die Rücksicht auf das Zufällige eine Hauptpflicht des wahren Pädagogen. Wenn seine erste Frage sein muß: welche individuelle Natur ihm in seinem Zögling übergeben wird, so muß wenigstens die zweite sein: unter welchen Umständen er diese individuelle Natur ausbilden soll, und welche besondern Maßregeln er, mit Hinsicht auf diese Umstände ergreifen müsse? Gerade das Ungünstige muß für seine Thätigkeit ein verstärkter Antrieb werden, nicht sowohl es sofort aufzuheben und zu vernichten, sondern ihm teils selbst desto mehr Kraft entgegenzusetzen, teils dem Zögling die Kraft zu verschaffen, auch in diesem unfruchtbaren Boden, in diesem unfreundlichen Klima dennoch zum gesunden und fruchtbaren Stamm empor

zu wachsen. Welche herrlichen Kinder finden sich oft in zerrütteten Familien! Welche Tugendgestalten begegnen uns oft da, wo man ihr Erscheinen für unmöglich gehalten haben würde! In den verderbtesten
Zeiten, an den verworfensten Höfen, welche Beispiele von seltener Vortrefflichkeit!

7. Höchster und letzter Zweck aller Erziehung.

Wenn man sich über den höchsten und letzten Zweck aller Erziehung erklären soll, so muß man zuvörderst davon ausgehen, daß hier
noch nicht von den besonderen Bestimmungen die Rede sein könne,
welchen sich in der Folge jeder einzelne Zögling selbst widmen, oder wozu
er durch die Umstände genötigt werden wird. Wenn auch das Geschlecht,
der Stand, die ganze äußere Lage hierüber einiges sicher vermuten
lassen — denn das meiste liegt im Dunkel der Zukunft — so giebt es
doch einen weit höhern Standpunkt, von welchem sich kein Erzieher entfernen sollte. Nicht was jeder einzelne werden wird, sondern was der
Mensch als Mensch und das Individuum als Individuum werden
kann, dies muß er von diesem Standpunkt aus ins Auge fassen. Nichts
Anderes hat man sagen wollen, wenn man darauf bestand, der Mensch
müsse früher als der Bürger oder gar als das Mitglied irgend einer
besondern Klasse der Staatsbürger erzogen werden. Die Befürchtung,
daß die Erziehung zum Bürger oder zu den besondern Verhältnissen
des Gelehrten, des Edelmanns, des künftigen Regenten hierunter
leiden und alle Verhältnisse dadurch verrückt werden könnten, — diese
Befürchtung gründete sich auf den Mißverstand, als ob man entweder
diese ganz vernachlässigen und selbst in der Organisation des Unterrichts nach Inhalt und Methode gar keine Rücksicht auf die wahr-
scheinlichste künftige Bestimmung noch auf die Stufe, auf welche das
Kind in der bürgerlichen Gesellschaft schon durch die Geburt gestellt wird,
nehmen sollte, oder als ob der zum wahren Menschen Erzogene weniger
in so manche dieser Verhältnisse passen und nicht einmal darin glücklich
sein werde. Es werde dies eine Erziehung für eine ideale, aber gewiß
nicht für die wirkliche Welt geben. Der Prüfung dieser letzteren Be-
denklichkeit sind einige nächstfolgende Blätter (S. Beilage II.) gewidmet;
wir begnügen uns hier, zu bemerken, daß doch selbst das Urteil des
Gemeinsinnes darauf führen kann, wie gerade das Menschliche dem
Menschen seinen höchsten Wert giebt. Denn in solchen Fällen, wo
man fürchten konnte, daß durch Rang, Lebensart oder Unkultur die wahre
Humanität gelitten haben möchte, pflegt dieser jede entdeckte Spur derselben mit besonderem Wohlgefallen zu bemerken und es beinahe dem
Machthaber, dem Eroberer und dem rohen Krieger, selbst dem Gelehrten
zum Verdienst anzurechnen, wenn der Mensch nicht in ihm unkenntlich
geworden, folglich das Beste, was der Mensch hat, gerettet ist.

Also das Menschliche soll der Erzieher zum Gegenstande seines Geschäfts machen; er soll jeden Keim zu irgend einer Vollkommenheit, welcher dieser Natur eigen ist, hervorlocken, seine leichtere Entwickelung und freiere Ausbildung befördern. Noch einmal — nur beleben, unterstützen und richten kann die Erziehung die Kraft der Natur; und dies allein setzt sie sich zum Zweck.*)

8. Notwendigkeit eines absoluten Regulativs für alle Zwecke der Erziehung.

Da indes der Anlagen und Kräfte in dieser edlen Natur so viele sind, die sich gegenseitig unterstützen und einschränken, deren Kultur folglich in einem gewissen Verhältnis und mit gewissen Einschränkungen erfolgen muß, wenn der vollkommne Mensch hervorgehen soll; so wird es doch ein letztes absolutes Regulativ für alle Zwecke der Erziehung geben müssen. Dies kann aber kein andres sein, als welches die Erkenntnis seiner Bestimmung dem Menschen im allgemeinen vorschreibt. Die Pädagogik fällt demnach in ihrer letzten Tendenz mit derjenigen Wissenschaft zusammen, welche uns jene Erkenntnis kennen lehrt. Wer aber könnte zweifeln, daß dies nur in der Moral geschieht, in deren Begründung sich die Vernunft als in ihrem eigentümlichsten Wirkungskreise bewährt? Sollte man der Religion oder der unmittelbaren Stimme der Gottheit daneben erwähnen, so würde man höchstens einen Wortstreit erzeugen. Durch die Vernunft, welche die Moral zum Systeme formt, müßten wir ja doch erst die Überzeugung erhalten, daß jene Stimme wirklich eine Stimme Gottes sei. Es steht also fest, daß die Erziehung das sittlich Gute, welches die Moral als das höchste Gut darstellt, zur einzigen Richtschnur sich wählen und alle andere Zwecke mit diesem in Harmonie bringen oder ihm unterwerfen müsse.**)
Was man das sittlich Gute nennt, ist durchaus nichts anderes,

---

*) Viele Eltern und Erzieher scheinen gleichwohl nicht dieser Meinung zu sein. Die Hauptquelle ihres Irrtums liegt, wenigstens in sehr vielen Fällen, in ihrer Eitelkeit. Alles ihr Bilden und Erziehen ist auf das Scheinen berechnet. Man soll die Kinder klug, geschickt, gewandt finden; wenn sie es auch nicht sein sollten, wenn man sie nur dafür nimmt. Daher leihen ihnen die Eltern und Lehrer so oft ihre Worte, sagen an ihrer Stelle, was sie wünschen, daß das Kind sagen möge: „Mein Sohn ist gerührt; mein Sohn empfindet mehr als er sagen kann; mein Sohn wird sich bedanken.“ Selbst die Miene, die er dazu machen soll, möchten sie ihm oft leihen können, um nur vor der Welt mit ihm durchzukommen!

**) „Es liegt im Begriffe des Menschen, daß sein letztes Ziel unerreichbar, sein Weg zu demselben unendlich sein muß. Mithin ist es nicht die Bestimmung des Menschen, dieses Ziel zu erreichen. Aber er kann und soll diesem Ziele immer näher kommen; und daher ist die Annäherung zu diesem Ziele ins Unendliche seine wahre Bestimmung als Mensch, d. i. als vernünftiges, aber endliches, als sinnliches, aber freies Wesen. Nennt man nun jene völlige Überein-

als was in den freien Handlungen der Menschen von der Vernunft un=
bedingt gebilligt werden muß, und eben auch darum eine unbedingte
Achtung verdient und findet. Alle übrigen noch so glücklichen Anlagen
und noch so seltnen Ausbildungen seiner Fähigkeiten können Bewunde=
rungen und selbst Erstaunen, aber, getrennt von dem Sittlichen, keine
eigentliche Hochachtung erwecken. Dies ist von jeher anerkannt und
durch die kritische Philosophie nur mit noch mehr Energie und Konse=
quenz als in manchen früheren Moralsystemen bewiesen worden. Im
Grunde sind auch wohl alle darüber einig, und wenn man hier und
da äußert, es gebe noch ein höheres Ziel des menschlichen Bestrebens,
als allen seinen Handlungen den Charakter der reinen Sittlichkeit
aufzudrücken, es gebe höhere Naturen, die sich über diese gemeinen
Prinzipien hinauszuschwingen vermöchten, so ist dies entweder so ernstlich
nicht gemeint, oder es ist dabei auf Ausnahmen, die man für sich von
der Regel machen zu können wünscht, abgesehen; oder es gehört, wie
es mir wenigstens vorkommt, zu den Extravaganzen, an denen das Zeit=
alter und besonders so manche neue und neueste Philosophie so reich ist.

Es wird sich daher aus dem angeführten Grunde noch immer ver=
teidigen lassen, wenn man die Sittlichkeit, oder, wie es die Sprache
der christlichen Asceten ausdrückt, die Ehre Gottes, welchen ein gott=
ähnliches Denken und Handeln am besten verherrlicht, als den letzten
und höchsten Zweck der Erziehung betrachtete; denn von jeher begegneten
sich unzählige Eltern, ohne wissenschaftlich über ihr Geschäft nachgedacht
zu haben, bloß durch den Gemeinsinn geleitet, in dem Wunsche: „der
Welt in ihren Kindern wenigstens gute und rechschaffene Menschen
zu hinterlassen, wenn sie auch weder gelehrt, noch berühmt, noch durch
hervorstechende Eigenschaften ausgezeichnet sein sollten." Zwar hat ein
sehr achtungswürdiger Pädagoge, der früherhin selbst eine Deduktion
der Möglichkeit einer sittlichen Erziehung versuchte, erklärt: da=
von könne nicht mehr die Rede sein, daß Erziehung zur Sitt=
lichkeit das Höchste des Erziehers sein müsse, weil mit diesem präch=
tig klingenden Gesetze rein nichts gesagt sei. „Denn, fragt er, hat
es wohl je eine Lehre oder Sitte gegeben, die das Kind zu einer an=
erkannten Unsittlichkeit erziehen wollte? Wir wollen ja eben wissen,
was dem Kinde und dem Erwachsenen das Sittliche sei, und dazu
bedarf es eines tieferen Blicks in die realen Verhältnisse der Natur und

___

stimmung mit sich selbst Vollkommenheit in der höchsten Bedeutung des Worts,
wie man sie allerdings nennen kann: so ist Vollkommenheit das höchste unerreich-
barste Ziel des Menschen; Vervollkommnung ins Unendliche aber ist
seine Bestimmung. Er ist da, um selbst immer sittlich besser zu werden, und
alles rund um sich herum auch sittlich besser, und dadurch sich selbst immer
glücklicher zu machen." Fichte, Vorlesungen über die Bestimmungen des Gelehrten, 2te Vorl. S. 18.

Bestimmung des Menschen von seiner Kindheit auf*)." Hiernach wäre also das, was vor nicht gar langer Zeit so vielen Weltweisen das einzig Wahre zu sein schien, in ein reines Nichts verschwunden. Aber — so möchte ich den Wahrheit liebenden, aber hier gegen seine eigene frühere Ansicht ungerechten Mann offen fragen — sollten die angeführten Gründe dies wirklich beweisen? Laßt uns ruhig prüfen, uns an die Sache haltend und an keinen Formeln hangend!

Gesetzt. also 1. es habe nie eine Lehre, so hat es doch gewiß recht oft eine Sitte gegeben und giebt sie noch, welche die Kinder zu offenbarer Unsittlichkeit erzieht und sie zu manchen, im inneren Bewußtsein gewiß als moralisch anerkannten Zwecken als Mittel benutzen wollte. In so vielen Familien der großen Welt sind Maximen herrschend geworden und zu einer Art von System verbunden, die man selbst aufzustellen kein Bedenken trägt und die doch offenbar mit dem, was eingestanden sittlich gut ist, im Widerspruch stehen. Die Eitelkeit, die buhlende Gefallsucht, der thörichte Adelstolz, die listige Verückung gewisser verachteter Menschenklassen, das alles wird den Kindern, nicht bei verschlossenen Thüren, sondern ganz laut und öffentlich eingepredigt. Sollte man nun wirklich rein nichts gesagt haben, wenn man diesen Maximen der Erziehung zu echter Sittlichkeit entgegensetzt? — Allerdings setzten 2. die, welche die Sittlichkeit als den höchsten Zweck der Erziehung betrachten, voraus, daß man wisse, was das Sittliche sei, und meinten, die Natur desselben zu untersuchen, gehöre ohnehin nicht der Pädagogik, sondern der Ethik an; man dürfe aber annehmen, daß alle wahrhaftig gebildete Eltern und Erzieher hierüber längst einig seien und ferner bleiben würden, die Schulsprache der Systeme möge sich noch so oft ändern, als sie wolle. Sie wußten auch 3. recht wohl, daß die Verschiedenheit des Alters die Begriffe von dem, was dem Kinde und dem Erwachsenen das Sittliche sei, zwar in ihrem Wesen nicht ändere, aber wohl modifiziere. Was 4. den „tieferen Blick in die realen Verhältnisse der Natur und die Bestimmung des Menschen von seiner Kindheit auf" betrifft, so, denke ich, waren auch schon bisher denkende Pädagogen innigst überzeugt, daß ohne ein ernstes Erforschen und Überdenken dieser Verhältnisse und Bestimmung der Begriff des Sittlichen für Kind und Mann selbst nicht richtig bestimmt werden könne. Die tiefsten Menschenkenner sind eben deshalb auch von jeher für die vorzüglichsten Moralisten gehalten worden. Daß die neuesten philosophischen Blicke in diese Natur und Verhältnisse uns jetzt schon nötigen sollten, unsre bisherigen Vorstellungen von dem, was das Sittliche sei, aufzugeben oder abzuändern: davon, gestehe ich, habe ich mir keine Überzeugung abgewinnen können, indem ich mehr neue Worte mit älteren Worten,

*) Schwarz, Erziehungslehre. 2. Tl. Vorrede, S. II.

neue Darstellungsarten mit älteren Darstellungsarten, als Begriffe mit Begriffen vertauscht sehe. Man redet viel von dem Tiefsten, dem Besten, dem Innersten, dem Heiligsten, dem Herrlichsten in der menschlichen Natur, wozu der Mensch erzogen werden müsse, ob es wohl als etwas Unaussprechliches mehr gefühlt, als beschrieben werden könne. Sollten nicht diese Bezeichnungen den Vorwurf prächtig klingender Gesetze, fast noch mehr, als die gewöhnlicheren „das Sittliche" und die „Sittlichkeit" verdienen? Sollte nicht die Anlage zurückgegeben werden können, daß auch mit diesem Unaussprechlichen rein nichts gesagt sei? — Allein wir wollen nicht ungerecht werden; wir wollen nicht sofort verspotten, was in einer Sprache ausgedrückt wird, die gerade nicht die unsre ist. Auch die, welche gerade jetzt an der Ordnung ist, dürfte vielleicht bald wieder von einer andern verdrängt werden.

Die Sache hängt nicht an Worten! — Wenn indes die Behauptung, Sittlichkeit sei der höchste Zweck des Erziehers, den Irrtum veranlassen sollte, als sei es allenfalls nur darauf abgesehen, daß der Mensch nichts Böses thue, und nur ein gutes Herz (eine der zweideutigsten und flachsten Bezeichnungen in dem Munde der meisten Eltern) bewahre, auf die Ausbildung seiner übrigen Anlagen und Kräfte übrigens gar wenig ankomme, so mag man immerhin sich auch anders darüber ausdrücken. Genug, wenn man nur darüber einig ist, daß jede innere Kraft des Menschen nach allen Richtungen hin geweckt und gebildet werden, daß jedoch das Ganze stets zusammenstimmen und endlich alles dem Höchsten im Menschen, dem wahrhaft Göttlichen, der Vernunft dienstbar bleiben müsse, so braucht man wegen der Worte nicht zu rechten. In Hinsicht der Bestimmung des Umfanges und der Tiefe der Wissenschaft wird keine Partei wesentlich von der andern abweichen.

9. Nähere Erörterung der einzelnen Hauptgrundsätze aller Erziehung.

Auf dieser Ansicht des Erziehungsgeschäftes und seines letzten Zweckes beruhen die oben (§ 9) aufgestellten Grundsätze aller Erziehung.

Erster Grundsatz. Wecke und bilde jede dem Zöglinge als Menschen und Individuum gegebene Anlage und Fähigkeit.

Er steht der pädagogischen Einseitigkeit entgegen, welche nicht den ganzen Menschen ins Auge faßt, sondern sich begnügt, gerade das aus ihm herausgebildet zu haben, was er in seinem bürgerlichen Verhältnis werden soll. Jene Künstelei, wie stark kontrastiert sie mit einer naturgemäßen Bildung, die alles, was die Natur dem Individuum gegeben, aus ihm herausbilden möchte, wenn sie gleich vorhersieht, daß die äußeren Umstände bald hier, bald da den freien Wachstum hemmen und der Kraft eine bestimmte Richtung auf das geben werden, wozu sie der einzelne am nötigsten hat.

Sollte man auch wohl irgend etwas unbeachtet lassen, was die Natur in ihr Werk gelegt hat? Hüte man sich doch ja, den Wert der Anlagen nur sofern zu schätzen, als ein unmittelbarer Gebrauch in der Außenwelt davon gemacht, Wucher damit getrieben, wohl gar Geld verdient werden kann. Ist nicht für den Menschen der Besitz und das Bewußtsein seiner Kräfte selbst von einem sehr hohen Wert, und würde er wohl eine Kraft missen, ein Talent entbehren wollen, wenn es ihm gleich in seiner individuellen Lage nicht unmittelbar nützlich sein sollte?

Ja, wenn man beschränkt genug denken wollte, den unmittelbaren Gebrauch zum Bestimmungsgrunde des Erwerbs zu machen; wäre es nicht sogar der Klugheit gemäß, den Menschen so vielseitig als möglich auszubilden, da es sich nie vorher sehen läßt, welche Lagen und Verhältnisse ihn erwarten? Hätten so manche Alt- und Neufranken, statt über des phantastischen Jean Jaques Erziehungsträume zu hohnlächeln, zu Herzen genommen, was dieser viele Jahre vor dem Ausbruche der großen Revolution, die wir erlebt haben, mit wahrem Prophetengeist verkündigte, und befolgt, was er anriet, ihr Loos würde bei jener traurigen Katastrophe weniger traurig gewesen sein.

„Berechnet doch, sagt Rousseau im III. B. des Emil, die Erziehung des Menschen zunächst auf den Menschen, nicht auf das, was nicht Er selbst ist. Begreift ihr denn nicht, daß, wenn ihr nur darauf hinarbeitet, ihn ausschließend für einen Stand zu erziehen, ihr ihn für jeden andern unbrauchbar macht, und wenn es das Schicksal will, ihr nichts erarbeitet haben werdet, als ihn unglücklich zu machen. Giebt es wohl etwas Lächerlicheres, als einen großen Herrn, der zum Bettler herabgesunken ist und in sein Elend alle Vorurteile seines Standes mitbringt? Was giebt es Erniedrigenderes, als einen verarmten Reichen, welcher sich der Verachtung erinnert, womit man dem Armen zu begegnen pflegt, und sich nun auf den niedrigsten Stufen der Menschheit erblickt? Ihr verlaßt euch auf die jetzt bestehende Ordnung der Dinge und bedenkt nicht, daß diese Ordnung unvermeidlichen Umwälzungen ausgesetzt ist, und daß es für euch eben so unmöglich ist, die vorherzusehen, als der vorzubeugen, welche vielleicht schon eure Kinder treffen wird. Der Große wird klein, der Reiche wird arm, der Monarch wird Unterthan; diese Wechsel des Schicksals, sind sie etwa so selten, daß ihr darauf rechnen könnt, eine Ausnahme davon zu machen? Alles, was Menschen gebaut haben, können Menschen zerstören; es giebt keinen unvertilgbaren Charakter, als den, welchen die Natur aufdrückt, und die Natur prägt weder Prinzen noch Reiche, noch große Herren. Was soll nun in der Niedrigkeit der Schwache anfangen, den ihr bloß für die Hoheit erzogen habt? Was in der Armut jener Millionär, der nur vom Gelde zu leben gelernt hat? Glücklich, wer es versteht, seinem Stande zu entsagen, so bald dieser ihn verläßt, und zum Trotz des Schicksals ein Mensch zu bleiben! Man rühme, so viel man will, jenen besiegten Monarchen, der sich wie ein Rasender unter den Trümmern seines Thrones begraben will: ich muß ihn verachten; ich sehe, daß sein Dasein an seiner Krone hängt, und daß er nichts ist, wenn er nicht König ist. Wer die Krone verlieren und ruhig entbehren kann, der schwebt über seiner Krone. Von der Höhe des Throns, auf welcher auch Thoren und Bösewichter stehen können, steigt er herab auf die Stufe der Menschheit, welche so wenige ganz auszufüllen verstehen. Dann besiegt er sein Schicksal, trotzt ihm mutig, ist niemandem etwas schuldig, als sich selbst, und wenn man auch nichts als dies Selbst zu zeigen hat, so ist man doch nie eine Null; man ist immer etwas."

So weit Rousseau! Wem, der Gefühl und Einsicht hat, ist dies nicht aus der Seele geschrieben? Auch hat unser Zeitalter selbst auf dem Thron uns herrliche Charaktere aufgestellt, die große unersetzlich scheinende Verluste mit eben so viel Würde ertragen, als unerwartete Triumphe ohne Übermut gefeiert haben.

Zweiter Grundsatz. Bringe Einheit und Harmonie in die Ausbildung jener Anlagen und Fähigkeiten durch deutliche Vorstellungen von ihrer naturgemäßen Bestimmung und ihrem gegenseitigen Verhältnisse.

Die Natur hat die Unterordnungen der niederen Anlagen unter die höheren hinlänglich angedeutet. Das vegetabilische und animalische Leben fordert sein Recht und ist in dem gegenwärtigen Zustande die Bedingung des geistigen. Aber seine Bedürfnisse sind ungleich leichter zu befriedigen und bei weitem nicht so mannigfaltig, als die des letzteren, und die Anlagen und Kräfte, welche auf sie gegründet sind, haben ein abgestecktes, sehr nahes Ziel, über welches hinaus keine mit der naturgemäßen Bestimmung verträgliche Vollkommenheit liegt.

Ganz anders das Höhere in dem Menschen, was ihm durch eine Perfektibilität, deren Grenzen wir nicht absehen und berechnen können, deutlich genug als das eigentliche Ziel seiner Bestrebungen erscheinen muß, wozu selbst alle Kultur der körperlichen Anlagen und Kräfte nur als Mittel zu betrachten sind. Alle körperliche Gewandtheit, alle Muskelkraft, alle Schärfe und Sicherheit der Sinne, alle Fülle und Schönheit in der Form wird doch nur ein Gegenstand unsrer Achtung, sofern der Geist dadurch wirkt, der Geist sich darin darstellt, und der Gedanke den Gebrauch veredelt. Man hebe diese Harmonie auf, und die körperliche Ausbildung verliert nicht nur fast allen Wert, sondern kann auch, wie bei Seiltänzern, ein Gegenstand des Mißfallens oder des Bedauerns werden.

Doch auch die Kraft des Geistes, deren mannigfaltige Wirkungen und Äußerungen uns veranlassen, sie als eine Verbindung vieler einzelner Kräfte zu denken, muß nach den verschiedenen Graden und Umständen auf die mannigfaltigste Art geübt und erhöht werden. Wenn daher gleich die mehrere oder die mindere Bildsamkeit der einen oder der andern dieser, mehr in der Idee als in der Wirklichkeit getrennten Kräfte, des Gedächtnisses, der Phantasie, des höhern Denkvermögens, des Dichtungsvermögens u. s. w., ein Wink für den Erzieher ist, von welcher Seite das Individuum das meiste leisten, für welche Sphäre geistiger Thätigkeit es am geschicktesten sein möchte: so wird er sich doch hüten, einem Vermögen ein solches Übergewicht zu verschaffen, daß jedes andre dadurch unwirksam werde.

Aber bald zeigt sich, daß nicht jede Übung und Erhöhung derselben mit dem höheren Ziele der Menschheit in einem gleich nahen Verhältnis stehe, und daß sogar eine einseitige unverhältnismäßige Kultur diesem Zwecke gefährlich werden könne. Und da überdies die besondere Sphäre, worin der Mensch seine Kräfte zu üben und anzuwenden durch Wahl oder durch Notwendigkeit bestimmt wird, die Kultur eines Vermögens mehr als die eines andern erfordert: so wird der Erzieher, so weit er dies vorhersehen kann, auch darauf seinen Plan anlegen, ohne jedoch die beschränkten Grenzen dieser Sphäre äußerer Thätigkeit zugleich zu den Grenzen der Geistesthätigkeit überhaupt machen zu wollen.

Dritter Grundsatz. Richte die erweckte Kraft auf alles, was der Vernunft als des Menschen würdig erscheint, durch jedes Mittel, das mit den Rechten des Zöglings als Vernunftwesen verträglich ist.

So bewundernswürdig uns die menschliche Natur in der Fülle ihrer Kräfte erscheint, so hängt doch der Wert des Menschen erst von der Richtung und An= wendung dieser Kräfte ab. Denn an sich betrachtet, können sie eben sowohl zer= störend als wohlthuend wirken, und gerade die allerkräftigsten Naturen sind eben so oft die furchtbarsten Feinde, als die höchsten Wohlthäter der Menschheit ge= worden.

Kräfte erwecken und stärken ist eben daher erst die Hälfte des Geschäfts der Menschenbildung; die andre eben so wichtige ist die Richtung derselben auf das, was für die menschliche Natur das angemessenste und würdigste ist.

Die vernunftlosen Wesen bildet der Instinkt als ein positives Naturgesetz. Den Menschen stattete die Natur mit dem höchsten Adel aus, indem sie ihm die Freiheit der Wahl überließ. Wenn das Tier den eigentümlichen Charakter seiner Gattung nie verfehlen kann, so gebührt dem Menschen, wenn er Hohes und Höchstes erreicht, der Ruhm, daß er sich selbst richtig geleitet, durch eigne Kraft und eignen Willen veredelt habe. Für das Tier findet keine Abstufung statt; alles ist durch die Notwendigkeit des Instinkts bestimmt. Diesen ruft eine innere Stimme in dem Wesen seiner Natur stets zum Wettkampf auf, nach dem hohen Ziele der Humanität rastlos aufzustreben. Von ihm kann man sagen, „er nähere sich dem Ideal der Humanität"; nie aber „das Tier nähere sich der Tierheit", weil diese schon durch die Natur in jedem Individuum vollendet ist.

Auf jenes Ziel der vollkommenen Humanität richtet nun der Erzieher die Naturkräfte seines Zöglings, indem er ihm dasselbe zeigt, indem er ein Wohl= gefallen daran erweckt, indem er alles entfernt, was das Hinstreben auf= halten oder den Blick danach irre machen könnte. Eben darum umgiebt er ihn von der frühesten Kindheit an, so weit er es nur immer vermag, mit dem Edelsten jeder Art. Er würde, wenn es möglich wäre, so wenig auf den äußeren als den inneren Sinn des Kindes etwas wirken lassen, worin sich nicht physisch und moralisch Ebenmaß, Harmonie und Schönheit ausdrückte; um dadurch von selbst eine entschiedene Neigung für das Wahre, Übereinstimmende, Ge=

ordnete, Schöne und Gute in jedem Sinn der Worte entſtehen zu laſſen, welche die in der Folge unvermeidlichen ſtärkeren Eindrücke des Gegenteils nie ganz zerſtören, wenn auch auf kurze Zeit durch Sinnenreiz ſchwächen können. Iſt dies nicht im ganzen Umfange zu erreichen, ſo thut er wenigſtens ſo viel, als er kann. Wem in ſeiner Kindheit und Jugend nichts von dieſer wohlthätigen Sorge und Bewahrung zu Teil ward, den nennt man ja eben unerzogen, und, wenn oft ſeine herrlichſten Kräfte eine ſchiefe und unglückliche Richtung nehmen, bedauert man ihn mehr, als daß man ihn anklagt.

Nur ſoll der Erzieher zu keiner Zeit vergeſſen, daß er ein Vernunft-weſen behandelt, deſſen Rechte mit ſeinem Daſein beginnen. Alle Mittel, die er anwendet, um den natürlichen Kräften die Richtung auf das Wahre, Gute und Edle zu geben, müſſen dieſen Rechten gemäß ſein. Hier liegt der Unterſchied zwiſchen dem Abrichten und dem Erziehen.

Man wende nicht ein, daß dadurch jeder Zwang, natürlich alſo auch jedes phyſiſche Straf- und Schreckmittel, aus der Erziehung verbannt werde. Ich glaube nicht!

Wie der erwachſene, zum vollen Beſitz ſeiner Vernunft gelangte Menſch es mit den Rechten ſeiner Natur nicht widerſprechend finden, ſogar verlangen wird, daß man in jedem Zuſtande, wo er des Gebrauchs ſeines Verſtandes nicht mächtig ſei, auch Zwangsmittel anwende, um die wilden und ſchädlichen Aus-brüche ſeiner regeloſen Kraft zu hindern: eben ſo wird auch das Kind, der Knabe, ſelbſt der Jüngling, in dem Zuſtande der Ohnmacht ſich ſelbſt zu regieren, nicht nur der fremden Leitung bedürfen, ſondern auch durch ſinnliche Mittel als ein Sinnenweſen beſtimmt werden können, zu ſeinem eignen Beſten das Schädliche zu meiden und das Nützliche zu ergreifen. Wenn die bittere Arznei, die man dem ſich Sträubenden ſelbſt mit Gewalt einflößt, wirklich geſund macht: wer trägt Bedenken dieſe Gewalt anzuwenden? Auch iſt erfahrungsmäßig, daß die Strenge, wenn ſie durch vernünftige Zwecke und nicht durch Leidenſchaft beſtimmt wird, den freien Geiſt der Kinder nicht unterdrückt. Sehr freie Nationen finden in ihren Erziehungsinſtituten kein Bedenken ſie anzuwenden, ohne alle Rückſicht auf Geburt, Stand und Beſtimmung*).

Aber ganz etwas anderes iſt's, ſich der Vernunft des Zöglings ſelbſt be-meiſtern, ihr Geſetze vorſchreiben, von ihm ein Betragen fordern, das der eignen Empfindung und Überzeugung widerſpricht, blinden Gehorſam erzwingen, den Willen nicht lenken, ſondern brechen wollen. Wo reine Humanität herrſcht, da wird ſelbſt keinem Tier ohne Not etwas zugemutet, was ſeiner Natur zuwider iſt. Und gegen den Menſchen wollte ſich die Erziehung dieſen Zwang erlauben? Verlangen, daß der Zögling ſeine Natur verleugne, angethanes Unrecht nicht fühle, unverdienten Tadel ſtumpfſinnig ertrage, gegen Gewalt und Unterdrückung

---

*) S. was in Göbens Reiſe nach England, 1. Th. 7. Kap., hierüber im Betreff der engliſchen Schulen geſagt iſt.

sich nicht wehre, sich ungekränkt überlisten und unterdrücken lasse? Doch leider ist solcher Erziehungsdespotismus weder aus den Familien, noch aus den öffentlichen Anstalten ganz verschwunden!

Vierter Grundsatz. Laß die Harmonie der Freiheit mit der Vernunft dein höchstes Ziel sein, weil auf ihr der sittliche, folglich der unbedingte und höchste Wert des Menschen beruht.

Die Gründe, warum die Erziehung keinen andern höchsten Zweck, als die Moral und selbst die Religion*) haben kann, liegen in der Natur des Menschen, der einzigen von allen uns bekannten, welche zur Freiheit unter der Gesetzgebung ihrer eignen Vernunft bestimmt und derselben fähig ist.

Gerade das Ideal, das schon den Alten vorschwebte, wenn sie sich den vollkommenen Weisen oder den vollkommenen Tugendhaften dachten, und eben, weil er die Höhe der Menschheit erreicht habe, in ihm den wahren König, wenn gleich ohne Thronen und Kronen fanden, gerade dies muß auch den Erzieher begeistern.

Darum wird er unablässig streben, seinen Zögling von allem zu entfesseln, was seine innere Freiheit beschränken würde: von der Gewalt des Körpers, von der Macht der sinnlichen Triebe, von dem Irrtum und Wahn, von der Furcht, von der Meinung des Tages, von der Willkür des Menschen. Dazu muß sich körperliche, intellektuelle, ästhetische, moralische Erziehung vereinigen. Äußerlich bleibt er unter der Notwendigkeit der Umstände; innerlich gehört er dann nur sich selbst an. Und eben dadurch wird er Gott ähnlich, der ihm sein Bild auf prägte, damit er nie seines höheren Ursprungs vergesse.

Ich ende mit einer herrlichen Stelle eines unserer geist- und herzvollsten Schriftsteller:

„Freiheit der Seele ist der Tugend eigentümliche Kraft.

„Sie ist der Tugend Wurzel; sie ist auch ihre Frucht. Sie ist die reine Liebe des Guten. Ein hohes Wesen, wie die Gottheit verborgen, unerforschlich wie die Gottheit!

„Allein durch Freiheit fühlt sich der Mensch als Mensch; durch sie allein ist Selbstachtung und Zuversicht, Wort und Glaube, Friede, Freundschaft, feste Treue möglich, worauf unter Menschen alles beruht.

„Wie man die Gottheit geleugnet hat, so läßt sich auch an Freiheit und an Tugend zweifeln, weil wir nicht ergründen und erklären können, wie sie sind und wie sie wirken, und weil wir sie nicht sinnlich machen, sie dem Sinnlichen nicht unterwerfen, dem Sinnlichen nicht dienstbar machen, Freiheit und Tugend nicht in ihr Gegenteil verwandeln, in ihr Nichtsein auflösen können.

---

*) Namentlich wird oft als ein Zweck der christlichen Religion im N. T. angegeben, dem Menschen zu seiner wahren Freiheit durch die Bildung zur Moralität zu verhelfen; z. B. Joh. 8, 36, Röm. 8, 2, 2. Kor. 3, 17, 1. Petr. 2, 16.

„Dem Erbenſohne leuchten freilich Tyrannei und Knechtſchaft beſſer ein. Der Luſt will er dienen; er will ſich ſchonen vor dem Schmerz. So geſinnt entſetzt er ſich vor dem Weſen der Freiheit, welches iſt zu herrſchen über Begierde und Abſcheu; zu verachten jede Luſt und jeden Schmerz, die ſie nicht ſelbſt erzeugte; alleinthätig zu erwecken, hervorzubringen, zu erſchaffen in des Menſchen Bruſt ſeinen Haß und ſeine Liebe, und aus ſeiner Seele alles zu vertilgen, was nicht unvergänglich iſt.

„Träume, Phantaſien, ein weſenloſes Hirngeſpinſt wären Freiheit und Tugend, weil ſie nicht von Erde, weil ſie mehr als Erde, weil ſie göttlich ſind, weil ſie anders und mächtiger erfreuen als Woluſt, höher begeiſtern als Ehre, gewaltiger ſichern als Gold und Kronen, weil ſie die Welt überwinden?"*)

---

*) Woldemar von J. H. Jakobi, 2. T.

Zweite Beilage.

Über die strengwissenschaftliche Behandlung der Pädagogik und Didaktik.

(Vergl. § 12 und 13.)

Die wichtigsten Werke älterer und neuerer Zeit im Fache der Theorie der Erziehung und des Unterrichts bestehen mehr aus einzelnen Beobach= tungen, Erfahrungen, Vorschlägen und Regeln, als daß sie die Idee eines strengwissenschaftlichen Systems konsequent durchführten. Einige haben gleichwohl insofern etwas Wissenschaftliches, als ihnen teils gewisse leitende Ideen, teils irgend ein psychologisches oder morali= sches System zum Grunde liegt, so daß die einzelnen Gegenstände in Beziehung auf dasselbe geordnet sind.

Unser Zeitalter strebt, mehr noch als die früheren, in allen Teilen des menschlichen Wissens nach der Entdeckung und Aufstellung gewisser Grundprinzipien, um Einheit und Konsequenz in das Wissen zu bringen. Wer möchte dieses Streben an sich tadeln? In ihm drückt sich der Charakter der gebildeten und reifenden Vernunft aus, und jeder Fortschritt ihrer Kultur ist eine Annäherung an feste, in sich selbst un= zertrennbar verbundene Gesetze des Denkens und Handelns.

Tadelnswert würde jenes Streben erscheinen, wenn es zur Gering= schätzung der Erfahrung verleitete, welche uns bei Aufgaben der Päda= gogik und Didaktik zunächst zu ihrer Auflösung zu führen imstande ist. Das Vorgeben, als könne man alles a priori deduzieren und konstruieren, muß notwendig eine sehr lückenvolle Erkenntnis zur Folge haben, indem wir von so vielen Dingen gar nichts wissen würden, wenn es uns nicht durch die Erfahrung gegeben wäre. Daneben würde der Wahn, der Glaube, diese oder jene Formel enthalte die einzige Bedingung richtiger Einsicht in die Erziehungs= und Unterrichtskunst, nur in dem bestimmten System einer gewissen Schule sein Heil zu finden, bald ein sklavisches Nachsagen, bald eine selbstzufriedene und dünkelhafte Einseitigkeit erzeugen, welche der Tod aller Wissenschaftlichkeit ist.

Niemeyer, Grundf. d. Erziehung. I. 2. Aufl.   17

Ohne hier gegen irgend eins der ältern oder neuesten philosophi=
schen Systeme, oder gegen irgend einen Schriftsteller streiten zu wollen,
welcher, von ihnen ausgehend, alles, was nicht ihre Sprache redet und
in ihrem Sinne schulgerecht ist, für gemein und unbrauchbar, wohl
gar für verderblich erklärt, soll es uns allein darauf ankommen, bei
welcher **Behandlungsart Erzieher und Lehrer**, ja die **Pädagogik**
und **Didaktik** selbst, das meiste gewinnen dürfen.

Überhaupt wohl bei der, welche überall von der möglichst genauen
Kenntnis des Objekts aller Erziehung, von dem Menschen, ausgeht und
fürs erste mit Beiseitsetzung alles dessen, was bloß hypothetisch ist, sich
an die unleugbaren Erscheinungen hält, in welchen sich uns alles, was
von dieser Natur erkennbar ist, darstellt. Dies haben auch im Grunde
alle gewollt, und selbst bei der entschiedensten Mißkennung der mensch=
lichen Natur und insonderheit der Eigentümlichkeiten des Kinderalters,
doch immer g e m e i n t, eine richtige Kenntnis derselben zum Grunde
zu legen.

Wenn nun die pädagogisch=didaktischen Grundsätze selbst aufgestellt
werden sollen, so kann nur zwischen einer doppelten Hauptmethode ge=
wählt werden.

Z u e r s t kann man sich ein Individuum denken und dieses durch
alle Stufen seines körperlichen und geistigen Wachstums begleiten, überall
aufmerksam machend auf die Entwickelungen und Veränderungen, die in
i h m vorgehen, auf die Art und Weise, wie die äußere Welt auf das=
selbe wirkt und daneben mahnend und lehrend, wie und wann der Er=
zieher eingreifen, bald treiben, bald aufhalten, bald die Richtung verfolgen,
bald dieselbe verlassen und eine andere einschlagen müsse. Um die Dar=
stellung wahrscheinlicher und anschaulicher zu machen, muß das Indivi=
duum nicht nur mit einer bestimmten inneren und äußeren Organisation
versehen, schwach oder stark an Körper und Geist, sondern auch in einer
bestimmten äußeren Lage, von dieser oder jener Nation, in diesem oder
jenem Zeitalter, reich oder arm, von sogenannter hoher oder gemeiner
Geburt, elternlos oder unter dem Auge der Eltern aufwachsend, gedacht
werden. Würde das Bild von einer wirklich existierenden Person abge=
zogen, und nun aufs treueste beschrieben, wie die Erziehung auf dieses
Individuum berechnet gewesen, welcher Mittel sie sich bedient, welche Ver=
änderungen man wahrgenommen, durch welche Erfolge sie belohnt sei:
so würde man hier zugleich die **Naturgeschichte** und die **Bildungs=**
geschichte eines einzelnen Menschen haben. Viele solcher anthropologisch=
pädagogischen **Monographien** würden als Bereicherungen unsrer all=
gemeinen Erziehungstheorien zu wünschen sein.

Diesen Plan befolgte R o u s s e a u in seinem Emil, und nach ihm
andre, die ihre Ideen, zum Teil um die seinigen zu widerlegen, an die
Geschichte eines einzelnen Zöglings knüpften. Wer wollte leugnen, daß

die feinsten Bemerkungen auf die anschaulichste Weise, die Regeln stets für den passenden Moment berechnet, so mitgeteilt werden können? Doch man begreift zu gleicher Zeit, wie leicht es ist, entweder einseitig zu werden, indem man die unendlich mannigfache Natur in einem einzelnen Wesen darzustellen bemüht ist, oder dunkel zu bleiben, indem man die verschiedensten Materien aus der Geistes= und Gemütswelt der Kinder und den bestimmenden Zufall von außen auf einander und bunt durch einander zu schildern gezwungen wird, weil das chronologische Fortschreiten der Kinder der einzige leitende Faden ist. Rousseau freilich ließ sich durch diesen beengenden Gesichtspunkt nicht sehr binden; er verbreitet sich über Kindernatur und Menschennatur im allgemeinen und giebt nicht bloß dem Erzieher seines Emil, sondern jedem Erzieher herrliche Winke und Regeln. Aber auch er konnte den Nachteilen dieser Methode nicht ganz entgehen, und veranlaßte zum Teil durch dieselbe die vielen schiefen Urteile, die man über sein unsterbliches Werk gefällt hat, welches einen Schatz von pädagogischen Einsichten und Erfahrungen enthält, wie wenige, die vor oder nach ihm in diesem Fache erschienen sind.

Die andere Methode, nicht von dem Individuum ausgehend, sondern die gesamte bis zum Alter der Reife bildungsfähige Menschennatur umfassend, begreift unter einem wissenschaftlichen Gesichtspunkte die Resultate alles dessen, was bisher der beste Beobachter des physischen und geistigen Menschen über seine Natur erforscht und gesagt haben. Indem sie diese Resultate zur Grundlage der Pädagogik und Didaktik macht, ist sie eben so sicher, keine Lücken und Sprünge in irgend einer Hinsicht zu machen, als auch bei der wissenschaftlichen Anordnung und Sonderung der Materien deutlich ihre Grundsätze und Lehren darzustellen.

Freilich würde man das Gebiet jener beiden Wissenschaften, die man unter dem allgemeinen Namen der Erziehungslehre begreift, ohne Maß und Ziel erweitern, wenn man alle die Beiträge, welche hierzu die Anthropologie, Physiologie, Psychologie, Logik, Moral liefern müssen, in dasselbe verweben wollte; selbst wenn man sich auch nur auf das beschränkte, wovon ein unmittelbarer Gebrauch für die Erziehung, welche es mit dem Menschen als einem freien Wesen zu thun hat, gemacht werden kann. Auch scheint mir nicht ratsam, hierbei die Grenzen der Wissenschaften zu verrücken. Gewiß aber bleibt doch, daß sie sich gegenseitig die Hand bieten, eine der andern die Bahn brechen und den Weg ebenen müssen. Vorzüglich aber werden es die Naturgeschichte des äußeren und inneren Menschen und die Teile der Philosophie sein, in welchen von seiten der Moral betrachtet wird, aus welchen die Erziehungswissenschaft zu schöpfen, welchen sie am emsigsten nachzuspüren hat.

Zwei Hauptfragen werden daher jeden, der über die Aufgabe, „Menschen zu erziehen und zu unterrichten", mit sich ins Klare kommen

17*

will, unablässig beschäftigen, und je bestimmtere Antworten er sich auf
beide zu geben weiß, desto mehr Zusammenhang und Zweckmäßigkeit
wird in sein Geschäft kommen. Die erste: „Wie ist es möglich, auf
ein Wesen wie der Mensch, so zu wirken, daß die Einrichtung und der
Zweck seiner Natur auf keine Weise gestört, wohl aber unterstützt und
gefördert werde?" Hierzu muß ihm die eigne Erforschung dieser Natur
und die Bekanntschaft mit dem, was etwa schon darin erforscht ist, die
Data liefern. Die andre: „Worauf soll zuletzt alle Erziehung abzwecken; wohin die Aufregung und Ausbildung jeder Kraft führen?"
Hierüber wird er sich mit den Moralisten zu verständigen suchen.

Je ernstlicher er sich indes dieser doppelten Untersuchung widmet,
desto offenbarer werden ihm auch die Schwierigkeiten werden, welche der
kaum ahndet, der sich gläubig an gewisse Überlieferungen haltend, ohne
eignes Prüfen und Forschen auf die Worte irgend eines alten oder neuen
Systems schwört.

Was die Erforschung unsrer Natur betrifft, so sind wir bekanntlich über die ersten Elemente ihrer Erkenntnis noch so wenig einverstanden, daß, ob man wohl seit Jahrtausenden versucht hat, das Rätsel
ihres innersten Organismus zu lösen, dennoch alles unser vermeintes
Wissen, z. B. vom inneren Wesen des Rationalen, von dem Verhältnisse
des Körperlichen zu dem Geistigen, von den Grundbeschaffenheiten der
Kräfte, ihrer ursprünglichen Gleichheit oder Ungleichheit u. s. w., aus
bloßen Fragmenten, Vermutungen und Hypothesen besteht. Muß man
daher gleich jedes Bestreben, in diese dunklen Regionen mehr Licht zu
bringen, schätzen: so kann man sich doch nicht genug verwundern, wenn
jeder, der eine neue Ansicht des Menschen hat oder zu haben wähnt, sofort vermeint, der Ödip zu sein, der das alte Geheimnis endlich der
Welt kund machen könne*).

Der Spekulation des Metaphysikers ist es nicht zu verdenken, wenn
sie Hypothesen zu Hilfe nimmt, um Einheit in ihre Systeme zu bringen.

____

*) Insonderheit scheint es für Anfänger gefährlich, daß sie sich so leicht durch
eine neue Sprache täuschen und zu dem Glauben verleiten lassen, als hätten sie
damit zugleich neue Begriffe bekommen. Es muß den Stiftern neuer Schulen so
gut, als den Stiftern der älteren frei stehen, ihre Ideen auf ihre eigene Art zu
bezeichnen; auch kann es wirklich oft Bedürfnis sein, sich für die eigentümliche
Modifikation einer Vorstellung ein neues Wort zu schaffen. Nur kommt alles
darauf an, denen, welche man dadurch in der Erkenntnis weiter führen will,
etwas mehr als das Wort, auch die Merkmale des Begriffs angeben, und es klar
machen zu können, daß man wirklich zu einer deutlicheren Einsicht des Gegenstandes gelangt sei. Will man z. B. in der Psychologie die bisher üblichen Ein-
teilungen der Seelenvermögen verlassen, so steht dies jedem frei. Die Psychologen haben sich von jeher verschieden darüber ausgedrückt, auch im Grunde alle
wohl gewußt, daß diese Namen nur Notbehelfe sind, wodurch wir die verschiedenen
Äußerungen einer und derselben Kraft bezeichnen. Nur scheint mir nicht
wohlgethan, den Sprachgebrauch zu verlassen, wo kein offenbarer Gewinn

Ihr ſelbſt erſcheinen oft nach ſehr kurzer Zeit jene Hypotheſen als grund-
los, und ein neuer Verſuch tritt an die Stelle des verworfenen, um vielleicht bald wieder einem andern Platz zu machen. Gleichwohl offenbart
ſich in dieſen Wechſeln die immer regſame Geiſteskraft, die ſich zu üben
nicht aufhören und ſelbſt durch das Mißlingen ihrer Anſtrengungen zu
neuen geweckt werden ſoll. So bald indes die Spekulation über Gegenſtände, deren Erkenntnis zweifelhaft iſt und wo man ſich mit Vermutungen begnügen muß, im Praktiſchen zu viel Stimme verlangt, wird
ſie leicht gefährlich und hat, ſelbſt auf keinem ſichern Grunde ſtehend, in
der Anwendung ein Hin- und Herſchwanken zur Folge, wovon der Behandelte zuletzt das Opfer werden kann. Darauf gründet es ſich, daß
man gegen Ärzte, welche nicht nur einen beſtimmten Hang zum Spekulieren in ihrer Wiſſenſchaft haben, und dabei nicht bedächtig genug ſind,
um mit der Übertragung jeder neuen Hypotheſe in das Praktiſche zu
zögern, ein nicht ungegründetes Vorurteil faßt und oft dem Empiriker
mehr zutraut, eben weil er weniger in zweifelhaften Theorien lebt*).
Dasſelbe möchte auch bei der Erziehung der Fall ſein. Daß die von
Zeit zu Zeit wechſelnden (anthropologiſchen, phyſiologiſchen und pſycho-
logiſchen) Anſichten und Konſtruktionen der menſchlichen Natur auf die
Theorien des Erziehers einen Einfluß haben können, wer möchte das
in Abrede ſein?**) Den wohlthätigſten haben aber gewiß immer die,
welche ſich zunächſt an feſtbegründete Thatſachen halten und auf dem Felde
der Erfahrung bleiben. Man hat wenigſtens ſehr oft erlebt, welche ſon-
derbare Maßregeln manche bloße Theoretiker genommen haben, um wo
möglich die Wahrheit ihrer Hypotheſen in der Behandlung eigner oder
fremder Kinder zu bewähren, wie ſie aber oft, mitten in dem Lauf ihres
Geſchäfts, zu einem andern Syſtem überſpringend, gerade den entgegen-
geſetzten Weg eingeſchlagen ſind.

Die fortdauernden Widerſprüche in den Syſtemen der geübteſten Beobachter und Forſcher der menſchlichen Natur, ſie mögen nun das Kör-

---

dabei iſt. Das, was man aufhellen will, wird durch die Anwendung ganz fremdartiger (chemiſcher, phyſiſcher) Terminologie (Pole, Polarität, Potenzieren ꝛc.)
auf pſychologiſche und moraliſche Begriffe oft nur mehr verdunkelt, da die Kenntnis ihres Sinnes wenigſtens bei Anfängern nicht vorausgeſetzt werden kann. Und
doch ergreifen gerade dieſe ſolche Worte am erſten, ohne dadurch zu irgend einem
klaren Bewußtſein zu kommen.

*) Und darin hat man, ſelbſt nach dem Ausſpruch eines großen Arztes,
den niemand im Verdacht der Geringſchätzung der Spekulation haben wird, nicht
unrecht. „Der taktfeſte Routinier (Empiriker), dem die Natur praktiſches Genie
verlieh, handelt ſo oft weit beſſer, als der ſuperfeine Theoretiker. Beider theore-
tiſches Wiſſen ſtehet am Zero im Niveau; aber dieſer weiß auch nicht einmal
zu handeln, weil er das Glaukom ſeiner Hypotheſen für die Leuchte der Wahrheit
hält.“ S. Reil über Pepinieren zum Unterricht ärztlicher Routiniers, S. 24.

**) S. oben § 42, Anm.

perliche ober Geiftige, ober beibes zugleich betreffen, beweifen wenigftens
fo viel, daß wir noch fehr weit davon entfernt find, in das Innere der
Natur eingedrungen zu fein, und daß fich in allen den vorgeblichen
Konftruktionen derfelben eigentlich nur die individuelle, höchft veränder-
liche Vorftellung des konftruierenden Individuums ausdrückt. „Was ift,
fragt der eben angeführte philofophifche Arzt, was ift der unbegreifliche
Prozeß in der organifchen Schöpfung, der das Individuum in jedem
Moment zerftört, und es durch die nämliche Art zum vorigen Dafein
wieder hervorruft; der Krankheiten erregt und fie wieder entfernt; durch
den die äußere Natur, alfo auch des Menfchen Wirken in die Sphäre
des Organismus aufgenommen wird? Könnt ihr mir auf diefe
Fragen bloß mit Poefien, Metaphern und Gemeinplätzen, aber mit
nichts Verftändlichem und fo Befonderm antworten, als diefer Prozeß
in feiner Befonderheit in den Individuen vorkommt, die ihr zu behandeln
habt, fo leiftet doch Verzicht auf jenen vollendeten Rationalismus in
euren Handlungen". Muß man nicht gerade diefelben Fragen thun,
wenn von dem noch verborgneren geiftigen Organismus die Rede ift;
wenn erklärt werden foll, wie fich die höheren Kräfte des Menfchen entwickeln und bilden; wann fie zuerft den Charakter der Vernunftmäßigkeit
annehmen; in welchem Moment das Kind der Notwendigkeit in das
Reich der Freiheit eintritt; in welchem Grade die geiftigen Veränderungen
von den körperlichen abhängig find: wie es zugeht, daß die Außenwelt
fich fo verfchiedenartig in den einzelnen Menfchen geftaltet? Freilich find
Antworten genug auf das alles in den Schriften der Weltweifen aller
Schulen zu finden, die uns auch bald durch neue Kunftwörter, bald durch
poetifche Formeln erklären wollen, was klar einzufehen uns doch nicht
vergönnt ift. Aber wir kommen dadurch keinen Schritt weiter, und
täufchen uns felbft über die Grenzen unfers Wiffens, fo bald wir
einen zu hohen Wert darauf fetzen.

Sollte es alfo wohl geraten fein, in diefem Sinne die Prinzipien der Pädagogik auf jenes angeblich wiffenfchaftliche Fundament (eine
Konftruktion der menfchlichen Natur) zu gründen? Sollte dies
befonders jetzt geraten fein, wo, wie Schwarz in der Vorrede zu feiner
Erziehungslehre treffend bemerkt, „das Philofophieren fo fehr von der
Natur abgeirrt und vielmehr ein Syftematifieren geworden ift, ein Spiel
des Scharffinns mit abgezogenen Begriffen, oder um ein modernes Wort
zu gebrauchen, ein Potenzieren im Denken?"*)

*) Noch ftärker hat fich eben diefer achtungswürdige Pädagoge in den letzten
Teilen feiner Erziehungslehre hierüber erklärt. „Die Überzeugung — fagt er
in der Schlußrede — die Überzeugung, daß die Pädagogik fich nicht zur wiffen-
fchaftlichen Bearbeitung eigne, wenn wir wiffenfchaftlich im neuen ftrengeren Sinne
nehmen, ift durch die bisherige Kultur der Philofophie nicht widerlegt worden.
Da nie ein Syftem auftreten kann, das den Charakter feiner Ewigkeit aufzeigt,

Man hat mancherlei Versuche gemacht, von oben herab, aus reiner Vernunft und strengwissenschaftlich, wie man es nannte, zu zeigen, wie das Kind zu erziehen und zu unterrichten sei. Dadurch ist schon so manches als einziges, ewig leitendes Prinzip, als einzige wahre Methode (Urform, Urmethode), angepriesen, was sich im System recht gut ausnimmt, aber in der Anwendung schwerlich die Probe gehalten haben mag. Der sichere Weg geht gewiß nicht durch die Schule der Systematiker. Wer die junge Menschenwelt mit philosophischem Geiste, welcher sich niemals eigensinnig und einseitig nur an Formen und Ausdrücke hängt, oft und scharf beobachtet; wer in ihrem Kreise gelernt hat, was im allgemeinen und was im besondern zu leisten möglich sei, der wird als Lehrer und Erzieher immer am besten wissen, nicht bloß was er will, sondern auch was er kann. Bei wem aber weder das eine noch das andre zu deutlichem Bewußtsein gekommen ist,*) der sollte sich eben so wenig an das Geschäft wagen, als der, welcher, befangen von irgend einem herrschenden System oder den Idealen seiner durch den Zeitgeist exaltierten Phantasie, jede freiere Ansicht der Natur und der Wirklichkeit verloren hat.

Wenn aber zweitens von dem letzten Zweck aller Erziehung, als Aufregung und Ausbildung der menschlichen Kraft, die Rede ist, so wird natürlich die Wissenschaft, welche sich mit der Bestimmung des

so ist es übel gethan, die Belehrung über ein heiliges Geschäft, welche mit der Kultur der Menschheit sich zugleich fortbilden muß, an das zu befestigen, was heute gilt und morgen umgestoßen wird. Wir meinen aber hiermit nicht solche erhabene Bemühungen, auch die Prinzipien für das praktische wissenschaftlich zu bearbeiten, wie sie uns in den Schriften Kant's, Reinhold's, Schmid's, Jakobi's, Fichte's, Schelling's, Hegel's, Schleiermacher's u. A. wahrhaft in dem Geschäfte selbst erheben; wir wollen nicht undankbar sein auch gegen den Gewinn, welchen uns die neueren philosophischen Anthropologen verschafft haben: allein das, was unserer Lehre durch alles dieses zu statten kommt, macht sie selbst noch nicht zur Wissenschaft, da sie aus dem Leben unmittelbar und mit allseitiger Umsicht auf alle bisherigen Fortschritte und Erfahrungen der Menschheit hervorgehen muß, immer für das Leben gelten soll, und da ja auch nicht einmal die Anthropologie selbst, an welche sich doch das Wissenschaftliche der Pädagogik zunächst anschließt, in ihrer Tiefe erschöpft ist oder jemals erschöpft sein wird. Denn wenn hat sich der Mensch doch selbst ergründet?" S. Erziehungslehre, 3. Bdes. 2. Abschn.

*) M. s. was hierüber sehr wahr und bündig bemerkt ist in H. P. Weiß Einleitung zu den Beiträgen zur Erziehungskunst 1. B. 1. H. „über die Notwendigkeit, die Erziehungskunst wissenschaftlich zu behandeln". — Wie das Wort „wissenschaftlich" hier genommen wird, kann gewiß niemand etwas gegen die Forderung einwenden, wenn er auch mit dem Verfasser über die in der folgenden Abhandlung: Was ist der, welcher erzogen werden soll; und wie hat ihn daher sein erster Erzieher zu nehmen? aufgestellten Ideen, — oder den im 2ten Heft enthaltenen „Versuch, die Pädagogik durch Philosophie zu orientieren" nicht in allen Punkten übereinstimmen sollte.

Menschen und den Mitteln sie zu erreichen beschäftigt, folglich die Moral, hierüber die Auskunft zu geben haben, und einer konsequenten Theorie der Erziehung werden feste moralische Prinzipien zum Grunde liegen müssen, obschon nicht gerade ein einzelnes streng abgeschlossenes System unentbehrlich sein dürfte. Wenn man aber in neueren Zeiten zuweilen behauptet hat, es gebe überall noch kein solches System, oder alle bisherigen Versuche, die Ethik aus einem obersten Grundsatz abzuleiten, seien unbefriedigend: so mag es sich damit verhalten, wie es wolle. So viel ist gewiß, daß denen, welche dies behauptet haben, nicht in den Sinn gekommen ist, zugleich allem, was bisher für die moralische Bildung der Erwachsenen und der Jugend praktisch geschah, den Wert abzusprechen, oder zu behaupten, das Gelingen derselben sei durchaus von dieser oder jener wissenschaftlichen Form der Moral abhängig. Sie unterscheiden sehr wohl, was nur ihre unverständigen Nachsprecher übersehen, die Philosophie der Schule von der Philosophie des Lebens. Sie erinnern sich an alles das Große und Herrliche, was von jeher durch Menschen auf Menschen gewirkt ist, ehe man sich irgend einer Spekulation über die Prinzipien und Gesetze des Handelns überlassen hatte. Sie verweilen mit hoher Achtung vor dem Bilde des praktischen Hausvaters, der praktischen Hausmutter, die, ohne auch nur zu ahnden, wie ihr Thun und Wirken der Gegenstand subtiler Untersuchungen sein könne, in ihren Kindern durch Lehre und Beispiel die Keime alles sittlich Guten und Schönen wecken und pflegen. Eine solche Empirie ist dem Verständigen mehr wert, als alle Architektonik der Theoretiker; und gewiß wünscht er, daß alle angehende Pädagogen früher in dieser lebendigen wahren Schule des Lebens lernen, als sich an die toten Buchstaben eines Systems hängen, das, wie alles bloße Wissen sehr oft aufbläht, aber sehr selten bessert.

Also noch einmal: durch diese Bemerkungen soll auf keine Weise das Verdienst derer beinträchtigt werden, welche auch die Erziehungs- und Lehrkunst auf höhere Prinzipien zurückzuführen suchen. Sobald dadurch nur wirklich etwas gewonnen wird für eine Wissenschaft, deren Wert lediglich auf ihrer Anwendbarkeit beruht; sobald nur der Pädagoge selbst an Sicherheit und Konsequenz gewinnt; so bald man uns nicht mit einem unleidlichen Aufwand von Worten Dinge beweiset und deduziert, an denen kein vernünftiger Mensch zweifelt, und den trivialsten Sätzen*) durch die

---

*) Z. B. „daß zu jedem Lehren und Lernen ein lehrendes und lernendes Subjekt, ein Objekt der Erkenntnis, und in Beziehung beider auf einander das Lehren und Lernen selbst gehöre; daß die in unsern Lehrbüchern durch verschiedene Namen bezeichneten Kräfte der Seele nur Modifikationen einer Kraft seien; daß der bisher noch gar nicht gekannte letzte Zweck des Erziehers die Erziehung selbst sei". — Noch viele ähnliche Beispiele, welche Umwege man macht, um zu dem Allbekannten zu kommen, könnten aus mehreren neuen pädagogischen Abhand-

Hülle einer hochgelehrten, zur Tagesordnung gehörenden Sprache eine
Wichtigkeit zu verschaffen sucht; so ist jeder Beitrag dankbar anzunehmen
und unbefangen zu prüfen. In der Darstellung muß nur jeder eine
bestimmte Klasse von Lesern oder Zuhörern sich denken, für die er arbeitet; eine Metaphysik der Pädagogik und Didaktik muß einen
andern Charakter haben, als ein praktisches Handbuch, das nicht
sowohl auf einige wenige spekulative Köpfe unter den Erziehern,
sondern auf die große Mehrzahl der Erziehenden und Lehrenden berechnet ist, denen, ohne wie jene organisiert zu sein, dennoch der philosophische Geist nicht fehlen darf. Dies vergessen die, welche eine
schulgerecht philosophische Bildung erhalten haben, zu leicht, und meinen,
die Form und Sprache, welche ihnen, da sie immer mit dem Zeitalter
fortschreiten und unvermerkt sich selbst seine Redeformen zu eigen machen,
verständlich ist, könne auch bei andern vorausgesetzt werden. Dadurch
werden sie aber selbst vielen gebildeten Lesern unverständlich, welche die
Aufgabe der Erziehung im hohen Grade interessiert, so bald sie mit jener
Gemeinfaßlichkeit behandelt wird, die eine sogenannte höhere Kunstsprache
geflissentlich zu vermeiden sucht, weil sie von ihr keine Wirkung zu
hoffen vermeint.

Mag man denn die, welche die höhere Ansicht nicht überall zur Zeit
und zur Unzeit zur Schau tragen, in die Klasse der gemeinen Naturen
verweisen, oder ihrer Popularität spotten; sie leisten gern, wie auf eine
gewisse Art von höherer Natur, so auf die Unverständlichkeit
Verzicht.

---

lungen, die teils in philosophischen Journalen zerstreut, teils einzeln erschienen
zum Teil schon vergessen sind, angeführt werden. Es würde aber wenig lehrreich sein und leicht dieser Schrift ein polemisches Ansehen geben, welches der Verf.
auf alle Weise zu vermeiden sich zum Gesetz gemacht hat, so nahe Veranlassungen
er auch in manchen Angriffen finden könnte. — Führen die streng wissenschaftlichen Bearbeitungen der Pädagogik wirklich zu neuen Resultaten, so sind sie
in jeder Form schätzenswert. Aber gerade in denen, welche mit der meisten Anmaßung und Unkunde oder schnöden Verachtung des Früheren geschrieben sind,
und von Entdeckungen auf diesem Felde reden, „die noch niemand geahndet
habe, da man ja noch nicht einmal gewußt, was überall Erziehung sei,"
haben Unbefangene auch nicht eine einzige Idee gefunden, die sie nicht in ältern
und neuern pädagogischen Schriften, obwohl in einer andern Form, nachweisen
könnten, wenn es der Mühe lohnte und überall etwas darauf ankäme, ob eine
Wahrheit alt oder neu ist.

Dritte Beilage.

Kritik und nähere Bestimmung der Erziehungsmaxime:
Man müsse den Menschen für die wirkliche, nicht für eine ideale Welt erziehen.

(Zusatz zu § 18, 19 verglichen mit § 119 und 135).

Selbst unter denen, welche der Erziehungskunst große Lobsprüche erteilen, auch nichts sparen, ihre Kinder sorgfältig erziehen zu lassen, oder selbst zu erziehen, kann sich noch immer ein großer Teil nicht über die Meinung erheben, daß der am besten erzogen sei, der sich in den gegenwärtigen Zustand der menschlichen Gesellschaft am leichtesten füge, und, wie man sich auszudrücken pflegt, die Welt nehme, wie sie ist, ohne sich irgend um die sogenannten Ideale, welche die Philosophen aufstellen, zu kümmern. Ich leugne nicht, daß diese Maxime einer Deutung fähig sei, nach welcher sie etwas sehr Wahres und Vernünftiges enthält. Aber wie sie gewöhnlich genommen wird, bedarf sie meiner Meinung nach einer vielfachen Berichtigung.

Um dies deutlicher zu machen, so laßt uns hören, wie sich etwa ein gebildeter Weltmann, wie sich deren viele unter den höhern Ständen finden und in dem öffentlichen Urteil für vorzüglich klug und verständig gelten, als Vater einer begüterten Familie gegen einen jungen Pädagogen erklären würde, den er zum Erziehungsgehilfen zu wählen die Absicht hätte.

„Ich weiß wohl — würde er vielleicht sagen — ich weiß wohl, mein junger Freund, daß in der Welt sehr vieles nicht ist, wie es sein sollte. Die Menschen werden von Vorurteilen und Leidenschaften bei den meisten ihrer Handlungen geleitet. Daneben wirken die äußeren Dinge, die herrschenden Gewohnheiten, die gesellschaftlichen Verfassungen, oft auch Not und Druck des Lebens so mächtig auf sie, daß auch die besten von allen diesen Einflüssen nicht frei bleiben. Unmerklich fügen sie sich in die Form des Zeitalters, und man kann sehr zufrieden sein, wenn sie dabei nur nicht ganz ihre Selbständigkeit und den allgemeinen

Sinn für das Rechte und Gute verlieren. Freilich erhebt sich von Zeit zu Zeit eine Stimme gegen den Zeitgeist. Die schwächere klagt; die stärkere giebt das Signal zum Kampf und hofft eine Macht gegen ihn zu rüsten, der er endlich mit allen seinen Vorurteilen und Verkehrtheiten weichen soll. Aber wir erleben täglich, wie wenig mit dem allen ausgerichtet ist, und wie nur zu oft der scheinbare, einen Augenblick ausgetriebne böse Geist mit sieben mächtigen Geistern zurückkehrt. Vielleicht wäre es besser gewesen, ihn in Ruhe zu lassen."

„Ich habe zwei Hauptwünsche für meine Kinder. Sie sollen brauchbar für die Gesellschaft, sie sollen aber auch glücklich und ihres Lebens froh werden. Ob ich dies Ziel erreichen werde, hängt, das weiß ich wohl, zum Teil von einer höheren Macht ab, die ihr Leben, ihre Gesundheit, ihre äußere Lage in der Gewalt hat. Aber soweit diese nicht das Gegenteil über sie beschließt, und die Fonds von Gesundheit, von glücklichen Anlagen und von äußerem Wohlstande, womit sie ausgestattet sind, ihnen erhält, so denke ich, müsse das Übrige vorzüglich durch Erziehung bewirkt werden, an der ich nun künftig gemeinschaftlich mit Ihnen zu arbeiten wünsche."

Die Brauchbarkeit wird von dem Geschick für die Geschäfte abhängen, welche die Kinder in der Zukunft erwarten. Ich wünschte, es wäre möglich, diese Geschäfte sicher vorher zu wissen. Dann könnten wir unstreitig unserm Erziehungsplane noch weit mehr Zweckmäßigkeit geben. Wie vieles könnten wir den Söhnen im Unterricht ersparen, was sie, wegen der Ungewißheit ihrer Bestimmung, nun schon lernen müssen, obschon vieles davon wahrscheinlich nicht den geringsten Nutzen für sie haben wird. Möge es ihnen nur nicht noch obendrein schaden! Ich habe oft erlebt, wie ungern es die oberen Behörden sehen, wenn die unteren Arbeiter sich außer ihrem Fache mit allerlei Nebendingen beschäftigen, die mit dem Fach in keiner Verbindung stehen; wie wert ihnen dagegen der unverdrossene Routinier ist, der auf der Stufe, wo er steht, und über die hinauszugehen, ihm vielleicht schon seine bürgerliche Geburt die Hoffnung abschneidet, doch nur zum Organe höherer Einsichten und Anordnungen bestimmt ist und gemeiniglich am besten arbeitet, wenn er, unbekümmert, was vielleicht geschehen könnte und sollte, bloß fragt, was nach der jetzigen Lage der Dinge geschehen müsse. Wir wollen also wenigstens uns hüten, ein zu großes Interesse für Gegenstände zu erwecken, die höchst wahrscheinlich in der künftigen Sphäre der Kinder von keinem unmittelbaren Gebrauche sein können. Insonderheit wollen wir den Töchtern, deren Schicksal noch weit mehr im Dunkeln liegt, lieber etwas zu wenig als zu viel Ausbildung geben. Ich werde sorgen, so viel ich vermag, daß sie nicht Unwürdigen zu Teil werden; aber ob ihre künftigen Gatten überhaupt Bildung durch Kenntnisse, oder in welchem Grade sie diese besitzen: das darf ich bei ihrer

Wahl nicht in Anschlag bringen. Geben wir ihnen also nur, was jede
Hausfrau nötig hat, um eine gute Hausfrau zu sein, so haben sie die
Hauptsache. Das Übermaß des Wissens würde ihre Brauchbarkeit für
ihre Bestimmung leicht vermindern, und ihre Tugend wird auch dem
kenntnisreichen Gatten ersetzen, was ihnen an höherer Geistesbildung
vielleicht abgeht."

„Wir wollen unsern Kindern Grundsätze zu geben suchen, wobei,
wenn sie ihr Thun und Lassen darnach einrichten, sie in allen Verhältnissen des Lebens vor den Augen der Welt bestehen können. Aber ich
halte es nicht für geraten, daß wir ihr Gefühl zu sehr verfeinern,
und ihr Auge zu sehr schärfen, um die Fehler und Gebrechen einzelner
Menschen oder ganzer gesellschaftlichen Einrichtungen zu bemerken. Sie
werden, wenn sie nicht zu viel verlangen, wenn sie mit einer gewissen
Toleranz gegen das, was nun einmal nicht zu ändern steht, in die Welt
eintreten, nicht alles Krumme gerade, nicht alles Unrechte recht machen
wollen; werden zu schweigen wissen, wo das Reden vergebens sein, ihre
Thätigkeit sparen, wo sie doch nichts ausrichten würde. — So werden
sie doch in manchen Fällen, vielleicht im Stillen mehr Gutes wirken, als
die eifrigen Verfechter des Wahren und Rechten in der Regel zu bewirken
pflegen. Was haben sie denn davon, was gewinnt die Welt dabei, wenn
sie sich durch ihren noch so reinen Eifer für das Bessere, wofür das
Zeitalter noch keine Empfänglichkeit hat, verdächtig machen; wenn man
vielleicht, eben weil sie zu sehr dem Strom entgegensteuern, auf einmal
ihren Lauf gewaltsam hemmt und sie in irgend eine öde Bucht eindrängt,
wo sie unthätig hinbrüten, oder ihre Kräfte plötzlich an einer Klippe zer-
schmettern läßt, der sie wohl ausgewichen wären, wenn man sie hätte
gewähren lassen? Die Menschen können es nun einmal nicht leiden, daß
man mehr thue als sie, und so thut man denn doch am Ende noch immer
das meiste, wenn man mit ihnen im Frieden bleibt."

„Bei einer solchen Erziehung, die auf eine gewisse Zufriedenheit
mit der Welt, wie sie nun einmal ist, und auf ein williges Fügen in
alle ihre Verkehrtheiten berechnet ist, werden wir dann auch am besten
für das eigne Glück unsrer Kinder sorgen. Denn nur so werden sie
ihres Lebens froh werden."

„Schon eine zu vielseitige Ausbildung kann, höchst unsichre
Fälle abgerechnet, die Quelle ihrer Unzufriedenheit werden. Es giebt eine
Menge von Geschäften in unsrer bürgerlichen Verfassung, bei welchen ein
gewisser Organismus unvermeidlich ist. Gegen tausend und aber tausend
Räder in der großen Staatsmaschine, welche sich in ihren genau abge-
messenen Kreisen schneller und langsamer drehen müssen, giebt es kaum
eine Triebfeder, die das Ganze bewegt, und selbst diese wird so oft be-
wußtlos hier gehemmt, dort getrieben. Was Schiller so treffend „des
Dienstes immer gleichgestellte Uhr" nennt, das paßt nicht bloß auf unsre

militärischen, es gilt auch von einer Menge bürgerlicher Einrichtungen. In allen Kollegien sind doch mehr als die Hälfte der Arbeitenden nichts als die willenlosen Exekutoren und Expedienten fremder Verfügungen, denen es weder zukommt noch verstattet wird, ihrer oft entschieden besseren Einsicht zu folgen. Aber selbst da, wo ihre Vernunft wohl einsieht, daß dies nicht anders sein könne, und das einförmige Geschäft, das sie betreiben, zum Wohl des Ganzen betrieben werden müsse; selbst da kann sich doch der vielseitig Gebildete den Ekel und Überdruß nicht verbergen, der damit verbunden ist. Das aufgeregte Bedürfnis des Geistes, immer mit neuen Ideen bereichert zu werden und sich an ihnen zu üben, daneben das Gefühl des Verlustes so vieler schönen Zeit, die dem Mechanismus geopfert werden muß, und die für die höhere Ausbildung gewonnen werden könnte: dies alles wird einen solchen Widerwillen an dem doch nun einmal Unabänderlichen erzeugen, daß sich wahrlich der Mann von beschränkteren Einsichten und Kenntnissen ungleich glücklicher in seiner Sphäre fühlen muß. Er treibt gutwillig, ohne den Druck zu fühlen, am Tage sein Geschäft; und erholt sich, keiner Entschädigung bedürftig, des Abends am Spieltisch oder bei der Tafel. Erwacht wohl gar in jenem die Idee, man könne alle diese einzwängenden Formen zerbrechen; man könne ein viel regeres Leben auch in den Geschäftsgang bringen und dadurch ungleich mehr eigne Kräfte der Staatsbürger in Thätigkeit setzen, so wird entweder die Abhängigkeit von den Formen ganz unerträglich, oder der Unmut bricht in eine Reformationssucht aus, die nur allzuleicht eine revolutionäre Gesinnung verrät."

„Einen beträchtlichen Anteil an dem Frohwerden des Lebens hat ferner die Aufnahme in der menschlichen Gesellschaft. Um diese freundlich zu finden, muß man sich in vielen Punkten mit ihr berühren, muß sie eben darum nehmen, wie man sie findet, und weder den beständigen Tadler und Meister machen, noch auch durch ein in ihr ungewöhnliches Wirken und Thätigwerden die bequemere Menge beschämen und ihr durch die Vergleichung mit sich unangenehme Empfindungen erwecken. Die Menschen wissen recht gut, daß ihnen mancherlei zu verzeihen ist, und begehren nicht, für vollkommen gehalten zu werden; sie meinen aber, daß am Ende doch keiner mehr thue, als er könne und möge, und scheuen in dem, der mehr zu thun scheint, den, wo nicht lauten, doch stillen Tadler ihrer Schwächen und Menschlichkeiten, ohne ihn im Grunde darüber erhaben zu glauben. Ich wünsche eben darum kaum, daß meine Kinder sich vor andern auszeichnen. Was sie an Ruhm dabei gewinnen würden, verlören sie vielleicht zehnfach an Liebe und an Freude. Wenn man denen, die überall die Ideale ihrer Phantasie realisiert sehen wollen, den kleinsten Fehltritt hoch anrechnet, so wird man ihnen, denen das Menschliche genügt, desto mehr Billigkeit im Urteil widerfahren lassen, wo sie ihrer bedürfen."

„Aber gesetzt auch, sie wollten sich über diese Urteile hinwegsetzen:
werden sie sich denn ihres eignen Ganges, worauf sie sich von der Heer=
straße entfernten, am Ende selbst erfreuen können? Was lehren uns
darüber die Geschichte und die tägliche Erfahrung? Was haben alle die
Enthusiasten älterer und neuerer Zeit mit ihren Verbesserungsplänen für
die Menschheit ausgerichtet? Ich leugne nicht, daß nach und nach vieles
in der Welt besser geworden ist, als es war, und daß noch vieles besser
werden kann und wird, als es ist. Aber dieses Bessere haben die Um=
stände und sehr oft Ursachen herbeigeführt, von denen man gerade das
Gegenteil hätte erwarten sollen. Man muß es der Zeit überlassen,
jedes Samenkorn früher oder später zur Entwicklung zu bringen. Dies
kann der Enthusiasmus, immer das Ideale mit dem Realen verwechselnd,
nicht abwarten; und gelingt ihm allenfalls, durch seine übermäßige Wärme
einen kränkelnden Keim hervorzutreiben, so welkt dieser gemeiniglich eben so
schnell, als er wuchs, und der Kern geht verloren, aus dem ein gesunder
Stamm erwachsen konnte. Im Ganzen bleiben sich die Menschen, wie
die sie umgebende Natur, durch alle Zeiten gleich; und man verliert
Kraft und Genuß, wenn man sich mit einem Eifer, den niemand fordert,
für den niemand dankt, ihrem Dienste widmet. So viele junge Heroen,
die mit herkulischer Kraft die Menschheit von allem Elend befreien wollten,
sind entweder die frühen Opfer ihres Eifers geworden, oder haben ihre
Laufbahn in Mißmut über Undank und Verkennung geendigt*).“

„Wenn Sie diese Betrachtungen überzeugt haben, oder wenn Sie
meiner längeren Erfahrung in der Welt das fürs erste glauben wollen,
was Ihnen darin fremd gewesen sein mag, so denke ich, werden wir in
der Erziehung meiner Kinder von gleichen Grundsätzen ausgehen. Prüfen
Sie sich daher wohl. Ich begehre nicht, daß man meiner Meinung sei;
aber in einer so wichtigen Angelegenheit kann es mir auch nicht gleich=
gültig sein, ob wir uns unterstützen oder entgegenarbeiten. Man hört
hier und da die Maxime und hat sie noch neuerlich als hohe Weisheit
aus dem Nachlaß eines berühmten Philosophen angepriesen: „Kinder
müßten nicht dem gegenwärtigen, sondern dem zukünftigen mög=
lichen bessern Zustande des menschlichen Geschlechts, nicht um nur in die
wirkliche Welt zu passen, sondern für die Idee der Menschheit er=
zogen werden**).“ Sollten auch Sie von dieser hochklingenden Maxime
ergriffen sein, so wollen wir zwar Freunde bleiben, aber mein Er=
ziehungsgehilfe können Sie nicht werden. Ich werde Ihren Sinn
für das Bessere schätzen, aber ich werde wünschen, daß Sie erst an

*) Man vergleiche mit diesem Räsonnement eines Weltmanns die Rede des
Hippias in Wielands Agathon, worin er den edlen Jüngling von seinen Idealen
zurückzubringen sucht.
**) Kant, über Pädagogik, § 15 b. Ausg. v. Vogt.

Erfahrung durch Welt- und Menschenkenntnis gewinnen mögen, bevor Sie einen Zögling übernehmen, der, so geleitet, weder brauchbar noch glücklich werden würde."

Wer Gelegenheit gehabt hat, die Vorstellungen, welche besonders unter den höheren Ständen über Erziehung herrschen, genau kennen zu lernen, wird sie in diesem Räsonnement unstreitig wieder finden. Sie mögen bei wenigen in ein eigentliches System gebracht, bei manchen kaum zu klarem Bewußtsein gekommen sein; aber sie liegen doch ihrer Theorie und Praxis zum Grunde, und was ihnen widerspricht, kann ihres selten billigen und schonenden Tadels gewiß sein.

Und doch, so viel teils Wahres, teils Scheinbares in den aufgestellten Grundsätzen liegen mag: wie viel Verwirrung herrscht in dem ganzen Räsonnement, wie viel Mißverstand in einzelnen Behauptungen! Wie viel Unkunde der Wirklichkeit versteckt sich hinter dieser so anspruchsvollen Weltkenntnis! Es ist für angehende Erzieher, die oft einen bedeutenden Anteil an der Richtung des Geistes ihrer Anvertrauten haben, von großer Wichtigkeit hierüber aufs Reine zu kommen. Eine Aufstellung gewisser Prinzipien, mit steter Rücksicht auf die vorstehenden Zweifel und Einwürfe, mag eine Anleitung dazu sein.

Was haben also
1. um mit dem Bgriff anzufangen, diejenigen sagen wollen, die als Prinzip aufstellten: Kinder müssen nicht dem gegenwärtigen Zustande des menschlichen Geschlechts, sondern der Idee der Menschheit angemessen erzogen werden?

Sogleich muß hier einleuchten, daß in dieser Behauptung nicht die Rede sein könne von etwas, das außer den natürlichen Schranken, welche der Menschheit für ihre Entwicklung gestellt sind, liege; also nicht von einer Exaltation der Natur über das Menschliche hinaus, von der manche Schwärmer älterer und neuerer Zeit geträumt haben. Denn dies könnte ja auf keine Weise zu der Idee der Menschheit und ihrer ganzen Bestimmung passen. Es würde vielmehr dabei auf ein Vernichten des Menschlichen im Menschen abgesehen sein. Es kann folglich zuerst mit jener Maxime nichts weiter beabsichtigt werden, als was eine richtige Entwickelung der Begriffe schon früher als den Gegenstand der Erziehung bestimmt hat. Alles ist der Erziehung an der Entwickelung einer jeden Anlage gelegen, um das Reinmenschliche in dem Zöglinge darzustellen; und offenbar besteht die Realisierung der Idee der Menschheit in der vollkommensten Ausbildung und Gestaltung dessen, was die Natur als bildungsfähig in den Menschen gelegt hat.

Ferner ist es unter allen, die über die Geschichte der Menschheit überhaupt, oder auch nur über den gegenwärtigen Zustand derselben nachgedacht haben, ausgemacht, daß jedes Zeitalter zwar sein eigentümliches

274

Gute, aber auch seine eigentümlichen Gebrechen habe; und daß nicht nur
von jeher eine Annäherung an das Bessere gewünscht, sondern auch
wirklich erfolgt, endlich aber auch hier und da ein Rückfall in das
Schlechtere eingetreten sei. Das Gegenwärtige kann uns folglich nie als
etwas Unabänderliches erscheinen, in das man sich eben so willig als in
eine Naturnotwendigkeit fügen müsse.

Endlich ist auch unverkennbar, daß alles, was von jeher zur Verbesserung und zur Veredelung der Menschheit geschehen ist, durch Menschen
unternommen, durch Menschen ausgeführt sei; ja daß selbst in denen Veranstaltungen der Vorsehung, die wir die unmittelbaren zu nennen
pflegen, immer menschliche Kräfte die Werkzeuge waren, durch welche
sie ihre Pläne vollenden wollte.

Nun läßt sich wenigstens in der Idee ein gewisses Maximum dieser
menschlichen Kräfte denken, durch deren Zusammentreffen das Höchste,
was die Menschheit im allgemeinen zu erreichen imstande ist, realisiert
werden würde. Denn so gut in der Verfassung eines Staats, einer
Gesellschaft, einer Schule, so gut auch in der Kunst etwas als das Vortrefflichste gedenkbar und erreichbar ist: eben sowohl muß auch teils
für den einzelnen Menschen, teils für die ganze Menschheit ein Höchstes
und Vollkommenstes denkbar und erreichbar sein.

2. Kann es nun ein würdigeres Ziel für den Erzieher geben, als
den Geist seiner Zöglinge auf dieses Ideal hinzurichten? Man tadelt
es doch selbst in der Bildung zu den mechanischen Handarbeiten nicht,
wenn junge Lehrlinge aus der regen Werkstätte, wo dürftig das Gemeine
gelernt wird, in die Welt geschickt werden, um das Vollkommnere
kennen zu lernen. Man erkennt die Anlage zum großen Künstler in dem
Lehrlinge der Kunst, wenn ihm seine Zeit nicht genügt, wenn ihm der
Anblick der hohen Ideale des Altertums schlaflose Nächte macht. Man
findet es groß und herrlich, wenn der größte trojanische Held, seinen
Astyanax auf dem Arme wiegend, sein eignes Maß zu klein für ihn
findet und sich zu der Hoffnung erhebt:

— — — „kehrt dieser einst aus den Schlachten,
„Rufen müssen sie kann: weit übertrifft er den Vater!"

Und nur der Erzieher soll seinem Zögling die Stufe, auf welcher er
das Zeitalter findet, als die letzte nennen, ihn wohl gar warnen,
daß er nicht über sie hinauszuklimmen wage? So wäre es ja fast besser,
man überließe der Natur und den Umständen allein, was sie aus ihm
machen wollen.

3. Perfektibilität ist der herrlichste Vorzug der menschlichen Natur.
Sie macht die Grenzscheide zwischen den Menschen und den übrigen uns
bekannten Wesen, die durch ihren Organismus in sich selbst vollendet
sind (s. § 1 ff.). Eben darum kann aber auch der Mensch nicht oft

genug auf dieses Große in seiner Bestimmung, in welchem selbst die Blüte
der Hoffnung einer Unsterblichkeit seines Wesens liegt, hingeführt werden.
Daß unzählige Menschen nicht das werden, was sie werden könnten, be=
weist nur, daß die ihnen erreichbare Vollkommenheit, nicht wie bei dem
Tier und bei der Pflanze, die Wirkung eines notwendigen Bildungs=
triebes sondern eines freien Wollens und Handelns sei, welches
zwar durch manche äußere Verhältnisse, Lagen und Umstände, in welchen
es sich entwickeln muß, beschränkt werden kann, aber in einem gewissen
Grade keinem versagt ist*). Vielleicht wären die meisten weiter in ihrer
eignen Bildung gekommen, wenn man ihnen nur zum Bewußtsein ihrer
Kräfte verholfen hätte.

4. Man sagt: „gesetzt, die Mitwirkung zu der Darstellung des Ideals
der Menschheit wäre ein Ziel, das sich einige ganz ausgezeichnete
Menschen setzen, und auf das man allenfalls die aufmerksam machen
könnte, an welchen man frühzeitig ungewöhnliche Anlagen, seltne Talente
und ein gewisses entschiednes Hervorragen über die Menge wahrnimmt:
wie kann man aber so thöricht sein, eine allgemeine Erziehungs=
maxime daraus zu machen? Soll die Erziehung nicht alle Stände um=
fassen? Muß folglich, was ein Grundprinzip für sie werden soll, nicht
gleich anwendbar sein bei der Bildung ganz gewöhnlicher Anlagen und
der ausgezeichnetsten Talente, des ärmsten Bauernsohns eben sowohl, als
des Fürstenkindes? Gebt denen, die neben dem Talent auch einst Macht
und Mittel haben werden, zeitig die Idee, Wohlthäter und Veredler
ihres Zeitalters oder Volks zu werden. Vielleicht trägt sie Frucht.
Aber ach! den Geistesarmen und Niedriggebornen — ihn lehrt lieber
sich fügen in sein Loos, und hütet euch, ihm auch nur von fern die
Möglichkeit zu zeigen, daß es auch wohl für ihn einen besseren Zustand
der Dinge geben könne!"

Wie viel glaubt man hiermit gesagt zu haben, und wie wenig hat
man gesagt!

Wir wissen recht wohl, daß nicht alle mit gleichem Erfolg an dem
Besserwerden in der Welt arbeiten, daß manche außerordentliche Kraft
bloß darum wenig ausrichtet, weil die Macht der Umstände sie im Hervor=
brechen zurückdrängt oder vernichtet.

Aber wissen wir denn in den Jahren der Entwickelung, welche Kraft
zum Wirken bestimmt sei? Sind etwa nur die Kinder aus gewissen
Ständen auserkoren, die menschliche Gesellschaft weiter zu bringen?
Schlummert nicht manche Kraft, ohne daß man sie ahnden, geschweige
berechnen konnte, sehr lange und bricht dann auf einmal zum Erstaunen
aller hervor? Sind nicht dagegen so manche, denen alle Umstände günstig

*) Vergl. Kants v. a. Abhandl. in den verm. Schriften, 3. Bd. S. 237 ff.
Niemeyer, Grundf. d. Erziehung. I. 2. Aufl.   18

waren, in deren Hände das Schicksal alle Mittel der Wirksamkeit gelegt thatenlos vom Schauplatz verschwunden?

Soll es Verdienst sein, den Acker von Steinen zu reinigen, damit nicht herrliche Keime erstickt werden; hingegen Tadel verdienen, wenn man den Keimen menschlicher Kräfte Raum schafft und Freiheit sich zu entwickeln? Wie viele sich entwickeln werden, wer mag es wissen?

> „Millionen sorgen dafür, daß die Gattung bestehe;
> Aber durch wenige nur pflanzet die Menschheit sich fort.
> Tausend Keime zerstreuet der Herbst, doch bringet kaum einer
> Früchte, zum Element kehren die meisten zurück.
> Aber entfaltet sich auch nur einer: einer allein streut
> Eine lebendige Welt ewiger Bildungen aus.“ *)

Es bleibt vollkommen wahr, wie paradox es auch klinge, „bei der Unmöglichkeit, die Anlagen und Fähigkeiten im voraus ganz berechnen zu können, darf der Erziehung des Bauernsohnes kein andres Prinzip zum Grunde liegen, als der Erziehung des Fürstenkindes.“ Dies Grundprinzip fordert aber keineswegs Verfeinerung, Unterricht in allen möglichen Sprachen, Künsten, Wissenschaften und Fertigkeiten; es fordert zunächst, daß die edle Natur der Individuen, die beiden nur gemein ist, geachtet, zu jedem Beruf und Geschäft geschickt gemacht und in jedem Verhältnisse auf Humanität hingearbeitet werde.

Wenn aber sogar in den höheren Klassen der Gesellschaft die möglichste und vielseitigste Ausbildung für bedenklich gehalten wird; wenn auch da die Brauchbarkeit und die innere Zufriedenheit so manchem, wie jenem Vater, mehr von einem Vernachlässigen und Zurückdrängen der natürlichen Anlagen und Kräfte, als von ihrem Anbau und ihrer Entwickelung abzuhängen scheint: wer soll das Bessere herbeiführen, das jeder wünscht und auch in seinem Kreise, so bald ihn das Schlechtere nur drückt, für möglich hält? Wenn nicht Erziehung, so viel sie weiß und kann, die Lebenskräfte weckt, so entsteht zuletzt ein allgemeines Stocken, das ein endliches Absterben und eine gänzliche Auflösung zur Folge hat. Man höre auf, das heranwachsende Geschlecht für das, was immerhin vor der Hand noch Ideal sein mag, zu begeistern, und der gröbste, schon jetzt fast allgemeine Egoismus wird bald genug die einzige Maxime werden, nach welcher die Menschen handeln. Sie werden zuletzt nur suchen, sich hier durch Ungerechtigkeit gegen die Schwächeren, dort durch feige Nachgiebigkeit gegen die Stärkeren, durch alle Verkehrtheiten und Verderbnisse der Welt durchzuwinden. Es giebt kein Mittel, diesem Verderben zu steuern und dem Wahren, dem Guten und dem Schönen immer mehr den Sieg über Wahn und Irrtum, über Thorheit und

---

*) Schiller — Er selbst — wie viel hat er ausgestreut!

Unvernunft, über Laster und Missethaten, über Ungestalt und Unnatur in jedem Sinne zu verschaffen, als die Heranwachsenden zu dem Bewußtsein zu erheben, daß sie Kraft haben, mit jenen Übeln in Kampf zu treten und ihnen dabei aus der Geschichte zu beweisen, daß es möglich sei, in diesem Kampfe zu gewinnen. Denn wer keine Annäherung des Besseren glaubt, muß behaupten, daß wir nicht nur in Kenntnissen, wo doch die Sache so klar ist und auch am wenigsten bestritten wird, sondern auch in der Humanität und in den Mitteln zu einem würdigen und glücklichen Leben nicht viel weiter als die Vorwelt und unzählige unsrer Zeitgenossen in andern Ländern gekommen sind. Dagegen zeigen sogar einzelne Ereignisse, daß auch auf dem scheinbar höchsten Standpunkte das Ziel bei vielen noch nicht erreicht und noch viel Verdienst übrig sei.

5. „Aber, erwidert man, wenn denn nun auch von diesen idealischen Träumen von Verbesserung der Welt und Annäherung der Menschheit an einen vollkommeneren Zustand endlich einmal einer und der andere realisiert würde und eine späte Frucht von dem aufginge, was unter Sorgen und Thränen ausgesäet ward: so verlieren doch die Menschen, die man für solche Ideale erzieht, das Leben; indes die, welche man gewöhnt, mit dem gegenwärtigen Zustande der Dinge zufrieden zu sein und sich in die Gebrechen der Welt zu fügen, das Leben genießen. Können wir es bei unsern Kindern verantworten, wenn wir so recht geflissentlich den Samen des Unmuts in ihr Herz ausstreuen, da das Leben so kurz, im Leben so viel Wechsel und auch bei einer sehr hohen Anstrengung der Kräfte, in dem nächsten Wirkungskreise noch immer genug Gutes zu wirken übrig bleibt?"

Ich antworte:

1. Die Menschen durch ein unaufhörliches Tadeln und Meistern der Gegenwart schon in der Jugend unzufrieden mit dem Zustande der Dinge machen wollen, wäre allerdings eine verkehrte Erziehung. Denn geflissentlich verkehren würde man die Natur, wenn man das zum Frohsinn bestimmte, des Frohsinnes so empfängliche Alter zum Trübsinne stimmen und die glückliche Zuversicht, womit man in diesen Jahren nur die Rosenblüten sieht, ohne die Dornen zu bemerken oder zu achten, in eine bange Besorgnis verwandeln wollte. Auch der herangewachsene Mensch braucht nicht erst trübsinnig zu werden, um das Bessere kennen und sich darnach sehnen zu lernen. Man kann mit der größten Billigkeit die Menschen und die Dinge um sich her beurteilen, kann für das vorhandene Gute den offensten Sinn in sich bewahren, und doch mit ganzer Seele an dem Bilde und an der Hoffnung des Vollkommenen hängen, das die Zukunft herbeiführen wird.

2. Wenn man aber, ohne eben immer zu fragen oder bemerkbar zu machen, wie gut oder wie schlecht es in der wirklichen Welt aussieht, von früher Jugend an den Sinn seines Zöglings auf das Wahre, das

18*

Edle und Schöne jeder Art eben so hinlenkt, wie der Künstler den
Blick seines Schülers auf die schönsten Werke und Formen, so wird da=
durch von selbst ein solches Wohlgefallen und Verlangen entstehen, jenes
überall dargestellt zu sehen und selbst an seiner Hervorbringung zu ar=
beiten, daß wir gar nicht besorgen dürfen, das Fehlerhafte und Ver=
dorbene der Wirklichkeit werde ihn ansprechen, oder er werde sich zu willig
darein fügen; sondern es wird ihm die höchste Freude gewähren, überall
wo sich Gelegenheit zeigt zur Verbesserung und Veredlung dessen, was
er findet, mitzuwirken. Auf diesem Wege wird folglich der Jüngling
gewiß nicht, wie man ohne Grund fürchtet, den Frohsinn und Genuß
des Lebens verlieren; er wird im Gegenteil nur eines reineren und er=
höhteren Genusses empfänglich werden. Denn einmal ist es an sich
schon erfahrungsmäßig, daß unsre Phantasie an dem erhöhten Gefühl
unsres Daseins und Lebens immer einen sehr bedeutenden Anteil hat.
Wer weiß das nicht aus seiner eignen Erfahrung? Wie unzählige
Menschen haben den Träumen einer schönen Zukunft, die nie gekommen
ist, ihre genußreichen Stunden zu danken? Das Kind träumt wie ein
Kind; der Jüngling und die Jungfrau schaffen sich nur andre Bilder;
der Mann und der Greis selbst überlassen sich oft noch gern Möglich=
keiten, wenn sie gleich zweifelhafter an ihrer Erfüllung werden. Und
worauf sind doch diese Phantasieen größtenteils nur gerichtet? Auf
äußere Zustände, sinnliche Wünsche, vergängliche Pläne und allenfalls
bei dem religiösen Menschen auf die Freuden jener Welt. Wer es in=
des darauf anlegte, wie wirklich manche Pädagogiker unsrer Zeit nicht
undeutlich zu verstehen gegeben haben, die Phantasie schon in dem Kinde
und Jünglinge zu unterdrücken, statt sie nur der Herrschaft der Vernunft
zu unterwerfen, der treibt doch in der That die Jugend aus dem Paradiese,
das ihr die Natur gönnte, gar zu früh auf den dornenvollen Acker des
Lebens und pflanzt an die Stelle der Hoffnung das Mißtrauen und den
Zweifel in ihre Brust.

Aber es ist zweitens hier nicht bloß von einem Genusse die Rede,
der am Ende auf eine bloße Illusion der Phantasie hinausliefe. Das
Leben in einer idealen Welt, oder, wenn der Ausdruck anstößig ist,
die häufige Beschäftigung mit der Idee, wie es in der Welt besser
werden könnte, so bald nur die Menschen alles das wollten, was sie
vermögen, ist an sich selbst schon eine Quelle sehr reiner und hoher
Freuden; und wir beglücken unsere Zöglinge am meisten, wenn wir sie
dafür empfänglich machen. Denn dieses geistige Leben ist eine erhöhte
Thätigkeit des inneren Menschen, die, sobald Anlaß dazu vorhanden ist,
in eine äußere Thätigkeit übergeht und sich eben dadurch von dem
müßigen Schwärmen in der bloßen Phantasie unterscheidet. Aber gerade
aus dem Bewußtsein erhöhter Thätigkeit gehen unsre schönsten Freuden
hervor. Selbst der sinnliche Schwärmer ist nicht unglücklich. Er hat

ja eine solche unerschöpfliche Quelle von Kraft und Glückseligkeit in sich, daß er sich damit dem Furchtbarsten in der Natur entgegen wagt und die Gewalt der Flammen auslöscht, die über ihm zusammenschlagen. Aber der Schwärmer kann unglücklich werden, wenn er aus seinem Taumel erwacht und weder in seinem moralischen Bewußtsein, noch in seiner Vernunft etwas findet, was ihn über mißlungene Pläne und Anstrengungen tröstete. Nicht so bei dem reinen und geistigen Enthusiasmus für das Wahre, Gute und Schöne. Denn dieser ist gar wohl verträglich mit der richtigen und ruhigen Ansicht der wirklichen Welt*). Durch diese hat er auf der einen Seite gelernt, daß man an nichts verzagen müsse; denn er sah ja, wie aus den kleinsten Anfängen wundervolle Erfolge hervorgegangen, durch die Kraft einzelner Menschen ganze Länder physisch und moralisch urbar gemacht, durch beharrliches Ausdauern Siege über das Schlechte errungen sind, die man für unmöglich gehalten hatte. Aber auf der andern Seite hat sie ihn auch überzeugt, daß alles nach unveränderlichen Gesetzen erfolge, alles sein bestimmtes Ziel habe, wo es blühen und reifen und Frucht tragen soll; daß die ewige Weisheit ihre Absichten durch Menschenkräfte zwar ausführe, aber sich nicht darin vorgreifen lasse, sondern allein wisse, „wann für alles, was geschehen soll, die Zeit erfüllt ist.“ Daß sie erfüllt werde, und hier früher, dort später das Bessere zustande komme, dazu wirkt jede darauf gerichtete Kraft mit, und es genügt dem treuen Arbeiter das reine Bewußtsein, daß er es an sich nicht habe fehlen lassen.

Dieses Bewußtsein geht aus der rastlosen, durch einen hohen Zweck geleiteten Thätigkeit hervor und ist die Quelle eines inneren Vergnügens, welches Menschen, die entweder bloß im Sinnlichen leben, oder handwerksmäßig ihr Geschäft forttreiben, wie es ihnen vorgezeichnet ist, weder ahnden noch begreifen. Und doch könnte sie einige Aufmerksamkeit auf die Menschen um sich her, die irgend eine Idee mit Liebe und Ernst verfolgen und zu realisieren streben, davon überzeugen. Laßt uns nur an einige Beispiele erinnern, vom Kleinen zu dem Größeren emporsteigend.

Wer mag schon den unglücklich nennen, oder sagen, daß er sich um den Genuß des Lebens bringe, der an der vollkommenen Darstellung irgend eines mechanischen Werkes, eines Instruments, einer Maschine, wenn ihr wollt, eines unnützen Spielwerks, an der Ausbildung einer neuen Methode, eines Handgriffes bei irgend einem Geschäft mit der ganzen Kraft seiner Seele arbeitet; sich oft alle sinnlichen Freuden versagt, oder doch willig entbehrt; Armut, Einsamkeit, vielleicht selbst Spott der Menge ruhig erträgt, weil er für das alles durch die eine

---

*) Vergl. die treffenden Bemerkungen über die Ideale in Kants Kritik der reinen Vernunft, S. 595—611 und in Reinhards System der christl. Moral, B. 2. S. 315—331.

rege Idee entschädigt wird, die seine ganze Seele durchdringt? Glaubt nicht, daß sein Beharren bei dem einen, was er sich zum Ziel gesetzt hat, durch die Hoffnung auf künftigen Gewinn unterstützt werde. Daran denkt der echte Kunstfleiß zuletzt, und kein Geld wiegt ihm das auf, was er am Ende bei dem Entdecken und Hervorbringen seines Werkes ge- nossen hat. *)

Der wirkliche Künstler steht auf einer noch höheren Stufe. Das Ideal, das er mit sich herumträgt, verläßt ihn keinen Augenblick. Rastlos treibt ihn der innere Drang; seine Begeisterung läßt ihn nie- mals ruhen, und doch lebt er oft in Druck und Not. Die Gleichgültigen haben keine Ahndung von dem, was in ihm vorgeht. Meint ihr aber, daß er mit diesen sogenannten Glücklichen tauschen werde?

Erinnert euch dagegen an die in dem gewöhnlichen Sinnenleben versunkenen Menschen, deren einziges Streben Reichtum, auch wohl äußerer Rang und Ehre, und um um beides zu erlangen, wenn es nicht auf einem noch bequemeren Wege möglich war, allenfalls ein Geschäft im Staat ist, wobei noch immer der größere Teil der Zeit für das übrig bleibt, was sie Lebensgenuß nennen. Wie oft haben solche den unglücklich genannt, oder zum Gegenstande ihres vornehmen Mitleids gemacht, der, nach allem dem, was sie reizt, nicht fragend, einzig der Erforschung des Wahren nachging, mit seinem Geist unaufhörlich in der Welt der Ideen lebte und darüber fast dahin kommen konnte, auf alles andre außer sich, das zum Leben Notwendige abgerechnet, Verzicht zu leisten? Und doch, wenn er in seiner Abgeschiedenheit von ihren Freuden und Herrlichkeiten in das Innere der Natur tiefer eindrang, ihre ewigen Gesetze entdeckte und berechnete; wenn ihn das Verzichtleisten auf jede Sinnenlust kein Opfer dünkte, so bald er nur hoffen durfte, durch die höchsten Anstrengungen weiter vorzudringen in dem Gebiet, welches dem Menschen zur eigentüm- lichen Forschung angewiesen ist, in welchem sein wahrer Adel, seine höchste Kraft sich offenbaren kann; so war gerade er der wahre Glück- liche. Sein inneres Leben, das verborgen blieb vor der Welt, ließ nichts von dem Ekel und Überdruß, oder gar der Reue zurück, die so oft das letzte Los derer ist, deren Leben glänzend war vor den Augen der Menschen, aber vorübergehend und verschwindend, ohne auch nur eine bedeutende Spur in der Menschheit zurückzulassen.

Und wenden wir nun gar das Auge auf die, welche sich bloß in der Idee einen größeren Wirkungskreis wählten, daß sie mit einem freien, aufgeklärten, reinen und philosophisch-heroischen Geiste ausgerüstet, die Menschheit von dem mannigfaltigen, besonders moralischen Elende, das sie drückt, erlösen möchten: so kann man vielleicht sicher behaupten,

*) M. s. Rousseau in den Confessions, Oeuvr. T. XXXI, p. 339 sqq. der Zweibr. Ausgabe.

daß sich diese, im Vorgefühle der Vollendung dieses Plans, in der Ahn=
dung des wirklich hervorgebrachten göttlichen Reichs, in welchem nur
Wahrheit und Tugend regiert, in einem so erhaben=glücklichen Zu=
stande befinden, daß sie ihn gegen alles, was ihnen Völker und Könige
bieten könnten, wenn es auch Kronen wären, nimmermehr austauschen
würden; eben weil das Reich, in dem sie wirken wollen, nicht von dieser
Welt ist. Wenige erreichen diese Höhe; seltne Geister stehen als die
wahren Heroen der Menschheit auf. Aber eben darum darf man auch
für sie nicht besorgt sein, daß sie, wenn eine so große Idee ihre Seele
ergriffen hat, dabei zu viel von dem eignen Glück entbehren würden,
was man ihnen gern als Aussteuer für das Leben schon in der Er=
ziehung bereiten möchte. Ihr Glück liegt in ihrem Wollen und Wirken.
„Es ist, sagen sie sich mit dem oben genannten Weltweisen, es ist nicht
zu erzählen und nicht abzusehen, was ein Solon, Numa, Pythagoras,
Sokrates, Zeno mit ihren Schülern gewirkt und Gutes gestiftet haben;
nicht zu gedenken des göttlichen Nazareners, der in dem kleinen Judäa,
wie verborgen, eine kurze Zeit umherwandelte, von jedem verlassen, unter
Spott und Schlägen den Tod am Kreuze litt, und dessen hinterlas=
senes Wort die Welt umgestaltet hat. Denn echt philosophischer Geist,
d. i. überlegende, durchgreifende, nach ewigen Gesetzen wollende Vernunft,
ist von jeher das Salz der Erde gewesen.

Diese reine Begeisterung für das Wahre und das Gute erhebt
sie weit über die Verkennungen, Kränkungen und Mißhandlungen derer,
die nicht wissen, was sie thun; sie dämpft in ihnen weder den Mut
noch das Gefühl der vollsten Lebenskraft da, wo man glauben würde,
daß sie unter ihrem Schicksal erliegen müßten. Diesen Mut hört man
z. B. in Aussprüchen wie folgende sind:

„Bedrücken kann man uns, nicht unterdrücken;
Verlegen machen, doch nicht zur Verzweiflung
Uns bringen; uns verfolgen, nicht erreichen;
Uns niederwerfen, aber nicht vernichten.“

„Wir treiben Gottes Werk! und dulden mutig
Des Lebens Drangsal, jede Angst und Not.
Mißhandelt, eingekerkert, weggebannt
Von Ort zu Ort, bei Müh und Arbeit oft
Der Notdurft selbst entbehrend, halten wir
An Tugend, Wahrheit, Lieb und Sanftmut fest,
Mit diesen Waffen jedem Kampf gerüstet.
Durch Ehr und Schande, gut und bös Gerücht
Geht unser Weg! Sie schelten uns Verführer,
Weil wir der Wahrheit treu sind. Uns verkennt

Die Welt, doch Gott sind wir bekannt: sie wähnt
Uns sterbend; aber unser inneres Leben,
Es blüht in voller Kraft! Wir scheinen traurig,
Doch in uns lebt ein froher Mut; wir scheinen arm
Und machen andre reich; nichts scheint uns übrig,
Und unser ist die Welt!*)"

Wer mit diesen Bemerkungen einverstanden ist, wird nun die Erziehungsmaxime, von welcher wir ausgegangen sind: „der Mensch müsse nicht sowohl für den gegenwärtigen, als für einen künftigen bessern Zustand der Welt, also gewissermaßen für eine ideale Welt erzogen werden," eben so wenig mißdeuten, als verwerfen.

Nicht mißdeuten; denn er verwechselt ja nicht einen idealen Zustand der Dinge mit einem schimärischen, der mit der Natur im Widerspruch steht und nie zur Wirklichkeit gelangen kann; er will nicht gegen das Unmögliche ankämpfen; er strebt auch nicht nach einer Auflösung aller Ordnungen und Verhältnisse, welche zum Teil die würdigsten Erzeugnisse der Vernunft sind. Er will noch viel weniger durch irgend eine Art von Gewalt umschaffen, was nur durch allmähliche Bildung umgestaltet werden kann. Am wenigsten will er das Auge verschließen vor dem mannigfaltigen Guten, was ihm schon jetzt die Wirklichkeit giebt, vielmehr seinem Zögling gerade in dem Guten, das nach und nach aus vielen Arbeitern und Kämpfen der edleren Menschen hervorgegangen ist, eine Bürgschaft zeigen, daß es auch ihm gelingen könne, das Gute zum Besseren zu erheben. Aber eben daher kann er jene Maxime, wenn sie so gefaßt wird, auch nicht verwerfen. Er würde ja sonst mit sich selbst und den höchsten Zwecken seines Berufs in Widerspruch treten. Denn wenn er, was niemand leugnet, seinen Zögling vor den in der Welt herrschenden Irrtümern und Verderbnissen bewahren soll, so muß er ihm zugleich die Richtung auf das Bessere geben, das einzeln bereits vorhanden ist, aber, als vollendet nur noch in der Idee, als eine von einer allgemeinen Ausbildung der Menschheit allerdings zu hoffende höchste Vollkommenheit existiert. Soll sich die Menschheit diesem vollkommnen Zustande annähern, so muß jeder einzelne das Seine thun, und eben das ists, worauf alle Erziehung abzwecken soll, jeden dahin zu bringen, daß er so viel erstrebe, so viel ausführe, als er nach dem Maße seiner Kräfte zu erstreben und auszuführen fähig ist.

Die menschliche Gesellschaft besteht aus unzähligen Gliedern, und diese sind zum Teil durch Zufall, zum Teil durch Naturnotwendigkeit

---

*) Wem die Stelle bekannt ist, dem darf man sie nicht erst nachweisen. Wer sie nicht kennt, suche das von vielen verachtete Buch auf, aus dem sie genommen ist, und höre auf, seinen Geist zu verkennen.

in mannigfaltige Klassen geordnet. Es wäre der klarste Unsinn, den man wohl keinem vernünftigen Pädagogen zutrauen oder andichten wird, von jedem dieser Glieder, von jeder dieser Klassen dasselbe zu verlangen, oder sie auf dieselbe Art bearbeiten zu wollen. Ein Teil derselben ist durch die äußeren Umstände scheinbar so vorherbestimmt zur Beschränkt= heit von innen und außen, daß erst diese Umstände durchaus verändert werden müßten, ehe an einen höheren Grad der Humanisierung zu denken wäre. Aber auch die kleinste Veränderung kann schon eine Annäherung sein, und der Grönländer und Eskimo, dem durch den Umgang mit einem christlichen Missionar der Schmutz seiner Hütte und seines Körpers anfängt widrig zu werden, ist nicht unbedeutend über seinen vorigen Zu= stand emporgehoben. Ein andrer Teil steht schon jetzt auf einer höheren Stufe, und bewegt sich, von vielen Fesseln, die seine Voreltern noch trugen, durch menschliche Kräfte entladen, schon freier. Noch ein andrer kleinerer Teil tritt unter so glücklichen Umgebungen und Einwirkungen von außen in den Kreis seiner irdischen Thätigkeit ein, daß ihm dadurch zu= gleich Kräfte und Mittel gegeben sind, für das fortschreitende Wohl des Ganzen zu wirken. Eben darin liegt ja der Grund, warum wir die Erziehung der Fürsten und Königskinder mit Recht für so äußerst wichtig, ja für eine Angelegenheit der ganzen Nation, auf die sie in der Folge so mächtig wirken können, zu halten berechtigt sind.

Wie früh oder wie spät nun die Menschheit, und ob überhaupt jemals die Menschheit in allen ihren verschiedenen Klassen und Indi= viduen zu einem vollkommenen Zustande gelangen soll: dies ist die Sache der Vorsehung, welche sich die Erziehung des Menschengeschlechts vorbehalten hat, und worüber uns nicht zukommt zu urteilen. Nur in dem, was sich davon schon wirklich in der Geschichte offenbart, kann man vielleicht einiges finden, was nach der Analogie uns manches von der Zukunft ahnden läßt. Und daraus erhellt wenigstens so viel, daß, sobald der von jeher vorhandene Wille der Einzelnen, einen voll= kommneren Zustand herbeizuführen, der allgemeine Wille des ganzen Geschlechts geworden ist, auch der bessere Zustand selbst schon realisiert sein wird. — Der Erzieher sieht folglich in jedem Individuum, in wel= chem er die Idee und das Streben nach Realisierung derselben geweckt hat, ein Werkzeug des großen Zwecks der ewigen Vorsehung, daß end= lich allen geholfen werde. Insonderheit versäumt er nicht, es bis zum Augenschein klar zu machen, wie vieles noch der Hilfe und Ver= edlung bedürfe. Statt das jugendliche, jedes Eindrucks empfängliche, aber auch leicht zerstreute und befriedigte Gemüt über die einmal vorhandenen Übel und Verkehrtheiten zu beruhigen und allen Unmut darüber mit dem gewöhnlichen „das lasse sich nun einmal nicht ändern‟ abzu= weisen, zeigt er ihm eben in diesen Übeln einen Gegenstand, woran Kraft zu üben, ein Feld, auf welchem große Ernten des Wohlthuns zu

gewinnen sind. Er malt ihm z. B. mit den lebendigsten Farben und
mit der Begeisterung eines Francke, Rochow, Pestalozzi die Reihen
von Irrtümern und Verbrechen ab, welche aus dem versäumten Unter=
richt der unteren Volksklassen hervorgehen, und beweist dann durch die
That an einem einzelnen armen Kinde, wie es gar wohl möglich sei,
diesem Übel abzuhelfen. Er zeigt ihm menschenleere, unfruchtbare oder
verwilderte Wüsten und begeistert ihn dann durch die Erinnerung an
Männer, wie Penn und Olavides, die ein Pensylvanien, eine
Sierra Morena in blühende Landstriche und Wohnsitze glücklicher
Menschen umgeschaffen haben. Werde denn sein Zögling in der äußeren
Gesellschaft, was er wolle; werde er reicher Gutsbesitzer, so wird er vie=
leicht ganze Reihen von Schulen zu Musterschulen umbilden; werde er
Staatsmann, so können ganze Provinzen durch ihn, einen zweiten Wa=
shington, frei werden. Und wenn er Regent würde, — vielleicht
erntet eine Nation den Segen jener Aussaat, die der Erzieher in den
heiligen Stunden ausstreute, wo er seinem Anvertrauten das Ideal des
Höchsten und des Menschen Würdigsten zeigte! Ein andrer läßt seinen
Zögling bei jedem sich darbietenden Anlaß bemerken, welche ungeheure
Menge von Menschen nicht nur Gesundheit, sondern auch allen Genuß
des Lebens zum Opfer bringen müssen, indes eine verhältnismäßig weit
geringere Anzahl die Früchte ihres Schweißes und ihrer hingeopferten
Kräfte genießt. Indem er ihn hier an die Quellen der Armut oder
des elenden Erwerbes hinführt, der gerade nur vor dem Hungertode
schützt, wird jener zugleich in der Armut und dem physischen Elende
selbst eine der Hauptquellen der moralischen Zerrüttung wahrnehmen.
Mache er ihm nur die Unmöglichkeit anschaulich, daß der Mensch, der
in einem ewigen Kampfe mit dem Mangel am Unentbehrlichsten begriffen
sei und jeden andern Gedanken, der nicht unmittelbar auf den Erwerb
des sinnlichen Bedürfnisses gerichtet ist, zurückweisen muß, einer mora=
lischen, oder der Familienvater, der in jedem Kinde eine neue Quelle
seiner Not erblicken muß, einer recht humanen Ausbildung fähig bleibe.
Daneben sagt er ihm, wie viele Menschen durch eine Verbesserung
ihrer äußeren Lage rechtlicher, anständiger, ihres Schweißes selbst froh
von ihrer Arbeit leben, auch einer sittlichen Bildung empfänglicher werden
könnten; man dürfe nur so manche Maxime, die entweder falscher Pa=
triotismus, oder Aristokratismus, oder gar der persönliche Eigennutz, die
Gewinnsucht und die Verachtung der niederen Stände ersonnen hätten,
aufgeben; man habe dies auch wirklich schon hier und da z. B. durch Auf=
hebung der Leibeigenschaft gethan, so daß sich die wohlthätigen Folgen aus
den am Tage liegenden Erfahrungen bis zum Augenscheine klar machen ließen*).

---

*) Es gehört in die Systeme der Staatswirtschaft, zu untersuchen, welche
Vorteile aus dem Fabrikwesen für den Staat entstehen. Aber daß dies Wesen,

Sollten wohl Betrachtungen dieser Art und ein beständiges Hinweisen auf die Wirkungen aller äußeren Einrichtungen und Veränderungen auf die Menschheit nichts wirken? Gewiß, ist es recht viel Wille, es ist ein sittlicher Trieb im Menschen, für das Ganze der Menschheit thätig zu sein, und er hat sich oft in Zeiten, wo Egoismus, niedere Sinnlich= keit, Herrschsucht und Unvernunft alle Überreste des Guten zu zerstören drohten, kräftig erwiesen. Nur die Einsicht fehlt. Die, welchen die Natur Wärme des Herzens gegeben hat, entbehren des Lichts, das ihnen eben die Erziehung geben sollte. Lasse man es nur daran nicht fehlen, kläre man nur die Jugend, die das Glück einer sorgfältigen Erziehung genießt, über die wahre Lage unzähliger ihrer Mitbrüder auf und bringe es ihnen zum Bewußtsein, wie viele ihrer Vorzüge sie dem Zufalle zu danken haben; man wird gewiß nicht vergebens arbeiten. Es sind keine leeren Phrasen, was ein geistvoller Schriftsteller über Pädagogik sagt: „die Glückseligkeit, die in dunkler Ferne des Menschengeschlechts wartet, wird unser Zögling mit Begeisterung erblicken, und sein Glück darin finden, der Menschheit seinen Arm zur Eroberung des gelobten Landes zu leihen. Ihm wird es nicht beifallen, daß er die goldne Zeit vielleicht selbst nicht mehr erlebe; er weiß es, daß das, was ihm Menschheit ist, nicht sterben kann. — Seine Menschheit wird dann noch sein, wenn auch er nicht mehr ist, und was er menschlich that, wird für die Menschheit leben*).“

wie es in England und mehreren Gegenden Deutschlands getrieben wird, ein wahres Unglück für unzählige Menschen ist, läßt sich mit dem gemeinsten Men= schenverstande bei einiger Aufmerksamkeit auf die Erfahrung einsehen. Man er= staunt, wenn man in Sir Morton Edens Werk über die Armut liest, wie enorm die Armentaxe in England ist, eben weil der Armen durch die Fabriken so unzählige werden; indes noch bedeutende Stücke Landes unbebaut liegen, auf denen so viele von ihrem Acker und unter dem Schatten ihres Fruchtbaumes ihr Brot ruhig essen könnten.

Durch die immer weitergehende Vervollkommnung gewisser Maschinen und durch die Benutzung toter Naturkräfte statt menschlicher Kräfte werden vielleicht mit der Zeit unzählige Hände weniger beschäftigt sein. — Ob dies, wie der oben an= geführte Schriftsteller meint, eine Vorbedeutung sei, daß nach und nach viele von den eigentlich drückenden Mühseligkeiten des Lebens befreit werden und dahin kommen sollen, ihre Kräfte nicht an die Willkür andrer zu verkaufen, sei dahin gestellt. Aber daß alle jene Erfindungen, die Menschenhände ersparen, nicht notwendig dahin führen müssen, daß diese Menschen nun unbeschäftigt und ungenährt bleiben, sieht man aus dem Beispiel aller der Länder, wo vom Fabrikwesen nicht die Rede ist, und wo der Ackerbau weit mehr durch Menschenhände betrieben wird, obschon auch hier oft Menschen Hunger leiden müssen, damit man Pferde ernähren kann, die zwar auch das Feld, doch unvollkommner als Menschenhände bestellen! Auch die Erfindung der Buchdruckerei setzte unzählige Hände außer Thätigkeit. Sollte man deswegen nun ersehnen, daß sie nicht erfunden wäre?

*) Wagner, Philosophie der Erziehungskunst, S. 250.

Vierte Beilage.

Über die Bildung der Kinderseelen im frühesten Alter.

Nebst Bemerkungen über einige der gewöhnlichsten Hilfsmittel, besonders Bilder und Schriften für die Jugend.

———

(Vergl. § 44—50).

1. Einfluß der ersten Umgebung auf die Kinderseele.

Daß schon in dem zartesten Alter sehr viel für Kinder, nicht bloß hinsichts ihrer körperlichen, sondern auch ihrer geistigen Bildung geschehen könne, steht durch die Erfahrung und die oben (§ 50) aufgestellten Betrachtungen fest. Wie viel indes hierbei der Natur zu überlassen sei, und wie weit man auch hier in der Erziehung planmäßig verfahren könne und solle, verdient noch weiter untersucht und erörtert zu werden.

Als allgemeinster Grundsatz darf hier Folgendes aufgestellt werden. Wie überhaupt die Umgebung, und zwar jede, selbst die der toten Natur, von großem Einfluß auf das Kind ist, in dessen Seele sich alles spiegelt, was es umgiebt: so hat insonderheit die Umgebung der Menschen den größesten Anteil an seiner inneren Entwickelung, der Art und dem Grade nach. Wie viel Übel in dieser Hinsicht von den Kinderstuben ausgeht, ist nicht zu berechnen. Diese Kinderstuben in den Häusern der höheren oder reicheren Stände sind der Sammelplatz der Ammen, Wärterinnen, Dienstboten und ihres ganzen Anhangs. Den besten Fall angenommen, so sind dies unwissende, ungebildete, daher geistlos ungesprächige oder geistlos geschwätzige Personen, die auf die Kinder entweder nicht achten, oder sich ihren eignen Angelegenheiten hingeben, oder sie, vielleicht in recht guter Meinung, mit Unsinn aller Art unterhalten. Denn auf die ganz wenigen, die auch in diesem Stande das seltne Talent, zarte Kinder schuldlos zu vergnügen, mit eigner Sittlichkeit und echter Gutmütigkeit verbinden, kann eben wegen ihrer Seltenheit keine Rechnung gemacht werden. Im schlimmeren und nur zu häufigen Falle sind es leidenschaftliche, verdorbne, oft ganz rohe und verstandlose

Menschen, welche die ihnen anbefohlne Wartung und Pflege der Kinder ohne alle Liebe, bloß für das Mittel ansehen, sich durchzubringen, und jeden Augenblick benutzen, wie sie sich, um ihren Neigungen nachzugehen, davon lossprechen können.

Wenn uns nun die Erfahrung lehrt, wie sich dem Kinde sogar die Stimmen und Geberden derer, welche es am häufigsten tragen und warten, unbemerkt mitteilen und von ihm nachgeahmt werden: wie kann es anders sein, als daß nicht auch die Gespräche, die es den ganzen Tag hört, das Benehmen, das es den Tag über sieht, besonders auch die eigne Behandlung, die es erfährt, merkliche Spuren in ihm zurücklassen? Daher schreibt sich so viel Verkehrtes in den Vorstellungen, ohne daß eben die richtigere Idee die schwerere gewesen und über die Fähigkeit des Kindes hinausgegangen wäre; daher, was noch viel mehr zu beklagen ist, so manche üble Stimmung des Gemüts: der Widerspruchsgeist, die Neckerei, die Heftigkeit, der finstere Sinn bei versagten Wünschen; daher auch so mancher durch das ganze Leben dauernde und durch kein Räsonnement zu vertilgende Eindruck der Furcht, wo nichts zu fürchten ist; des Unedlen und Gemeinen, was in die Sprache, den Dialekt und und die Sitten übergeht, nicht einmal zu gedenken.

Strümpell, Erziehungsfragen, Leipzig 1869, 1. Abhandlung.

2. Große Schwierigkeiten, üble Eindrücke zu verhüten, welche in der häuslichen Lage der meisten Eltern liegen.

Gegen diese Übel kämpfen selbst die sorgsamsten Eltern oft vergebens. Die Vorschrift, welche in Büchern zu geben so leicht ist, daß sie die eignen Wärter und Pfleger und die beständigen Gesellschafter ihrer Kinder sein sollen, und daß es außer der Familienstube eigentlich gar keine Kinderstuben geben müsse, findet in der Anwendung unglaublich viel Hindernisse. Die gewöhnlichen Verhältnisse des Lebens machen sie dem Vater oft ganz unmöglich. Desto mehr nimmt man die Mütter in Anspruch, und in der That scheint auch nicht bloß die Konvenienz, sondern die Natur selbst ihnen diese Bestimmung vorzugsweise angewiesen zu haben. Aber die Mutter ist auch in den mittlern und höheren Ständen, überhaupt in allen, die man schon zu den wohlhabenden zu rechnen pflegt, nicht allein für die Kinder da; sie ist auch Gattin, sie ist auch Hauswirtin, Hausfrau und Freundin. So bald ihr Hauswesen sich nun etwas erweitert, ist die verständige Erfüllung aller dieser Pflichten keine Kleinigkeit und erfordert zum Teil ihre ganze ungeteilte Aufmerksamkeit, zum Teil ihre Abwesenheit aus dem Kreise ihrer Kinder. Ist sie eine fruchtbare Mutter, so kommen der Unterbrechungen durch die Beschwerden der Schwangerschaft, des Wochenbettes, der Sorge für den Säugling so viel, daß es wieder eine unbillige, oft sogar ungereimte

Forderung sein würde, die Kinder nie aus dem Auge zu lassen. Endlich verlangt man ja auch mit Recht, oder sollte es wenigstens verlangen, daß sie fortschreite in ihrer eignen Bildung; und dazu ist notwendig, daß sie oft aus dem Gewühl der Hausgeschäfte, aus dem Lärm der Kinderwelt zu sich selbst komme, sich sammeln und von dem täglichen kleinen Dienst der Wirtschaft an etwas Höherem sich erholen und stärken könne. Denn so sehr auch die Zwecke ihres Lebens sich in den Kindern konzentrieren mögen, so hört doch weder ihr Recht noch ihre Pflicht auf, sich selbst und ihr eignes Leben als einen Zweck zu betrachten und durch einen freien und frohen Genuß des Daseins eben recht fähig zu werden, auch für andre zu leben. Aufzuopfern bleibt immer genug; aber wer die Ansprüche an Aufopferungen zu weit treibt, versündigt sich an den Müttern und veranlaßt eine Abstumpfung, die an vielen, die wegen ihrer Treue gegen die Kinder gerühmt werden, nicht zu verkennen ist.

Sehr wahr sagt Schwarz im 1sten Teile seiner Erziehungslehre: „Jeder Mensch und sein ganzes Leben muß uns zu heilig sein, als daß wir eine Lehre der Lebensweisheit auf ein bloßes Aufopfern bauen sollen; und das freundlichste Geschäft unseres Lebens, die Erziehung, sollte uns selbst unser ganzes Leben und den schönen Morgen unsern Kindern verderben? Man hat es (bei diesen Aufopferungen) redlich vor. Aber wir sollten nicht vergessen, daß, so gut wie unsre Kinder, auch jeder selbst sich Zweck sein, sich leben sollte. Lebst du bloß für deine Kinder und nicht auch für dich selbst, für wen sollen denn diese leben? — Auch für ihre Kinder? — Gut; und diese wieder? — Für ihre Kinder? — Nun denn; also fort bis ins Unendliche. Keiner hat dann für sich gelebt; jeder für den Folgenden, und so haben sich alle unter einem mühseligen Sorgen und Ringen von ihren Kindern aus der Welt hinaustreiben lassen. Dieses ist denn am Ende das allgemeine Los des ganzen menschlichen Geschlechts! — Was wäre wohl ein solches ewiges Aufopfern für einander? Aufrichtig — ein solches Erziehen, wo man nur erzöge, um zu erziehen und wieder erziehen zu lassen.

„Das Geschäft der Erziehung, so lange es vernünftig sein soll, muß sich mit dem fröhlichen Bestehen der Erziehenden vereinigen lassen. Wenn es darin verloren geht, so deutet dies auf etwas Schlimmes. — Gerade durch die Bildung der Jugend kann die Bildung der Erwachsenen vorzüglich gewinnen. Zwischen Eltern und Kindern, Erziehern und Zöglingen wird ein freundliches Leben hin und her wirken, wenn die Erziehung der Natur angemessen ist."

Was hier im allgemeinen gesagt ist, gilt ganz besonders von den so oft von den Müttern verlangten oder auch freiwillig geleisteten Aufopferungen.

3. Hindernisse des elterlichen Einflusses, welche aus den gesellschaftlichen Verhältnissen entstehen.

Die größten Hindernisse, Kinder in dem frühesten Alter immer um sich zu haben, legen den Eltern die bürgerlichen und gesellschaft=

lichen Verhältnisse in den Weg. Es ist gar nicht zu vermeiden — und warum sollte es auch am Ende vermieden werden? — daß nach den verschiedenen Abstufungen der Stände, der Geschäfte und Zwecke des Lebens die Menschen sich mannigfaltig berühren; und die Einfachheit der Sitten ist nun einmal nicht verträglich mit der Verfeinerung der Kultur, die trotz ihrer Ausartungen auch mancherlei Gutes zur Quelle und Folge hat. Wenn in den unteren Ständen die Kinder, sich selbst überlassen, im Sommer auf der Rasen, im Winter auf dem Hof und Flur ihr Spiel und Wesen treiben müssen, weil die Eltern im Felde, in der Werkstatt, am Herde und in der Wirtschaft beschäftigt sind: so müssen sie in den höheren aus dem Kreise der Eltern scheiden, weil diese in den Assembleen, bei den Diners und Soupers, auf den Bällen, im Schauspiel, an den Höfen ihr Tagewerk zu vollbringen haben. Es giebt auch wohl in den höchsten Ständen hier und da eine Mutter, welche sich durch alle die angenommenen Konvenienzen ihres Standes nicht abhalten läßt, ihre Kinder oft um sich zu sehen, wenn sich auch die vornehmsten Besucher um sie versammeln; bald interessante geistvolle Menschen, oft genug auch leere Köpfe, welche die Ordnung des Tages und die lange Gewohnheit zu gewissen Tagesstunden von einem Hause zum andern treibt. Aber wenn es damit auch gar nicht auf Befriedigung eines bloß eiteln Wunsches, für eine vorzügliche Mutter gepriesen zu werden, abgesehen ist; wenn es von einer reinen Liebe für die kleinen Geschöpfe ausgeht und von treuer Besorgnis, sie nicht unsichern Händen Preis zu geben: so ist doch der Gewinn für diese unbedeutend oder zweideutig. Denn was sollte wohl in dieser Lage gewonnen werden? Wie viel wird, um sie ruhig zu erhalten, nachgesehen; wie manche Unart bedeckt, damit nur nicht das Übel ärger, der Wunsch nicht zum Geschrei werde! Wären sie nicht am Ende besser in der Kinderstube aufgehoben? Wären sie es besonders nicht dann, wenn sie nun, mehr herangewachsen, schon einiges verstehen können von den Gesprächen der Erwachsenen, und da so manches hören, was durchaus nicht in ihren Ideenkreis gehört und paßt, wo nicht Verderbnis, doch eine Frühreife befördert, die nie wohlthätig ist. Dann ist es auch allemal lästig für fremde Personen, für solche sogar, die selbst Väter und Mütter sind, sich von kleinen unruhigen Wesen umgeben, durch ihre Anforderungen unaufhörlich unterbrochen, die Mutter zerstreut und unablässig mit Verbieten und Beschwichtigen beschäftigt und zu jedem zusammenhängenden Gespräch unfähig zu sehen. Wenn sie auch aus Höflichkeit solches Familienleben preisen, so geht es ihnen selten von Herzen; und wer da sagt, daß jeder Lärm der Kinderstube dem Ohre des Vaters lieblicher töne, als die schönste Musik, trägt doch nur eine Sentimentalität zur Schau, die selten Wert hat. Für die Mutter selbst aber ist es der peinlichste Zustand, die Ansprüche der verstandlosen Kleinen mit den Forderungen der Konvenienz ins Gleiche zu bringen.

Recht glücklich sind daher die Familien zu preisen, in denen verständige anspruchlose Frauen, ältere Geschwister, oder noch besser mit der Kleinkindererziehung vertraute und durchgebildete Erzieherinnen, Kindergärtnerinnen in solchen Stunden die Sorge mit der Mutter teilen und die Kleinen zweckmäßig beschäftigen.

4. Zu früher Schulbesuch ist selten das beste Bildungsmittel.

Viele Eltern, welche die Verlegenheit oft empfinden, auch wohl den Schaden, der besonders für jüngere Kinder daraus erwächst, einsehen, haben eben daher von jeher den Zeitpunkt nicht erwarten können, sie wenigstens einen Teil des Tages in die Schule zu schicken; — „um sie los zu werden," sagen einige offenherzig; „damit sie stillsitzen lernen," sagen andre, und selbst Kant*) billigt dies. — So lange ein großer Teil unsrer Schulen wie bisher organisiert ist, kann wenig Gutes, wohl aber mancherlei Schaden für dergleichen Anfänger aus diesem Besuch entstehen. Denn sie sind, da der Lehrer mit den Fähigeren zu thun hat, meist darin unbeschäftigt; sie verlieren sich in gedankenlosen Träumereien und gewöhnen sich, Worte zu hören, von denen sie nichts fassen. Gedankenlosigkeit also und Zerstreutheit, die durch Angewöhnung entstandenen, späterhin so schwer zu bekämpfenden Übel, sind die unvermeidlichen Folgen, zu denen sich dann auch so leicht andre Unarten gesellen. Überdies sind doch damit nur wenige Stunden ausgefüllt, und gerade in den schlimmeren, besonders in den Winterabenden, tritt die alte Not wieder ein. Das Bessere bliebe also gewiß die Veranstaltung häuslicher Unterhaltungen; der eignen, wenn es Zeit und Umstände erlauben, oder durch hilfreiche Personen im Hause, die schon schätzenswert sind, wenn sie nichts verderben. Fänden sich jedoch Anstalten, wo Personen, die Talent und Liebe zum Kinderumgang haben, sich bestimmt dazu widmen wollten, einen Kreis von Kindern regelmäßig um sich zu versammeln; übergäben Eltern, deren Verhältnisse durchaus nicht erlauben, oft um ihre Kleinen zu sein, oder deren Fähigkeiten zu gering sind, um ihnen nützlich zu werden, sie solchen Anstalten: so könnte dadurch allerdings bei einer guten Organisation mancher bedeutende Vorteil für die früheste Bildung erreicht werden**).

5. Ist planmäßige Verstandesbildung im ersten Kindesalter zweckmäßig?

Einige achtungswerte Pädagogiker sind in dem Wunsche, gleich von den ersten Momenten der Entwickelung an nichts zu verwahrlosen, und

---

*) Über Pädagogik, § 4 d. Ausg. v. Vogt.
**) Eine solche Wart- und Pflegeanstalt in physischer und psychischer Hinsicht ist besonders für arme Eltern Bedürfnis und Wohlthat. Notgedrungen müssen diese so oft außer dem Hause ihr Brod verdienen, indes ihre Kinder in

jeder aufstrebenden Kraft sogleich die beste Richtung zu geben, noch weiter gegangen. Sie haben gemeint, es würde von ausnehmendem Nutzen sein, wenn man in jedes Gespräch mit den kleinsten Kindern einen bestimmten Zweck und Plan legen, sich eine gewisse Reihenfolge der Ideen gleichsam vorzeichnen, sodann alle Gegenstände der Anschauung sorgfältig auswählen könnte, die nach und nach, in einer von keinem Zufall abhängigen Succession, vor die Sinne treten und den Ideenkreis erweitern müßten. Sie haben gemeint, selbst die äußere Umgebung, z. B. das Zimmer, worin die Kinder sich den größten Teil des Tages aufhalten, sollte auf die innere Bildung berechnet werden. (Denklehrzimmer nach Wolke).

Wir wollen fürs erste unentschieden lassen, ob dies, ganz einzelne Fälle ausgenommen, wohl ausführbar sei; wiewohl die Ausführbarkeit pädagogischer Vorschläge nicht die letzte Eigenschaft ist, die man in Anschlag bringen sollte. Wir wollen an ein wohlorganisiertes Kinderinstitut denken, das einen solchen Plan unstreitig leichter als eine bloße Familienerziehung ausführen könnte. Die wichtigste Frage bleibt: wie weit das Kunstmäßige hier an seiner Stelle sein, und die intellektuelle, ästhetische und moralische Erziehung schon in ihren ersten Elementen an strenge Ordnung und Regel zu binden sein möchte?

Wenn man unter einer solchen strengen Ordnung und Regel jenen so eben angeführten bestimmten Plan über die den Kindern zuzuführenden Gegenstände der sinnlichen Anschauung, der inneren Empfindung, der anzuregenden inneren und äußeren Thätigkeiten versteht: so würde dies wenigstens kein naturgemäßer Gang ihrer Entwickelung sein.

---

eine enge Stube eingesperrt, sich selbst überlassen bleiben oder unbeschäftigt umher laufen. Wer es weiß, wie viel überall auf die erste Richtung ankommt, die wir den Kindern geben, und wie verderblich in jeder Hinsicht jenes Umhertreiben für sie ist, der wird die Männer segnen, die sich der hilflosen Kleinen annehmen und liebevoll an die Stelle ihrer Eltern treten,

> „daß sie nicht weinen, wenn von Wieg' und Herd,
> ob sträubend wohl, die Arbeit in das Feld
> die Mutter ruft."

In der Gegenwart besitzen wohl sämtliche deutsche Städte und größere Ortschaften Kleinkinderbewahr= oder Kleinkinderschulen, die meistens nach den Fröbel'schen Ideen umgestaltet sind oder werden. Ein Gleiches verfügte das deutsche Reichskanzleramt hinsichtlich der salles d'asil im Elsaß. In Österreich ist diese Umgestaltung auf dem Verordnungswege bekannt gegeben und den Kindergärten gesetzliche Stellung eingeräumt worden. Im letztern Staate sind seit dem Jahre 1872 eine bedeutende Anzahl von staatlichen Kindergarten=Seminaren entstanden, die teils für sich bestehen, teils nach dem Muster der Gothaischen Anstalt von A. Köhler mit den k. k. Lehrerinnen=Bildungsanstalten in Verbindung gebracht worden. (S. die Geschichte der Volksschulpädagogik und der Kleinkindererziehung von Dr. Weber, S. 300 ff. und: Aug. Köhler und das Gothaische Lehrerinnen= und Kindergärtnerinnen-Seminar von Dr. Justus).

Niemeyer, Grundf. d. Erziehung. I. 2. Aufl.   19

Die Natur überläßt offenbar der Willkür des Zufalls, was von der äußern Welt früher oder später sich in der Seele des Kindes spiegeln soll. Wie sie die Kinder unter den allerverschiedensten Umständen ins Leben einführt, in die allerheterogensten Sphären versetzt, auf die mannigfaltigste Art in den ersten Jahren und durchs ganze Leben umgiebt, und ihnen selbst die Empfänglichkeit für Eindrücke, und das Vermögen nach außen zu wirken höchst ungleich zumißt: so giebt sie dadurch einen Wink, den wir nicht unbemerkt lassen sollten, daß in der Erwerbung und Übung der Kräfte die größte Mannigfaltigkeit recht eigentlich ihr Zweck ist.

Dies wird nun am sichersten erreicht, wenn die früheste Bildung in der Familie bleibt; welchen Punkt Fichte in seinem Antrag, alle Kinder vom Staate gemeinschaftlich erziehen zu lassen, gänzlich übersehen hat*). Denn jedes Haus hat seinen Ton und Charakter, und es ist leicht einzusehen, daß für die Zwecke der menschlichen Gesellschaft es so weit besser sei, als wenn eine gewisse Einförmigkeit sich auf einmal über alle Familien verbreitete, und alles auf einen Ton gestimmt würde. Man hat schon oft die gewiß richtige Bemerkung gemacht, daß in langer Reihenfolge durch Ehen fortgesetzte Familienverbindungen, welche natürlich unter den Gliedern derselben die größte Ähnlichkeit herbeiführen, eben keinen vorteilhaften Einfluß auf die Generation äußern, und es herrscht deshalb wie in der vegetabilischen so in der animalischen Natur der bekannte Grundsatz, daß aus der Vermischung des nicht Verwandten weit kräftigere Produkte erzeugt werden, als was aus einem Stamm und Geschlecht entsteht. Möge also immerhin jedes Kind in seiner besonderen Lage sich einen eignen Kreis von Ideen und Empfindungen bilden; möge es durch die ungleichsten Einwirkungen von außen noch so ungleich affiziert werden; möge es auch in manchen Fällen Hindernisse und Aufenthalt seiner Bildung finden: dies alles scheinen Veranstaltungen einer höheren Weisheit zu sein, in die wir nicht allzufrüh eingreifen und dadurch die Eigentümlichkeiten zerstören sollten.

So bald auch nur zwölf Kinder etwa drei bis fünf Jahr alt, vereinigt und täglich unter eine bestimmte Leitung genommen werden, so muß man in ihre Beschäftigung eine bestimmte Regel bringen und sie an eine feste Ordnung binden. Man muß seinem Geschäfte selbst einen bestimmten Plan vorzeichnen. Was meiner Einsicht nach noch bloß Erziehung, Beförderung freier Naturentwickelung sein sollte, wird schon eigentlicher Unterricht, der in diesem Sinne des Worts (denn im weiteren unterrichtet uns freilich von der Geburt an alles, was uns umgiebt) hier noch zu früh eintritt.

---

*) Man s. die ernste und gründliche Prüfung der in Fichtens Reden an die deutsche Nation ausgesprochenen Ideen: in H. Hegewisch kleinen Schriften ꝛc. Altona 1809. III., S. 109—165.

Jedes eigentliche Institut muß Kinder von höchst verschiedener Geistesanlage und von ungleichem Alter aufnehmen, und wenn es sich auch Grenzen steckt, so sind doch auch die, welche innerhalb dieser Grenzen bleiben, immer noch sehr verschieden. Demnach müssen sie, da man die Abteilungen so wenig als die Lehrer, zumal bei kleinen Instituten, zu sehr vervielfältigen kann, nach einer gewissen Regel beschäftigt werden, die immer nur von wenigen abstrahiert, auch nur einigen angemessen ist. In Familien, auch in den zahlreichsten ist dies nicht der Fall. Es bleibt größtenteils ein bedeutender Unterschied von ein, zwei, vier, fünf Jahren unter den jüngeren Kindern, und jedes geht seinen eignen Gang nach dem Maße seiner Kräfte, weil hier jedes der Natur überlassen bleibt. Denn wollten auch hier vielleicht Mütter oder Stellvertreter ein gewisses Schema befolgen, wie etwa in manchen unsrer neueren Kinderschriften Eltern und Lehrern dazu eine Anweisung gegeben wird: so würde eine gewisse Unnatürlichkeit und Gezwungenheit, welche kaum ausbleiben kann, bald davon zurückführen. In das freie Spiel und den leichten Austausch der Ideen, welcher in den fürs erste planlosen Unterhaltungen verständiger Mütter und Kinderfreunde obwaltet, käme sonst ein Mechanismus, der wieder nichts weniger als den Namen des Naturgemäßen verdiente.

Anm. Hiermit soll nicht behauptet werden, als sei ein Vorschlag zu einer Anstalt überflüssig, wie ihn ein im Fache der theoretischen und praktischen Pädagogik unermüdeter und hochverdienter Veteran, H. Prof. Wolke, gethan hat. Er steht am Schlusse seiner Kurzen Erziehungslehre, oder Anweisung zur körperlichen, verständlichen und sittlichen Erziehung in den ersten Jahren der Kinder. (Leipzig 1805). Es ist nur allzuwahr, was er S. 205 voranschickt: „daß dem Menschenfreunde das Herz bluten müsse, wenn er umherblicke und bemerke, wie so viele Eltern, besonders Mütter, entweder von Geschäften überhäuft, oft fast erdrückt, oder selbst zu wenig belehrt und erzogen, ihre Kinder in den frühesten Jahren gänzlich verwahrlosen, verkrüppeln und umkommen lassen, statt sie sorgfältig vor allem Schädlichen, Tadelhaften, Unwahren und Irrigen zu bewahren, oder an ihnen die wichtige Bewahrerziehung (sonst die negative Erziehung genannt) auszuüben, ihr Sprach- und Denkvermögen zu entwickeln, sie mit den allernötigsten Kenntnissen zu versehen und, so gehörig vorbereitet, der Schule zu übergeben."

Der hinzugefügte erste Vorschlag, „daß sich zu dieser bewahrenden Erziehung nur erst vierzehn Mütter vereinigen sollten, von denen jede die Kinder des Vereins der Reihe nach einen Tag unter ihre Aufsicht nehmen und vom Morgen bis Abend lehrreich unterhalten müßten," ist schon deshalb mehr idealisch als ausführbar, weil neben der sehr schwierigen Harmonie der Ansichten und Grundsätze, auch unter den wohlbenkendsten Frauen noch so vieles andre, die Lokalität der Wohnung, die gewöhnliche Einrichtung des Hauswesens, die Einwilligung der Hausväter in Anschlag kommen würde. Wenn man die Menschen, auch die besten, nimmt, wie sie sind, so ist zu fürchten, daß eine so verteilte

19*

und zersplitterte gemeinsame Mutter-Erziehung nicht ein halbes Jahr bestehen
möchte. Und wenn der Vorschlag selbst von der Betrachtung ausging, daß so
viele Mütter zu wenig selbst unterrichtet und erzogen wären, wo findet sich denn
zu jenem Vereine die gehörige Anzahl der Verständigen und hinlänglich Gebildeten,
und wer sollte am Ende Richter sein über die Tauglichkeit der einen oder über
die Untauglichkeit der andern. Wer die Menschen im Leben, nicht bloß aus Büchern
kennen gelernt hat, würde wenigstens dies Richteramt verbitten.

Weit mehr Gewinn dürfte zu hoffen sein, wenn sich der zweite Vorschlag
(S. 207) ausführen ließe; wenn sich eine oder mehrere dem Geschäfte gewachsene
weibliche Erzieherinnen, oder auch verheiratete Personen in gewissen Jahren, dazu
widmeten, Kinder, die einmal zu Hause nicht bewacht und beschäftigt werden können,
in einem angemessenen Lokal unter ihre Aufsicht zu nehmen. Denn ist gleich in
jeder Hinsicht auch die unvollkommne Hauserziehung immer die bessere, eben weil
das Kind da so ganz in einer wirklichen, nicht künstlich veranstalteten Welt
bleibt, so würde doch hierdurch da, wo auf Eltern gar nicht zu rechnen, und
alles der Willkür der Domestiken überlassen ist, eine solche vernünftige Aufsicht
wohlthätig und ein wirkliches Bewahrungsmittel sein*).

6. Ratschläge über zweckmäßige Unterhaltung der Kinder im frühesten Alter.

Was die Benutzung der frühesten Epoche des Lebens zur geistigen
Bildung selbst betrifft, so würde denen, welche die Kleinen am meisten
umgeben, sei es nun die Mutter, oder der Erzieher, oder die Erzieherin,
oder ältere Geschwister, überhaupt zu raten sein, weniger auf positives
Einwirken und Anbinden, als auf negatives Verhüten, Bewahren, Sichern
auszugehen und von allem, was die freie Thätigkeit der Naturkräfte
hemmen oder übertreiben würde, gleich entfernt zu bleiben. Man kann,
dünkt mich, in diesen Jahren nicht gleich die Natur zu frei gewähren
lassen, damit das junge Wesen nur erst in sich selbst Wurzel fasse, sich
stärke, kräftige und gründe, mit seinen eignen Augen sehe, mit seinen
eignen Ohren höre, mit allen seinen Sinnen empfinde; damit seine
Sprache nicht der Nachhall einer fremden werde, also das Kind spreche
wie ein Kind; in seinem Urteile nicht das Urteil der Erwachsenen
wiederhalle; damit sein unschädlicher Irrtum selbst ihm so lange bleibe,
bis es ihn als Irrtum zu erkennen imstande sein wird. Was von
dem allen das Gegenteil ist, scheint eine Verkünstelung; und ich fürchte,
man ist hier und da auf dem Wege, aus lauter Methodensucht wieder
recht viel zu verkünsteln.

---

*) S. Dr. A. Weber, Geschichte der Volksschulpädagogik und der Klein-
kindererziehung.

Anm. Hierüber noch einige Bemerkungen und Erläuterungen;

1. Was in den früheren Jahren für die körperliche Erziehung zu thun sein möchte, findet man oben (§ 23—29).

2. Zu dem, was über die Geistesbildung und die ersten Mittel dazu (§ 43 ff.) bereits erinnert ist, folgen hier als Supplemente der Methode noch einige Ratschläge für Eltern, denen ja doch das Kind am nächsten angehört, zur Prüfung der Sachkundigen. Sie werden besonders die intellektuelle Bildung betreffen.

Anfangs erspart euch alle Anstalten, alle Künste, den Verstand eurer Kinder zu bilden. Jedem Kinde strömen von außen so viel Ideen zu, daß ihr wegen Mangel unbesorgt sein dürft. Es wird auch in der einfachsten Umgebung nicht an Stoff fehlen; sehet nur dahin, daß seine Sinne für jeden Eindruck offen bleiben. Das übrige findet sich von selbst.

Die Natur liegt wie ein Chaos vor dem Kinde da. Nicht nach einer logischen Klassifikation werden die Gegenstände vor seine Sinne geführt, sondern, wie alles in ihr in einer scheinbaren Unordnung durcheinander liegt (das Einfachste und das Zusammengesetzte, die unvollkommensten und die vollkommensten Organisationen, der Stein, die Pflanze, das Tier, der leuchtende Wurm und der leuchtende Stern), so steht auch das Kind mitten in dieser Unendlichkeit, und es ist die Aufgabe für die bildende Erziehung, dafür zu sorgen, daß es nach und nach in diesem unermeßlichen Chaos sich orientiere. Der Totaleindruck jedoch, dessen Folgen eben so naturgemäß als nicht zu berechnen sind, bleibt vor der Hand die Hauptsache; man hüte sich durch zu frühes Fixieren und Klassifizieren denselben zu schwächen. Eben so erleichtere man durch Absondern, Verbinden, Wiedervergleichen und Trennen das Denken über jene Gegenstände nicht zu früh und nie zu sehr. Man kann der eignen Thätigkeit nicht zu viel überlassen, und nur in der Anstrengung erstarkt die Kraft.

Die Sprache fixiert die Vorstellungen. Darum redet mit den Kindern bestimmt, deutlich, nur redet nicht zu viel auf sie ein. Antwortet ihnen auf jede Frage, aber macht nicht jede Antwort zu einer Abhandlung. Nennt nie die Dinge mit kindischen Namen. Verbessert den fehlerhaften Sprachgebrauch und die fehlerhafte Aussprache dadurch, daß ihr gleich das rechte Wort an die Stelle des falschen setzt. Künstelt übrigens nicht zu viel in der Manier, wenn ihr euch mit den Kindern unterhaltet. Sie lernen da am ersten sich gut und natürlich ausdrücken, wo sie am besten sprechen hören, ohne alle besondere Anbequemung an ihr Kindesalter.

In den Momenten, wo ihr es nützlich findet, zur Erweiterung und Berichtigung ihrer Begriffe etwas beizutragen und den ersten Anfang des Lehrens zu machen, da folget der Richtung, welche gerade die Seele des Kindes genommen hat. Gehet von dem Gegenstande aus, der es eben jetzt beschäftigt und von dem es lernbegierig mehr zu wissen wünscht. In diesem Alter ist dies noch möglich, und man bringt sich um einen großen Vorteil, wenn man mehr ängstlichen Planen als natürlichen Anlässen folgt, welche das Kind durch seine Äußerungen an die Hand giebt. Jenes planmäßige Lehren wird zeitig genug mit der Schulzeit kommen, wo leider so oft der Glockenschlag gebietet, eine Ideenreihe zu unterbrechen, oder eine ganz heterogene anzufangen.

Sinnenübungen, Zählen, Messen, Vergleichen, und dies an den Objekten, die gerade in der Nähe sind; denn für das Kind ist alles, auch das Unbedeutendste unterrichtend; dann Aufforderung, etwas Gesehenes zu beschreiben, etwas Gehörtes wieder zu erzählen, etwas richtig und mit Ausdruck Vorgesagtes deutlich und bestimmt nachzusprechen, auch wohl zu behalten: dies sind allerdings die zweckmäßigsten Übungen des Geistes für das erste Alter.

Eine große Menge von Begriffen lernt das Kind, ohne daß man eigentlich weiß, wie es damit zugeht. So ists uns allen gegangen, und so gehts uns noch täglich. Laßt euch dies zum Beispiel dienen, daß es nicht nötig sei, alles zu lehren und besonders gewissen nicht ausbleibenden Abstraktionen, woraus der kindliche Verstand sich unerwartet schnell allgemeine Begriffe bildet, durch unser Dozieren und Demonstrieren zu früh entgegen zu kommen.

Es liegt sehr wenig daran, ob einem Kinde so manches, was es ganz sicher wissen wird, so bald das Bedürfnis oder die Reife des Alters eintritt, ein Jahr früher oder später zum deutlichen Bewußtsein kommt. Der Vorteil aber des eignen Erfindens und Auffindens ist außerordentlich und kann durch nichts ersetzt werden. Erspart euch ferner die Mühe, ihm den Unterschied des Eckigen vom Runden, der Einheit vom Mannigfachen beizubringen; Vergangenheit, Zukunft, Gegenwart, Raum, Gestalt, Wesen, Kraft, Ursache und Wirkungen definieren zu wollen. Neben dem Schaden, den man durch dergleichen tändelnden Ernst und übel angebrachte Erleichterung stets anrichtet, indem man altkluge Pedanten und vorlaute Schwätzer erzieht, beraubt ihr noch überdies die Kinder ihres natürlichen Frohsinnes. Es ist eine glückliche Periode des Lebens, wo man noch keine Zeit mißt, wo alles Vergangene gestern, und alles Zukünftige morgen heißt.

Der praktische Verstand übt sich anfangs am besten an Spielen und Beschäftigungen, und da am glücklichsten, wo man den Kindern nicht zu schnell mit Rat und That entgegen kommt, sondern sie selbst Mittel erfinden, sie durch Mißlingen lernen, und selbst wenn sie Hilfe in ihren kleinen Nöten suchen, noch immer versuchen läßt, ob sie sich nicht selbst helfen können.

Der moralische Ideenkreis wird am besten erweitert, wenn man einzelne sich äußernde Gesinnungen und Handlungen mit den richtigsten Namen belegt. Daß man ja nicht junge Kinder die Tugenden und Untugenden durch Definitionen kennen lehre, wie so häufig in unsern sogenannten Denkübungen geschieht. (S. 2. T. Unterrichtslehre. II. Abt. II. Kap.) Ihr natürlich gesundes Gefühl läßt sie sehr früh und ganz bestimmt das Gute vom Bösen unterscheiden und lehrt sie, an andern jenes zu lieben und nachzuahmen, dieses anfangs mit Erstaunen, dann mit Abscheu betrachten. Die Zergliederung von dergleichen Regungen durch den Verstand wird erst von einem weit spätern Alter begriffen und kann deshalb, zu früh und mechanisch eingeprägt, nur abstumpfen oder erkälten.

Wenn sie übrigens etwas reden oder thun, worin sich etwas Moralisches (Gutes oder Böses) ausdrückt, belege man es nur mit dem rechten, wahren und bestimmten Namen. Die gewöhnlichen so allgemeinen und unbestimmten (gut, böse, artig, unartig) geben keinen deutlichen Begriff und führen nicht weiter, eben weil sie so unbestimmt sind.

7. Nutzen und Gebrauch der Bilderbücher*).
(Vergl. § 48, 49.)

Mündliche Unterhaltung und Belehrung durch die lebendige Stimme behauptet unter allen Methoden der Bildung junger Kinder wie des Volks den Vorzug vor allem, was diesem und jenem aus Büchern kommt. Wo aber jene fehlt, da bleiben diese, und namentlich auch gute Bilderbücher, ein zweckmäßiges Unterhaltungs= und Bildungs= mittel. Zwar hat man neuerlich, da nun einmal über alles, was wir bisher für Kinder gehabt und gethan haben, von manchen Pädagogen der neuesten Schulen der Stab gebrochen wird, der Jugend auch diesen wenigstens unschuldigen Genuß, bei dem ihr unzählige Stunden höchst glücklich verschwunden sind, entreißen wollen. Was aber gegen sie gesagt ist, kann doch nur auf Mißverständnis oder Mißbrauch beruhen, oder sich auf die schlechte Beschaffenheit eines großen Teils jener Hilfsmittel beziehen.

Allerdings lassen sie sich von einer Seite wie jedes andre Spiel= gerät betrachten, dessen Zweck erfüllt ist, wenn das Kind, ohne Lange= weile zu fühlen, sich damit beschäftigt, sich an den Figuren, Farben und Darstellungen ergötzt hat. Dazu bedarf es anfangs weder planmäßig geordneter noch kunstmäßig ausgeführter Bilder. Das Bunte und Aben= teuerliche zieht oft am meisten an, kann aber freilich weiterhin auch den Geschmack an dem Besseren verderben.

So bald aber wirkliche Bildung beabsichtigt wird — und dies sollte man in einer nach Grundsätzen angelegten Erziehung nie vernach= lässigen — so ist es gewiß eben so wenig gleichgültig, was man Kin= dern von Büchern dieser Art in die Hand giebt, als wie man sie damit beschäftigt. Darüber mit sich selbst einig zu werden, gehört daher zu den Pflichten aller Erzieher und Erzieherinnen.

Anmerk. Hierzu mögen folgende Bemerkungen dienen:
1) In den ersten Kinderjahren ist der Gebrauch der Bilder nicht nur ganz entbehrlich, sondern auch an sich und für die spätere Benutzung derselben

---

*) Niemeyer gab in der 8. Auflage die besten Bilderbücher seiner Zeit an. Die Anzahl derselben ist jetzt so ins Ungeheuere gewachsen, daß es eine nicht un= bedeutende Arbeit für sich ist, eine Sichtung unter dieser großen Masse vorzu= nehmen. Die von Niemeyer angeführten Bilderbücher glaubten wir weglassen zu dürfen.

schädlich. Er ist entbehrlich schon deswegen, weil das Kind wenig darauf achtet und, wovon man sich täglich überzeugen kann, das schönste Kupfer nicht anders als das gemeinste Spielwerk behandelt, es wie ein gemeines Papier zerreißt und sich an den Fragmenten noch eben so ergötzt, als da es noch ein Ganzes war. Er ist schädlich, weil sich der Sinn des Gesichts weit weniger und unsicherer daran übt, als an wirklichen Gegenständen, indem alle Begriffe von Entfernungen, Gestalten, Größen an letzteren gelernt werden, und diese ihm unmerklich einen Maßstab geben müssen, welchen hernach das geübtere Auge auch auf andre Dinge überträgt. Wenn man ein Kind von seiner Geburt an in ein Zimmer einsperrte, ihm aber darin die ganze gemalte Sinnenwelt (orbem sensualium pictum, wie Comenius sein berühmtes Bilderbuch nannte), nach und nach in schönen Kupfern vorzeigte, ohne es in die wirkliche zu führen: was meinen wir wohl, wie es auf einmal in diese versetzt, die Gegenstände anstarren, und ob es die geringste Ähnlichkeit zwischen jenen kleinen Bildergestalten und den großen Naturgestalten entdecken würde? Dazu kommt ferner noch der Schade, daß ein so früher Gebrauch der Bilder das Interesse an ihnen schwächt. Gewiß hatten, als die Bilderbücher noch seltner waren, Kinder, die in ihrem siebenten, achten Jahr das erste noch so mittelmäßige in die Hände bekamen, unendlich mehr Freude daran, als jetzt unsre überfüllten Zöglinge bei dem herrlichsten empfinden, weil sie dessen zu früh gewohnt worden sind. Endlich ist auch sehr wahr, was Stuve (Revisionswerk Tl. 10. S. 275) bemerkt, daß in dem ersten Alter weit mehr der Beobachtungsgeist, als die Einbildungskraft geübt werden sollte. Bilder können nun ohne Wirksamkeit der Einbildungskraft keine Vorstellung von körperlichen Gegenständen in der Seele erzeugen. Dagegen ist bei wirklichen Gegenständen weit mehr Aufmerksamkeit und Beobachtungsgeist nötig. Zu frühes Spielen mit Bildern giebt der Aufmerksamkeit bei dem wirklichen Anblicke zu wenig Thätigkeit. Der Reiz dazu ist geschwächt; die Einbildungskraft hat gleichsam im voraus schon Besitz von der Seele genommen, und der sinnlichen Wahrnehmung keinen Raum gelassen.

Man begnüge sich also in diesem frühesten Alter mit den Objekten, welche das Kind entweder schon von selbst umgeben, oder die man ihm leicht und ohne allen Aufwand verschaffen kann. Denn das Gemeinste ist brauchbar zu den ersten Zwecken der Sinnenübungen, und übt sie immer mannigfaltiger als die Fläche eines Bildes. Jeden in seinen Grenzen stark bezeichneten Körper, ein Holz, einen Würfel, eine Kugel, ein Steinchen, eine Blume u. s. w. kann das Kind in die Hand nehmen, nach allen Seiten drehen, seine Gestalt, seine Farbe, seine Einrichtung sehen, ihm das Weiche und Harte, das Rauhe und Glatte, das Schwere und Leichte, das Runde und Eckige, das Warme und Kalte abfühlen, es allenfalls auch schmecken und riechen, je nachdem es Holz, Stein, Glas, Kupfer, Silber ist, seinen Klang vernehmen, wenn es hinfällt, folglich alle Sinne dabei anwenden. Eben dies vergnügt das Kind, denn es macht in jedem Moment eine neue Erfahrung; ein Vorteil, den ihm kein noch so herrliches Kupfer- und Bilderbuch gewähren kann.

2. Aber wenn diese erste Bildungsepoche, das dritte, vierte Jahr bei den Kindern von viel Fähigkeiten, das fünfte, sechste bei weniger Fähigkeit und Übung, vorüber ist; wenn sie anfangen, auf Abbildungen, die ihnen hier und da begegnen, zu merken, ihren Sinn und ihre Bedeutung wissen zu wollen: so ist es Zeit, ihnen diese angenehme und lehrreiche Unterhaltung zu gewähren. Soll sie aber eigentlich bildend und lehrreich für sie, soll nicht dem Zufall und der Zeit zu viel überlassen werden, so scheint mir noch folgendes beobachtet werden zu müssen.

a) Man belehre Kinder auf eine recht faßliche Weise über das, was ein Bild ist und nur sein kann; was es mit dem wirklichen Gegenstande gemein hat, und worin es von ihm unterschieden ist; namentlich was es heißt: ver=jüngen. Alles, wie sich versteht, nicht durch Definitionen, sondern auch dies durch Anschauung, indem man vor ihren Augen ein Bild entstehen, oder sie versuchen läßt, wie wohl irgend ein Objekt, ein Schrank, ein Ofen, ein Pferd 2c. auf dem Papiere darzustellen wäre. Denn überhaupt sollte man die Abbildungen der allerbekanntesten Dinge den Kindern zuerst zeigen, damit sie ihnen das Ver=hältnis eines Bildes zu dem Gegenstande ablernten. (S. unten 3. a, α.)

b) Man gebe anfangs nur die Abbildung eines Objekts und nenne es mit dem bestimmtesten Namen, womit auch der Name der Gattung verbunden werden kann, z. B. dieser Vogel heißt ein Rabe, dieser Baum heißt ein Lor=beerbaum. Stehen einmal mehrere Gegenstände auf einem Blatte, so gebe man wenigstens nur ein Blatt; wenn man sich nicht die leichte Mühe geben will, die einzelnen Figuren auszuschneiden und auf Pappe zu leimen. Dergleichen gäbe eine Beschäftigung für Erwachsenere und verhülfe dem Privaterzieher zu einem Vorrat von Bildern, mit welchen er in leeren Stunden seine Zöglinge auf die mannigfaltigste Art unterhalten, und wenn sie sie nach gewissen Zwecken ordneten, zugleich lehrreich beschäftigen könnte.

Vor allen Dingen verhüte man das flüchtige Anschauen, das Hin= und Herflattern der Aufmerksamkeit, das Forteilen von einem zum andern. Durch jenes Isolieren der Gegenstände erreicht man dies am leichtesten, weil man am bestimmtesten und anschaulichsten über einen Gegenstand redet, oder Betrachtungen veranstaltet, was die Aufmerksamkeit der Kinder so sehr fesselt. Eben darum haben sie fast gar keinen bedeutenden Nutzen von ganzen Bilderbüchern, die man ihnen als Spielwerk in die Hände giebt. Sie durchlaufen sie einigemal und sind ihrer überdrüssig, ehe man es denkt. Sie wollen zuletzt täglich ein anderes. Nur muß man

c) der Aufmerksamkeit auf die Abbildungen eben dadurch zu Hilfe kommen, daß man sich mit ihnen darüber unterhält. Man muß ihnen, was sie selbst so gern haben, die Bilder zeigen, nicht bloß zum Besehen hingeben. Sie wollen etwas über das Bild hören, davon erzählt haben. Sie wollen aufmerksam gemacht sein auf seine Eigentümlichkeiten, auf das Einzelne wie das Ganze, selbst auf die Fehler der Abbildung, auf die Eigenschaften, den Nutzen, den Gebrauch. Sie lassen sich dasselbe mit Vergnügen oft wiederholen, und man ist allein Schuld daran, wenn man dies Streben nach Gründlichkeit und Sicherheit durch ein zu schnelles Forteilen von einem zum andern stört. Meistenteils sind überhaupt bei dem Unterricht nicht die Kinder die Ungeduldigen, sondern ihre Lehrer sind es.

d) Eine logische Succession der Bilder ist in den früheren Jahren nicht nötig. Wie die wirkliche Welt in den mannigfaltigsten Formen hervortritt, so kann auch ihre Nachahmung, die Bilderwelt, vor des Kindes Seele treten. Es wäre eine ganz unzweckmäßige Pedanterei, etwa alle Bilder nach den drei Reichen der Natur, oder je nachdem es Natur- oder Kunstprodukte sind, vorzulegen. Erst da, wo der Unterricht wissenschaftlich wird, und wo man sich der Bilder als Erläuterungsmittel bedient, ist eine solche planmäßige Reihenfolge an ihrer rechten Stelle.

Ratsam möchte es indessen doch sein, einfache Gegenstände zusammengesetzten und Abbildungen einzelner Objekte historischen Darstellungen vorangehen zu lassen, wenigstens so lange, bis das Auge des Kindes für diese Anschauung der Dinge an Abbildungen einfacher Gegenstände einige Zeit lang geübt ist.

Auch lege man solche Kupfertafeln, wo alles durchaus ohne Zweck und Plan durch einander gemischt ist, ganz bei Seite. Denn diese haben nichts als eine unaufhörliche Zerstreuung der Aufmerksamkeit zur Folge.

e) Schon in den vorstehenden Ratschlägen liegt die Regel, nicht eine große Menge von Bildern für die Kinder aufzuhäufen und vielleicht fünf bis zehn Bilderbücher oder Bildermappen zugleich im Gange zu haben. Alles, was wirklich brauchbar ist, muß wahres Eigentum ihrer Vorstellungen werden. Dies hindert man durch die Menge. Wenn daher eine Sammlung recht durchgenommen und so viel davon gelernt ist, als nur immer das Alter des Kindes verstattet, so lege man sie lieber ganz bei Seite, als daß sie sich in der Kinderstube ferner noch herumtreibt. Sie kann nach geraumer Zeit wieder vorgesucht und zu andern Zwecken brauchbar gemacht werden.

f) Gebildeten und kenntnisreichen Jugendfreunden hat man nicht nötig, die Methode der Unterhaltung vorzuschreiben. Sie wissen selbst, was das Alter, das Bedürfnis, die Neigung der Kinder mit sich bringen; sie werden schon den rechten Ton treffen, da sie gewohnt sind, auch über wirkliche Gegenstände sich mit den Kindern zweckmäßig zu unterhalten. Indes dürfen doch anfangs gute Muster der Unterhaltung über Bilder, wie sie uns Wolke, Trapp und vorzüglich Löhr geliefert haben, empfohlen werden, da auch, wer selbst schon geübt ist, ihnen noch immer etwas in der Manier ablernen kann.

g) Besonders sollte man die Unterhaltung über Bilder nicht für das Erlernen der Sprachen verloren gehen lassen. Kinder behalten die fremden Benennungen noch einmal so sicher, wenn der Gegenstand zugleich vor ihre Augen tritt, und die Phantasie kombiniert dann so leicht das Wort mit der Sache. Von dieser Idee ging Comenius aus, und sie ist von andern glücklich nachgeahmt.

3. Die Anzahl der Bilderbücher für die Jugendwelt hat sich seit den ersten einfachen und rohen Versuchen dieser Art, besonders des Comenius, unglaublich vermehrt: sie sind eine oft glückliche Spekulation der Künstler und

Verleger gewesen; und der Hang der neueren Zeit vom Prachtvollen, der als entschiedener Fortschritt der Kunst und Kunstliebe nicht zu tadeln ist, hat sie zum Teil sehr kostbar gemacht. Schon hierdurch wird die Auswahl erschwert.

Was bei derselben leiten und bestimmen muß, bezieht sich teils auf alle ohne Ausnahme, teils auf besondere Gattungen.

b) Ist von Bilderbüchern für Kinder überhaupt die Rede, so kann man von jedem, das Anspruch auf Billigung machen will, folgendes fordern:

α) Es stelle nichts dar, als was sich sinnlich darstellen läßt: keine übersinnlichen Gegenstände, keine Eigenschaften der Seele, anfangs wenigstens auch keine allegorische Wesen; das Moralische so weit, als es in Handlungen auch sinnlich erscheinen kann. — Übrigens mag es — abgerechnet, was man bloß in moralischer Hinsicht auch in der Wirklichkeit dem Auge des Kindes entziehen würde, — alles Anschaubare darstellen; nicht bloß das Fremde, Seltene, sondern auch das Naheliegende und Alltägliche.

Ein sehr achtungswürdiger Pädagoge, H. GutsMuths, ist anderer Meinung. Er behauptet (päd. Bibl. v. J. 1801, 2. Bd., S. 321), Bilderbücher müßten schlechterdings nichts aufnehmen, was man täglich in der Natur um sich habe, z. B. den Sperling, die Werkstatt des Buchbinders. Aber warum nicht? Bilder haben ja nicht bloß den Zweck, daß das Kind durch sie lerne, was es in der Natur nicht kennen lernen kann. Auch zu seiner Unterhaltung soll es sich das Abwesende durch sein Abbild als gegenwärtig denken; es soll beim Anschauen des Bildes, wenn man gerade nicht den lebendigen oder ausgestopften Sperling haben kann, sich allerlei von diesem Tiere merken. Die Abbildung der Werkstätte soll Stoff geben, sich über das Handwerk, seine mannigfaltigen Gerätschaften und Geschäfte zu besprechen. Es wird dem Kinde eben so große Freude machen, wenn man dasselbe hernach einmal in die Werkstatt führt, und es nun da wieder findet, was es schon im Kupfer kennen lernte, als wenn es aus der Werkstatt zum Bilde kommt und sogleich orientiert ist.

So ist auch die Bemerkung dieses Schriftstellers ganz wider meine Erfahrung, "daß, wie er sich ausdrückt, viele Bilderbegriffe auch im Kopf noch immer auf dem Papiere stünden. Wie leicht könne sich ein Kind einen Schmied, den es vor dem Amboß mit aufgehobenem Hammer stehend erblickte, als einen Mann denken, der immer in dieser Stellung beharre." Gewiß nicht! Dafür sorgt das Leben in der Wirklichkeit. Das Kind sagt, wenn es die erste Kupfertafel von Basedows Elementarwerk sieht: "die Familie ißt, das Kind schreit, der Arme steht an der Thür, und die Tochter bringt ihm etwas zu essen." Es denkt sich also die Handlung, das Leben, die Bewegung dazu; es weiß, daß die Peitsche, wenn sie knallen soll, erst aufgehoben werden muß, und denkt sich den dargestellten Moment des aufgehobenen Armes als die Vorbedeutung dessen, was unmittelbar darauf geschehen wird. Laßt uns doch nur dem kindlichen Verstande nicht zu wenig zutrauen. Er suppliert sehr viele Lücken und hilft sich aus Schwierigkeiten und Zweifeln schneller heraus, als wir denken.

β) Treue und Wahrheit ist bei weitem wichtiger als die Schönheit und Feinheit. Letztere bleibt zwar das bessere, aber man kann sie eher als jene erlassen, weil der Kunstsinn in späteren Jahren noch immer geübt werden kann und muß. Was daher das Bild darstellt, stelle es möglichst treu, richtig und bestimmt dar. — Darum sind viele unsrer alltäglichen Bilderbücher, wo

alles auf die Wohlfeilheit berechnet ist, ohne allen Wert, und nichts mehr als
bunte Karrikaturen oder unkenntliche Schattenrisse.

γ) Man dränge nicht zu viele und ganz heterogene Gegenstände auf einem
Blatte zusammen, es müßte denn des Gegensatzes wegen geschehen. — Sehr wahr
sagt Bertuch in der Vorrede zu seinem Bilderbuche: „das Kind sieht die ganze
Menge höchst verschiedener Bilder und Gegenstände, die auf der Tafel zusammen-
stehen, alle auf einmal, springt mit seiner lebhaften Imagination von einem zum
andern über, und so ists dem Lehrer nicht möglich, seine Aufmerksamkeit nur
auf einen Gegenstand zu fixieren."

δ) Die Maßverhältnisse dürfen so wenig als möglich verletzt werden.
Aber gerade dies ist der gemeinste Fehler. Wenn auf demselben Blatt ein
Stuhl so groß ist als ein Turm, ein Apfel so groß als ein Haus, so fühlt sogar
das Kind sehr bald das Unrichtige; bei andern weniger bekannten Objekten wird
es eben dadurch sehr irre geführt.

ε) Es herrsche in der Folge der Bilder wenigstens einiger Plan. Es sei
kein ganz zweckloses Nebeneinanderstellen der Gegenstände, wenn auch noch so
viel Mannigfaltigkeit beabsichtigt werden sollte.

b) In Beziehung auf besondere Gattungen der Bilderbücher.
— Die, welche einen ganz bestimmten Zweck ankündigen, können um so mehr
einer strengen Kritik unterworfen werden. Dahin gehören:

α) die ersten Elementar- oder ABC-Bücher mit Kupfern, deren
Legion auch nur den Namen nach zu kennen unmöglich ist. Die Auswahl der
allereinfachsten und bekanntesten Gegenstände, die strenge Wahrheit und Treue in
den Abbildungen, die Beziehung auf den Zweck des Lesenlernens: dies alles wird
in den meisten vermißt, und manche erinnern noch jetzt an das alte vor hundert
Jahren in Gang gekommene, wozu Bienrod, ein Schulmann in Wernigerode,
die bekannten und berüchtigten Reime erfand. — Indes ist hier kein Mangel an
zweckmäßigen, wofür zum Teil schon die Namen der Herausgeber Bürgschaft leisten.
Einige der vorzüglicheren sollen in der Unterrichtslehre, im Abschnitte vom Lesen-
lernen, genannt werden. Unzweckmäßig scheint mir übrigens, schon diesen Büchern
eine bestimmte Tendenz zu geben, z. B. naturhistorische, technologische ABC-Bücher
zu schreiben. Dies heißt, die Kinder zu früh mit dem übersättigen, was im reiferen
Alter noch Reiz für sie behalten soll.

β) Bilderbücher, bestimmt zur Beförderung der elementarischen
Bildung des Verstandes und Herzens. — Ihr Wert beruht vor allem
auf der Wahl solcher Gegenstände, die innerhalb der Sphäre kindlicher Anschauung
und Empfindung liegen und durch ihre Fruchtbarkeit ein mannigfaltiges Interesse
für sie haben. Die Behandlung in dem Texte kann den Wert der guten Abbildungen um die Hälfte erhöhen; besonders wenn man sie nicht bloß zum Vor-
lesen, sondern als Gedankenstoff und als Probe der rechten Manier benutzt, sich
mit Kindern zu unterhalten.

Ein besonderes Interesse haben für Kinder dieses Alters, wenn sie schon
etwas geübt sind, zusammenhängende historische Darstellungen, wo

mit dem Fortschritte der Geschichte auch die Darstellungen derselben fortschreiten.

γ) **Bilderbücher zur Beförderung einzelner Arten von Natur-
und Kunstkenntnissen für Anfänger**, z. B. zoologische, botanische,
mineralogische, anthropologische, allgemein-naturhistorische, technologische. — Die Forderungen an eigentlich wissenschaftliche Kupferwerke in diesen Fächern müssen zwar strenger sein. Da aber doch auch jene wenigstens Vorbereitungen auf etwas Wissenschaftliches sein und besonders von
Gegenständen, die nicht selbst vor die Anschauung gebracht werden können, einen
anschaulichen Begriff geben sollen: so kommt bei ihnen auf die Richtigkeit und
Treue der Umrisse, Farben, Verhältnisse schon weit mehr an, als bei den vorigen
(α, β.). Denn sie sollen nicht bloß zum Spiele dienen; so bald man aber etwas
lehrt, ist die Hauptregel, nichts zu lehren, was wieder verlernt oder anders
gelernt werden muß. Gerade dies ist gleichwohl bei den allermeisten der Fall.
Selbst in manchen der besseren kann das Auge junger Leute die allerbekanntesten
Gegenstände nicht wieder erkennen. In andern sind die Abbildungen zu winzig;
in andern ist die erträgliche Zeichnung durch die fabrikmäßige Illumination ganz
unkenntlich gemacht.

δ) **Historische Bilderbücher für die Jugend.** — Enthalten sie Fabeln oder lehrreiche Dichtungen, so entscheide nicht nur die durchaus reine
sittliche Tendenz, sondern auch die stete Rücksicht auf die Bedürfnisse der Kinder
nebst der geschmackvollen Ausführung zunächst über ihren Wert. Viele unsrer
Kinderfabeln und unsrer Kindergeschichten sind durch ihre Mißverhältnisse zu dem
Kindesalter, so wie durch ihre Langweiligkeit, Flachheit, Geschmacklosigkeit im Ausdruck, oder durch ihr kindisches, nicht kindliches Geschwätz den jungen Lesern selbst
bald zuwider. Manche selbst berühmte und in ihren ersten Versuchen vorzügliche
Schriftsteller für Kinder schreiben leicht zu viel, werden wässerig oder fallen in
stete Wiederholungen.

Für historische Zwecke hat man schon weit früher, als man auch für die
ersten Kinderjahre zu sorgen anfing, Abbildungen merkwürdiger Geschichts-
scenen empfohlen. Daher ist diese Art der Bilderbücher unter den älteren die
zahlreichste. Am allerhäufigsten hat man die biblische Geschichte in Bilder-
bibeln und andern Schriften mit Kupfern begleitet. Selbst so unvollkommene,
wie die Hübnerschen sind unzählige Mal aufgelegt. Aber gerade in dieser Geschichte muß nicht sowohl die Kunst, als der pädagogische Geist oft mit dem Stoffe
kämpfen. Dies ward vordem so wenig bemerkt, daß man selbst die anstößigsten
Scenen, den entfliehenden Joseph, Bathseba im Bade, die keusche Susanna, den
trunkenen Lot mit seinen Töchtern, in biblischen Historien zum Gebrauch der
lieben Jugend erblickte, auch eben so gut das Sichtbare als das Unsichtbare, selbst
das göttliche (und oft in welchen Gestalten!) dargestellt sah. Gewiß haben auch
diese, ehemals neben dem Orbis pictus fast einzigen biblischen Bilderbücher
den Zweck einer früheren Verstandesentwickelung und Anregung moralischer Gefühle, und oft wohl eben so gut, befördert, als unsre modernen, zwar geschmack-

volleren, aber nicht immer inhaltreicheren Bilderbücher. Alles kam dabei auf die
Erklärer an, und viele Menschen würden das Vergnügen oder die sanfte Rührung nicht missen wollen, die bei ihnen durch so manche Bibelbilder angeregt
wurde. Aber sie haben auch viel geschadet, und mitunter gewiß höchst verkehrte
Ideen in die jungen Seelen gebracht.

Überhaupt hat die allgemeine Weltgeschichte, dann die Geschichte
einzelner Völker, Zeitperioden und merkwürdiger Zeitbegebenheiten einen reichen
Stoff geliefert. Viele historische Bilderbücher für die Jugend sind mit
Kupfern begleitet, und man kann sicher sein, daß alle Begebenheiten, selbst bei
einer höchst mittelmäßigen Ausführung, dadurch fast unverlierbar für das Gedächtnis wurden. Und dies ist gerade hier der Hauptzweck, der allerdings um
so vollkommner erreicht wird, je mehr auch der Kunstsinn dabei Befriedigung
findet. Nützlich würde es schon sein, heranwachsende Jünglinge zu veranlassen,
sich nach und nach Sammlungen anzulegen, überhaupt sich selbst kleine planmäßige
Kupferwerke zu bilden. Bei der unglaublichen Menge der zum Teil recht guten
Kupfer, die seit drei bis vier Dezennien in größeren und kleineren Büchern aller
Art, erscheinen und oft mit der Jahrzahl verschwinden, wäre dies leicht und
wohlfeil. Denn in vielen großen Sortimentshandlungen müssen wahre Schätze
als Ladenhüter liegen, die auf diese Art noch recht nützlich gemacht werden könnten.

Zu den historischen Kupferwerken für die Jugend gehören auch die geographischen und ethnographischen.

ε) Encyklopädische Bilderbücher, als elementarischer Unterricht von dem ganzen Inbegriff sichtbarer Dinge, sie mögen zur Natur,
zur Kunst, zur Kultur, zum Menschenleben gehören. — Die erste Idee dazu gab
bekanntlich Amos Comenius († 1671) in seinem Orbis sensualium pictus
(zuerst Nürnberg 1658), welcher mit höchst dürftigen Holzschnitten begleitet war,
die eben so dürftig in einer seltnen Menge von Auflagen und Übersetzungen in
elf Sprachen wiederholt sind. Sie sollen teils eine gemalte Sinnenwelt
vor das Auge der Kinder bringen, teils ein Erleichterungsmittel der
Erlernung fremder Sprachen (Janua linguarum reserata) werden. Wenn
man das Buch als ersten Versuch betrachtet; wenn man in Anschlag bringt,
was damals Kunst und Buchhandel war: so muß man die Ausführung, mit
wenigen Ausnahmen, sehr verständig finden. Nachgeahmt ist er auch neuerlich,
selbst mit Beibehaltung des Titels, in verschiedenen Formen und mit verschie-
denem Glücke; ja ist sogar noch im Jahre 1804 in seiner ganz alten Form
und mit aller Erbärmlichkeit der alten Kupfer, lateinisch, polnisch, französisch und
deutsch, zu Breslau wieder aufgelegt worden! — In neuerer Zeit hat Oberschulrat
Lauckhard in Weimar eine neue Bearbeitung in Leipzig (bei Günther) herausgegeben. 3. A. Die Bildertafeln im Buntdruck sehr mäßig.

Basedows Elementarwerk (s. oben S. 8) war der veredelte Orbis
pictus; ein Riesenschritt, wenn man beides vergleicht, aber noch lange nicht das
realisierte Ideal, das dem Pädagogen vorschweben muß. Selbst Chodowiecky's
Arbeit daran ist nicht gleich; die Auswahl ist oft unbegreiflich verfehlt; die Zer-

spaltung der Blätter ins Gevierte oft ganz zweckwidrig. Dennoch gehört das
Werk unter die besten, die wir haben, und ist besonders durch die Bearbeitung
von Wollens und Trapps deutsch, lateinisch und französisch erschie-
nenen Erklärung der Basedowschen Kupfer ein vortreffliches Hilfsmittel für alle
Jugendgesellschafter. Es kann auch in Schulen, besonders bei dem französischen
Elementarunterricht, mit großem Nutzen gebraucht werden.

8. Über Kinder- und Jugendschriften.*)

An Schriften für Kinder und für die Jugend ist kein Zeitalter so reich gewesen, als das unsrige. Jede kündigt wenigstens intellektuelle und moralische Bildung der jungen Seelen als ihren Zweck an,
obwohl mehr als die Hälfte offenbar bloß das Erzeugnis merkantilischer
Spekulationen ist. Da diese Art von Schriftstellerei für sehr leicht gehalten wird, auch in einem gewissen Sinne wirklich leicht ist**): so läßt
sich schon daraus vermuten, wie viele sich ihr ohne inneren Beruf und
ohne pädagogischen Sinn widmen. Die üblen Folgen davon, die Über-
schwemmung mit ganz unbrauchbaren oder doch höchst dürftigen und mitunter auch mehr verbildenden als bildenden Schriften dieser Art erklärt
den Unwillen mancher Einsichtsvollen gegen alles, was Kinder- und
Jugendschrift heißt. Wie man so leicht in das andre Extrem überspringt,
so möchte mancher unsern Kindern am liebsten alle Bücher aus den
Händen reißen oder ihnen höchstens ein paar ältere Schriftsteller zu
lesen verstatten, ohne die große Mannigfaltigkeit des Bedürfnisses und
der künftigen Bestimmung in Anschlag zu bringen.

Was vielleicht einige zu den heftigen Äußerungen über das frühe
Lesen der Kinder vorzüglich gereizt hat, ist teils die allgemeine Be-
merkung, daß mündlicher Unterricht und belebtes Gespräch diesem
Alter ungleich angemessener sei, als das Lernen durch das Medium toter
Buchstaben; teils die wahrgenommene Sucht des Zeitalters zu
lesen, welche man vorzüglich daher leitet, daß der Hang dazu durch die
Menge der Schriften, die man schon Kindern übergebe, um ihren Hunger
darnach zu sättigen, vorzüglich veranlaßt und genährt werde. In beiden

---

*) Stoy, Schrift und Jugend, sonst und jetzt. Leipzig 58. (Album des
pädag. Seminars zu Jena).
Kaiser, Jugendlektüre und Schülerbibliotheken. Barmen 78.
E. Fischer, die Großmacht der Jugend- und Volkslitteratur 1. Abt. Jugend-
litteratur. (Krit. Verzeichnis von 5000 Jugendschriften). Wien 1878.
Merget, Geschichte d. d. Jugendlitt. 2. A. Berlin 77.
Kühner, Pädagog. Zeitfragen. Frankfurt 63.
Stoy, die Jugendlektüre im Lichte der philosophischen Pädagogik. Allg.
Schulzeitung. Nr. 51. 1878.
**) Am leichtesten unstreitig da, wo sie bloße Kompilation ist und der
Käufer in Gefahr kommt, wieder zu bezahlen, was schon in vielen andern Büchern
steht, die in den Händen der Kinder sind.

Bemerkungen ist so viel Wahres, daß dies wenigstens von keinem Pädagogen übersehen und von allen Eltern mehr als bisher beherziget werden sollte.

Unentbehrlich sind gewiß Bücher nicht, um Verstand und Herz der Kleinen zu bilden. Unzählige Menschen wurden ohne sie das, was sie waren, ohne daß man sagen konnte, daß sie darum weniger geworden wären. In den untern Volksklassen ist es höchst zweifelhaft, ob überall das Lesen vieler Bücher zu wünschen sei. Auch verbietet es die Lage der meisten Individuen von selbst. Aber auch in den mittleren und höheren bleibt es in den früheren Jahren immer bildender und übender für den Geist, wenn das Kind durch mündliche Mitteilung lernt, wenn es mit in das Gespräch gezogen wird; wenn man es mehr in dem großen Buche der Natur, als in gedruckten Büchern lesen läßt. Nur wo es an Gelegenheit und Personen, die zu einer solchen Bildung ganz geeignet sind, fehlt, da bleibt doch das Lesen immer das beste Surrogat. (S. oben § 64.)

Gegen die unersättliche Neigung zu lesen, die man nicht mit Unrecht eine Lesewut genannt hat, ist übrigens schon so viel geredet und geschrieben, daß man kaum hoffen darf, durch neue Warnungen Eindruck zu machen. Dennoch sei es erziehenden Lehrern und Lehrerinnen und allen Eltern nochmals an das Herz gelegt, diesen bei einzelnen Zöglingen beider Geschlechter so früh sich findenden Hang zu bewachen und ihm Einhalt zu thun. Dies wird selten durch Verbot erreicht; viel eher teils durch Abschneiden der Gelegenheit, teils und weit besser durch Fürsorge für andere Beschäftigungen, Handarbeiten, häusliche Geschäfte und Besorgungen, körperliche Bewegungen, ernstes Studieren, viele Aufgaben zur Beschäftigung des Privatfleißes. Dadurch verhütet man am sichersten, daß der Kopf und die Phantasie der Jugend nicht mit einer ungeordneten Menge von Ideen angefüllt, in dem Herzen nicht Gefühle geweckt werden, die so leicht dem Charakter die schöne kindliche Einfalt und Unbefangenheit nehmen; daß endlich nicht vieles, was in reiferen Jahren einen viel reineren und höheren Genuß gewähren würde, durch zu frühe Mitteilung unschmackhaft werde. Gerade darin fehlen junge Lehrer so oft. Voll von einer Lektüre, haben sie nichts eiliger zu thun, als auch ihre Schüler und Schülerinnen dafür zu gewinnen, so wenig ihr diese auch gewachsen sind. Überhaupt aber sollte es Erziehungsmaxime bleiben, in den früheren Jahren lieber zu wenig als zu viel lesen zu lassen.

Durch dies alles soll indes keineswegs der Gebrauch guter Kinder- und Jugendschriften ausgeschlossen werden. Es gehört einmal zum Ton einiger pädagogischen Wortführer, alles, was nur mit sogenannter moderner Pädagogik zusammenhäng... ...ornehm zu verachten; weil man sich darauf gesetzt hat, überall den ...indet, zu widersprechen oder das Alte wieder zurück zu führen, ohne oft selbst recht zu wissen, was es mit dem Alten oder Neuen für eine Bewandtnis habe. *) Wir wollen uns durch solche Urteile und Vorurteile nicht irre machen lassen oder undankbar gegen die werden, die mit Verstand, Überlegung und wirklicher Kenntnis der Kinderwelt auch durch Schriften für sie gesorgt und die elenderen, geschmackloseren, wo nicht gar schädlicheren Lesereien der früheren Zeit verdrängt haben. Wir besitzen jetzt eine bedeutende Anzahl recht brauchbarer Kinderschriften und sind entschieden dadurch andern gebildeten Nationen auch in diesem Fache teils gleich, teils vorangekommen. Wo viel Gutes ist, da ist immer viel Schlechtes daneben. Dies kann nicht anders sein.

Die schlimmste Folge der Überhäufung ist nur, daß das Bessere dadurch so leicht in Vergessenheit kommt, da man gewöhnlich nur nach dem Neuen greifend und bald durch das Äußere, bald durch feile Lobpreisungen angezogen, so vieles ganz ungeprüft den Kinderhänden übergiebt. Die kritischen Journale machen sich hierbei vieler Fehler schuldig. Sie loben gemeiniglich, was nicht geradehin schädlich oder sittenverderblich ist, und erinnern zu wenig an das vergessene Bessere, welches die neue mittelmäßige Schreiberei so oft ganz entbehrlich machen könnte.

Es würde in dieser Hinsicht ein verdienstliches Werk sein, wenn einmal von einem echt kritischen Pädagogen eine strenge Auswahl aus den unzähligen Jugendschriften vorgenommen, und so ein kleines

*) Unsre so oft mehr gerühmten als gekannten Vorfahren verschmähten das Hilfsmittel der Verstandesbildung durch leichte Erzählungen, Fabeln und Mythen keineswegs. Dies lehren Plato, Aristoteles, Quintilian mit klaren Worten. Gelehrte, wie Erasmus, Corderus, Castellio haben Erzählungen Colloquia et Praecepta artis vivendi in usum juventutis geschrieben, und die ernsthaftesten Gegenstände in das Gewand angenehmer Dichtungen und Gespräche gekleidet. Wie im Stil und Geschmack überhaupt, blieben wir in Deutschland auch in Schriften dieser Art zurück. Doch ward Geschichte — besonders freilich biblische — auch häufig für junge Leser bearbeitet. Die fast gänzliche Entbehrung anziehender Lektüre verschaffte in der Mitte des vorigen Jahrhunderts den Schriften der berühmten französischen Erzieherin, Mad. le Prince de Beaumont — ihrem Magazin des enfants et des adolescentes, ihrer Education complette, ihren moralischen Erzählungen, — sowohl im Original als in den bald erschienenen Übersetzungen, eine höchst günstige Aufnahme, und sie wurden seit 1750 die Hauptlesebücher der Jugend in den gebildeten Ständen. Auch verdienten sie es in mancher Hinsicht — gewiß mehr als die späteren der Mad. Genlis — durch Inhalt und Einkleidung. Sie haben selbst jetzt ihre Brauchbarkeit bei gehöriger Auswahl und Leitung der Lehrer und Lehrerinnen nicht verloren. Es blieb wenigstens mehr von positiver, besonders geschichtlicher Kenntnis aus ihnen, als aus einer Menge unsrer deutschen tändelnden Kinderschriften zurück. — J. P. Millers historisch moralische Schilderungen (1753 bis 61) gehören zu den ersten Versuchen etwas Ähnliches zu leisten, befriedigen aber doch weit weniger.

Handbuch der klassischen Litteratur dieses Faches geliefert würde. Denn warum soll es nicht auf jedem Gebiet etwas Klassisches geben? — Nur schade, daß den meisten Litteratoren, selbst so vielen Rezensenten nichts so schwer wird, als gerade die unbestechliche Strenge!

Da eine vollständige Litteratur des Fachs der Kinder= und Jugendschriften hier nicht gegeben werden kann, es mir auch, wie ich offen gestehen will, an einer ganz genauen Kenntnis des einzelnen, so wie an Muße und Neigung dazu fehlt: so mögen nur noch einige all= gemeine Bemerkungen als Winke und Hinweisungen für die Auswahl eine Stelle finden.

Man kann die Zwecke eines Jugendschriftstellers bequem auf drei Hauptpunkte zurückbringen: Belehrung, sittliche Bildung, Unter= haltung. Jeder dieser Zwecke hat seine eigentümlichen Gesetze und Schwierigkeiten in der Ausführung.

1. Wo der Zweck die Bereicherung und Bildung des Verstandes ist, da müssen überhaupt die mitgeteilten Kenntnisse nicht bloß nützlich, sondern auch dem Alter angemessen sein. Es ist kein Gewinn, daß man in neueren Zeiten angefangen hat, alles aus dem Gebiete der Wissenschaften für Kinder zu bearbeiten*); es ist eine Herabwürdigung der Wissenschaft, gegen die man viel= mehr den jungen Seelen eine tiefe Achtung einprägen, und sie ihnen als etwas Hohes, nur spät und mühsam zu Erklimmendes zeigen sollte. Auch dadurch hat man nur Frühreife befördert, die immer nachteilig ist. Viel zweckmäßiger ists, das, was innerhalb des Gesichtskreises der Kinder liegt, oder wovon eine vor= läufige allgemeinere Kenntnis ihnen zum Verstehen manches unentwendig ist, was ihrer Wißbegierde und ihrer Phantasie auf eine unschädliche Weise Nahrung giebt, zum Stoffe zu wählen. Aber schon von Comenius Zeiten an bis auf Basedows Elementarwerk, und von da bis auf unsre Zeiten ist unglaublich oft dagegen gefehlt; und eine Menge Kinder= und Jugendschriften sind schon wegen solcher Antizipation von Kenntnissen unzweckmäßig. Andre geben die ober= flächigsten, zum Teil ganz unrichtigen Notizen von Gegenständen der Natur und des Lebens. Noch andre verwechseln wenigstens das Kinder= und Jünglings= alter, und geben jenem, was allenfalls diesem angemessen wäre.

2. Die moralischen Kinderschriften fehlen

A. am häufigsten in der Manier. Dies zeigt sich am deutlichsten in der Abneigung der Kinder sie zu lesen, oder in der Langeweile, wenn sie dergleichen lesen müssen. Das frühere Alter, und ziemlich weit hinauf gegen die Periode der Reife, ist durchaus nicht geeignet, eigentlich moralische Betrachtungen, wenn sie nicht an Geschichte angeknüpft, und dadurch gleichsam versinnlicht sind, aus= zuhalten; und man kann sich nicht genug über die Unkunde so vieler Jugend=

---

*) Man hat Kantische Schriften für die Jugend bearbeitet, und es ist sogar ein Newton für die Jugend erschienen, der wohl viel Nützliches enthalten mag, aber auf jeden Fall einen unglücklich gewählten Titel hat.

schriftsteller wundern, die sich einbilden, ihre oft mehrere Bände füllenden Tugend-
und Sittenlehren würden wirklich von der Jugend gelesen werden. Mir ist
noch kein Kind und Knabe vorgekommen, der, wo kein Zwang eintrat, bei theo-
retisch-moralischen Schriften ausgehalten hätte. Selbst solche, die eine religiöse Stimmung hatten, bauerten nicht dabei aus, wenn nicht etwa, wie bei
Bunians Reise nach der Ewigkeit, Geschichte daran geknüpft war. Lasse man
also ruhig alle solche Moralen, Predigten, Vorlesungen für Kinder in
den Buchläden liegen. In der Kinderstube würden sie doch auch nur ungelesen
liegen bleiben.

Doch dies haben auch die meisten Kinderfreunde wohl gefühlt, und eben
daher größtenteils ihre Moral in Fabeln, Apologen, Parabeln, längere und kürzere
Erzählungen gekleidet. Hiernach greift allerdings das Kind. Am liebsten ist es
ihm, wenn man ihm Geschichten erzählt. Kann es dies nicht haben, so liest
es Geschichten. Mögen diese für die ersten Anfänger nur ganz aus den Kreisen
ihres Lebens genommen werden, wie etwa in unsern Fibeln und ersten Kinder-
büchern geschieht: wenn sie nur nicht zu lange in dieser Sphäre aufgehalten,
nur bald aus der Kinderstube zu dem, was bedeutender und wichtiger im
Leben ist, geführt, von der gemeinen Wirklichkeit zu den Idealen erhoben werden.
Lenkt man die Aufmerksamkeit darauf zu spät, so bringt man etwas Beschränktes
und Kleinliches in das Wesen der Kinder. Sie bekommen allenfalls Sinn für
das Gute, aber nicht zugleich für das Starke, Kräftige und Große in der
moralischen Natur. Dies haben die im Auge, welche z. B. die frühe Lesung des
Homer, des Plutarch für ungleich bildender halten, als ganze Reihen unsrer
gewöhnlichen Jugendschriften. Jene Autoren sind auch für eine gewisse Klasse von
Zöglingen gewiß von großem Nutzen. In einem solchen Sinne schrieb ein trefflicher Humanist, F. Jacobs, in Stunden der Muße seinen Allwin und Theodor
(2 Tle., Leipzig 1817, 3te Aufl.), und übertraf eine Menge unsrer zahllosen Kinderautoren von Profession.

Besser als die meisten, zumal längeren und die Form der Romane anneh-
menden Erzählungen für die Jugend sind doch immer die Schriften,
welche das wirkliche Menschenleben und die Menschheit in ihren verschiedensten Gestalten und Entwickelungen oder ihre so unendlich mannigfaltigen
Wohnsitze darstellen; und daher teils eigentliche Geschichte (wie Becker u.
m. a.), teils Reisebeschreibungen enthalten, wie deren Campe eine ganze
Reihe geliefert hat. Warum lesen selbst Kinder mit solcher Teilnahme besonders
Homers Odyssee? (S. Diffen Anleit. für Erzieher, die Odyssee mit Knaben
zu lesen. Gött. 1809) und was hat dem Robinson Krusoe*) einen so all-

---

*) Englisch unter dem Titel The Life and strange surprising Adven-
tures of Robinson Crusoe. Der Verfasser, ein überhaupt sehr fruchtbarer und
kühner politischer Schriftsteller, Daniel de Foe (geb. 1663, gest. 1731) gab
jenes allbekannte, unzähligemal gedruckte, in alle europäischen Sprachen übersetzte
wahre Volksbuch schon 1719 heraus und benutzte dabei nur einiges von Sel-
kirks früheren Beschreibung seines Aufenthaltes auf einer wüsten Insel. Ju

gemeinen Beifall geschafft, als der Blick, den diese Schriften in das rege Leben thun lassen; der Wechsel der Situationen, die ein so hohes Interesse erwecken? Fielen nur die meisten Verfasser, selbst die vorgenannten, um die Jugend sehr verdienten Männer nicht ausgenommen, nicht zu leicht wieder in ein langes und breites Räsonnieren und Moralisieren, oder gar in ein Politisieren, das die jungen Leser stellenweise langweilt; und besäßen sie noch mehr die Kunst, die Sache selbst sprechen, belehren, warnen, eigne Ideen aufregen zu lassen, wenigstens alles nur kurz anzudeuten und nicht durch einen langen Kommentar, der gemeiniglich überschlagen oder nur flüchtig und mit Sehnsucht nach dem Ende gelesen wird, zu ermüden!

Noch schlimmer aber ists, daß

B. viele Jugendschriften, deren Tendenz moralische Bildung ist, auch noch von einer andern Seite fehlen. Selbst manche der berühmteren sind in den

---

Deutschland sind oft aufgelegte Übersetzungen (die erste 1720, von Schmitt 1782 von Altmüller, Hildburghausen bibl. Inst. 1869), und eine große Reihe von Nachahmungen unter den Titeln des dänischen, französischen, brandenburgischen Robinson u. s. w. erschienen, welche Meusel im Leben de Foes im britischen Plutarch Tl. 7 aufzählt. S. Hettner, Litteraturgesch. des 18. Jahrh. I, S. 291 ff. 2. Aufl. Aus dem pädagogischen Gesichtspunkt aber hat zuerst der auch hier so scharfblickende und die Kindernatur so genau kennende J. J. Rousseau den Robinson angesehen. So ist der Gräbnersche, der Heubnersche, der Wezelsche und früher noch der Campische Robinson entstanden, der auch, laut der Vorr. zur 2. Ausg. schon von Cadix bis Moskau und Constantinopel in allen Sprachen gelesen wird. Über ein so allbekanntes, der Kinderwelt so sehr wertes Buch verdient wohl Rousseau selbst gehört zu werden:

„Ich hasse — sagt er im 2. Bande des Emil — ich hasse die Bücher. Sie lehren von so vielem reden, wovon man nichts weiß. Aber sollte es denn kein Mittel geben, so viele, in so vielen Büchern zerstreute Lehren näher zusammenzubringen? Sie unter einen gemeinschaftlichen Gegenstand zu vereinigen, der leicht zu übersehen, nützlich zu befolgen wäre und auch selbst diesem Alter zum Antriebe dienen könnte? Wenn man eine Situation finden könnte, worin sich alle natürlichen Bedürfnisse des Menschen auf eine dem Geiste des Kindes sinnliche Art zeigten, und wo sich die Mittel, für diese Bedürfnisse zu sorgen, nach und nach mit eben derselben Anschaulichkeit entwickelten: so müßte man durch die lebhafte und natürliche Abschilderung des Zustandes der jugendlichen Einbildungskraft die erste Übung geben."

„Schriftsteller! Spart die Mühe! Wir haben das Gemälde eines Menschen, der sich in einer solchen Lage befand, und es ist voll Wahrheit und Einfalt. Da wir doch einmal Bücher für Kinder haben müssen, so ist eins vorhanden, welches nach meinem Sinne die glücklichste Abhandlung über die natürliche Erziehung an die Hand giebt. Dies Buch wird das erste sein, welches mein Emil lesen wird; es wird lange Zeit allein seine ganze Bibliothek ausmachen, und es wird stets einen ansehnlichen Platz darin behalten. Es wird der Text sein, welchem alle unsere Unterredungen von den natürlichen Wissenschaften nur zur Auslegung und Erläuterung dienen werden. Es wird beim fortschreitenden Unterricht zum Prüfstein der Urteilskraft dienen, und so lange Emils Geschmack unverdorben bleibt, wird ihm das Lesen desselben immer gefallen. Welches ist denn dieses wunderseltsame Buch? Ist es Aristoteles, ist es Plinius, ist es Büffon? — Nein! es ist Robinson Krusoe."

moralischen Grundsätzen nicht so rein, als man fordern darf; oder sie geben so schielende Ansichten des Sittlichen, daß oft sogar dem unverdorbenen Gefühle der Kinder manches mißfällt, was in Exempelbüchern und Gallerieen guter Kinder als gut und rühmlich aufgestellt wird. Dies gilt besonders von vielen Kinderschauspielen, in denen man sich so oft zu den Charakteren, die in einem schlimmen Licht erscheinen sollen, mehr hingezogen fühlt, als zu den kleinen Tugendpedanten und Pharisäern, die ihre schönen Eigenschaften überall zur Schau tragen, immer die Moralisten gegen ihre leichtsinnigeren Gespielen machen, oder großmütige Handlungen üben, die ihnen wenig kosten und reiches Lob einbringen. Auch werden in vielen dieser Kinderkomödien bald die Väter, bald die Oheime, bald die Lehrer und Hofmeister selbst so schwach, so lächerlich dargestellt, daß der Mißbrauch, wenigstens die Schwächung der Achtung gegen ältere und vorgesetzte Personen nur allzu nahe liegt. Selbst der edle Weiße hat sich in seinem Kinderfreunde von diesem Fehler nicht rein erhalten, noch weit weniger andre. — Daß die frühen Liebeleien, die lockern und losen Anspielungen auf eheliche Untreue, und was dem ähnlich ist, ganz aus Schriften, die man der Jugend in die Hände giebt, verbannt sein sollten, versteht sich von selbst. Was

---

„Robinson Krusoe ist auf seiner Insel allein, von allem Beistande seines gleichen und von den Werkzeugen aller Künste entblößt, er sorgt indessen doch für seinen Unterhalt, für seine Erhaltung, und verschafft sich sogar eine Art von Wohlsein. Dies ist ein wichtiger Gegenstand für jedes Alter, und man hat tausenderlei Mittel, ihn den Kindern angenehm zu machen. Wir werden versuchen die wüste Insel wirklich zu machen, die uns anfangs nur zur Vergleichung diente. Krusoes Lage ist, ich gestehe es, nicht die des geselligen Menschen. Wahrscheinlicher Weise wird sie auch nicht Emil's Lage sein. Allein aus diesem Standpunkte soll er alle andere Lagen schätzen. Das sicherste Mittel, sich über die Vorurteile zu erheben und seine Urteile nach den wahren Verhältnissen der Dinge einzurichten, ist, daß man sich an die Stelle eines einzelnen Menschen setze, und von allem so urteile, als dieser Mensch in Beziehung auf sich darüber urteilen muß.“

„Diese Geschichtsdichtung wird während der Zeit, wovon hier die Rede ist, Emil's Zeitvertreib und Unterricht zugleich sein. Ich will, daß ihm der Kopf davon schwindle, daß er sich unaufhörlich mit seinem Schlosse, mit seinen Ziegen, mit seinen Pflanzungen beschäftige; daß er umständlich, nicht aus Büchern, sondern an den Sachen selbst lerne, was er in dergleichen Fällen wissen muß. Er denke, er sei selbst Robinson; er sehe sich in Felle gekleidet, wie er eine große Mütze, einen großen Säbel trägt, und den ganzen seltsamen Aufzug des Bildes macht, bis auf den Sonnenschirm beinahe, den er nicht nötig haben wird. Ich will, daß er sich wegen der Maßregeln beunruhige, die er nehmen soll, wenn ihm dies oder das abgehen würde; daß er die Aufführung seines Helden untersuche; daß er nachforsche, ob derselbe nichts unterlassen habe; ob nichts besser zu machen gewesen wäre; daß er seine Fehler aufmerksam anmerke, und daß er sich dieselben zu Nutze mache, damit er in ähnlichem Falle nicht selbst darein gerate. Denn man zweifle nicht, daß er den Anschlag fassen werde, einen dergleichen Sitz anzulegen. Dies ist das wahre Luftschloß dieses glücklichen Alters, worin man keine andere Glückseligkeit kennt, als das Notwendige und das Freiheit.“

„Welch ein herrliches Hilfsmittel ist doch diese Spielerei in der Hand eines Lehrers, der sie recht vorteilhaft anzuwenden versteht. Das Kind, welches gesie der Zufall davon in der Wirklichkeit bemerken läßt, kann man nicht verhüten; aber was zunächst für sie geschrieben wird, sollte doch überlegt und konsequent sein.

3. Die eigentlichen Unterhaltungsschriften, wenn sie Wert haben sollten, müßten billig zugleich zu einer oder der andern der vorbenannten Klassen gehören. Was bloß Posse, fades Geschwätz, kindischer Mutwille, geistloses, oft recht übel gewähltes Gemisch von Schwänken und Anekdoten ist, komme nie in die Sphäre der Kinderwelt. Könnte man nur selbst das heranreifende Alter davor bewahren! Eine Erziehungspolizei über die Leihbibliotheken wäre für alle Stände sehr wünschenswert; denn es ist nicht auszusprechen, wie viel moralische Ansteckung durch diese in großen und kleinen Städten verbreitet wird. Wie viel Behutsamkeit empfahl auch in diesem Stück schon Quintilian: Tenerae mentes, tracturaeque altius quidquid rudibus et omnium ignaris insederit, non modo quae diserta, sed vel magis quae honesta sunt, discant. — Horatium in quibusdam nolim interpretari, I, Or. 1, 8.

Auch die Sprache und der Ton in Kinder- und Jugendschriften ist bei der Auswahl nicht zu übersehen; denn billig sollten sie für die eigne Sprache der jungen Leser und Leserinnen bildend und musterhaft sein. Am wenigsten verdienen daher die Empfehlung, welche das Bestreben sich kindisch auszudrücken, bis zum Kindischen herabgestimmt und eine Art der Popularität veranlaßt haben, die sogar kann, auf die man sie berechnet, mißfällt*). Einige glauben, man habe fast schon kindlich ausgedrückt, wenn man alles in Diminutiven verwandelt. Diese sollten überhaupt sehr sparsam gebraucht werden, da sie meist Tändeleien sind. Deren giebt es ohnehin genug in der Kinderwelt. Andre machen auf kindische Einfälle und Naivitäten Jagd, die sich wenigstens besser im Leben als in Büchern ausnehmen. Noch andre trauen dem jungen Verstande gar zu wenig zu, oder legen es aus einem irrigen Prinzip darauf an, daß kein Wort unverstanden bleiben soll, da es im Gegenteil recht gut ist, wenn noch etwas

---

drungen ist, sich ein Vorratshaus für seine Insel anzulegen, wird weit eifriger sein, zu lernen, als der Lehrmeister zu lehren. Es wird alles wissen wollen, was nützlich ist, und wird nur das wissen wollen. Man wird nicht nötig haben, es anzutreiben; man wird es nur zurückzuhalten haben. — Die Ausübung der natürlichen Fertigkeiten, wozu ein einziger Mensch genug sein kann, führet zur Nachforschung derjenigen Künste des Fleißes und der Geschicklichkeit, zu welchem viele Hände gemeinschaftlich wirken müssen." S. 2. Schuljahr von Rein, Pickel, Scheller, Dresden, Bleyl und Kämmerer, eine Bearbeitung des Robinson für die Volksschule enthaltend.

*) Dies ist auch der Fall mit vielen sogenannten Volksschriften. Man vergl., was Garve über diese Art der Popularität des Tons treffend bemerkt hat, in den vermischten Aufsätzen S. 333 ff. Auf viele unsrer kindischen Kinderautoren ist recht eigentlich das Kästnerische Epigramm anwendbar:

> „Dem Kinde bot die Hand zu meiner Zeit der Mann,
> Da streckte sich das Kind und wuchs zu ihm hinan.
> Jetzt kauern hinab zu den Kindelein
> Die pädagogischen Männelein."

verstehen zu lernen übrig bleibt. Das Kind will zu denen hinaufgezogen sein, die über ihm stehen. Die freundliche, aber zugleich ernste Belehrung, die Strenge und Gründlichkeit im Vortrage erweckt Achtung gegen den Lehrer; und daran gewöhnte Kinder würden den, der diesen Ton wählt, nicht gegen einen mehr mit ihnen tändelnden vertauschen. Was aber in der mündlichen Belehrung der Fall ist, warum sollte es nicht auch von der schriftlichen gelten?

　　In der im dritten Teil befindlichen Übersicht der Geschichte der Pädagogik im vorigen Jahrhundert, wird man auch mehrere Namen derer, welche sich als Schriftsteller für die Jugend vorzügliches Verdienst erworben haben, nebst einer Anzeige ihrer vorzüglichen Schriften finden.

Über die Übung der Gedächtniskraft mit Rücksicht auf die neuesten Bearbeitungen der Mnemonik.

Zusatz zu § 55, 56.

1. Versäumnis der Gedächtniskunst. Großer Nachteil derselben.

Die in früheren Zeiten sowohl in dem öffentlichen als häuslichen Unterricht herrschende Methode war ganz vorzüglich auf Übung und Weckung der Gedächtniskraft berechnet. Des Lehrstoffs war weniger, aber desto mehr drang man darauf, das, was gelehrt wurde, ins Gedächtnis zu fassen. Sicherheit im Wissen galt mehr als Mannigfaltigkeit und Vielseitigkeit. Ein geübtes Gedächtnis, meinte man, sei in der Folge geschickt genug, sich alles anzueignen. Nach und nach aber erweiterte sich der Kreis dessen, was schon die Jugend wissen sollte; selbst der Schulwissenschaften wurden immer mehr, oder man machte vielmehr, oft verkehrt genug, vieles zur Schulwissenschaft, was man dem reiferen Alter hätte aufsparen sollen. Nun erschien jene Gedächtnisübung hemmend, da man natürlich, bei der Notwendigkeit steter Wiederholung, nur langsam dabei fortschritt. Auch war nicht zu leugnen, daß die Übertreibung des Memorierens für andere Seelenkräfte, z. B. die Phantasie, die Urteilskraft nachteilig wirkte und selten dabei die Individualität des Schülers berücksichtigt werden konnte. So kamen die Gedächtnisübungen in üblen Ruf. Bald setzte man die Verstandesübungen an ihre Stelle und übersah doch oft ganz (wie in der Unterrichtslehre weiter gezeigt werden soll, 2. T. 2. Abt. 1. Kap.), daß der Verstand vor allen Dingen einen Stoff haben müsse, um sich an etwas üben zu können. Bald häufte man Lehrgegenstände auf Lehrgegenstände, die man entweder bloß spielend beibringen wollte, oder ohne alle Rücksicht auf die Fähigkeiten der Lehrlinge schon in untern Schulklassen behandelte. In manchen Schulklassen war fast nicht mehr die Rede vom Memorieren. Man betrachtete jeden Lehrer, der auf strenges Auswendiglernen und sichres Behalten drang, als einen Quäler der Jugend; man glaubte, die

harten Mittel, welche in manchen Schulen an der Ordnung des Tages
waren, wären dabei unumgänglich notwendig, und übersah ganz, wie
dankbar sich so viele gerade der Lehrer erinnerten, die ihrem Gedächtnis
frühzeitig einen Schatz von Einsichten und Kenntnissen zugeführt hatten.
Das vormalige, vielleicht übertriebene Bestreben vieler Lehrer, mit ihren
Schülern durch die Menge dessen, was sie ins Gedächtnis gefaßt
hatten, zu glänzen, nahm übrigens nur eine andere Richtung. Auch
Vielwisserei hat, besonders für Halbwisser und ungeübte Urteiler,
etwas Blendendes; dreistes Aburteilen giebt den Anstrich von Verstand.
Ob aber dagegen die wahre Bildung des Verstandes und Urteils,
worauf man es doch anlegte, bedeutend gewonnen habe, ist noch sehr die
Frage. Die Erfahrung spricht ganz dagegen. Das gründliche Lernen
ward gewiß seltner, und des sichern und positiven Wissens offenbar
weniger. Dies konnte auch niemand anders erwarten, der nur auf die
Resultate der Erfahrungsseelenlehre achten wollte. Sie lehret unwider-
sprechlich, daß 1. der Verstand sich in dem früheren Alter fast ohne alle
kunstmäßige Anleitung von innen heraus und durch die Außenwelt geweckt,
bildet. Zu frühes Eingreifen und Zeitigen führt nur zu Verbildung.
Das Kind begreift wirklich vieles nicht, was es doch begreifen lernen
soll; nimmt am Ende die ihm gegebenen Wortzeichen statt der Begriffe
selbst in das Gedächtnis auf, und sucht so durch diese verachtete Kraft
dürftig den Lehrer zu befriedigen, der in dem Wahn steht, den Verstand
weiter gefördert zu haben. So bald man diesem nur Zeit zur Entwickelung läßt, bleibt er gewiß nicht zurück. Dagegen aber wird man
sich 2. umsonst bemühen, die Versäumnis der Gedächtniskraft nachzuholen.
Was dem Kinde Spiel war, strengt den Jüngling an, der nun in seiner
geistigen Organisation fortgerückt und durch das Vielerlei, was er lernen
soll, sowie durch die erwachte Phantasie schon zerstreuter ist; dem Manne,
dem Greise wird es sogar unmöglich. Endlich ist doch 3. dessen, was
als etwas Historisches oder Positives durchaus gelernt werden muß,
weil es sich a priori weder erfinden noch deduzieren läßt, so viel, daß
wenn man nicht früh dem Gedächtnis einen Schatz solches Wissens
anvertraut, es späterhin dürftig genug um die Anwendung der höheren
Seelenkräfte aussehen wird.

2. Schwierigkeit der Feststellung eines allgemeinen Prinzips für die Übung der Gedächtniskraft.

Man hat angefangen dies alles einzusehen, und mehrere neuere
Methoden lenken daher auch in dieser Hinsicht wieder ein und kehren
beinah zu dem Alten zurück. Kündigen sie sich gleich nicht als Gedächtnisübungen an, so scheint doch das Gedächtnis keine unbedeutende
Rolle dabei zu spielen. Zu gleicher Zeit erneuert sich das Andenken an
eine fast verschollene Kunst, dem Gedächtnisse zu Hilfe zu kommen, die

Mnemonik, welche den Alten nicht unbekannt war, die in den mittleren Zeiten hier und da wieder erneuert, deren Wert aber von jeher sehr verschieden beurteilt wurde. (f. § 6). Der größte Gewinn würde eine tiefere und sichere Kenntnis der Natur dieser wichtigen Seelenkraft selbst sein, deren sonderbare Erscheinungen noch nicht genug beachtet und noch viel weniger erklärt sind. Denn, so oft man auch von einem guten und einem schlechten, einem Wort- und einem Sachgedächtnis redet, so werden dadurch doch nur die allergewöhnlichsten Erscheinungen bezeichnet; es wird dabei weder auf so viele besondere Modifikationen Rücksicht genommen, noch über die letzten Gründe derselben etwas entschieden. [1]) Das Physiologische kann bloß auf mancherlei Erfahrungen beruhen, welche den Zusammenhang gewisser Beschaffenheiten, Veränderungen und Verletzungen des Gehirns, oder auch andrer körperlichen Zustände, mit der Gedächtniskraft und dem Erinnerungsvermögen außer Zweifel setzen. [2]) Aber die Natur dieser Verbindung daraus zu erklären, ist ebensowenig möglich, als überall bisher die Verbindung des Körperlichen mit dem Geistigen erklärt ist. Auch dürfte eine solche Erklärung schwerlich von bedeutendem Einfluß auf das Praktische sein, da auch das, was von der Spontaneität abhängt, die zufällige Wirkung der einmal feststehenden Naturgesetze und Einrichtungen nicht abändern kann. [3])

Anm. 1. Die gewöhnliche Unterscheidung des Gedächtnisses in ein gutes und schlechtes, treues und untreues, sagt besonders darum so wenig, weil sie selten eine absolute Vollkommenheit oder Unvollkommenheit ausdrückt. Denn es kommt noch immer darauf an, in Absicht auf welche Gegenstände das Gedächtnis treu oder untreu sei. Es kann der eine für gewisse Gegenstände ein vortreffliches Gedächtnis haben, für andre nicht. Es fehlt ihm also nicht das Sachgedächtnis überhaupt, sondern nur für gewisse Sachen. So kann mancher Militär, der nicht die kleinste Geschichte wieder zu erzählen vermöchte, die zusammengesetztesten Parolbefehle, Dispositionen u. aufs pünktlichste behalten und ausrichten, ohne sie aufzuschreiben; ein andrer ist ein lebendiges Sprachwörterbuch, aber der schlechteste Historiker, sofern es auf Namen und Zahlen ankommt. Noch andre können die ganze Reihenfolge von Tönen nach zweimaligem Hören einer Symphonie wiederholen, haben aber übrigens eine äußerst schwache Memorie. Dasselbe ist der Fall mit dem Festhalten der Gegenstände. Gerade die, welche leicht und schnell auffassen, behalten selten weder lange noch getreu: wer richtig auffaßt, lernt gewöhnlich nur langsam; wer vieles auffaßt und behält, pflegt meist eine verworrene Erinnerung zu haben. Ich kenne viele junge Leute, die lange Reden und Gedichte in wenigen Stunden zu memorieren imstande sind, die sich aber quälen, eine kurze Reihe von Zahlen, Namen, Vokabeln oder grammatischen Regeln zu lernen. Mehrere Beispiele dieser auffallenden Verschiedenheit liefert Gräfe's Untersuchung über das Gedächtnis, im N. katech. Magaz. 4. B. § 6—8.

Daß diese Erscheinungen auf der Eigentümlichkeit der Anlagen beruhen, sieht man unter andern daraus, daß die Übung zwar das Gedächtnis für gewisse Gegenstände, aber nicht allgemein verbessern kann. Wäre es, wie man sich gewöhnlich denkt, nur eine Kraft, so müßte sich allerdings die frühe Übung derselben zur Fertigkeit für jeden Gebrauch erhöhen. Die Erfahrung lehrt aber das Gegenteil. Hieraus glaubt man offenbar den Schluß machen zu dürfen, es beruhe in Rücksicht der Kraft alles auf jenen Eigentümlichkeiten, und in sofern scheint Gall ganz recht zu haben, wenn er das Gedächtnis zu denjenigen Eigenschaften und Vermögen rechnet, die allen Fähigkeiten, folglich auch ihren Organen, gemeinschaftlich zukämen und im Grunde gleichsam verschiedene Potenzen derselben wären.

Es hängen also die Eigentümlichkeiten in der Gedächtniskraft offenbar mit der ganzen geistigen Organisation zusammen; und man kann von eminenten Vollkommenheiten des Gedächtnisses für gewisse Gegenstände oft ziemlich sichere Schlüsse auf die übrigen intellektuellen Vermögen machen. Selbst das leichtere oder schwerere Auffassen und Behalten deutet wenigstens oft auf das größere oder geringere Interesse an dem Stoff. Und schon dies ist für die Anlagen und Fähigkeiten bedeutsam.

2. In der Anthropologie, Physiologie und empirischen Psychologie findet man die verschiedenen Hypothesen, wodurch man das Aufbehalten gewisser Vorstellungen begreiflich zu machen und daraus die Erfahrungen zu erklären gesucht hat, welche die Dauer und Vergänglichkeit der Gedächtnisvorstellungen betreffen. Das unleugbare Verhältnis des Gehirns zum Gedächtnis führte ziemlich natürlich auf Eindrücke, welche die Vorstellung, die durch eine Anschauung oder durch weiteres Nachdenken in uns erzeugt ist, in dem Seelenorgan zurückließen. Da man aber über dies Seelenorgan selbst in der vollkommensten Ungewißheit schwebte, so konnte man auch die Art jener Eindrücke, die man sich oft höchst materiell als Bilder, Gepräge 2c., nach andern als eine Bewegfertigkeit des Organs gedacht hat, weiter nicht deutlich machen. Nach Plattner heißt die Redensart, „es bleiben Gedächtniseindrücke im Gehirn," nur so viel: „es bleibt in dem Seelenorgan zu den Bewegungen, welche den sogenannten inneren Eindruck ausmachen, eine Fertigkeit, und in dieser die Möglichkeit, die Bewegung zu wiederholen; wie in den Fingern des Klavierspielers die Fertigkeit gewisser Melodieen bleibt, nicht aber Bilder der Melodieen oder andre ruhende Spuren." Man vergl. in Plattners philos. Aphorismen, 1. T. § 241, 242 ff. nebst den Anmerkungen zu diesen §§, worin mehrere Meinungen andrer Anthropologen über diesen Gegenstand angeführt sind; auch Desselben neue Anthropologie, 1. T. § 387 ff., Hallers Physiol. X. 7. und XVII. 1.

3. Daß die verschiedenen Hypothesen über den Anteil materieller Organe an dem Auffassen, Aufbewahren und Reproduzieren der Vorstellungen keinen bedeutenden Einfluß auf die praktischen Übungen dieser Kräfte haben können, sieht man unter andern daraus, daß man sich, bei aller Verschiedenheit derselben, doch in den Ratschlägen und Gesetzen, welche man darüber gab, begegnete. Diese sind aus der Erfahrung abstrahiert, haben aber eben daher zum Teil den Fehler,

daß man zu schnell aus einzelnen Erfahrungen allgemeine Vorschriften gebildet
hat, statt sie mehr als Versuche hinzustellen; wobei ein jeder prüfen möge, wiefern sie auch für ihn brauchbar sein dürften.

8. Wichtigkeit der Kultur des Gedächtnisses.

Schon aus dem Vorstehenden geht hervor, welch hohen Wert ein
gutes, d. i. viel und treu bewahrendes und leicht wiedergebendes Gedächtnis für jeden Menschen, besonders aber den, welchem man eine
höhere Bildung zu verschaffen wünscht, behaupte. Da nun die natürlichen Anlagen offenbar sehr verschieden sind, aber auch hier, wie bei
andern Seelenkräften, durch eine zweckmäßige Anwendung der Bildungsmittel, und gerade bei dem Gedächtnis fast noch sicherer, sehr viel erreicht und der Natur aufgeholfen werden kann, so kann Lehrern und
Erziehern der Jugend die Wichtigkeit ihres Geschäfts auch von dieser
Seite nicht warm genug empfohlen werden. Kommt man auch von dem
zurück, was sich in den Schulunterricht unzweckmäßig eingedrängt hatte,
so hat sich doch einmal der Kreis des Wissenswürdigen gar sehr gegen
die frühere Zeit erweitert, und die Ansprüche an das, was jeder wissen
soll, vermehren sich fast mit jedem Tage.

Anm. 1. Selbst die bloßen Gedächtnismenschen sind nicht geradehin
als unnütz in der Gesellschaft zu betrachten, so bald sie nur auf ihrer rechten
Stelle stehen. „Es ist schon Verdienst genug, sagt Kant, die rohe Materie reichlich herbeigeschafft zu haben, wenn gleich andre Köpfe nachher hinzukommen müssen,
sie mit Urteilskraft zu verarbeiten."

Man tröste sich daher ja nicht zu früh bei jungen Leuten, die wenig behalten können, mit ihrem guten Kopf oder ihrem gesunden Urteil; und
meine wohl gar, daß ein vorzügliches Gedächtnis der Urteilskraft Eintrag thun
müsse, wenn gleich bei manchen bloßen Gedächtnismenschen die bekannte Grab-
schrift passend sein mag: N. N. — Vir beatissimae memoriae hic expectat
judicium. Daß der Mangel eines gesunden Urteils durch das bloße Gedächtnis
nicht ersetzt werden kann, versteht sich. Aber viele gute Köpfe leisten eben darum
so wenig und sind selbst in ihrem Urteil oft so verkehrt, weil sie so wenig gelernt haben. Vermeinend, alles aus sich selbst schöpfen und konstruieren zu können,
verfallen sie in einen unglücklichen Dünkel, indem sie ihr leeres Gedächtnis nicht
daran erinnern kann, wie alt so vieles ist, was ihnen neu scheint, und wie anderes längst ausgemacht und entschieden ist, woran sie noch zweifeln. Und auch
das Urteil wird ja um so vollkommner, je vielseitiger es ist. Dies kann es
aber durch den größeren Umfang von Vorstellungen werden, die man in sich
aufgenommen hat, und nun, um zu vergleichen, zu unterscheiden, zu kombinieren,
durch sein Erinnerungsvermögen hervorrufen kann. Noch einmal — Beschränktheit und Einseitigkeit geht größtenteils aus dem wenigen Wissen hervor; und
viele der größten Köpfe aller Zeit waren auch durch ihr Gedächtnis ausgezeichnet.
Wenn man das sogenannte Memorienwerk (Gedächtniskram) nicht zu

gering schätzte, so würde der Kreis des Wissens vieler Menschen nicht so eng sein. Der Ausspruch eines alten Philosophen ist daher im vollen Sinne des Worts wahr: Tantum scimus, quantum memoria tenemus.

Der Zögling mag übrigens in der Folge mehr dem spekulativen und wissenschaftlichen, oder dem praktischen Leben bestimmt sein: der Wert eines geübten Gedächtnisses, das leicht auffaßt, sich leicht besinnt und treu bewahrt, bleibt derselbe. „Es belebt das Gefühl mit einem Reichtum von Vorstellungen, unterstützt den Willen mit Erinnerungen zu guten Gewöhnungen, zur Erneuerung guter Vorsätze; es hilft dem Verstande in dem Zusammenfassen des einzelnen zum Begriffe und in dem Durchdenken der Wahrheit, und es gewährt im ganzen ein frohes Selbstgefühl in der freien Herrschaft über eine Menge von Vorstellungen; es hat also auf die ganze Geistesbildung einen durchgreifenden Einfluß *)." Man hört Personen in allen Ständen über ihr schwaches Gedächtnis (selten über ihren schwachen Verstand) klagen, vermutlich weil sie meinen, jener Mangel sei unverschuldet. Jede dieser Klagen sollte für den Erzieher eine Erinnerung sein, wenigstens von seiner Seite keinen Teil an der Schuld zu nehmen.

2. Ich glaube den Grund, warum man sehr oft findet, daß alte Leute von gewissen Kenntnissen, die sie auf Schulen getrieben haben, ungleich mehr wissen, als andre, die eben erst von Schulen kommen, teils in der alten Art des Lernens, teils in dem erweiterten Kreise dessen, was jetzt in den Schulen getrieben wird, zu finden. Jene war strenger, allerdings oft unvernünftig streng; denn im eigentlichsten Sinne ward manche Kenntnis dem Schüler eingebläut, und sitzt darum so fest; oft war sie aber nur genau. Der Lehrer ruhte nicht, bis er überzeugt war, das Gelernte sei unverlierbares Eigentum des Schülers geworden. Sie war auch mehr positiv lehrend als räsonnierend, folglich die Aufmerksamkeit nicht nach vielen Seiten hingewendet und eben dadurch zu zerstreut. — Insonderheit aber war der Kreis des Wissens enger. In den Volksschulen fand man nur zwei Bücher, die Fibel und die Bibel. Darum wurden die Kinder, und weiter hin auch die Erwachsenen, so bibelfest. Sie wußten daraus so viele oft lange Abschnitte auswendig, und mit der biblischen Geschichte waren sie innigst vertraut; denn es war die einzige, die man trieb. In den höheren Schulen waren Sprachen (und meist nur eine Sprache, die lateinische,

*) S. Schwarz, Erziehungsl. III. 2. Abt. S. 138. — „Vor allen Dingen, sagt Plutarch sehr wahr, muß man bei Kindern das Gedächtnis sorgfältig üben, weil dieses gleichsam die Schatzkammer der Wissenschaft ist. Deswegen hat man in der Mythologie die Mnemosyne zur Mutter der Musen gemacht, um dadurch anzuzeigen, daß nichts den Geist mehr nähre und stärke als das Gedächtnis. Diese Übung ist aber in beiden Fällen nützlich, die Kinder mögen von Natur ein gutes Gedächtnis haben oder vergeßlich sein. Denn die Fülle der Natur muß man zu befestigen, den Mangel aber zu ergänzen suchen; so werden jene Kinder andere, diese sich selbst übertreffen. Überdies müssen auch die Väter wissen, daß der Teil der Unterweisung, der das Gedächtnis betrifft, nicht bloß auf die Gelehrsamkeit, sondern auch auf die Geschäfte des Lebens den größten Einfluß hat, weil die Erinnerung an das Vergangene auch für die Zukunft klug macht." Plut. de pueror. educat. c. 13, vergl. Quint. Inst. I, 1, 3 und XI., 2.

allenfalls in den oberen Klassen noch eine oder die andere mehr) die Hauptsache und diese wurden gründlich, d. h. grammatisch gelehrt. Daher waren die Schüler hier in der Grammatik zu Hause, wie dort in der Bibel, und hatten jede Form im Kopf, jede Regel am Griff. Die Geschichte war nicht viel mehr als Regentenfolge und Chronologie, und weil von der alten Geschichte so viel auswendig zu lernen war, kam man selten bis zur neuen.

Der einseitige Lobpreiser alles dessen, was zum Alten im Schulwesen gehört (ne puero), bringt freilich bloß den Sinn gewisser nützlichen Gedächtniskenntnisse, welchen er jener Methode zu danken hat, in Anschlag; nicht bedenkend, daß er nachher durch vielen eignen Fleiß und zweckmäßiges Nachstudieren die Lücken ausfüllen mußte, welche schon die Schule, wo er vielleicht noch in so mancher andern Hinsicht höchst unzweckmäßig unterrichtet wurde, hätte ausfüllen sollen. Er vergißt, daß dieser Verlust für viele, die keine Gelegenheit fanden, das Versäumte nachzuholen, unersetzlich bleibt, und daß man mit dem bloßen Memorienwerk, worauf es oft allein abgesehen war, sich zwar zuweilen den Schein eines gründlichen Wissens geben, aber im Grunde doch nur sehr wenig ausrichten kann.

4. Möglichkeit einer gelingenden Kultur.

Die einfachen Gesetze unsrer sinnlichen Erkenntnis, unsres Denkvermögens und Willens, bei der unendlich verschiedenen Gestaltung derselben in den Individuen, bringen uns zu der Überzeugung, daß diese Mannigfaltigkeit nicht allein in unsern Anlagen zu suchen, sondern auch aus der verschiedenen nie ganz zu berechnenden Einwirkung der Außendinge auf uns zu erklären ist. Die Erziehung hat aber den Hauptzweck, diese Einwirkung so viel als möglich kennen zu lernen, ihren Vorteil zu benutzen, ihren Schaden abzuwenden. Wenn nun nicht zu leugnen ist, daß jener Einfluß gerade bei der Kraft des Gedächtnisses sich sehr stark offenbart, indem fast nur Mangel an Interesse, der teils aus der Dunkelheit oder Leichtigkeit des Stoffes, teils aus natürlichem Widerwillen, oder aus zufälliger Zerstreuung (Schwäche der Abstraktionskraft) hervorgehen mag, das Behalten erschwert, ja unmöglich macht; so ist die Pflicht der Erziehung, aus allen Kräften diese Hindernisse zu beseitigen. Daß sie es mit glücklichem Erfolge vermag, beweisen unzählige Beispiele. Doch neben dieser Erfahrung lehrt uns auch noch die nähere Untersuchung der Gedächtniskraft selbst, daß, so verschieden auch ihr Stoff sei, ihre Funktion dennoch stets dieselbe bleibt. Man unterscheide nur sorgfältig von ihr das Erinnerungsvermögen. Sie bewahrt stets mehr oder minder treu auf; dieses ruft aus dem Innern das Aufbewahrte zur weitern Benutzung hervor. Wenn das Gedächtnis als nur um sein selbst willen thätig, gleichsam im Stillen und ohne Störung seine Wirksamkeit immer üben kann, so wird die Erinnerung oft befangen und verwirrt, teils weil jenes zu viel aufgehäuft hat und die Wahl erschwert ist,

teils weil die Benutzung, sei es für das innere Denken oder die äußere
Darstellung stets fremdartige nicht selten hindernde Nebenideen zu erzeugen
pflegt. Hieraus erhellet, daß das Gedächtnis von zufälligem Einfluß
weniger abhängig, eine strenge Methode zuläßt, und so zeigt uns sowohl
Erfahrung als Spekulation die Möglichkeit allgemeiner Regeln für die
Bildung dieser uns angebornen Kraft. Hieraus wird auch klar, warum
bei aller Verschiedenheit der Ansichten man doch in den Ratschlägen und
Gesetzen, welche man darüber gab, sich begegnete. Nur verfiel man
dabei oft in den Fehler, daß man zu schnell aus einzelnen Erfahrungen
oder zu einseitiger Abstraktion allgemeine Vorschriften bildete, statt sie
mehr als Vorschläge hinzustellen, welche ein jeder prüfen und selbst versuchen möchte, wiefern sie sich auch für ihn bewährten.

5. Methodologische Ratschläge.

Das natürlichste und sicherste Mittel das Gedächtnis zu bilden
bleibt noch immer frühe und planmäßige Übung. Die erstere wird
weniger versäumt als die letztere. Zufall und Laune der Lehrer hat
auch hier zu viel Einfluß. Zu selten werden Gedächtnisübungen als
ein eigentliches ernstes Geschäft betrieben; man übt das Gedächtnis
zu wenig als Gedächtnis. Man ist bei dem Unterrichte oft mit sich
selbst noch nicht einmal aufs Reine, wie viel ihm aufgegeben, und wie
weit bloß der Verstand beschäftigt werden solle. Aber gerade darin liegt
der Grund, warum bei der unendlichen Menge von Ideen, welche nach
den Schuljahren den Kopf durchkreuzen, von vielem, was in Schulen
gelehrt und erlernt ward, auch nicht die geringste Spur zurückgeblieben
ist. Um dies zu verhüten und sicher in der Bildung zu gehen, werde
1. der Stoff der Gedächtnisübungen an sich und mit steter Rücksicht
auf das Alter der Zöglinge weislich gewählt und berechnet; [1] 2. bei
der Methode der Übungen selbst, teils darauf, ob dieser Stoff in
sinnlichen Vorstellungen oder in Wort- und Gedankenreihen bestehe, Rücksicht genommen; [2] teils ein planmäßiges Fortschreiten vom Leichten zum
Schweren, vom Einfachen zum Zusammengesetzten beobachtet; [3] 3. durch
fleißiges Wiederholen für die Unverlierbarkeit des Erworbenen gesorgt. [4]

Anmerk. 1) Der Stoff der Gedächtnisübungen umfasse:
a) in den früheren Jahren alles, was für die Verstandes- und Herzens-
kultur des ersten Alters überhaupt passend ist; teils einzelne Gegenstände als
Anschauungen, teils in Verbindung gesetzte Vorstellungen von dem, was ist,
was geschieht oder geschehen ist. Am häufigsten übe man das Gedächtnis der
Kinder an kleinen Liedern, Erzählungen, die sie auch selbst gern von ihren Gespielen lernen, zumal wenn sie ins Ohr fallen. Aber man soll auch das Memorieren des einzelnen nicht versäumen. Es ist die beste Vorübung für das Wort-,
Namen- und Zahlengedächtnis im künftigen Schulunterricht.

b) In den reiferen Jahren, wo schon in bestimmten Fächern unterrichtet wird, bringt es die Natur der Gegenstände mit sich, daß einiges dem Gedächtnis als unentbehrliches Material anvertraut, andres mehr von dem Verstande bearbeitet werden muß. Nun bleiben uns zwar unzählige Dinge im Gedächtnis, ohne daß wir uns die geringste Mühe gegeben haben, sie darin zu bewahren. Man kann also vieles behalten, ohne es im gewöhnlichen Sinne auswendig zu lernen. Dies beweiset das Sprechenlernen durch den Gebrauch (ex usu). Aber dadurch entsteht gleichwohl kein sicheres, und da die Eindrücke schwächer sind, kein dauerhaftes Wissen. Grammatische Formen, wenigstens die Regeln, nach welchen sie gebildet werden, ein Vorrat von Wörtern einer fremden Sprache, die Reihenfolge merkwürdiger Namen von Menschen, Tieren, Städten, Flüssen, Zahlen in der Geschichte: dies alles sollte eben so streng auswendig gelernt werden, wie das Einmal Eins und die zehn Gebote. Selbst bei solchen Gegenständen, die mehr Sache des Nachdenkens sind, bei moralischen, religiösen u. s. w., wäre es wenigstens für die Ungeübteren weit besser, sie faßten manches fest ins Gedächtnis als Grundmaximen, als Axiome, als leitende Ideen (wie etwa eine algebraische Formel), um sich dadurch im Denken zu orientieren, als daß man es dem bloßen Zufall überläßt, wie viel davon behalten wird. Das schwächere Denkvermögen hat sonst nichts, woran es sich gleichsam festhalten und aufrichten kann.

Außerdem kann es auch, sowohl dem wissenschaftlichen, als dem praktischen Menschen, sehr viel wert sein, ganze Gedankenreihen lückenlos in sich aufnehmen und mit Sicherheit wiedergeben zu können. Nicht zu gedenken, daß es sowohl für die Muttersprache als für fremde Sprachen ein Hilfsmittel ist, auch im geselligen Leben viel Wert hat, das Vortreffliche zu rechter Zeit mitteilen zu können, ohne erst nach Büchern zu schicken: so ist es auch für die Geistesbildung von Wichtigkeit.*) Es versetzt uns in den Ideengang ausgezeichneter Köpfe, in ihre

---

*) „In der That — sagt ein philosophischer Schriftsteller sehr wahr — ist es schon in formeller Hinsicht sehr wichtig, daß der Lehrling früh zu Gedächtnisübungen angehalten werde. Diese Übung ist die einzige, die er selbständig vornehmen muß, bei der man ihn anderer helfen kann, und zu der er sogar genötigt ist, selbst eine Methode zu finden, wie er die Aufgabe am sichersten zu lösen vermöge. Schon deshalb ist es ein wesentlicher Verlust für die Geistesbildung des Kindes, wenn diese Übung ganz vernachlässiget wird. — Noch größer wird man diesen Verlust finden, wenn man ernstlicher erwägen will, daß nur der für recht unterrichtet gelten kann, der ein lebendiges Bild von dem ganzen Umfang seiner Kenntnisse sich zu erhalten vermag; daß insbesondere in allen ideellen Beschäftigungen nur der etwas Bedeutendes zu leisten imstande ist, der die ganze Reihe von Ideen, die zu dem Umkreis seines Geschäfts gehören, mit Sicherheit und Festigkeit sich gegenwärtig zu erhalten die Kraft hat; daß für so viele das Gedächtnis der einzige Grund und Boden ist, auf welchem die Ideen Wurzel für sie fassen können; daß sie selbst von Gott und Tugend nur so viel mit klarem und lebendigem Bewußtsein festhalten, als sie davon in heiligen Gesängen und Sprüchen festzuhalten gelernt haben." S. Niethammers Streit des Philanthropinismus und Humanismus S. 296 f.

Empfindungsart, giebt dem Geist eine innere Unterhaltung und gewährt uns einen Selbstgenuß, der wohl der Mühe wert ist, durch die er erkauft wird. Daher verdienen teils ausgesuchte Stellen aus klassischen Schriften in verschiedenen Sprachen, teils genau aufgefaßte Gedankenfolgen einer Rede, einer Abhandlung, eines Gedichts recht eigentlich zu dem Stoffe gerechnet zu werden, an welchem man die Gedächtniskraft üben soll.

2. Die Methode der Gedächtnisübungen.

α) Um Vorstellungen festzuhalten, welche man durch die Sinne, besonders durch das Auge bekommt, ist genaues und scharfes Bemerken und aufmerksames Betrachten von allen Seiten das nächste Mittel. Alsdann lasse man die Kinder die sie umgebenden Dinge, oder was sie an einem bestimmten Ort, wohin man sie geführt, oder in einer Gesellschaft vieler Menschen gesehen haben, nach einer bestimmten Ordnung mehrmals aufsagen, hernach aber auch mit verschlossenen Augen oder in einem andern Zimmer wiederholen. Sie kommen dadurch von selbst auf gewisse Kunstmittel, z. B. sich durch die Lokalordnung, worin sie Dinge gesehen, zu helfen und durch das eine an das andre erinnert zu werden.

Ein Beispiel. Man stellt kleine Knaben oder Mädchen vor einen Bücherschrank. Er hat drei Fächer. Man macht sie nun aufmerksam auf die einzelnen Bücher, eine Reihe nach der andern: „in der ersten Reihe siehst du ein Buch mit goldenem Rücken, drei Bücher in Leder mit goldenen Stempeln, vier Bücher in Leder mit goldenen Linien, acht Bücher in Leder mit rotem Titel, ohne Stempel, ohne Linien, sechs Bücher in brauner Pappe mit rotem Titel, ein Buch in blauer Pappe". — Eben so mit der zweiten und dritten Reihe, doch wie sich versteht nicht auf einmal, sondern nur, wie die Gedächtniskraft zunimmt, die Gegenstände vermehren. Dies Vorsagen wiederholt man einigemal; dann läßt man das Kind allein alles genau ansehen und merken, darauf weggehen, und in der Stille sich das Gesehene aufsagen, gerade in der Ordnung, in welcher die Gegenstände hingestellt sind.

β) Namen, Zahlen, zusammenhängende Sätze werden durch öfteres Vorsagen erlernt, denn Wiederholung ist auch hier die Mutter alles Lernens. Dies weiß jedermann. Auch ist bekannt, daß, je mehr etwas ins Ohr fällt, es sich desto tiefer einbrückt. Daher waren die sogenannten Versus memoriales in den älteren Grammatiken (Mascula sunt piscis etc. oder, Sunt aries, taurus, gemini etc.) eine sehr gute Idee, die man nicht sogleich als pedantischen Plunder hätte wegwerfen sollen. — Dabei ließ man die Kinder zusammensprechen, und daraus entstand Takt und Melodie. Das einzelne zeitlosende Auf- und Nachsagen haftet so schnell nicht, und auch darin liegt ein Grund, warum in den Volksschulen vordem mehr auswendig gelernt ward. Was in jenem schulmäßigen Zusammensprechen fehlerhaft ist, ist übrigens nicht notwendig. Wenn richtig, deutlich und bestimmt vorgesprochen und der Strom der Rede von dem Lehrer immer in den Ufern gehalten wird, so daß seine Stimme vortönt: so kann zwar etwas Taktmäßiges, Methodisches in das Aufsagen kommen, aber nicht der singende, ziehende Ton, oder die widrige Monotonie, welches eben die bekannten Fehler des auch jetzt noch nicht ganz verdrängten Schultons sind. Man sollte daher, besonders in zahlreichen Schulen, und wo es Gedächtnissachen betrifft, überall

Niemeyer, Grundf. d. Erziehung. I. 2. Aufl.   21

wieder zu der alten Methode zurückkehren, ohne in den Mißbrauch derselben zu verfallen. Für das früheste Alter ist die Abstraktionskraft noch zu gering, das Verfallen in Gedankenlosigkeit noch zu leicht, als daß man den Kindern für sich selbst das Memorieren überlassen dürfte. Was sie in Gesellschaft gern, leicht, ja mit dem höchsten Eifer thun, ermüdet und langweilt sie, wenn sie sich allein über-lassen sind, oder strengt sie unverhältnismäßig an und spannt sie ab, wenn ja Ehrgeiz oder Liebe zu ihren Lehrern imstande wären, sie zum Ziele gelangen zu lassen.

Noch wären zu den spezielleren Vorschlägen für die Übung junger Kinder zu rechnen und gewiß mit Nutzen zu versuchen: das Einprägen und Aufsagen-lassen der einzelnen Teile, aus welchen etwa ein Spielzeug zusammengesetzt ist, der Reihenfolge von Bildern, welche kurz zuvor betrachtet oder geschildert wurden. Man lasse sich einen faßlichen Auftrag, den man ihnen in bestimmten Worten ge-geben, möglichst treu wiederholen. Ja es dürften selbst Übungen durch Aufgaben nicht ganz zu verwerfen sein, in welchen durchaus keine logische Ordnung sichtbar wäre. Das Gedächtnis muß sich gewöhnen, nur auf sich selbst zu vertrauen. Es soll seine Treue bewähren, auch wo das Denkvermögen ihm schlechterdings keinen Anhalt gewährt. So ist es nicht übel, die Ordnung des Alphabets zugleich mit dem Buchstabieren selbst ganz kleinen Kindern einzuprägen; Teile des Ein-mal Eins werden sehr früh eingeübt werden können, und selbst sinnlos verbundene Namen und Worte, als die Benennungen der Monate und Tage, bieten oft den passendsten Stoff dar. In vielen Fällen dürften dergleichen Übungen unstreitig neben ihrem Nutzen, den sie unfehlbar haben, noch den Schaden abwenden, den schlechte Gedanken in Reime gebracht oder sonst in leichte tändelnde Form dargestellt, so oft notwendig verursachen. Abgerechnet die Geschmacksverbildung, sind sie Anlaß zu Vorurteilen und pflanzen falsche Ansichten, schlechte Grundsätze, wenigstens läppischen Tand fort, dessen Eindruck späterhin wieder los zu werden, man große Mühe hat. Glückliche Harmonie zwischen Form und Gedanken findet sich für dieses Alter höchst selten. Für den größten Gewinn muß deshalb die formelle Geistesbildung gehalten werden.

3. Über das Fortschreiten vom Leichten zum Schweren höre und befolge man Quintilians Rat. Wir geben, da der Gegenstand für jeden Leser wichtig ist, seine Worte in unsrer Sprache: Will jemand die Hauptkunst, das Gedächt-nis zu vervollkommnen, von mir wissen, so besteht sie in Übung und Arbeit. Das wirksamste ist Auswendiglernen, viel aussinnen, und das, wo irgend möglich, täglich. Keine Kraft mehrt sich in dem Grade als das Gedächtnis durch Kultur oder geht so leicht unter durch Vernachlässigung. Darum müssen schon Kinder sehr viel memorieren, müssen den Überdruß, das Gelesene und Geschriebene immer aufs neue zu lesen, und gleichsam dieselbe Speise wieder zu käuen, be-zwingen lernen. Instit. Or. L. XI, c. 11 — Auch er empfiehlt in eben diesem vortrefflichen Kapitel die Gradation; anfangs wenig und was keinen Überdruß erregt, dann mögen täglich einige Zeilen mehr hinzukommen, so daß man den Zuwachs kaum merke und unvermerkt bis zur höchsten Zahl aufsteige;

   erst poetische Stücke,

   dann rednerische,

endlich auch ganz freie ohne Maß und Rhythmus, selbst vom gewöhnlichen Sprachgebrauch abweichende, wie etwa manche Formeln der Rechtsgelehrten.

Er setzt die feine Bemerkung hinzu: „das, was man als Übungsmittel treibe (quae exercent), müsse schwerer sein als das, wozu es üben soll (in quod exercent), wie der Athlet den Arm zum Kampf an Bleigewichten stärke, um für den Kampf starke Arme zu bekommen."

Ebenso empfiehlt er die größte Genauigkeit im Memorieren: „keine Silbe darf fehlen, darauf muß man besonders bei Knaben bringen, und durch Übung das Gedächtnis daran gewöhnen, damit sie zeitig lernen sich keinen Fehler zu verzeihen."

Die übrigen Vorschläge beziehen sich besonders auf das Memorieren längerer Stücke, ganzer Reden u. s. w. Sie werden sich jedem in der Anwendung bewähren.

Auch einige Bemerkungen von Kant über das Methodische bei dem Memorieren verdienen hier eine Stelle. „Es kann, sagt er, mechanisch, ingeniös und judiciös sein. Das mechanische beruht bloß auf öfterer buchstäblicher Wiederholung. Das ingeniöse ist eine Methode, durch Association von Nebenvorstellungen, die an sich gar keine Verwandtschaft mit einander haben, etwas in Erinnerung zu bringen. Viele Vorschläge der künstlichen Mnemonik sind dieser Art. Das judiciöse gleicht einer Tafel der Einteilung eines Systems, wo man sich des Vergessenen durch Aufzählung der behaltenen Glieder der Einteilung erinnert." (S. Kants Anthropologie S. 94.)

4. Daß von dem, was in Schulen gelernt wird, sehr vieles bloß zum künftigen Vergessen erlernt ist, davon liegt der Grund nicht bloß in dem Zuviel der Materie und dem Mangel der Auswahl, sondern besonders in der unterlassenen Wiederholung. Es ist allerdings nicht nötig, daß alles behalten werde, was einmal erlernt wird; denn der Zweck kann mit der Kraftübung vollkommen erreicht sein. Aber gewisse positive Kenntnisse, z. B. grammatische, historische, geographische, naturgeschichtliche, werden doch wohl eigentlich gelernt, um behalten zu werden, weil sie zu dem Kreise der Kenntnisse eines wohl unterrichteten Menschen wesentlich gehören. Sie verschwinden gleichwohl ohne Spur, wenn man nicht während des Schullebens von Zeit zu Zeit eine regelmäßige Wiederholung anstellt, gesetzt auch, die Schüler wären längst über die Klassen hinaus, in denen sie ex professo getrieben werden. Auch im Privatunterricht sollte man monatlich ein paar feststehende Wiederholungstage ansetzen, an denen man zuweilen bis in die ersten Elemente zurückginge. Ein solches Erneuern alter Eindrücke macht sie immer tiefer und bewahrt vor der Unsicherheit des Wissens.

Ne primae quidem memoriae temere credendum: repetere et diu inculcare fuerit utilius. — Incredibile est, quantum morae lectioni festinatione adjiciatur. Hinc enim accidit dubitatio, intermissio, repetitio, plusquam possunt audentibus deinde cum errarunt, etiam iis quae jam sciunt, diffidentibus. Quintil. Inst. Or. I, 1. 31.

21*

6. Die Mnemonik oder Gedächtniskunst. Beschreibung und Beurteilung.

Die Gedächtniskunst der Alten (memoria artificialis), welche neuerlich wieder zur Sprache gekommen ist, beruht auf den Gesetzen der Ideenvergesellschaftung. Die wissenschaftliche Darstellung ihrer Theorie oder der Regeln, nach welchen das Erinnerungsvermögen die willkürliche und geordnete Zurückberufung ehemaliger Eindrücke bewirkt, ist die Mnemonik. Sie übt das Gedächtnis hauptsächlich als Erinnerung, und lehrt Vorstellungen an irgend einem sichtbaren Gegenstande oder Bilde, das leicht hervorgerufen werden kann, auffassen und festhalten. Sie entstand in den Schulen der Rhetoren, und was aus dem Altertum von ihren Grundsätzen auf uns gekommen ist, trägt auch das Gepräge ihres Ursprungs. Schon insofern ist in der Erziehung und beim Unterricht weniger Gebrauch von ihr zu machen, als allenfalls in der Folge für Personen von reiferem Alter, die in der Notwendigkeit sind, viele und mancherlei Gegenstände im Gedächtnis zu behalten. Was darin von kleinen Kunstgriffen und Hilfsmitteln auch für Kinder und Jünglinge brauchbar ist, entgeht nicht leicht einem geübten Lehrer und dem Lernenden selbst nicht. Aber von einer förmlichen Ausübung der Kunst würde sogar mehr Nachteil für die Gedächtniskraft in jenem Alter zu erwarten sein, wo sich diese aus sich selbst herausbilden, durch Übung stärken und nicht zu früh Hilfe und Unterstützung bei der Einbildungskraft suchen sollte.

1. Nach der neuesten Bearbeitung der Mnemonik durch H. v. Aretin, läßt sie sich in Beziehung auf Wort- und Sachgedächtnis auf drei Grundregeln zurückbringen, welche auch die Alten schon im Auge hatten:

a) „Verwandle das einzelne Wort, den einzelnen Gegenstand in ein Bild. (Symbolik oder Glyphographie.)"

b) „Verbinde dieses Bild mit einem raum- oder zeitgemäßen Gegenstande, der dir eben vorschwebt oder der dir vorschweben wird, wenn dir die Zurückrufung eines Bildes notwendig wird. (Topologie.)"

c) „Verbinde jedes der zu merkenden Worte oder jede der zu merkenden Sachen mit einem einzelnen Teile des neuen oder zeitgemäßen Gegenstandes. Oder mit andern Worten: um die Auseinanderfolge mehrerer Dinge zu behalten, mußt du Gegenstände suchen, deren Succession dir hinlänglich bekannt ist, und dann mit jedem derselben einen der Gegenstände verknüpfen, die in einer gewissen Ordnung behalten werden sollen."

Beispiele zu diesen Regeln findet man in den in der folgenden Anmerkung angeführten Schriften von Kästner und Klüber. Es läßt sich erwarten, daß die Aretinschen andrer Art sein werden als was die älteren Mnemoniker, z. B. in Schenkels Manier, schon vorgeschlagen haben. Denn unter diesen sind viele so abenteuerlich und geschmacklos, daß man seinen Augen kaum trauen darf. Aber auch manche neuere sind um nichts besser. Nur ein paar Beispiele: Um den Satz: Paris ist eine Freistadt der Musen, zu behalten, soll sich die

Phantasie Paris selbst ober nach einem Bilde vorstellen, vor dem ein Verbrecher hin und her läuft. — Um den Satz: Tugend ist ohne Glauben an Un- sterblichkeit sehr schwach, nicht zu vergessen, soll man sich die personifizierte Tugend denken, einen Palmzweig in der Hand oder den Tod an der Seite. — Für den Satz: Quid miraris, quid stupes omnes hujus mundi divitias? Pompa est! Ostenduntur. Non possidentur perpetuo — eine Menge Geld- säcke! (Viele ähnliche sehe man bei Kästner). Oder man läßt eine Anzahl Sub- stantiven dem Gedächtnis so streng einprägen, daß, obschon dieselben gar keinen innern Zusammenhang haben, vielmehr mit Absicht recht bunt verschiedenartig ge- wählt sind, sie in jeder angegebenen Reihenfolge und rück- und vorwärts aufge- sagt werden können. Mit diesen gleichsam lokal eingewachsenen Begriffen soll nun jedes neu zu behaltende in Verbindung gesetzt werden, sei der Grund davon Ver- bindung des Sinnes oder bloß Ähnlichkeit des Lautes.

Ein vorzügliches Hilfsmittel fanden schon die Alten in der Locierung der Hilfsbilder, an welche man das, was behalten werden sollte, knüpfte, und die man sich an gewisse Stellen hindachte (Memoria localis). Man riet, entweder schon vorhandene Räume, z. B. die Teile eines Hauses, eines Schiffs, einer Gegend zu wählen, und in jede Stelle etwas, was man im Gedächtnis behalten wollte, aber durch ein Bild ausgedrückt, hineinzudenken. Oder man empfahl, sich einen beliebigen Ort, z. B. die vier Wände eines Zimmers in eine bestimmte Anzahl von Quadraten zu teilen, und dann ebenso verfahrend, in jedes eine Gedächt- nissache oder ein Wort zu setzen: wodurch sich dann mit der Vorstellung des Raums und der Ordnung der Räume zugleich die in denselben locierte Sache der Seele, so oft man es wollte, darstellen würde. So behält z. B. ein Lehrling die Abstammung der Temporum des griechischen Verbums sicherer durch den Stamm- baum, den man in einigen Sprachlehren findet, indem selbst die Vergegenwärtigung der Lage der Blätter sinnlich daran erinnert.

2. Es kann sein, daß, wer sich in jene Regeln hineinstudiert und ein eigent- liches Geschäft daraus macht, mit seinem Gedächtnisse Aufsehen zu erregen, durch die Verbindung gewisser Bilder mit den Ideen, und durch die Hinstellung der Vorstellungen in gewisse räumliche Abteilungen, z. B. in der Phantasie in Quadrate eingeteilte Wand des Zimmers allerlei Vorteile gewinnt. Aber zuverlässig sind die, welche in der Geschichte alter und neuer Zeit wegen ihres unglaublich starken Gedächtnisses berühmt geworden sind*), nicht auf diesem Wege zu jener sel- tenen Fertigkeit gelangt. Wer auf seine Kunst oder Wissenschaft Reisen macht, muß freilich auch durch das außerordentliche Aufsehen und Erstaunen zu erregen suchen.

*) Beispiele von außerordentlichem Gedächtnisse sind bei den Alten: Simo- nides, Theodektes, Cyneas, Carneades, Metrodor, Hortensius, Seneca, Themistocles, Mithridates, Cyrus u. m. A. M. s. bei Cicero, Tusc. I, 24, Plinius, H. N. VII, 24. 24, Quintilian, Instit. II, 2, bei Seneca, Controvers. I. prooem., und bei Murett, Var. Lect. III, I, womit Muratori über die Einbildungskraft, T. I. S. 198 ff., und Moritz Magazin für Seelenkunde, B. 5. St. 2., zu vergleichen sind.

In der That aber erscheint der Aufwand an Mitteln für den Zweck viel zu groß, wenn, um etwas viel Leichteres wie die oben angeführten kurzen Sätze zu behalten, „das Gedächtnis mit noch mehr Nebenvorstellungen belästigt werden muß;" und man kann schwerlich Kant unrecht geben, wenn er ungereimt nennt, „daß bei dieser Kunst oft eine regellose Einbildungskraft das zusammenpaart, was gar nicht unter einen und denselben Begriff zusammengehört, oder durch eine natürliche Ideenassoziation verbunden ist;" wenn er einen Widerspruch der Absicht mit sich selbst findet, „die Schwierigkeit der Wiedererinnerung, durch die Vermehrung dessen, was im Kopf behalten werden muß, vermindern zu wollen*)."

Ich glaube vor der Anwendung solcher Künsteleien, wenigstens im Jugendunterricht, auf alle Weise warnen zu müssen. Sie würden dem Knaben und Jüngling selbst beinah lächerlich erscheinen; für Mädchen gehören sie vollends gar nicht. Durch klares, richtiges und lebhaftes Einprägen übt sich das Behaltungsvermögen; durch häufiges Wiederholen wird es treu; durch kleine Winke und Hilfen nach den Gesetzen der Gedächtnisassoziationen bekommt das Erinnerungsvermögen eine Fertigkeit, die wahrscheinlich alle künstlichen Mittel entbehrlich macht.

Wer in der Jugend von allen diesen Seiten versäumt ist, und die Schwäche der Gedächtniskraft schmerzlich fühlt, der versuche diese Krücken, ob er sich vielleicht daran festhalten kann. Nur beenge man sich hier ebensowenig die Freiheit der

---

*) Man vergl. das Beispiel bei Kästner S. 118. Welcher Aufwand von Kunstmitteln, um vierzig Wörter zu behalten, die geübte Knaben in einer Viertelstunde lernen! — In der unten angeführten Kästnerschen Übersetzung der Stellen aus den Alten, S. 54. — welche unnatürliche Kombinationen, um die Reihenfolge der Begebenheiten der Kirchengeschichte im Gedächtnis zu bewahren! Nur eine Probe als Beispiel der Verirrungen unsrer Zeit.

Aus dem 4. Jahrhundert nach Schröckhs Lehrbuch.

Historische Data.	Hilfsmittel zum Behalten von Phantasiebildern.
1. Konstantinus Magnus. Erscheinung am Himmel, im Jahr 311.	1. Ein gewisser Konstantin, oder ein Gemälde von Kostnitz und eine Abbildung der Zahl 11.
2. Getauft 337. Schenkung an Sylvester.	2. Eine Abbildung der Zahl 37 und ein großer Wald.
3. Julian † 363.	3. Ein Mädchen mit Namen Juliana und eine Abbildung der Zahl.
4. Antonius, Hilarion und Pachomius.	4. Ein gewisser Anton ist sehr fröhlich, daß ihm jemand ein Geschenk mit den Werken des Baco von Berulamia gemacht hat.
5. Eusebius Pamphili, Bischof zu Cäsara.	5. Ein Mensch, den ich für sehr fromm halte, liest im Julius Cäsar.
11. Athanasius † 371.	11. Ein Skelett.
12. L. adversus Arianos.	12. Das himmlische Zeichen des Widders.

Phantasie, noch überlade man sie mit zu vielen oder wohl gar abgeschmackten Bildern, wie die unten angeführten.

3. Hier mögen noch einige litterarische Notizen über diesen Gegenstand folgen, die vielleicht manchem von der Litteratur entfernten Leser nicht unwillkommen sein werden.

Die ersten Beschreibungen und Empfehlungen einer künstlichen Mnemonik finden sich sämtlich in den Schriften alter Rhetoren. Als Erfinder nennt man, jedoch mehr aus Mißverstand (vergl. Cicero de orat II. 87.) den Dichter Simonides Ceus, der zwischen Olymp. LV, 3. und LXXVI, 4. lebte. Wahrscheinlicher wird aber aus Xenoph. Symp. c. 4 und Plat. Hipp. min. et. maj., daß unter den Griechen der Sophist Hippias von Elis der Erfinder ist. Seine Ideen bildeten Theodektes, ein Zeitverwandter des Aristoteles, Charmades oder Charmides, des Carneades Schüler, und dessen Zuhörer Metrodorus Scepsius weiter aus, und sie machten zum Teil auch für die Redekunst Gebrauch davon. Römische Schriftsteller reden ausführlich darüber. Vergl. C. Morgensternii Comm. de arte veterum mnemonica. Lips. 1805.

Hauptstellen sind: Cicero de Oratore L. II, 86—88, L. III, 16—24 Auct. LL. ad Herennium L. III, 16 seqq. und Quintiliani Instit. L. XI, c. 3., womit Marhofii Polyhist., II, c. 6 p. 866 seqq. zu vergleichen ist. — Quintilian setzt jedoch keinen sehr hohen Wert auf das Künstliche in der Sache, indem er mit den Worten „nos simpliciora tradamus" zu der naturgemäßen Methode über. Erläuterungen jener Stellen findet man in C. A. L. Kästners Übersetzung und Erklärung der berühmten drei Stellen bei den Alten von der Gedächtniskunst. (Leipzig 1805). Eben dieser Schriftsteller hat in seiner Mnemonik oder Gedächtniskunst der Alten (2te Aufl. Leipzig 1805), den Gegenstand systematisch zu bearbeiten versucht. In früheren Zeiten haben mehrere, z. B. Raimund Lullus (im 14ten Jahrh.), wieder daran erinnert; besonders aber haben im 16. Jahrhundert in Holland Lamprecht Schenkel und sein Schüler M. Sommer in und außer Deutschland sehr viel Aufsehen auf ihren Reisen, wo sie die Gedächtniskunst lehrten, erregt; wie immer, was sich so laut und zuversichtlich ankündigt, eine Zeit lang Glück zu machen pflegt. Die selten gewordnen Aufsätze dieser Männer liefert übersetzt J. L. Klüber in dem Kompendium der Mnemonik oder Erinnerungswissenschaft aus dem Anfang des 12. Jahrhunderts von L. Schenkel und M. Sommer (Erlangen 1804); womit desselben Kontingent zur Geschichte der Gedächtnisübungen (Nürnberg 1806), zu vergleichen ist. — Besondere Aufmerksamkeit erregte aber des gelehrten Vicepräsidenten von Aretin zu München Denkschrift über den wahren Begriff und den Nutzen der Mnemonik (1804), worin er die Erfindung einer neuen Methode ankündigte und sie durch den Druck bekannt zu machen versprach. Einige Bogen sind bereits als Anfang unter dem Titel: v. Aretin, Kurzgefaßte Theorie der Mnemonik, (Sulzbach 1806), erschienen, welchen nach und nach die Geschichte der Mnemonik, die Praxis und die Kritik folgen sollten. — Das Wesentlichste findet man sehr wohl zusammengestellt in der schon oben S. 298 genannten Untersuchung über das Gedächtnis von Gräfe. — Raumer, Geschichte d. Pädag. II. 9. 11.

Über die Prüfung ursprünglicher Anlagen und Fähigkeiten überhaupt und mit besondrer Rücksicht auf einige neuere Hypothesen.

(Zu § 65, 87, 90).

1. Bedeutsamkeit des ersten Eindrucks.

Wenn die Erziehung das Kind in dem frühesten Alter, in welchem sie eigentlich ihr Werk schon anfangen sollte, in ihre Pflege nimmt, so befindet sie sich noch in einer völligen Ungewißheit über die Eigentümlichkeiten desselben. Sie urteilt höchstens aus dem gesunderen oder kränkeren Ansehen und der Lebhaftigkeit oder Schwäche seiner Bewegungen über seine Körperkraft. Nach und nach glaubt sie in dem Auge des Kindes, aus welchem uns zuerst sein innerer Geist anspricht, die Andeutungen einer schwächeren oder stärkeren Geisteskraft zu erblicken, je nachdem dies matt oder feurig nach der Außenwelt hinblickt; bis sich, wenn die Ideen zur Sprache werden, deutlicher offenbart, ob das Kind zu den Fähigen oder Unfähigen gehöre. Auch von seinem übrigen Thun und Wesen, seiner Folgsamkeit oder Unfolgsamkeit, seinem Bequemen oder Nichtbequemen in die äußeren Verhältnisse schließt man auf seine moralischen und geselligen Anlagen. Sicut in plantis, ita in pueris quoque prima indoles futurum virtutis fructum indicat.

Wer viele Kinder auf diese Art beobachtet und ihrer Entwickelung Schritt vor Schritt folgt, kann sich dadurch eine gewisse Fertigkeit, einen Sinn und Takt erwerben, der ihn wenigstens seltner als andre irren läßt.

Anm. Seltner als andre! — denn auch die Geübtesten müssen oft gestehen, daß sie zufolge der ersten Erscheinungen an den Kindern eine ganz andre Entwickelung und Ausbildung erwartet hätten, als hernach erfolgt ist. Starrsinn und Eigensinn gingen oft, ohne viel Zuthun der Erziehung, in der zweiten Periode der Kindheit in Milde und Nachgiebigkeit über; und das scheue, verschlossene Wesen verlor sich, ehe man es dachte. Kinder, die man für einfältig angesehen hatte, erwachten auf einmal wie aus ihrem Seelenschlummer; sehr fähig gehaltene standen plötzlich still. Alle gewöhnliche Zeichendeutung hätte auf solche Individuen nicht gepaßt.

Daher mag, wer Zeit dazu hat, nach den Vorschlägen und Beispielen mehrerer älteren und neueren Erziehungslehrer, über die stufenweise Entwickelung der Kinder von der Geburt an (wohl gar noch vor der Geburt) Tagregister halten, und darin jede neue physische, intellektuelle, moralische Erscheinung mit dem Fleiß eines Naturforschers anmerken; vorausgesetzt, daß dies mit einem geübten Beobachtungsgeiste geschieht, der die Erscheinungen teils rein aufzufassen, teils bestimmt zu bezeichnen versteht. Nur hüte sich jeder, hieraus zu rasch auf die allgemeinen Entwickelungsgesetze zu schließen, oder mehr hineinzutragen, als sich beweisen läßt. *)

Insonderheit vergesse man nicht, wie äußere Erscheinungen, welche sich oft so ähnlich sind, daß auch der schärfste Beobachter sie nicht zu unterscheiden vermag, gleichwohl ganz verschiedene Ursachen haben können und auch wirklich haben. In den ersten Monaten ist man ja selbst oft zweifelhaft, welche körperliche Empfindungen manche Muskelbewegungen des Gesichts ausdrücken sollen. Gewiß täuscht sich auch die Zärtlichkeit der Eltern oder Wärterinnen oft, wenn sie dem Kinde, das als ein holdes, liebvolles Lächeln anrechnet, was eben so gut durch innere Krämpfe und ein Grimmen in den Eingeweiden hervor gebracht sein kann; so wie Thränen eben so gut von dem Freudigen und Lächerlichen, als dem Schmerzlichen hervorgetrieben werden. — Überdies können sehr vorübergehende körperliche Zustände und Eindrücke, die vor der Entwöhnung so abhängig von dem Wohloder Übelbefinden der Ernährerin sind, und die unter andern Umständen gar nicht eingetreten sein würden, so viel Anteil an den ersten für bedeutend gehaltenen Äußerungen der Kinder haben, daß nichts unsicherer sein würde, als ihre ursprünglichen Anlagen, ihr Naturell daraus bestimmen zu wollen.

*) Von diesem Fehler sind gewiß einige der vorzüglichsten Entwickelungs-geschichten, die wir besitzen, nicht frei geblieben. Einige Beispiele aus Schwarz Erziehungslehre 2. Tl. mögen dies deutlich machen. Es ist die Rede von einem Kinde, das erst drei Wochen alt war.

„Am Ende der dritten Woche, heißt es, sahen die Augen verständiger aus und bemerkten die sprechende Mutter (?). Manchmal schien es zu hören! Damit schien nun die Aufmerksamkeit entschieden zu sein. Es hielt den Blick fest auf den Gegenstand mit der Miene des Horchens!"

Ich gestehe, daß man hier schon die Thatsache, nach allem, was ich und alle, die ich befragt, an Kindern in diesem Alter beobachtet haben, zweifelhaft ist; noch vielmehr aber die daraus gezogene Folge. Man vermutete nämlich hieraus, „daß in diesem Kinde gute und seine Anlage der Denkkraft sich zu fester Aufmerksamkeit und festem Denken bestimmen würde."

Es heißt weiter: „da es schon von seinem zehnten Tage an ziemlich kühl gewaschen wurde, so äußerte es jetzt fast gar kein Widerstreben dagegen, außer einem kurzen Weinen nur manchml. — Man glaubte hierin eine Stimmung zur Folgsamkeit zu finden." — Aber liegt nicht viel näher, daß der Körper sehr früh abgehärtet werden kann? Wenn wir unsre Kinder alle, wie der Russe die seinigen, an die Kälte von der Geburt an gewöhnten, so würden wir dieselben Erfolge sehen.

Ferner: „In der vierten Woche zeigte sich wahres Lächeln in seinem Angesicht; denn jede Miene des Frohsinns trat in allen Zügen deutlich hervor,

Unsicher bleibt daher immer diese Semiotik, und ich gestehe offen, daß ich wenig Ausbeute für das Praktische in der Erziehung aus einer Theorie erwarte, die sich so sehr auf dem Felde der Vermutungen und Hypothesen halten muß, und immer in der Gefahr der Täuschung schwebt.

2. Hilfsmittel bei fortgesetzter Beobachtung.

Wird dem Erzieher der Zögling erst dann übergeben, wenn die ersten Jahre der Entwicklung vorüber, folglich bereits mancherlei Eindrücke, absichtslos oder absichtlich, auf ihn gemacht sind: so ist es, da es nun von mehreren Seiten möglich wird, Beobachtungen über ihn anzustellen, auch leichter, seine Eigentümlichkeiten aufzufassen, indem nicht mehr alles im Keime liegt, sondern sich zu entwickeln und als Blüte hervorzutreiben anfängt. Die vornehmsten Hilfsmittel, seine intellektuellen und moralischen Anlagen kennen zu lernen, sind 1. die Beobachtung der körperlichen Individualitäten durch **Physiognomik** im weitesten Sinne, wozu seit einiger Zeit auch **Kraniognomik** (Schädelbeobachtung) gerechnet wird, und die Erforschung der **Temperamente**; 2. die Urteile anderer über den Zögling: der Eltern, der früheren Erzieher, der Geschwister und Gespielen; 3. die eigne scharfe Beobachtung aller Äußerungen geistiger und moralischer Kräfte und Fähigkeiten. Je wichtiger das Studium der

---

und zwar da es der Mutter in ihr freundliches Auge sah. Das erste Lächeln ist also die erste deutliche Äußerung der Liebe. Vielleicht wurde dieses Lächeln durch folgenden körperlichen Zustand etwas früher als gewöhnlich herbeigeführt. Das Kind hatte einige Tage Verstopfung, vermutlich also auch Bauchgrimmen, mit welchem jene Verziehungen der Gesichtsmuskeln, wie bei dem Lachen, verbunden zu sein pflegen — wahrscheinlich bei dem Nachlassen der Krämpfe. Brachte nun dieser Zustand in den Gesichtsmienen dieselben Bewegungen hervor, wie bei dem Lächeln, und war es, wie zu vermuten ist, dem Kinde dabei behaglich: so wurde durch den sympathetischen Reiz der Freundschaft, wovon das Auge der Mutter glänzte, dieselbe Bewegung, samt der inneren Behaglichkeit verstärkt, und das Kind war gerade so recht gestimmt, um diesen Reiz aufzufassen. Frohsinn und sympathetische Zuneigung flossen in seiner Miene zusammen und bildeten jene Züge zu dem lieblichen Ausdruck. Deutete das aber überhaupt nicht eine liebevolle Stimmung des Kindes an? Denn im entgegengesetzten Falle würde es, von den Bauchgrimmen erschlafft, nicht auf die Mutter geachtet haben, oder von dem krankhaften Reize widrig gestimmt geblieben sein." —

Aber sollten nicht gerade dieselben hier beschriebenen Erscheinungen in diesem Alter bei Kindern vorkommen, welche nichts weniger als liebevoll behandelt werden, sobald sie nur aus einem schmerzhaften körperlichen Zustande in einen angenehmeren übergehen? Ein sanftes Streicheln ihrer Wangen, ihres Kopfes, bringt fast immer das Lächeln, vielleicht selbst durch eine Art von Kitzel, hervor. Man wird bei Kindern gemeiner Bettler oft durch die unbefangene Freundlichkeit gerührt, die sie nicht ahnen läßt, in welchen schlechten Händen sie sind, welche ohne Erinnerung des Vergangenen, ohne Furcht des Künftigen, bloß von dem momentanen Eindruck eines angenehmen Geschmacks, einer behaglichen Lage u. s. w. affiziert werden. So früh, wie hier angenommen wird, möchte das Element der Liebe schwerlich aus der Seele hervorgehen.

so verschiedenen Naturen und Charaktere der Zöglinge ist, desto mehr verdienen diese Mittel noch näher betrachtet zu werden.

Anm: Bacon de Berulamio gab sechs Wege an, des Menschen Inneres kennen zu lernen. Notitia hóminis sex modis elici et hauriri potest 1. per vultus et ora ipsorum; 2. per verba; 3. per facta; 4. per ingenia sua; 5. per sines suos; 6. denique per relationes et judicia aliorum.

3. Physiognomische Beobachtungen.

Es hat zuvörderst jeder Mensch etwas Eigentümliches in seiner körperlichen Form und Bildung, welches oft schon sehr früh und mit den zunehmenden Jahren immer deutlicher hervortritt. Fast unwillkürlich fällen wir über alle, mit denen wir uns berühren, und wenn uns das Erziehungsgeschäft einigermaßen interessiert, besonders über Schüler und Zöglinge schon in dem Augenblick, wo sie uns zum ersten Mal vor das Auge treten, ein Urteil. Wir glauben von dem Inneren etwas in dem Äußeren deutlich wahrzunehmen. Ohne alles Studium der Physiognomik, Pathognomik, Mimik dünkt uns die Bildung des Gesichts, der Ausdruck ihrer Züge, dünken uns die Geberden, ihre Stellungen eine Bilderschrift, die uns oft so leserlich vorkommt, als wenn sich das Innerste des Wesens durch deutlich ausgesprochene Worte offenbarte*). Schon die Allgemeinheit solcher Urteile kann als ein Beweis gelten, daß sich das Innere in dem Äußeren ausdrücke, folglich diesen Urteilen, wenn sie gleich vor Täuschungen nicht sicher sind, dennoch etwas Wahres zum Grunde liege. Schon in den frühesten Zeiten hat man so empfunden, und die Empfindung ist selbst in die psychologische Sprache übergegangen. Warum sollte das dunkle Gefühl sich nicht verfolgen und vielleicht auf Regeln zurückbringen lassen? Ein geübter Physiognom, Pathognom und Kenner der Mimik besäße dann ein Talent mehr zum Erzieher, das ihm oft treffliche Dienste leisten und vor manchen Fehlgriffen in der Behandlung bewahren könnte. Man weiß auch bestimmt von mehreren vorzüglichen Schulmännern, daß sie neu ankommende Schüler fast auf den ersten Blick richtig zu würdigen und daher auch sogleich richtig zu nehmen wußten.

Folgende teils historische, teils theoretische Bemerkungen werden für angehende Pädagogen und Lehrer nicht überflüssig sein.

Anm. 1. Die Physiognomik, oder wenn das Wort im weitesten Sinne genommen wird, die Fertigkeit, durch das Äußere eines Menschen sein

---

*) Dominatur maxime vultus. Hoc supplices, hoc minaces, hoc blandi, hoc tristes, hoc hilares, hoc erecti, hoc submissi sumus. Hoc pendent homines, hunc intuentur, hunc spectant antequam etiam dicamus. Hoc quosdam amamus, hoc odimus, hoc plura intelligimus. Hic est saepe pro omnib͟ ͟is. Quintil. Bergl. Plin. H. N. XI, 54. Ein Engländer sag͟ a dieser nicht ein Schurke, jener nicht ehrlich ist, so schreibt unser ͟er ͟liche ͟Han͟

Inneres zu erkennen, ist nicht nur von jeher als ein Mittel der Menschenkenntnis betrachtet, sondern auch schon in früheren Zeiten sogar wissenschaftlich behandelt worden.

Vielleicht sind folgende litterarische Notizen, da man sie sonst nicht leicht beisammen findet, auch hier nicht unwillkommen. — Unter den ältern Lehrern der Physiognomik ist Aristoteles (Physiognomica) der merkwürdigste, so schwankend auch seine Theorie ist. Ein Sophist, Abamantius, schrieb Physiognomicorum ad Constantinum Lib. II. (Basil. 1545), worin er den Aristoteles und Polemon als seine Lehrer nennt, sie aber eher übertrifft. S. Scriptores Physiognomiae veteres, ed. Franzius. Altenb. 1780. J. B. Porta machte in seinem Werk De humana physiognomia (L IV. 1601) besonders auf die Ähnlichkeit einzelner Menschen mit Tiergattungen aufmerksam. Huarte, ein Spanier, übersah in seinem stellenweise sehr gehaltreichen, von Lessing übersetzten Buch über die Prüfung der Köpfe eben so wenig die Harmonie des Äußeren und des Inneren. Mehrere Schriftsteller nennt Lavater. Dieser hatte in neueren Zeiten das Verdienst, dem fast vergessenen, oder mit Metoposcopie und Chiromantie verwechselten und verspotteten Studium der Physiognomik ein neues Interesse zu geben, wie er dies auch bei Unbefangenen, welche die Auswüchse seines großen Werks von dem vielen Gehaltvollen zu sondern wissen, gewiß erreichte. Schon im Jahre 1772 erschienen zwei Stücke einer kleineren Schrift: Von der Physiognomik, welcher seit den Jahren 1775 bis 1778 das größere Werk: Physiognomische Fragmente zur Beförderung der Menschenkenntnis und Menschenliebe, in 4 Bänden in klein Folio, mit vielen hundert Kupfern und Vignetten nachfolgte; wovon teils eine französische Übersetzung besorgt ist, teils einige (nicht gelungene) Auszüge, z. B. von Armbruster, erschienen sind. Es ist bis jetzt wenigstens das Beste, was jemals über diesen Gegenstand geschrieben ward, und nach dem Urteile eines besonnenen und unbefangenen Beobachters, Fr. Nikolais, welcher sich selbst viel mit dem Gegenstande beschäftigt, und unstreitig weit kälter und ruhiger als Lavater darüber gedacht hatte, „keineswegs aus bloßen Grillen und unzuverlässigen Behauptungen zusammengesetzt, sondern voll von richtigen und fruchtbaren Beobachtungen, welche bei genauer Vergleichung mit der Natur wirklich Probe halten, und zum Teil auf philosophische, physische, anatomische Kenntnisse gegründet sind." Es hat große Fehler in Plan und Ausführung und könnte gewiß um zwei Drittel kürzer sein, ohne zu verlieren. Auch schadet schon das Prachtvolle seiner Gemeinnützigkeit. Doch wird sie nicht leicht einer Universitätsoder sonst großen öffentlichen Bibliothek fehlen. Aber es ist zu bedauern, daß nicht mehrere auf der gebrochenen Bahn fortgegangen sind. — Sehr gründliche und lehrreiche Rezensionen hat in der Allgem. deutschen Bibliothek Nikolai selbst geliefert. M. s. B. 23, S. 313, B. 29, S. 379 und Anhang zu B. 25—36, 2. Abteil. S. 1251. — Mehrere geistvolle Spottschriften von Musäus (physiognomische Reise), Lichtenberg u. a. treffen nicht die Sache, sondern entweder gewisse schwärmerische Stellen des Werks, oder den Mißbrauch unberufener Physiognomisten. Des letzteren Erklärung der Hogartischen Kupferstiche giebt auch, wie diese selbst, reiche Ausbeute. — Noch bearbeiteten diesen Gegenstand Pernetty im Versuch einer Physiognomik a. d. Franz. 3 Bde. Dresden 1784. P. Camper über den natürlichen Unterschied der Gesichtszüge; deutsch von Sömmering, Berlin 1792. Desselben Vorlesungen über den Ausdruck der verschiedenen Leidenschaften durch die Gesichtszüge; deutsch von Schab. Gotha 1793. — Die deutsche Naturphilosophie zeigte einen starken Hang zur Symbolik der Form. Goethe hatte in seiner Morphologie manchen hierher gehörigen Gedanken ausgesprochen. Schelling und besonders Oken förderten diese Richtung des deutschen Geistes. Zu einer eigentlichen Physiognomik brachte es aber erst

C. G. Carus in seiner Symbolik der menschlichen Gestalt 1852. Später Piderit, Grundsätze der Mimik und Physiognomik, Braunschweig 1858. — S. auch Volkmanns Psychologie Band I. § 30 (S. 199 ff.), sowie Lotze, allg. Physiologie, S. 295 ff.

2. So bald es nun gewisse natürliche Zeichen dessen giebt, was einen Menschen von dem andern unterscheidet, so wird so gut wie die medizinische Semiotik sich auch diese unter bestimmte Regeln bringen, sich lehren, lernen, andern mitteilen und fortpflanzen lassen. Die Versuche dazu sind freilich bisher bloß fragmentarisch geblieben; aber auch aus diesen Fragmenten ist, wenn man sie mit einem geübten Urteile liest und benutzt, mancherlei zu lernen. Das natürliche physiognomische Gefühl, das jedoch selbst einem Menschen mehr als dem andern angeboren ist, kann wenigstens dadurch berichtigt und vorsichtig gemacht werden.

3. Wer sich daher dem Erziehergeschäfte widmet, versäume auch dies Studium nicht und mache sich wenigstens mit einigen der allgemeinsten Grundsätze bekannt, ohne welche sein Beobachtungsgeist zu unstät umherschweifen würde. Er suche sich durch die Anwendung der vielfachen Erfahrungen aufmerksamer Beobachter zu überzeugen, daß nicht nur die Pathognomik, oder die Fertigkeit, die in der Seele vorhandnen und wechselnden Zustände, Affekten und Leidenschaften in den Veränderungen der weichen Teile des Gesichts, so wie in der ganzen Geberdung des Menschen zu lesen, einen sicheren Grund habe, worauf sich ja fast jeder Mensch von gemeinem Beobachtungsgeiste versteht; sondern daß auch die Physiognomik, welche von der natürlichen Verschiedenheit der festen Teile, besonders des Schädels und der Knochen des Angesichts ausgeht, eben sowohl begründet ist; wenn es gleich hier schwerer bleibt, die Gesetze und Andeutungen der Natur und die Beziehungen des Äußern auf das Innere auf feste Regeln zurückzubringen. Wie auffallend sich ganze Nationen dadurch, eben so wie durch ihren Charakter und das Maß ihrer geistigen Fähigkeiten unterscheiden, ist bekannt und durch Blumenbach und andre noch mehr ins Licht gesetzt.

Herrliche Winke, welche auch meinen eignen Beobachtungen in dem Umgange mit einer großen Menge junger Leute zu statten gekommen und in der Erfahrung bewährt sind, enthält das größere Lavatersche Werk, das aber freilich nur für wenige zugänglich ist. Aber als leitende Idee kann schon das treffliche Dienste leisten, was Nikolai, als einen Auszug vorzüglich wichtiger Beobachtungen in der schon erwähnten Rezension geliefert hat. (Allg. D. Bibl. Anhang zu B. 25—36. 2. Abteil. S. 1262). Es enthält namentlich Beobachtungen über die Knochen, das Haupt, das Hinterhaupt, das Angesicht, den Scheitel, die Stirn, die Augen, die Schläfe, die Nase, die Lefzen und Lippen, die Zähne, das Kinn und die Ohren, den Hals, die Hände, die Handschrift. Sie dienen wenigstens, den physiognomischen Beobachtungsgeist aufzuregen und dem natürlichen Gefühle mehr Bestimmtheit zu geben. Doch würde es noch weiter führen, wenn man damit die eignen vortrefflichen Ratschläge Lavaters über das Studium der Physiognomik verbände, welche der 4te Band seines Werks, S. 138 und 459, enthält, und die zu den gehaltvollsten Abschnitten desselben gehören.

4. Wenn man in Schulen und Erziehungsanstalten viele junge Leute beobachtet und den physiognomischen Blick, auch durch Zeichnen und Silhouettieren,
etwas geübt hat, so suche man sie nach der wahrgenommenen Beschaffenheit ihrer
Verstandesfähigkeiten und ihrer Charaktere unter gewisse Klassen zu bringen.
Man fange dabei von den schärfsten Kontrasten, den talentvollsten und den be-
schränktesten Köpfen, den Klügsten und den Einfältigsten, den Listigsten, Betrüg-
lichsten und den Harmlosesten, leicht Betrogenen, den Gutmütigsten und Bös-
artigsten, den Offensten und Verstecktesten an, und beobachte nun weiter, wiefern
jede Klasse auch physiognomische Ähnlichkeit habe. Die innere Natur wird sich
zwar in der körperlichen Anlage nicht immer auch äußerlich bestimmt verschieden
gestalten; aber ganz unfehlbar wird man auch gewisse immer wiederkehrende Ähnlichkeiten finden, die nun gleichsam das Alphabet der physiognomischen Wissenschaft
liefern. Solche Beobachtungen halte man durch Niederschreiben fest. Dazu gehört
aber eine besondere Übung, um die verschiedenen Charaktere in allen ihren Schattierungen nicht nur dunkel zu fühlen, auch wohl bestimmter zu denken, sondern
sie mit unterscheidenden Wörtern zu bezeichnen; wozu man reichen Vorrat in
solchen Schriftstellern findet, die, wie Fielding, La Bruyere, Shakespeare,
Winkelmann, Goethe, Wieland, Jacobi, Lavater, Lessing, Herder,
Lichtenberg, J. Paul Richter, Herbart ꝛc. scharfe und feine Beobachter
menschlicher Naturen waren. Diese Übung ist in aller Hinsicht von großer Wichtigkeit für den Pädagogen. Denn, auch abgesehen von dem physiognomischen Studium, giebt sie ihm die Fertigkeit, die Charaktere seiner Zöglinge nicht bloß zu
ahnden, sondern rein und scharf aufzufassen.

5. So vorgeübt, mache man nun Versuche, jeden neuen Zögling in der
Stille physiognomisch zu beurteilen, allenfalls seine Vermutungen nieder-
zuschreiben, um damit in der Folge vergleichen zu können, ob und wie sie sich
bewährt haben. Dadurch wird der Takt immer sicherer. Dies physiognomische Urteil ist übrigens auch ganz etwas anderes, als der erste flüchtige Eindruck, welchen ein Gesicht und das ganze Wesen eines Zöglings, den wir zum
ersten Mal sehen, auf uns machen kann. Das, was man wohlgebildet, schön,
reizend nennt, die blühende Farbe, die Lebhaftigkeit der Augen, die einschmeichelnde
Freundlichkeit, das dreiste, entgegenkommende Wesen, die guten Manieren, der
melodische Ton der Stimme: dies alles gewinnt dem Kinde, dem Knaben und
heranwachsenden Mädchen oft aller Herzen; und bis zur Unbesonnenheit schließen
sich oft junge, auch wohl ältere Lehrer an solche von der Natur Begünstigte an.
Man rechtfertigt dies auch wohl durch den Gemeinplatz: „in einem so schönen
Körper müsse eine schöne Seele wohnen." Aber man vergesse nicht, daß, wenn
schon jeder inneren Güte auch ein äußeres Merkmal entsprechen, und
dies allezeit einen angenehmen Eindruck machen sollte, die Schönheit und
innere Vortrefflichkeit eines Charakters sich doch in der Regel weit mehr in
einem schönen Ausdruck, als in regelmäßigen Linien und Zügen offenbare; und
daß die schöneren Körper, die z. B. Griechen gehabt haben mögen, (wiewohl
auch hier vieles übertrieben und durch die Beispiele von Sokrates, Aesop,

Aristoteles u. a. beschränkt wird), noch gar nichts für ihren hohen moralischen Wert entscheiden. Die Sinnlichkeit hängt an Form, Farbe und Fülle.
Der sittliche Kenner, dem überall der Geist mehr ist als die Hülle, sieht oft in
einem sehr regelmäßigen, für schön gehaltenen Gesicht etwas, das bange Ahndungen erweckt, wovor er wohl gar erschrickt, und findet in einem andern, das im
gemeinen Urteile für häßlich gilt, eine Anmut, ein Interesse, dem er nicht widerstehen kann. Selten sind auch in Schulen und Erziehungsanstalten die schönsten
die besten, werden auch eben deswegen von ihren besseren Gespielen selten am
meisten geliebt.

Nur so viel ist gewiß, daß die Tugend allemal verschönert, das Laster
allemal verhäßlicht; wie man denn dies auch als praktischer Erzieher an Zöglingen, die sich bessern oder verschlimmern, deutlich wahrnehmen kann. Jene Ver-
schönerung besteht aber nicht in dem, was man gewöhnlich unter der Schönheit versteht. Wie könnten die Grundzüge, die von den Teilen ausgehen,
geändert, oder wie könnte ein narbichtes Gesicht geglättet werden? Eher könnte
man noch sagen, daß das eigentliche Laster auch das Gesicht widrig verziehe, ihm
mit seiner Blüte auch seine Spannung nehme, alles erschlaffe, endlich zerstöre.
Die sittliche Schönheit besteht vielmehr in dem Ausdrucke des Ganzen, nicht des
Auges allein, sondern aller Züge, die edler, harmonischer, milder, ruhiger werden.
Darum ist es sehr wichtig, die Physiognomie junger Leute von Zeit zu Zeit mit
dem, was sie früher war, zu vergleichen; dann auch, wenn man innere Veränderungen in ihnen wahrnimmt, zu beobachten, ob und wie sie sich äußerlich
ankündigen. (M. vergl. einen Aufsatz von Mendelssohn über die Harmonie der Schönheit und Tugend, im deutschen Museum, und Garves Anm.
z. Cic. T. 2, S. 152 ff. und 168 ff.)

6. Viel kommt auch auf die Momente an, in welchen man seine Zöglinge
physiognomisch beobachtet. Je unbefangener sie sind, je weniger sie irgend etwas
in der äußeren Lage in eine besondre Spannung versetzt, je weniger sie (wie dies
wohl bei der ersten Bekanntschaft der Fall ist), weder Furcht noch Hoffnung, noch
der Wunsch zu gefallen innerlich bewegt, desto richtiger erkennt man ihre Natur.
Indes bezieht sich dies doch mehr auf das Pathognomische der Kunst, da die natürliche Bildung in den Grundteilen und Grundzügen unveränderlich ist.

7. Da unser physiognomisches Wissen noch im höheren Grade als
manches andre Wissen Stückwerk bleibt, so versteht es sich wohl von selbst, daß
der praktische Erzieher von den Resultaten seiner Beobachtungen höchst vorsichtigen
Gebrauch machen wird. Vorsichtig schon insofern, als er sich gegen den
Zögling nicht leicht eine eigentliche physiognomische Bemerkung über
seine Bildung erlauben wird. Denn es ist die Bildung, die jedem die Natur
gegeben hat, und die er ohne Verdienst und ohne Schuld trägt. Er würde
sich im ersten Falle vielleicht überheben, im andern über die Ungerechtigkeit der
Natur kümmern. Mit dem Pathognomischen ist es ein anderer Fall; die
Affekten liegen weit mehr in dem Gebiete der Freiheit, und man kann zuweilen
dem, der sich ihrer Herrschaft hingiebt, den Spiegel zu seinem Besten vorhalten,

damit er in seinem Gesichte lese, wie sie ihn entstellen. Man kann auch dem Jüngling, der zur Unschuld zurückkehrt, der nachgebend, friedfertig, gefällig wird, aufmunternd bemerkbar machen, wie sich das alles in seinem Gesicht ausdrücke, wie er auch äußerlich gewinne, indem er sich innerlich veredle u. s. w.

Auch gegen andre, z. B. Eltern, Miterzieher oder gar entfernte Bekannte, sei man vorsichtig mit diesen Urteilen. Entweder erfüllt man sie zu früh mit Vorurteil und Mißtrauen gegen die Kinder, die man vielleicht selbst zu schnell nach dem ersten Eindrucke beurteilt hat; oder man erweckt gegen sich selbst den Verdacht, daß man sich zu sehr durch das Äußere bestimmen lasse. Trägt man dagegen seine physiognomischen Hoffnungen oder Befürchtungen ganz allein in einem humanen Herzen mit sich umher: so kann man sie teils leicht bei sich berichtigen, wenn sie einer Berichtigung bedürfen, teils sie oft mit dem glücklichsten Erfolg bei der Behandlung der Individuen benutzen.

4. Kranioskopie.

Einige neuere Physiologen glauben noch weit untrüglichere Kennzeichen der natürlichen Anlagen gefunden zu haben, als die physiognomischen sind, in der Kranioskopie oder der Untersuchung der Schädelform. Diese soll auf viele Modifikationen der Seelenkraft und auf nicht wenige Dispositionen zu gewissen Charakteräußerungen mit großer Sicherheit schließen lassen. Auch hat man schon ihre Anwendung in der praktischen Erziehung angeraten; und manche voreilige Beurteiler haben gemeint, das Geheimnis der Prüfung der Köpfe, das Huarte und andere nach ihm zu entdecken gesucht, sei nun endlich von Gall gefunden. So weit glaubt der Erfinder selbst noch nicht mit seiner Lehre gekommen zu sein. Aber gläubige und begeisterte Schüler treiben gewöhnlich die Behauptungen weiter als der Meister.

Anm. 1. Da laut geäußert worden ist, diese Lehre müsse künftig zu den ersten Studien der Pädagogen gehören, um den Schlüssel zu diesen bisher unbekannten Ziffern der Natur zu finden; gleichwohl nicht vorausgesetzt werden kann, daß man allgemein mit dem Wesentlichen dieser neuen und wahrscheinlich — schnell vorübergehenden — Erscheinung des Zeitalters aus dem mündlichen Vortrage oder aus den darüber erschienenen Schriften, bekannt sei: so wird der Beurteilung dieser Meinung eine möglichst kurze Darstellung der Gallschen Lehre selbst vorangehen müssen.

Daß unter allen Teilen des menschlichen Körpers das Gehirn im nächsten Zusammenhange mit den geistigen Thätigkeiten stehe, darüber war man schon längst einverstanden, und hatte teils in der Größe des menschlichen Gehirns vor allen tierischen, teils in der, mit dem Mangel oder der Verletzung desselben unfehlbar verbundenen Abwesenheit oder Störung jener Geistesthätigkeit einen deutlichen Beweis davon gefunden. Auch waren schon viele Vergleichungen menschlicher Schädel angestellt, und man hatte in ihrer so verschiedenen Gestaltung den Charakter des Nationalen bemerklich gemacht. Endlich war auch die Kleinheit ober Größe des Schädels, die hervorstehende oder platte Stirn, der erhabene oder eingedrückte Hinterkopf für charakteristisch gehalten. In der Lavaterschen Physiognomik findet man viele Stellen hierüber. S. besonders im II. Versuch S. 139 ff. An Blumenbachs vortreffliche Sammlungen und Beobachtungen über die verschiedenen Schädelformen ist schon oben erinnert worden.

Aber schon die Untersuchung der Struktur des Gehirns führte den Dr. Gall in Wien auf durchaus andre Resultate als die bisherigen. Wider alle bisherige Observanz der Anatomen untersuchte er es nicht von oben hinab, sondern vom Rückenmark aus nach oben hinauf. Das Gehirn selbst erschien ihm nicht wie eine breiartige Substanz, sondern als eine Membran oder als ein Inbegriff von lauter einzelnen, aus dem Rückenmarke hinaufsteigenden Nervenfäden, die sich auch als einzelne Bündel von einander trennen und zerlegen lassen und in den beiden Hemisphären des Gehirns besondere Windungen bilden, welche stärker und schwächer, größer und kleiner sind. Da nun die Form des Gehirns die Form des inneren Schädels bildet, wie aus den Erhöhungen und Vertiefungen jeder inneren Schädelfläche zu sehen ist, die äußere Schädelfläche aber nach Galls Meinung mit der inneren vollkommen parallel läuft: so muß auch die äußere Schädelform der genaue Abbruck der Beschaffenheit des Gehirns in den einzelnen Windungen sein, und das Hervortreten oder Einsinken gewisser Teile muß auf die Größe oder Kleinheit der einzelnen in jenen Windungen zusammenlaufenden Nervenbündel schließen lassen.

Diese Nervenbündel sind nun nichts anders, als Organe besonderer Geistesverrichtungen, d. i. Teile des Gehirns, auf welche der Geist bei einer bestimmten Thätigkeit wirkt, und welche daher für diese bestimmte Einwirkung gerade eben so empfänglich und organisiert sind, wie die Sehnerven für das Sehen, die Hörnerven für die Töne, die Geruchsnerven für das Riechen u. s. w. Das Gehirn ist zwar der Inbegriff aller geistigen Organe und enthält die Bedingung der Möglichkeit zu allen geistigen Verrichtungen; aber es wirkt nie das ganze Gehirn zu jeder einzelnen Seelenthätigkeit. Vorzüglich ausgebildete Organe lassen auf vorzüglich starke Geisteskräfte schließen. Die Vollkommenheit des Organs offenbart sich aber in seiner quantitativen Entwickelung, folglich seiner extensiven Größe. Da diese auf die innere und so auch auf die äußere Gestaltung des Schädels wirkt: so kann man, wenn gewisse Teile desselben vor andern hervortreten, mit Recht schließen, daß da liegende Organ müsse vor andern ausgebildet sein, da, wenn das Gehirn im Alter abnimmt und leidet, auch die Schädelknochen sinken und der Kopf sich verkleinert.

Es kommt also nun darauf an, teils zu wissen, für welche Anlagen und Fähigkeiten es besondere Organe gebe; teils die Orte am Schädel zu bestimmen, welche mit den einzelnen Organen der Geistesfähigkeiten und Neigungen im Gehirn korrespondieren. Beides würde allein die Erfahrung lehren können, und auf diesem Wege glaubt Gall wenigstens einige sichere Entdeckungen gemacht zu haben.

Er beobachtete lebende Menschen und verglich ihre Fertigkeiten und Neigungen mit dem Bau ihres Schädels im gesunden Zustande. Er fand bei gleich hervorstechenden Fähigkeiten auch eine besondere Erhabenheit an denselben Stellen ihrer übrigens verschiedenen Schädel. Auch an Verstorbenen stellte er diese Untersuchungen an. Er beobachtete ferner den Einfluß, welchen Verletzungen des Schädels auf die Geistesfähigkeiten haben. Er verglich den Schädelbau der Tiere mit ihren Fähigkeiten und beides wieder mit dem Schädelbau und den Fähigkeiten des Menschen.

Aus diesen lange fortgesetzten Forschungen ergab es sich nun für ihn, daß man schon jetzt, obwohl die Wissenschaft noch in ihrem Anfange sei, gewisse Erhöhungen des Schädels als die bestimmten Andeutungen gewisser Anlagen und Fähigkeiten betrachten und die Stellen sicher nachweisen könne, innerhalb welcher die für sie bestimmten Organe, vollkommner oder unvollkommner, befindlich wären.

Folgende Organregionen hält er bei Menschen und Tieren für sicher oder höchst wahrscheinlich entdeckt: Geschlechtstrieb, Kinder- und Jungenliebe, Freundschaft und Treue, Raufbegier, Würg- und Mordsinn, Schlauheit, Diebssinn, Gutmütigkeit, Darstellungs- und Nachahmungsvermögen, Ruhmsucht, Beharrlichkeit, Sachsinn, Ortssinn, Personensinn, Farbensinn, Tonsinn, Zahlensinn, Wortsinn, Sprachsinn, Kunstsinn, Höhesinn, vergleichender Scharfsinn, Religionssinn (Theosophie). Die Anzahl der bis jetzt auf den Schädel abgezeichneten Regionen ist gegen dreißig.

2. Daß diese ganze Lehre weder der Geistigkeit noch der Freiheit der menschlichen Seele, wie es bei dem ersten Anblick scheinen könnte, gefährlich sei, suchte Gall daraus zu beweisen, daß:

a) jeder Psycholog, auch der strengste Verteidiger der Immaterialität eine Wechselwirkung der Seele und des Körpers annehme. So gut man nun in gewissen Fällen die Abhängigkeit des Vermögens, z. B. Gesichtsvorstellungen zu bekommen, von dem materiellen Organ abhängig mache, ohne deshalb das Organ mit der Kraft zu verwechseln: eben so gut müsse dies auch bei andern Vermögen denkbar sein, für die man nur bisher das Gehirn als das allgemeine Organ, nicht aber einzelne Teile (Nervenfäden) als besondere Organe betrachtet habe.

b) Die angebornen Anlagen und ihre von der Natur vorzüglich ausgebildeten Organe beweisen nur die Möglichkeit und Leichtigkeit, auf eine gewisse Art thätig zu werden, nicht die Notwendigkeit handeln zu müssen, nicht das Prinzip der Handlungsweise selbst.

Daß die intellektuelle und moralische Erziehung eben so wenig durch diese Behauptung für unnütz oder unwirksam erklärt werde, erhelle daraus, daß eben sie es sei, welche darauf hinarbeiten müsse und könne,

a) die besseren Anlagen so weit auszubilden, daß die schlechtern dadurch in Schranken gehalten würden, oder

b) den schlechtern recht viel entgegen zu setzen, damit sie nicht durch ungestörte Ausbildung noch mächtiger wirken, übrigens

c) ihre Bemühungen nicht vergebens zu verschwenden und etwas anbilden zu wollen, wozu durchaus keine Anlage von der Natur gegeben sei.

3. Diese letzteren Bemerkungen zeigen nun den Berührungspunkt der Pädagogik mit diesem System der Schädellehre. Ist zufolge desselben der Pädagoge ein geübter Kraniognom; hat er die, nach Hrn. Galls Äußerungen, freilich sehr schwere Fertigkeit, mit Verstand und Kenntnis die Schädel zu betasten, sich erworben: so wird sein Einwirken auf den Zögling, dessen Eigentümlichkeiten er nun so genau kennt, weit geregelter sein. Er wird der minder günstigen Organisation entgegenarbeiten, die glücklichere noch mehr heben. Es werden ihn, meint man, jene Kennzeichen, weil sie sicherer sind, auch sicherer leiten, als physiognomische Kunst jemals imstande sei.

Es kommt also nur alles auf die Sicherheit des Systems und die Bündigkeit der darauf gebauten Schlüsse selbst an. So weit es die Gehirnlehre betrifft, liegt es ganz außer den Grenzen der Pädagogik. Große Kenner der Anatomie und Physiologie gestehen dem Dr. Gall von dieser Seite fast einstimmig sehr bedeutende Verdienste zu; sie versprechen sich von den fortgesetzten Untersuchungen des Gehirns auf diesem neuen Wege wichtige Bereicherungen der Wissenschaft, da es wenige so treue unermüdbare und genaue Beobachter der Natur gebe. Jedoch haben auch dagegen einige große Anatomen, wie der unlängst verstorbene Walther in Berlin und Ackermann in Heidelberg, Zweifel erhoben, und Reils durch seinen so frühen Tod unterbrochene tiefe Untersuchungen über das Gehirn ließen eine ganz von jener Gallschen verschiedene Ausbeute, wenigstens in physiologischer Hinsicht erwarten. — Gegen die eigentliche Schädel- oder Organlehre bleiben ebenfalls noch so erhebliche Zweifel übrig, daß man fürs erste recht sehr wünschen muß, daß so wenig von Pädagogen als Kriminalisten — beides hatte man vorgeschlagen — ein voreiliger Gebrauch davon gemacht werde, wozu sich das System, selbst seine völlige Richtigkeit vorausgesetzt, auf dem Punkte, wo es jetzt steht, noch durchaus nicht eignet. Denn

a) stehen den physiologischen Prinzipien desselben noch manche bedeutende Zweifel entgegen. Es wird bezweifelt:

α) ob die Größe und Extension der Organe auch die Energie ihrer Wirksamkeit beweise, da die innere Qualität und die mehr oder weniger kräftige Anlage der Masse, die Energie der Kraft vielleicht eben so sehr bestimme. Dies lehre die Analogie, da kleine Menschen oft energischer als größere sind. — Bezweifelt wird,

β) daß alle Erhabenheit der äußeren Schädelfläche für Produkte der inneren ausdehnenden Kraft der Hirnmasse zu halten sind, da sie auch aus andern Ursachen entstehen können. Es gebe ja auch krankhafte Vergrößerungen, Substanzenabnormitäten, Hyperorganisationen. — Bezweifelt wird

γ) daß die beiden Gehirnplatten, die innere und äußere, immer parallel laufen, wornach denn der an den äußeren Erhöhungen oder Vertiefungen hergenommene Beweis unsicher erscheint, daß sie von der Größe oder der Kleinheit der einzelnen Gehirnwindungen oder Seelenorgane herrühren. So lange nun diese

22*

Zweifel nicht völlig gehoben sind, so müssen auch alle auf jene Voraussetzungen gegründeten Schlüsse unsicher bleiben.

Hierzu kommt,

b) daß der psychologisch-philosophische Teil der Schädellehre gerade der schwächste, und gleichwohl, wenn es auf die Anwendung derselben zu praktischen Zwecken ankommt, weit wichtiger als der physiologische ist. Denn

α) in der Klassifikation der Seelenvermögen ist das Willkürliche so wenig als das Unbequeme (Sachsinn, Raufbegier, Höhesinn ꝛc.), selbst in der Benennung der einzelnen, zu verkennen. Der moralische Hochsinn ist doch wohl etwas spezifisch Verschiedenes von dem Höhesinn der Gemsen und anderer Höhenbewohner des Tierreichs. Solche Verwechselungen erinnern fast an die Lavatersche Ableitung der Königslinie von der Bienenkönigin. Noch viel weniger ist

β) ausgemacht, daß mit den von Gall bemerkten Vermögen schon die ganze Summe derselben erschöpft sei, was er selbst bezweifelt; so daß vielleicht am Ende die Schädelfläche so mit Organen bedeckt erscheinen müßte, daß, indem die Distrikte sich immer mehr verkleinern, es unmöglich werden würde, sie durch das Gefühl zu unterscheiden. Endlich sind wir

γ) durch alle ältere und neuere, noch so künstliche, noch so feine, noch so anmaßende Versuche, den eigentlichen Zusammenhang zwischen Organismus und Denkvermögen und die Einheit oder die Verschiedenheit beider zu erklären, noch um nichts näher gekommen und werden auch wohl diese tiefsten Tiefen des Innern der Natur eben so wenig als die Tiefe der Gottheit erforschen. Man erfindet zwar immer neue Benennungen, täuscht sich aber, wenn man glaubt, mit ihnen auch neue Bestimmungen der Sache gefunden zu haben. Man weiß am Ende nichts mehr, als man bei der oft so schnöde verhöhnten früheren Ansicht der Sache wußte, da der Gegenstand einmal über die Grenzen menschlicher Erforschung hinausgeht. Wenn nun gleich die Gallsche Lehre selbst gegen jede Anmaßung dieser Art feierlich protestiert, so ist es doch unvermeidlich, daß sie zu gunsten des Systems Sätze aufstellt oder Voraussetzungen wagt, welche gänzlich außer dem Gebiet einer Erfahrungswissenschaft liegen.

4. Da dem Erzieher übrigens nicht gleichgültig bleiben darf, was die genauere Kenntnis des äußeren und inneren Menschen, der sein unablässiges Studium sein muß, befördern kann: so sei er auch gegen die Beobachtungen nicht gleichgültig, zu welchen die Gallschen Forschungen führen. Die Kraniognomil hängt wenigstens mit der Physiognomil genau zusammen, so daß, wenn diese irgend ein reales Fundament hat, auch jene auf keiner bloßen Täuschung beruhen kann. Wenn er z. B. fände, daß einer seiner Zöglinge gerade die Kennzeichen an sich trüge, welche man, nach den Gallschen Beobachtungen, an sehr vielen Menschen, die sich durch Kunsttalent, Sprachtalent oder durch gefährliche Eigenschaften auszeichnen, wahrnimmt: was könnte es schaden, wenn er im Stillen darauf merkte, Versuche machte, wie weit er von dieser Seite bildsam oder der

Bildung besonders bedürftig sei? Verfährt er dabei nur immer skeptisch, so hat eine solche Richtung seiner Aufmerksamkeit gewiß keine Gefahr.

Litterarisch werde zum Schluß folgendes bemerkt:

Dr. Gall hat sein System anfangs nicht selbst durch Schriften bekannt gemacht. Aber viele seiner Zuhörer haben teils in Flugblättern und Zeitungen, teils in eigenen Schriften die Hauptmomente mitgeteilt. Froriep lieferte die erste Darstellung der neuen Gallschen Theorie, mit einem Kupfer, wovon schon 1802 die 3te Auflage erschien. Martens suchte in seinem Etwas über die Physiognomik, Leipzig 1802, diese mit der Schädellehre zu verbinden. — Leune versuchte in seiner Entwickelung der Gallschen Theorie, Leipzig 1803, schon eine Anwendung auf Pädagogik u. s. w. Hageborn lieferte eine Beschreibung und bildliche Darstellung nebst einem in Gips modellierten (und bezeichneten) Schädel. Leipzig 1803. Dann sind viele gefolgt und immer neue Ankündigungen erschienen, seitdem der Erfinder des Systems an vielen Orten, in und außer Deutschland, Vorlesungen gehalten, welche sich in der Hauptsache gleichen. Am vollständigsten möchte der Inhalt jener Vorlesungen in folgenden Schriften zu finden sein: Bischoffs Darstellung der Gallschen Gehirn- und Schädellehre mit Anmerkungen von Hufeland, Berlin 1805. Ausführliche Darstellung des Gallschen Systems der Schädellehre. Magdeburg 1805. Galls Lehre, die Verrichtungen des Gehirns, nach dessen Vorlesungen in Dresden, mit einer dreifachen Abbildung eines von Gall bezeichneten Schädels, 1805. Seit seinem Aufenthalt in Paris erschien das erste Werk: Gall et Spurzheim Anatomie et Physiologie du Systeme nerveux en general et du cerveau en particulier. 2 Vol. av. Planch. Paris 1810 et 11.

Der neueste Versuch, die Gesetze für Psychologie, Kranioskopie und Physiognomik aus den Formen des Schädels abzuleiten und zu beweisen: certo cuique evolutionis capitis gradui, certum evolutae animae gradum respondere, findet man in der Cephalogenesis sive capitis ossei structurae formatio et significatio. Autore J. B. Spix, mit 18 Kupfern. München 1815. Fol.; über welches Werk, ob es sich gleich, als bloß auf Erfahrungen gegründet, ankündigt, doch die Urteile der Sachkundigen sehr ungleich ausgefallen sind.

Man vergleiche auch den mit einer seltenen Unbefangenheit geschriebenen Aufsatz: Über die verschiedenen wissenschaftlichen Prinzipien, mit Rücksicht auf einige der Gallschen Schädellehre gemachten Einwendungen von H. D. Grohmann: im Intellig. Bl. der Jen. A. L. Zeit. v. J. 1805. Nr. 136. 137. Noch bestimmtere Rücksicht auf Pädagogik nehmen: Tillichs psychologisch-pädagogische Bemerkungen über die Schädellehre, in den Beiträgen zur Erziehungskunst, B. 2. Heft 2. S. 169 ff. — Etombe System de Phrenol. übersetzt von Hirschfeld. Braunschweig 53. Struol, Geschichte d. Phrenol. 1843. Cotta, Gedanken über Phrenol. 45. Castle, die Phrenol. 45. Schewe, Phrenol. Bilder 1851—55. Derselbe, Naturgesetze der

Erziehung u. d. Unt. 55. Katechismus der Phrenol. Leipzig 65. 5. A. Chou-
lant, Vorlesung über die Kranioskopie ꝛc. Dresden 44. K. Schmidt Anthropologie, Dresden 1865.

5. Beobachtung des Naturells und Temperaments.

Von den bisher (3. 4.) erwähnten Ansichten des Menschen als eines
Sinnenwesens unterscheidet sich noch eine andere physiologische Ansicht,
welche mehr das Ganze seiner Organisation und insonderheit das
betrifft, was man bald Naturell, bald Temperament zu nennen pflegt.
Nicht bloß die, welche sich mit den eitlen Künsten der Zeichendeutung
und Horoskopie beschäftigen und auf diesem Wege in Schwärmereien
und Verirrungen aller Art fielen, glaubten aus der eigentümlichen Komplexion und dem Temperamente die ganze Gemütsart des Menschen
bestimmen zu können; sondern auch alle beobachtende Erzieher müssen sehr
bald wahrnehmen, daß die verschiedene körperliche Beschaffenheit der
Kinder in einem verschiedenen Verhältnisse zu ihren inneren Anlagen, Fähigkeiten, Neigungen und zu allem dem stehe, woraus sich in der Folge der
Charakter entwickelt. Die Anthropologen suchten jene körperliche Beschaffenheit teils zu erklären, teils zu klassifizieren; die Psychologen
suchten die Merkmale der einzelnen Arten, wie sie sich in geistigen und
moralischen Anlagen ausdrücken, zu bestimmen; die Pädagogiker aber
wollten Gesetze für die Behandlung einzelner Subjekte daraus herleiten.

Anm. Zur Erläuterung des Vorstehenden folgende Bemerkungen:
1. Wenn gleich jeder weiß, was überhaupt mit der Komplexion und
dem Temperament gemeint sei, so weichen die Erklärungen doch von einander
ab, welches aus der ungleichen Bestimmung der letzten Gründe desselben begreiflich
wird. Indes treffen sie doch darin zusammen, daß es eine natürliche ursprüngliche Besonderheit jedes Körpers und die Art, wie seine Lebenskraft im ganzen
wirke, oder der Komplexion gebe, und daß diese Einfluß auf das Gemüt und
seine Wirksamkeit habe; woraus eben die verschiedenen Temperamente entstehen,
folglich auch die körperliche Verschiedenheit als ein Grund von den verschiedenen
Arten, Richtungen und Graden des Erkenntnis- und Willensvermögens zu betrachten sei. Ob nun die letzten Gründe jener körperlichen Verschiedenheit in dem
Blut und der ungleichen chemischen Mischung seiner Grundstoffe; oder in den
Elementen des ganzen Körpers, wovon bald das eine bald das andre vorherrschend
sei; oder in dem verschiedenen Verhältnisse der festen und flüssigen Teile; oder
nach Haller in der Elasticität und der Reizbarkeit der Fibern zu suchen sein
möchten; ob die Humoral- oder Nervenpathologie die wahre sei: darüber haben
die Physiologen fernere Untersuchungen anzustellen, auch zu prüfen, wie weit die
neueren, höchst wichtigen und interessanten Entdeckungen in der Chemie und Physik
vielleicht einiges Licht über diese dunkle Materie verbreiten werden.

Von den verschiedenen Vorstellungen der Älteren und Neueren über den Ursprung und die Natur der Temperamente findet man in gedrängter Kürze eine

lehrreiche Übersicht in Plattners phil. Aphorismen, 2. Tl. § 604. Anm. Es ist sehr zu bedauern, daß wir noch vergebens den 2. Teil von eben dieses Verf. Anthropologie erwarten, welche die Materie von den Temperamenten und mehrere damit verwandte enthalten sollte. — Auch die Hoffnung, welche der scharfsinnige Verf. der empirischen Psychologie C. C. E. Schmidt zu einer Charakteristik der verschiedenen Natur-, Sinnes- und Denkarten im 2. Teil machte, hat sein Tod vernichtet. — Mit den vielen feinen Bemerkungen in der Kantischen Anthropologie über die Temperamente (S. 257) sind manche berichtigende Bemerkungen zu vergleichen, welche in Maaß über die Leidenschaften § 64—70 vorkommen. Auch s. m. die Lehre von den Temperamenten, neu dargestellt von Dirksen. Sulzbach 1804. — Schleiermacher, Psychol. S. 301 ff.; Beneke, Pragmat. Psychologie I. 85 ff.; Lotze, Medicin. Psychologie S. 560; Ders., Mikrokosmus II. S. 352 ff.

Unter den Schriften, welche psychologische Kenntnisse mit der physiologischen Anthropologie verbinden, zeichnet sich vor andern aus: Schwabs und Mendelssohns Briefwechsel über das sittliche und physische Gute, in der Berl. Monatsschrift vom J. 1784, B. IV. S. 293 ff., und B. J. G. Cabanis über die Verbindung des Physischen und Moralischen in dem Menschen. Nach der deutschen Übersetzung von C. H. Jacob, 2 Bände. Halle 1804; ob man wohl mit den darin durchgängig herrschenden Hypothesen von der Identität geistiger Vorstellungen und materieller Veränderungen nicht zufrieden sein kann. In letzter Hinsicht ist die vorangeschickte Abhandlung des deutschen Herausgebers: „Über die Grenzen in der Physiologie in der philos. Anthropologie" desto mehr zu empfehlen.

2. Der Psychologe, besonders der praktische Erzieher und Sittenlehrer, soll sich indes auch hier nur an die Erscheinungen halten. Diese Erscheinungen führen ihn auf eine doppelte Bemerkung:

a) Er nimmt wahr, daß die schon in den frühesten Jahren, sowohl der Art als dem Grade nach höchst verschiedene geistige Entwickelung des Erkenntnis-, Gefühls- und Begehrungsvermögens fast immer in einem oft deutlich wahr zu nehmenden Verhältnisse zu den körperlichen Eigentümlichkeiten steht. Dieses Verhältnis offenbart sich einmal, wenn man den Zögling bei dem Eindruck, den Empfindungen auf sein Inneres machen, und dann wie sein Äußeres in der Thätigkeit sich gestaltet, streng beobachtet und die wiederholten Beobachtungen sorgfältig vergleicht. Er bemerkt ferner, daß, wo das Sinnliche oder Tierische vorherrscht, das Geistige weniger thätig; wo hingegen das Geistige früh hervorstrebt, das Sinnliche und Tierische schwächer, oft bis zur Kränklichkeit schwach ist. Daß dies nun in sehr verschiedenen Nuancen und Graden erscheinen kann, und daher eine große Menge von Temperamentsarten gedenkbar ist, ist ganz richtig. Man hat daher auch versucht, die vier bekannten Hauptklassen zu verdoppeln, oder noch mannigfaltiger zu bezeichnen. Indes ist man dabei doch immer wieder von den alten Grundbestimmungen, dem Sanguinischen, Melancholischen, Cholerischen, Phlegmatischen ausgegangen; wiewohl die Merkmale, wie sie sich im Charakter äußern sollen, oft sehr willkürlich angegeben werden.

Die gewöhnlichen Charakteristiken der Haupttemperamente und ihrer Spielarten, welche man teils in den Lehrbüchern der empirischen Psychologie, teils in eigenen Schriften über die Temperamentenlehre, teils in andern Charaktergemälden findet, von denen unsre Sittenschriften, besonders die moralischen Wochenblätter der vorigen Zeit, voll sind, können für den angehenden Beobachter manches Lehrreiche enthalten. Aber sie erschöpfen bei weitem die Sache nicht, und das Studium der Menschen im wirklichen Leben, so wie die Auffassung fein gezeichneter Charaktere, selbst in den besseren Romanen und Schauspielen, führt ungleich weiter. Da indes die meisten Verfasser weit mehr den erwachsenen Menschen als die Kinderwelt beobachtet haben, so mißlingen ihnen, wie selbst so vielen Schriftstellern für Kinder, größtenteils die Schilderungen der Kindernaturen, und sie geben daher wenig Ausbeute. Sie können sogar sehr irre leiten, wenn der Erzieher wegen gewisser Ähnlichkeiten zu viel von jener erdichteten Kindernatur in seine Zöglinge überträgt. Dies kann besonders jungen und gespannten Enthusiasten leicht begegnen, die, noch zu jugendlich in allen ihren Gefühlen, das Erziehungsgeschäft, das so viele Ruhe und Besonnenheit erfordert, ohne alle Vorbereitung übernehmen.

    b) Die Wahrnehmung einer so großen natürlichen Verschiedenheit der Zöglinge in ihrem Temperament, welche für die Erziehung so bedeutend ist, da diese nie der Natur selbst, sondern nur dem Fehlerhaften in der Natur entgegenarbeiten, hingegen aus jeder Natur eine edle Individualität entwickeln und bilden soll, macht es nun der Kunst zur schweren Aufgabe, immer subjektiv zu verfahren und Rücksicht zu nehmen auf das Temperament und Naturell, nicht nur

    bei dem Urteil über den ganzen Menschen, sondern auch

    bei dem Urteil über jede einzelne Äußerung des Charakters und Sinnes, besonders der Bestimmung des sittlichen Wertes und Unwertes;

    bei jedem Urteil über die Fortschritte im Lernen, namentlich wie weit die langsameren verschuldet, die schnelleren verdienstlich sind;

    bei jeder Anwendung der Mittel zum Reizen oder zum Mäßigen der natürlichen Triebe und Neigungen;

    bei dem Ton in Aufmunterungen, Erinnerungen, Warnungen, Verweisen;

    bei Belohnungen und Bestrafungen, wo nach der Verschiedenheit des Temperaments gerade das dem einen willkommen sein kann, was der andere für Bestrafung halten würde, und umgekehrt;

    bei der Aufsuchung der Gründe des geringen Erfolgs sehr treuer und ernsthafter pädagogischer Bemühungen; mit einem Worte, bei jeder Art von Einwirkung auf den Zögling, bei jeder Veranstaltung für ihn, jedem Versuch an ihm, welchen Namen er auch haben mag.

    3. Hier noch ein paar Beispiele, wie die Wahrnehmung einzelner Temperamente und Charakterzüge durch die pädagogische Methodik zu modifizieren wären.

I.

Charakteristik.

Leichtes Blut und leichter Sinn. Empfänglichkeit für jeden Eindruck; keiner tief und bleibend. Aufgeräumt lustig bis zur Ausgelassenheit. Eben dies bei andern voraussetzend oder befördernd durch jedes zur Hand liegende Mittel.

Anspruchslos für sich, aber auch die Ansprüche anderer wenig achtend; daher leicht in Gefahr zu beleidigen, ohne es zu wollen.

Dienstfertig, gefällig, alles leicht versprechend, aber vergeßlich oder unzuverlässig.

Außer sich für Schmerz in einer Stunde; in der nächsten getröstet, in der dritten leichtsinnig.

Gutartig von Natur, ohne bestimmte böse Neigung, aber gern und schnell dem Eindruck andrer sich hingebend, und so zu allem verführbar.

Schnell bereuend, aber nie bis zum Gram, und ohne merkbaren Einfluß auf die folgenden Handlungen.

Sorglos um die Zukunft; das Unwahrscheinlichste glaubend und hoffend, wenn es die Sorgen verscheuchen kann.

Methodik.

Die Erziehung soll jede Äußerung leichter nehmen; in dem Besseren und dem Schlimmeren weniger Ursache zur Freude und weniger Ursache zum Kummer finden.

Sie soll die schöne Anlage zum Glücklichwerden nicht vernichten durch Unterdrückung jedes zur Freude hinstrebenden Triebes; sie soll nur verhüten, daß der leichte Sinn nicht untergehe im Leichtsinn, der sich selbst zuletzt zerstörend, sich jeder Thorheit, endlich jedem Schlechten hingiebt.

Sie sucht anschaulich zu machen, daß der gute Sinn, und das echte Wohlwollen etwas mehr ist, als schnelles Gefühl, als weiche Empfindung, als rasche, aber bald ermüdende Bereitwilligkeit zu dienen, und daß Gerechtigkeit die erste aller Tugenden ist.

Sie fordert nicht Tiefe und Innigkeit, wo alles nach auswärts strebt; aber sie versucht es, in das Bewegliche Haltung und Stetigkeit zu bringen.

Ihre Einwirkungen sind rasch, lebendig, wie der Zögling; bestimmt im Gesetz, schnell in der Ausführung des Verheißenen oder Gedrohten. Alles Säumen, wortreiches Aufklärenwollen, Verweisen, würde die Wirkung verfehlen und ihn zur Verzweiflung bringen.

Sie läßt sich nicht bestechen von der Reue und hält sich allein an die That.

Sie legt auch dem, was sehr schlimm erscheint, keine tiefen bösartigen Pläne unter, und sucht nicht, bei dem steten schnellen Wechsel der Empfindungen und Ideen, da Zusammenhang, wo keiner ist.

II.

Charakteristik.

Bloß in einzelnen Situationen betrachtet, schwer zu entscheiden, ob N. ein Melancholiker, Choleriker, Phlegmatiker ist.

Methodik.

Bei einem so sonderbar gemischten Temperament und den vielseitigen Einwirkungen desselben auf die Bildung des Charakters müssen nur im allgemeinen dem höchsten

Charakteristik.

In der Regel kalt und ruhig, in sich gekehrt, wenig sich mitteilend; stärker gereizt, hitzig; in seltnen Fällen bis zum heftigsten Aufbrausen zornig. Aber richtiger praktischer Verstand, gesundes Urteil, schwaches Gedächtnis, schwacher Wort- und Zahlensinn.

Langsame, träge Bewegung, nicht aus Kraftlosigkeit, aber aus Hang zum Bequemen, den Sinnen Behaglichen. Bei großem Vermögen, besonders zu körperlicher Anstrengung, wo der Zweck mit der Neigung übereinstimmt, sonst selten sich anstrengend; beim Nichtgelingen geistiger Thätigkeit leicht ermüdend und verzagend an seiner Kraft.

Viel Selbstsucht, daher wenig Rücksicht auf anderer Menschen Urteil, Bedürfnis, Vergnügen; daher auch unbekümmert um den Eindruck, den es auf sie macht, seinen Weg fortgehend.

Rechtlich, unfähig jedes Unedlen, Niedrigen; doch zu seiner Demütigung zu bewegen, um zum Zwecke zu kommen; stolz, ohne Hochmut. Wenige innig achtend und warm liebend, aber für die wenigen jeder Aufopferung fähig.

Starrsinnig, wo man Entschlüsse oder Überzeugungen erzwingen will; unfähig, fremde Formen anzunehmen. Widerspruchsgeist, Opposition gegen das Angenommene, Herrschende, Übliche; jede Anbequemung mit Schwäche und Furchtsamkeit verwechselnd; den Versuchungen fol-

Methodik.

Zweck der menschlichen Natur gemäß die einzelnen Anlagen entwickelt werden, bis entweder diese Entwickelung, oder zufällige Umstände, welche dem Temperament eine entschiedene Richtung geben, die speziellen Grundsätze anzuwenden erlauben.

Es wäre der schlimmste Fehlgriff, das Starke, Kräftige, Beharrliche dieser Natur verweichlichen und schwächen zu wollen, um eine wohlgefälligere herauszubilden. Es würde so wenig gelingen, als frommen.

Wenn sich schon in den Kinderjahren der Charakter ahnden läßt, wie es wahrscheinlich selbst physiognomisch und pathognomisch der Fall sein wird, so darf die Erziehung nicht weichlich, sie muß vom Anfang an männlich, durchgreifend, streng sein; mehr handelnd als sprechend, mehr nötigend als überredend; unerbittlich, so bald eine Maßregel genommen ist. Auch das harte, widerspenstige Naturell fühlt oder achtet die Überlegenheit der Kraft weit mehr, als die Schwäche. Dem Hange zur Trägheit und Bequemlichkeit ist teils durch Gewöhnung, teils durch Reizmittel entgegen zu arbeiten, die zugleich auf die edleren Anlagen berechnet sind.

Dem Egoismus muß das Gefühl für das Edle und Große die Herrschaft abgewinnen.

Wo man Widerspruch findet, dem nicht nachgegeben werden kann, muß man mit dem Gehorsam zufrieden sein und die Überzeugung der Zeit überlassen. Vieles Einreden und Beweisen macht solche Naturen nur unmutiger und hartnäckiger. Dem Stolze muß nicht geschmeichelt werden; nicht darauf achten muß man; aber ihn demütigen wollen durch Erniedrigungen erbittert und empört.

Vertrauen auf die natürliche Rechtlichkeit, Anlaß, den man ihr giebt, sich im Handeln zu zeigen, erhält sie weit mehr, als jeder Lobspruch. Solche Charaktere sind imstande,

Charakteristik.

scher Ehre am schwersten wider-
stehend; zu gleichgültig gegen die
öffentliche Meinung.

Kräftig in Ertragung körperlicher Schmerzen; fremden Bei-
stand, Trost, Hilfe weder begeh-
rend, noch bedürfend; nie etwas
thuend für den bloßen Schein;
gefaßt auch auf das Schlimmste.
Schwache Liebe zum Leben.

Methodik.

Gutes zu unterlassen, um nicht gelobt zu
werden, weil sie nicht bemerkt sein wollen. Das nicht immer zarte Gefühl kann
durch übeln Einfluß stumpf werden; sie selbst
können sich in schlechter Gesellschaft sehr leicht
verwerfen und roh werden.

Der Hang zu trübsinnigen, in sich ge-
kehrtem Wesen kann in melancholische Stimmung und in Lebensüberdruß sehr früh ausarten und will vorzüglich bewacht sein.

Ähnliche Versuche einer psychologischen Semiotik und Charakteristik findet
man in Schwarz Erziehungslehre, 3. T. S. 291 ff. welche geprüft und mit
der Erfahrung verglichen zu werden recht sehr verdienen.

In Erziehungsanstalten würde es keinen interessanteren Stoff für die gemeinschaftlichen Beratungen der Lehrer geben, als eine solche Charakteristik ihrer
Zöglinge zu entwerfen und über die Methodik zu beratschlagen. Selbst die
Fehlgriffe würden für die Zukunft lehrreich sein. Vorzüglich sollte dies den Stoff
der Gespräche zwischen Eltern und Erziehungsgehilfen ausmachen. Aber wie selten
wird das Geschäft mit diesem Ernste betrieben!

In der Herbartischen Schule wird nach dem Vorausgang des Meisters
(S. Herbart, Reliquien, Leipzig 1871) hoher Wert auf die Charakteristik
der Zöglinge gelegt, über welche ein sogen. Individualitätenbuch geführt wird.
S. auch Kehr Pädagog. Blätter. I. Bd. S. 413 und 553.

6. Benutzung der Urteile andrer Personen.

Da die auf das Äußere des Zöglings, sowie auf die Eigentümlichkeiten seines Temperaments und Naturells gegründeten Vermutungen über seine inneren geistigen Anlagen, ihr Verhältnis unter einander und den Grad ihrer Ausbildung immer etwas Unsicheres behalten:
so muß der Erzieher um so weniger die Wege vernachlässigen, die ihn
noch sicherer zum Ziel führen. Hierzu können die Urteile andrer
Personen, besonders derer gerechnet werden, welche ihn lange, häufig
und genau beobachtet haben. Eltern, Verwandte, Hausfreunde,
frühere Erzieher, Miterzieher und Lehrer, Geschwister, Gespielen, Mitschüler, selbst dienende Personen geben ihre Stimmen
ab; und man thut wohl, diese zwar nicht zu schnell als leitende Prinzipien der Erziehungsmethode zu befolgen, aber doch aufmerksam anzuhören
und vorurteilsfrei zu prüfen.

Anm. 1. Jedes Urteil über Kinder geht von einem Eindruck aus, den
das Kind auf den Urteilenden gemacht hat. Die Art des Eindrucks hängt
aber eben sowohl von der Natur dessen ab, der ihn empfängt, als dessen, der

ihn macht. Dies wird nicht genug beachtet; denn eben daraus entstehen so viele
Widersprüche in den Urteilen über dieselben Subjekte.

2. Kommt das Urteil von den Eltern, so haben diese zwar in der Regel
die Vermutung einer blinden Liebe, oder wenigstens einer blinden Vorliebe für einzelne Kinder, wider sich. Wer möchte auch leugnen wollen, daß die
allermeisten Eltern (nicht etwa bloß in den gebildeten, sondern in allen Ständen)
durch das Glas ihrer Neigung sehen; daß ihnen daher alles Gute herrlicher, alles
Tadelhafte wenigstens verzeihlicher erscheint; daß sie dagegen fremde Kinder weit
strenger beurteilen, und unleugbare Vorzüge derselben wenigstens in Schatten
stellen? Nicht alles beruht hierbei auf Irrtum und Vorurteil. Man muß
mit der zarten, weichen, milden Elternliebe, insonderheit mit der Mutterliebe
sympathisieren, wenn man menschlich fühlt. Wenn daher junge Pädagogen,
die mehr humanistisch als human gebildet, mehr in dem oft rauhen und
rohen Schul- und Universitätskreise aufgewachsen sind; oder wenn kinderlos
veraltete Schulmänner sich durchaus nicht in die Empfindungen der Eltern
versetzen, und nur alles nach Urteil und Recht, ohne Schonung abgemacht wissen
wollen: so erklärt sich dies aus der Art ihrer eignen Bildung oder Mißbildung.
Sie sollten bei den freilich oft zu günstigen Urteilen der Eltern nicht vergessen,
daß diese das Kind von Kindheit an als nahe Zeugen kannten, die Entwickelung
seiner Natur durch alle Stufen gleichsam unter ihren Augen entstehen, wachsen
und reifen sahen; daß ihnen also das ganze Kind lebendiger vor Augen steht,
als dem, der es in einzelnen Situationen kennen lernt, einzelne gute oder fehlerhafte Eigenschaften in ihm entdeckt. Wer hingegen fremde Kinder nur flüchtig
ansieht, dem pflegt das Fehlerhafte zuerst in die Augen zu fallen und unangenehm
auf ihn zu wirken, zumal wenn er nicht zugleich das Bessere kennen lernt, was
jenem beigemischt ist.

Überdies giebt es doch auch genug Eltern, die, wenn sie gleich die Fehler
ihrer Kinder nicht zur Schau aufstellen, und sich selbst in ihnen liebend
ihre eigne Ehre dabei interessiert findend, sie gern unbemerkt lassen möchten vor
der Menge, dennoch nicht blind gegen sie sind. Man hört sie ja über diese Fehler
klagen, Rat bei Erfahrnen suchen, selbst Versuche machen, sieht sie oft zu früh
hoffnungslos werden, wenn sie nicht sogleich Besserung wahrnehmen.

Aber, wie auch die Urteile ausfallen mögen, der Erziehungsgehilfe höre sie
immer aufmerksam an. Selbst die unrichtigsten können ihm lehrreich werden:
er kann sich aus ihnen manche Richtung, den Geist seiner Zöglinge eben durch
die verziehende oder abstoßende Behandlung der Eltern genommen, erklären; er kann manche Data zu seinem eignen Urteil aus den Erzählungen über
ihre frühere Eigentümlichkeiten hernehmen, und diese können ihn vielleicht zu
ganz anderen Resultaten führen, als die Eltern selbst wünschen mögen.

Aufmerksam sei er dabei besonders auf das, worin beide Eltern zusammentreffen, und worin sie verschiedener Meinung sind. Wo sich beide
am pädagogischen Interesse und, was die Hauptsache bleibt, gesunden Urteil gleichen, da sind doch die Bemerkungen der Mutter in der Regel feiner, richtiger,

tiefer, als die des Vaters, weil jene in der Regel mehr von den Kindern weiß, sie in ihrem natürlichen Thun und Treiben schärfer beobachtet, und die Kinderstube recht eigentlich ihre Sphäre, selten die Sphäre des Mannes ist.

3. Unbefangener sehen im Ganzen andere Personen, welche die Kinder umgeben. Vor ihnen verbergen sich besonders die schon verdorbenen weniger als vor den Eltern, zumal den strengen. Jene wissen, was geschieht, wenn diese abwesend sind; sie beobachten sie, wenn sie sich selbst überlassen werden? In mancher Familie finden sich verständige Hausfreunde, Verwandte, selbst dienende Personen, deren gelegentliches Urteil besonders einem angehenden Erzieher da willkommen sein muß, wo die Eltern entweder ungebildet, oder durch ihre ganze Lebensweise den Kindern zu fremd geworden sind.

Bei den Jüngeren einer Familie ist besonders auf die Stimme älterer Geschwister zu achten. Sie ist offenbar oft die allertreffendste und lehrreichste, teils weil sich vor ihnen das Kind ganz unverhüllt in seiner wahren Natur zeigt, teils weil sie zwar liebend, aber nicht vergafft (wie schwache Elternherzen) ihre Geschwister beurteilen, und, ihnen an Jahren näher stehend, wiederum mit manchen Jugendlichkeiten besser als ältere Personen sympathisieren können. Parteilichkeiten für das eine oder das andere kommen freilich auch hier vor und entstehen selbst aus der größeren oder geringeren Verwandtschaft der Neigungen und Charaktere.

4. Den früheren Erziehern und Lehrern sollte man auch billig eine Hauptstimme zutrauen dürfen. Der gebildete Pädagoge, der Zöglinge aus ihren Händen übernimmt, wird indes bald merken, wieviel auf ihr Urteil zu geben ist. Ist es gereift, so kann es als eine trefflich leitende Idee bei dem Anfange des Geschäfts betrachtet werden, ohne deswegen das eigene fortgesetzte Studium überflüssig zu machen. Merkt man ihm das Flache, Unbestimmte an, was sich gleich in den allgemeinen Formeln: „daß das Kind im ganzen zu loben sei, manches Gute habe, viel Leichtsinn besitze u. s. w.“, ausdrückt: so ist wenig darauf zu geben, und um desto schärfer mit eignen Augen zu sehen. Vorzüglich ist zu beachten, ob bei sonstiger Zufriedenheit mit seiner Lage, Eitelkeit ihn etwa den Zögling überschätzen läßt, um sich durch einen glücklichen Erfolg selbst geltend zu machen; oder war ihm sein Verhältnis mißfällig, ob er nicht den Zögling in seiner Schilderung entgelten läßt, was vielleicht ganz andern Ursachen zuzuschreiben war.

5. Nichts ist oft widersprechender, als die Charakteristik, welche in Schulen und Erziehungsanstalten verschiedene Lehrer über dasselbe Subjekt fällen. Am meisten kontrastiert das Urteil dessen, dem sie unmittelbar übergeben sind, mit den Urteilen der übrigen. Vor Parteilichkeit scheint jener am wenigsten sicher. Der Zögling hat ein größeres Interesse ihn zu täuschen; und in diesem Fall erscheint er ihm besser als den übrigen; jener empfindet aber auch alles Unangenehme im Betragen des Zöglings doppelt, wenn dieser entartet ist, da er am häufigsten mit seinen Wünschen in Kollision kommt. Endlich kann auch derselbe Mensch ein sehr guter, angenehm zu unterrichtender Schüler, ein fähiger Kopf, von leichter Fassungskraft, und doch ein sehr lästiger Gesellschafter in

seinem übrigen Thun und Laſſen ſein. Indes führt auch die Vergleichung ſolcher kontraſtierenden Urteile zu näherer Kenntnis des Charakters. Inſonderheit achte man auf den allgemeinen Eindruck, den ein Zögling auf jeden macht. Dieſer geht allemal von einem entſchiedenen Charakterzuge aus. Von wem alle urteilen, daß er anmaßend, ſtolz, verſteckt, unzuverläſſig ſei, der iſt gewiß von dieſen Fehlern nicht frei, wenn er ſie auch vor dem ſpeziellen Erzieher verborgen halten könnte. Mit wem alle — nur der nicht, dem er näher angehört — zufrieden ſind, der kann ſchwerlich ſchlecht ſein; und dieſer eine fehlt wahrſcheinlich in ſeiner Behandlung.

6. Die Urteile, welche Geſpielen, Mitſchüler und Mitſchülerinnen über einander fällen, ſind in der Regel treffend und gerecht, und kein Lehrer und Erzieher laſſe ſie unbeachtet. Dennoch hüte er ſich auch, ſie zu hoch anzuſchlagen. Hierüber noch folgende Bemerkungen:

Es iſt natürlich, daß ſich junge Leute unter einander oft beſſer kennen als es ihren Lehrern und ſelbſt Eltern möglich iſt. Sie kennen ſich a) genauer, weil ſie ſtets bei einander ſind und ihnen auch das Kleinſte nicht entgeht; ſie kennen ſich b) richtiger, weil ſie ſich unverſtellt in ihrer wahrſten Geſtalt und unter allen Umſtänden und Verhältniſſen ſehen, weil ſie ſich einander geben, wie ſie ſind, indem wenigſtens ſeltner ein Grund vorhanden iſt, ſich zu verbergen. Selbſt das, was ſie eigentlich von niemand bemerkt wiſſen wollen, verſtecken ſie weniger vorſichtig vor einander, weil ſie nicht glauben beobachtet zu werden. Dieſe Beſorgnis verläßt ſie aber weit ſeltner, und eigentlich nur die ganz Leichtſinnigen und Unbeſonnenen, in ihrem Verhältnis zu ihren Erziehern. Bei vielen tritt leiter ſehr früh grobe oder feine Verſtellung ein, und in jedem Fall geht die Jugend in der Umgebung der Erwachſenen, beſonders der Beobachtenden, nicht leicht ganz aus ſich heraus.

So geſchieht es, daß die Individualität des Charakters jüngerer und älterer Zöglinge weit früher von ihresgleichen erkannt, der Falſche, der Heuchler und Augendiener, dann der Eitle und Lobſüchtige, der Unverträgliche und Streitſüchtige, der heimliche Betrüger, der Geizige, der Neidiſche, der Schadenfrohe weit eher von den jüngeren Geſellſchaftern herausgefunden, aber auch mancher, der von Lehrern und ſelbſt Eltern verkannt iſt, nach ſeiner beſſeren Natur von ihnen geſchätzt wird, als von den Erziehern.

Gleichwohl ſind auch dieſe jugendlichen Urteile nicht fehlerfrei und nicht immer gerecht. Auch dies hat begreifliche Urſachen. Denn a) giebt es auch ſchon in der Kinderwelt Leidenſchaften, die ſtets das Urteil verrücken. Man muß ſelbſt rein und gut ſein, um ſtets gegen andere, ſelbſt gegen die gerecht zu ſein, die es um uns nicht verdienen. Dann haben b) ſchon bei der Jugend wie bei den Erwachſenen dunkle Gefühle, die zu dem einen hinziehen, von dem andern abſtoßen, Anteil an dem Urteil. Auch im Munde der Kinder hört man ſchon zuweilen „ich kann den und jenen nicht leiden", ohne daß ſie ſelbſt zu ſagen wiſſen warum. c) Die Jugend ſympathiſiert nur mit dem Ähnlichen, fühlt ſich zu dem Wilden, Luſtigen, Kecken, Mutwilligen, auch wohl Widerſpenſtigen (worin ſie

Kraft sieht) am meisten hingezogen. Darum verzeiht sie selbst grobe Fehler so leicht; sieht den schlechten Grund auch da nicht, wo er wirklich ist; aber sympathisiert weit weniger mit Charakteren, deren früher Ernst, deren tieferes Gemüt, deren unbestechliche Wahrheitsliebe ihr unnatürlich, wo nicht gar geheuchelt vorkommt. Der Sanfte, Nachgebende, Besonnene macht bei ihr selten Glück, und ist besonders auf Schulen Verwilderung, Trotz, Geringschätzung der Vorgesetzten Geist der Menge, so wird auch das Schlechteste, wo nicht gepriesen, doch nicht für fehler⸗ haft gehalten.

Hieraus geht die Regel hervor, stets auf den Grund der Urteile zurück⸗ zugehen und zu prüfen, ob sie befangen oder unbefangen sind. Bei den Urteilen dienender Personen ist diese Vorsicht doppelt notwendig.

7. Eigne Beobachtung. Praktische Regeln.

Doch die Bildung und Anwendung des eignen pädagogischen Ur⸗ teils bleibt immer die Hauptsache und eine der allerwichtigsten Aufgaben für jeden, der zum Erzieher Beruf fühlt. Auch hier kann eine natürliche Anlage, ein gleichsam angebornes Beobachtertalent, das sich zuweilen schon in früher Jugend äußert, oft mehr thun, als alles noch so emsige Studium der Psychologie und der verwandten Wissenschaften. Dennoch ist kein Mittel zu vernachlässigen. Denn es ist nicht auszusprechen, wie viel Verkehrtes und Zweckwidriges in der Erziehung aus der unrichtigen Auf⸗ fassung des eigentümlichen Charakters der Zöglinge entsteht. Bei der größten Treue im Amt und dem reinsten Willen kann der Erzieher ohne Kenntnis der Kinder⸗ und Jugendseelen einzelne zu grunde richten, die herrlichsten Keime in ihnen zerstören und den schönsten Trieben die unglücklichste Richtung geben. Nur sehr starke, unverwüstbare Naturen behalten auch bei solchem Erziehungsdruck genugsame Elastizität und widerstehen den Banden, in die man sie aus guter Meinung einschnüren möchte; zersprengen sie aber auch oft genug gewaltsam und kommen eben dann in Gefahren, vor denen sie eine weise Leitung bewahrt haben würde. Nirgends aber zeigen sich die Folgen der Einseitigkeit oder der pedantischen Gleichförmigkeit in der Behandlung so auffallend, als in der öffentlichen Erziehung. Man kann in den meisten Fällen behaupten, daß so manche grobe Excesse verhütet werden könnten, wenn man die Jugend richtig zu nehmen wüßte; und wenn oft der Lehrer einzelne durchaus nicht regieren kann, deren Behandlung andern nicht die geringste Schwierigkeit macht: so sollte er billig gestehen, daß die Schuld wenigstens zur Hälfte auf seine Leidenschaftlichkeit oder pädagogische Unbeholfenheit falle. Um so mehr verdient der Gegenstand noch weiter verfolgt zu werden. Die ein⸗ zelnen Bemerkungen werden sich 1. auf den Gegenstand der Beobachtung, 2. auf die Art, wie sie anzustellen und 3. auf die Anwendung, die von den Resultaten zu machen ist, beziehen.

Anm. In Beziehung auf diese drei Hauptmomente bemerken wir:

a) Das Objekt der Beobachtung muß immer die ganze Natur sein. Wenn sich auch ein einzelner Charakterzug in einem besonderen Fall hervorhebt, muß doch gefragt werden: wie er in der Verbindung mit allen übrigen erscheine? Man kennt den Zögling noch sehr wenig, wenn man bloß weiß, daß er träge, empfindlich, hitzig, schalkhaft, verschlossen sei, was selbst dem ungeübtesten Auge nicht entgeht. Man kennt ihn erst, wenn man zugleich weiß, welchen Grund diese Eigenschaften und welche Wirkung sie auf den ganzen Sinn und Geist desselben haben: ob z. B. diese Trägheit sich nur bei gewissen Thätigkeiten zeige oder sich über das ganze Wesen verbreite; ob diese Empfindlichkeit eine Zartheit des Gefühls, oder ob sie bloße Verstandesschwäche, oder ob sie Dünkel sei; ob die Hitze aus der ganzen Temperatur und lebendigen Regsamkeit des ganzen Wesens entspringe und sich bei jeder Sensibilität und Aktivität äußere, oder ob sie nur da, wo der Egoismus angegriffen wird und Zustände einer ungebändigten Leidenschaft eintreten, auflodere; ob die Schalkhaftigkeit, der Mutwille und was man die Schelmerei der Kinder nennt, in Verbindung stehe mit bösartigen, schadenfrohen, unedlen Neigungen, oder mit einer vorherrschenden Gutmütigkeit gepaart sei, und nur auf Feinheit des Beobachtungsgeistes, dem nichts, am wenigsten das Lächerliche, entgeht, auf Witz und Phantasie hindeute; ob endlich die Verschlossenheit, die in einem einzelnen Falle dem Erzieher mißfällt, gerade jetzt Wirkung eines üblen Willens, eines bösen Gewissens, des verlornen Zutrauens sei, oder ob sie im ganzen Charakter liege: ob er eben sowohl bei der Freude als bei dem Schmerz, bei der Hoffnung wie bei der Furcht in sich gekehrt erscheine, und so die ganze Gemütsart mit der eines leichten, offenen, sich aussprechenden, sich hingebenden Zöglings im Kontraste stehe, ohne deswegen schlechter zu sein.

Daraus ergiebt sich auch, wie wenig die gewöhnlichen Benennungen und Klassifikationen der Gemütsarten nach einzelnen hervorstechenden Zügen sagen wollen, und wie alles auf das Ganze oder die Gesamtheit der Verknüpfungen ankommt.

b) Die Art und Weise betreffend, wie diese Beobachtungen anzustellen, und welche Zeitpunkte dazu die bequemsten sein möchten, so ist der gemeinste Fehler, daß man nur dann über die Eigentümlichkeiten denkt und spricht, wenn in einer Äußerung oder Handlung das Innere gerade recht auffallend hervortritt. In Familien und Erziehungsinstituten wird sehr häufig nur dann von und über einzelne Subjekte gesprochen, wenn sie sich vergangen oder durch irgend etwas Vorzügliches ausgezeichnet haben. Dies giebt aber kein sicheres Urteil. Der rechte Beobachter sieht in der Stille dem ganzen Thun und Treiben seiner Anvertrauten zu. Gerade wenn gar keine Spannung in der Seele, kein besonderer Anstoß von außen ist, wenn sich der Zögling völlig gehen läßt und am wenigsten ahndet, daß man auf ihn achtet, offenbart sich die wahre Natur; und die besonderen auffallenden Charakteräußerungen lehren den Erzieher nur, wie diese Natur sich bei gewissen Gelegenheiten, in gewissen Situationen, in der Berührung mit anderen Naturen in stärkeren Zügen ankündige. Darum achte man darauf, wie das Kind sich gewöhnlich zeigt: bei der Freude, bei der Traurigkeit, wenn es für sich hinspielt, wenn es mit sich selbst oder mit seinen Spielwerken, seiner Puppe, seinen Gespielen redet; wie es sich anstellt und benimmt, wenn es einen Zweck erreichen will; wie viel es von seiner eigenen Kraft erwartet; wie feig, wie beherzt es ist. Darum fasse man den Knaben und Jüngling scharf ins Auge, beobachte, wie er sich regt und bewegt; wie er sein gewöhnliches oder am meisten geliebtes Geschäft treibt; wie die äußeren Dinge auf ihn wirken; was ihn anzieht, was ihn kalt läßt; welchen Charakter seine Geselligkeit, sein Gespräch, sein Spiel hat u. s. w. So, und nur so, wird man durch ein unabläßiges Belauschen der Natur, das eben darum gar nicht wie ein Belauschen aussieht und eigentlich nur eine ununterbrochene aufmerksame Beobachtung ist, immer mehr zur Gewißheit kommen.

In der früheren Periode, wenn man anfängt, den Kindern kleine Geschichten zu erzählen oder leichte Schriften vorzulesen, kann man oft tiefe Blicke in das Innere ihrer Seele thun, indem man acht giebt: was sie anzieht, was sie kalt läßt, was sie nicht hören mögen, weil es ihnen unangenehme Empfindungen macht, was sie unablässig wiederholt wissen wollen, weil es sie erfreut. Selbst der Fortschritt ihrer innern Bildung spricht sich darin höchst bedeutsam aus.

In den Jahren zwischen acht und vierzehn sind die Lieblingsbeschäftigungen und Spiele sehr charakteristisch. Auch ist darauf zu achten, ob Kinder dann viel mit sich allein sein können, ohne Langeweile zu haben, oder ob sie, sobald keine äußere Anregung da ist, gleich in trägen Schlummer versinken. In Absicht dessen, was man zum Fleiße rechnet, kommt weniger darauf an, ob der Zögling sehr anhaltend, oder mehr nach Laune und durch äußere Veranlassungen bestimmt, arbeitet, als darauf, ob er, wenn er ein Geschäft unternimmt, es rüstig angreift und bis zur Vollendung dabei ausharrt. In Absicht des Moralischen liegt weniger daran, ob er häufig Fehler begeht, als von welcher Art diese sind, wie er sich bei Vorstellungen dagegen und Ermahnungen benimmt, und ob die Reue auch Besserung zur Folge hat.

Im Alter des Jünglings und der Jungfrau giebt die letzte Entwickelungsepoche bis zur physischen Reife Stoff zu interessanten Erscheinungen und Bemerkungen. Besonders ist dies der Fall, wo die Seelenstimmung sehr sittlich und religiös ist und nun ein ungewohnter Kampf zwischen dem Geist und der Sinnlichkeit eintritt, dessen Bedeutung die Unerfahrenheit nicht versteht. Zu viel ist auf solche Erscheinungen nicht zu bauen. Gerade die Krisis bringt etwas Unbestimmtes in das ganze Wesen. Es ist ein Zustand, in welchem man nicht weiß, was man will und was einem fehlt. Dies führt oft zu Äußerungen, die dem Charakter sonst nicht natürlich sind, und die vorübergehen, sobald sich alles in der Natur bestimmt und gesetzt hat. Aber dann bringt auch, wie dem feinen Beobachter nicht entgehen kann, gerade diese Periode, da die Fähigkeiten des Geistes und die Neigungen des Herzens von der physischen Natur so abhängig sind, große Veränderungen hervor. Die Ausbildung des Körpers macht jetzt schnellere Schritte.

und nun entspringt auch manche Anlage des Geistes ganz neu; eine andere be-
festigt sich, eine dritte wird vernichtet. Es geschieht oft, daß die Lebhaftigkeit des
Geistes, welche man im Kinde bewunderte, in dem heranwachsenden Jüngling und
Mädchen plötzlich verschwindet; oder daß der träge, in sich gekehrte, verschlossene,
wie es schien, stupide Knabe als Jüngling mit ausnehmender Kraft des Geistes
und großer Überlegenheit erscheint.

Eine ganz vorzügliche Aufmerksamkeit verdient endlich die Ähnlichkeit
der Kinder mit ihren Eltern. Es ist so wahr, was Lucrez (L. IV., 1212)
schon bemerkt hat:

> Fit quoque, ut interdum similes existere avorum
> Possint et referant proavorum saepe figaras,
> Propterea, quia multimodis primordia multis
> Mixta suo celant in corpore saepe parentes,
> Quae patribus patres tradunt a stirpe profecta.
> Inde Venus varias producit scite figaras
> Majorumque refert vultus, vocesque comasque
> Quandoquidem nihilo magis haec de semine certo
> Fiunt, quam facies et corpora, membraque nobis.

Wie es Familienphysiognomien giebt, so giebt es auch Familien-
temperamente, Familiennaturelle, Familiencharaktere. Die ersten
sind am meisten in die Augen fallend, und man kann ziemlich wahrscheinlich vermuten, daß die Ähnlichkeit auch für innere Ähnlichkeit bedeutsam sein werde.
Diese letztere, die in der Art zu empfinden, zu urteilen, zu handeln, oft in den
sonderbarsten kleinen Bewegungen und Manieren erscheint, ist nichts weniger als
bloß die Wirkung des Beispiels oder der positiven Erziehung. Sie zeigt sich
zuweilen lange nach dem Tode des Vaters, den der Sohn kaum gekannt, und in
dem gleichwohl jener wieder aufzuleben scheint. Unerklärbar mag eine solche
Forterbung von Eigenschaften sein; aber sie bleibt dennoch unleugbar.

Für den Pädagogen ist nun die Wahrnehmung solcher Ähnlichkeiten darum
so wichtig, weil er die Anlage im Entstehen und in der vollen Ausbildung hier
neben einander erblickt. Dies kann ihn in dem Falle beruhigen, wo er sieht,
wie manche Disposition, die ihn bei dem Zögling besorgt machte, sich in dem
Vater oder der Mutter geartet und veredelt hat. Sieht er hingegen die fehler-
haftesten Eigenschaften in diesen, und die frühe Ähnlichkeit der Kinder: so wird
er nichts Gutes ahnden und wenigstens versuchen, desto kräftiger entgegen zu
wirken, oder dem, was jetzt noch gleichgültig und unbestimmt ist, die edlere Richtung zu geben. In beider Hinsicht ist es lehrreich für ihn, wenn Eltern Bruchstücke aus ihrer Kindheits- und Jugendgeschichte (nur leider thun sie es zu oft in
Gegenwart der Kinder!) erzählen, oder wenn er sie auf andern sichern Wegen
erfährt.

In Lavaters physiognomischen Fragmenten, IV. Versuch S. 326.
findet man einen interessanten Aufsatz „Über die Ähnlichkeit der Eltern
und Kinder." — Einige seiner Gedanken und Beobachtungen aus mannig-

faltigen Erfahrungen verdienen wenigstens eine weitere Prüfung und werden hier im Auszuge mitgeteilt, um Erziehern in Familien Gelegenheit zu geben, sie mit ihren Erfahrungen zu vergleichen. Mir haben sich mehrere derselben in vielen Beispielen bewährt. Manche scheinen mir aber sehr unbestimmt und zweifelhaft.

„Wo der Vater noch so einfältig ist, die Mutter aber sehr klug; da werden die meisten Kinder der Mutter nacharten."

„Echte Güte des Vaters erzeugt größtenteils Gutmütigkeit in den Kindern." (Ist wohl bei der Mutter eben so oft der Fall).

„Die Söhne scheinen von dem guten Vater mehr den moralischen, von der weisen Mutter mehr den intellektuellen Charakter zu erben. Die Töchter erben mehr den ausgezeichneten Charakter der Mutter." (Ich zweifle).

„Wenn die Kinder ihren Eltern mit dem Fortschritt der Jahre immer zusehends der Gestalt und der Gesichtsform nach ähnlicher werden: so kann man auch in Ansehung der zunehmenden Ähnlichkeit des Charakters sicher sein."

„Gewisse Gesichtsformen der Kinder scheinen noch unentschieden zu sein, und gleichsam wankend in dem Entschlusse, ob sie sich zur väterlichen oder mütterlichen Ähnlichkeit wenden wollen. Da mögen denn freilich äußerliche Umstände, und besonders das Übergewicht der väterlichen oder mütterlichen Liebe und der nähere Umgang mit Vater oder Mutter ein großes Gewicht zur Entscheidung haben."

„Es giebt gewisse Gesichter, die sich sehr lange fortpflanzen, und andere, die gar bald wieder untergehen. — Weder die schönsten, noch die häßlichsten sind es, sondern die großen und die kleinlichen Gesichtsformen."

„Eine väterliche oder mütterliche stark gezeichnete Physiognomie verliert sich bisweilen in den unmittelbaren Kindern gänzlich, und kommt in den Kindeskindern vollkommen wieder zum Vorschein." (Dasselbe glaube ich bei Gemütsarten und bei Charakteren bemerkt zu haben).

„Unter allen Temperamenten erbt sich keines so leicht fort, als das sanguinische, und mit demselben der Leichtsinn. Wo einmal sich der Leichtsinn in eine Familie hineingepflanzt hat, da braucht es viel Arbeit und Leiden, viel Fasten und Beten, bis er wieder weg ist."

„Das melancholische Temperament des Vaters erbt sich leicht fort" (Leider nur allzu leicht; doch oft auch von beiden Eltern! Die Forterbung gehört zu den regelmäßigsten, und verdient die größeste Aufmerksamkeit bei der Wahl der Ehegatten.)

„Wenn das cholerische Temperament durch beide Eltern einmal in einer Familie ist, so kann es vielleicht Jahrhunderte werden, ehe es sich wieder temperiert. Phlegma erbt sich nicht so leicht fort."

„Nichts scheint sich aber so leicht fortzuerben, als Geschäftigkeit und Fleiß, wofern diese in der Organisation und dem Bedürfnisse Veränderungen zu bewirken ihren Grund haben." (Scheint mir anders).

Bei sehr auffallenden Unähnlichkeiten zwischen Kindern und ihren Eltern kann teils vertraute Bekanntschaft mit den Familienverhältnissen Aufklärung geben, teils sind sie Folgen der frühen Absonderung oder geheimer gänzlicher Sorglosig-

23*

keit vieler Väter um die Erziehung ihrer Kinder. Wie oft ist dies namentlich
bei Gelehrten der Fall! Ferner lehrt die Erfahrung, daß neben der durch die Abstammung entstandenen Ähnlichkeit eine andre durch moralischen Einfluß, durch
lange Gewöhnung, durch die Kraft des persönlichen Eindrucks sehr häufig eintrete,
wie man ja selbst von Eheleuten oft nicht ohne Grund behauptet hat, daß allmählich ihre Physiognomie etwas Ähnliches angenommen habe. — Daß sehr hoch-
begabte Väter oft sehr mittelmäßige, wohl gar schwachsinnige Söhne haben, erklärt
sich auch daraus, daß das Außerordentliche oder doch Vorzügliche immer das
Seltne ist. Auch das Ausruhen auf dem Ruhme der Väter machte viele träge.
Heroum filii noxae.

c) Die Benutzung solcher Beobachtungen in der pädagogischen
Praxis bedarf indes noch immer ihrer Vorsichtigkeitsregeln. Denn nichts
ist doch schwerer als das Auffassen der ganzen Individualität. Sehr wahr ist,
was Rehberg hierüber S. 12 seiner geistvollen Prüfung der Erziehungskunst sagt: „Gesetzt auch, der feine Beobachter wisse noch so scharf zu unterscheiden,
was etwa nur Stimmung des Augenblicks ist oder auf Rechnung des kindischen
Alters gesetzt werden muß, von dem, was aus den unauslöschlichen Grundsätzen
des Charakters entspringt: bei vielen Menschen sind diese ersten und entscheidenden
Züge nicht so scharf gezeichnet, nicht so auffallend, nichts desto weniger aber tief
im Herzen vergraben, und nur um so viel unüberwindlicher. Sehr viele natürliche Anlagen aller Art aber entwickeln sich erst spät. Sie schlafen viele Jahre
und zeigen sich unerwartet bei einer vielleicht geringfügigen Gelegenheit. Es war
durchaus unmöglich früher nur zu vermuten, daß dieses Talent oder diese
Neigung im Hinterhalte lag." —

Alles dies macht es so schwer zu bestimmen, was eigentlich an einem Menschen
ist und was künftig aus ihm werden wird, wenn sich seiner Entwickelung nichts
entgegensetzt.

Der praktische Erzieher wird also gleich dem praktischen Arzte sehr oft nur
im Dunkeln arbeiten; wo er unentschieden ist, wird er vorsichtig versuchen, was
am besten anschlägt; auch wohl einmal ein Wagestück machen, eine heroische Kur,
wo schleunige Hilfe nötig ist. Wie dem Arzte das Krankenhaus, so ist das
Leben unter der Jugend seine Schule, wo er in der Regel mehr lernt als
aus allen Systemen; vorausgesetzt, daß er, unbefangen von Systemphilosophie,
aber mit freiem philosophischem Geiste Beobachtungen anstellt und seine Methode
durch jeden gelingenden oder mißlingenden Versuch fester und vollständiger macht.

Aus voller Überzeugung empfehle ich bei diesem ganzen Abschnitte die Bemerkungen, welche Heidenreich in seinem Privaterzieher in Familien, im
1. Teile S. 143 ff. über die Erforschung der Fähigkeiten und Talente, im 2. Teile
S. 29—54 über die moralischen Anlagen geliefert hat. Von S. 54 an hat
H. Schelle diese Arbeit nach dem Tode des Verfassers fortgesetzt.

Über das früheste Erwachen und die erste Bildung moralischer und religiöser Gefühle, mit besondrer Rücksicht auf die Idee Pestalozzis und seiner Schule.

(Zu § 75—78 und 116—118.)

1. Kultur des religiösen Gefühls durch die Mütter.

Nach einer neueren, vorzüglich von dem edlen Pestalozzi gefaßten Ansicht dieses Gegenstandes soll die ersten Keime der Sittlichkeit und der Religiosität nichts mehr hervorlocken und ernähren, als die Liebe der Mutter zu dem Kinde, die Liebe des Kindes zu der Mutter; denn sie könne die Gefühle der Liebe, des Danks, des Vertrauens und des Gehorsams, diese Elemente aller wahren Religion am kräftigsten anregen und entwickeln. — In dieser Vorstellung liegt etwas sehr Rührendes und Herzerhebendes. Die Phantasie kann sich kaum ein lieblicheres Bild denken, als das Bild einer frommen und verstän= digen Mutter, an deren Brust der Säugling nicht allein die Nahrung für sein physisches Leben, sondern eben so gut auch die Nahrung für sein innerstes geistiges Leben empfängt. Gesetzt, dies Bild wäre mehr ein Traum der Phantasie als ein Abbild der Wirklichkeit: so möchte man doch fast Bedenken tragen, die aus ihrer Täuschung zu wecken, denen der Gedanke wohlthut, das, was bisher allen noch so ernsten Bemühungen um Menschenveredlung nicht gelingen wollte, werde endlich durch die Mütter zustande gebracht werden. Indes kommt in Sachen von so großer Wichtigkeit zu viel darauf an richtig zu sehen und das Urteil nicht durch bloße Gefühle und Wünsche bestimmen zu lassen. Denn allzu sanguinische Hoffnungen, die man auf ein Mittel setzt, können auch Ur= sach werden, daß man Mittel versäumt, die eine längere Erfahrung bewährt hat. Da mir nun vieles von dem, was ich von der ersten Erweckung und Bildung sittlicher und religiöser Gefühle durch Mutter=

liebe in vielen neueren Schriften lese, mancher Berichtigung und Einschränkung zu bedürfen scheint: so sei das Folgende denen zur Prüfung
vorgelegt, welchen es allein um Wahrheit zu thun ist.

Anm. 1. Daß die Mutter als erste und natürlichste Ernährerin, Be-
schützerin, Pflegerin, Erzieherin des hilflosen Kindes einen sehr großen Anteil an
seiner ganzen Bildung, gewiß also auch an der sittlichen und religiösen, haben
könne; daß auch viele Menschen namentlich die letztere, gerade am meisten
frommen Müttern verdanken: dies liegt schon in der Natur des Verhältnisses
und wird durch sehr viele Beispiele bestätigt. Wäre daher nur erst das Mittel
gefunden, die Mütter der künftigen Generation zu dem Ideale zu erheben, das sie
vor allen Dingen selbst erreicht haben müssen, wenn sie wohlthätig wirken sollen:
so ist gar kein Zweifel, daß, wie in der körperlichen, so auch in der sittlich-reli-
giösen Bildung alles besser stehen würde. Nur müßte man ihnen dadurch
in den höheren und in den niederen Ständen zugleich die Zeit und Muße
verschaffen, sich ihren Kindern wirklich mit ganzer und freier Seele ausschließend
widmen zu können. Aber wie die Sache liegt, wie vielleicht der größte Teil der
Mütter beschaffen ist, wie der Geist des Zeitalters gerade jetzt auch auf das weibliche Geschlecht wirkt, dürfte zunächst wenig Hilfe von dieser Seite zu hoffen sein.
Auch Pestalozzi fühlt sehr wohl, daß er von den Müttern mehr verlangt, als
sie gewöhnlich leisten; es wird ihm bange, wenn er mit seiner Lieblingsidee in die
Welt tritt und Eltern sucht, durch welche sie realisiert werden soll. „Hingerissen
— gesteht er selbst — von dem Bilde der hohen Kraft des Vaters und der
Mutter, sehe ich mich umringt von einer Welt, wo ich diesen Vater und diese
Mutter weit und breit umsonst suche. Die Welt, wie sie wirklich ist, liegt so
schwer auf dem Menschen. Es ist allenthalben so viel Geist und Herz verwirren-
der, Liebe tötender, Kraft erstickender und Gefühl entheiligender Widerspruch,
Anstoß und Gewalt! — Das Verderben eines so unglücklichen Geistes der Zeit
erschwert nicht bloß die Möglichkeit, den Segen dieses Sinnes unter den Menschen
allgemein zu machen, sondern es beengt, verwirrt und mißleitet selbst die einzelnen Privatbemühungen des häuslichen Lebens der Edelsten und Besten zu diesem
Ziele." (S. Pestalozzis Journal für die Erziehung, Bd. 1, Heft 1,
S. 83 ff.)

2. Zwar gehört die Liebe der Mutter zu ihren Kindern, besonders in
dem frühesten Alter, zu den unvertilgbarsten Gefühlen in der Natur.
Sie ist, als Trieb und Neigung betrachtet, in ihrer Allgemeinheit und in ihrer
Stärke der Geschlechtsneigung völlig analog, sogar bei manchen Individuen noch
ungleich stärker als die letztere. Sie erscheint uns in Personen, die in ihrer ganzen
übrigen Natur, und besonders in ihrer sittlichen Bildung nicht das Geringste
mit einander gemein haben. Die mildeste, edelste Mutter kann ihr Kind nicht
heftiger an ihre Brust drücken, als man eben dies bei Müttern wahrnimmt, die
in jedem andern Verhältnisse mehr den Furien, als weiblichen Wesen gleichen. Sie
ist folglich hier wenig oder nichts anders als ein Instinkt, der sich auch bei
Tieren in der Liebe und Pflege der Jungen oft recht rührend offenbart. Sie

ist schwächer da, wo das erste Nahrungsbedürfnis an einer fremden Brust empfangen wird, geht aber banx sehr oft in die Stellvertreterinnen über, die, wenn sie nicht sehr verdorben sind oder das eigne Kind zu nahe haben, dieses oft vergessen und versäumen, und mit ungleich mehr Affekt an dem fremden Säuglinge hangen. Auch die Liebe des Kindes zur Mutter ist nicht die Folge davon, daß es in ihrem Schoß empfangen und gebildet und unter Schmerzen geboren ist. Nicht die Gebärerin, sondern die Ernährerin ist ihm die Mutter. So lange es nur Sinn hat für die unentbehrlichste Befriedigung der dringendsten Bedürfnisse, die es sich selbst nicht geben kann, der Sättigung, der Wärme, der schmerzlosen Lage: so geht ihm dieses über alles, und der Instinkt richtet sich bloß hin nach der warmen, nährenden Brust, dem schützenden Arme, dem Schoße, wo es Ruhe findet. Es kann das erste, es kann das zweite, das dritte Jahr vorübergehen; — so lange die fremde Pflegerin das Kind nie oder nur selten mißhandelt, so steht meistenteils die Mutter auch gegen die häßlichste, unsittlichste, schmutzigste, oft sogar strengste Amme in der Neigung desselben zurück.

Man sage nicht: „das ist die Folge der verlassenen Natur! Warum nährt die Mutter nicht das Kind?" Sie kann es oft nicht; sie soll es sogar nicht, so bald ihr Gesundheit und Kraft fehlt. — „Warum wartet sie wenigstens ihr Kind nicht?" Wiederum, weil es ihr oft unmöglich ist; weil sie noch so viel andere Pflichten und Geschäfte hat; weil ihr Körper zu schwach ist; weil dem kaum jährigen Kinde schon ein zweites, und diesem ein drittes gefolgt ist; oder auch, weil sie auf die Arbeit gehen und Brot verdienen muß, damit sie mit dem Kinde nicht zu Grunde gehe. So ists in der Wirklichkeit! In unseren Büchern kann dies alles anders sein.*)

3. Wir wollen uns aber den besten Fall weit allgemeiner denken, als er wirklich ist; die Mutter soll gesund, kraftvoll sein; sie soll sich ihrem Kinde ganz hingeben und es eifersüchtig jeder ändern Wartung und Pflege mit der völligsten Verleugnung aller eigenen Bequemlichkeit und Ruhe entziehen; sie soll auch sanft in ihrem Temperamente, höchst sittlich in ihren Gefühlen sein; es soll aus jedem Blicke nur Liebe und Wohlwollen ausströmen auf das Kind an ihrer Brust und auf ihrem Schoße: sollten durch dies alles wirklich schon die ersten Keime der Moralität und Religiosität geweckt und genährt werden? Mir scheint es

*) Ich verstehe nicht, was Niederer meint, wenn er behauptet: „das Zeitalter hat sich selbst nicht geehrt, das der Mutter die Fähigkeit, den Willen oder die Zeit absprach, durch den Sinn und das Handeln ihrer sich selbst aufopfernden Liebe das Gemüt des Kindes heimlich zu erregen und ihm den Blick zu öffnen in die innere Welt." — Der Mutter (in abstracto) hat wohl niemand dies alles absprechen wollen. Aber vielen Müttern (in concreto), und bei weitem den allermeisten Müttern, muß es so lange abgesprochen werden, als der Mangel am Tage liegt und die Mittel, ihm auch nur bei der Mehrzahl abzuhelfen, nicht erfunden sind. Was Pestalozzi im vollem schönen Ergusse seines Herzens in seinem Buch der Mütter S. 107—110 ihnen allen zuruft, das wage ich zu behaupten, können unter vielen tausend Müttern im Volk nicht zehn auch nur verstehen oder sich in ihre Sprache übersetzen.

noch immer eben so möglich, daß bei allen jenen vereinten Eigenschaften der
Mutter das Kind gänzlich verdorben werden könne, wenn zu ihnen nicht
noch zwei sehr wesentliche hinzukommen: die Einsicht des Verstandes und
die Festigkeit des Willens. Ohne diese, selbst in erziehenden Bätern so
äußerst selten vereinten Vollkommenheiten schwebt das Kind gerade durch jene
instinktartige Liebe in großer Gefahr.

Worauf richtet sich doch das Wohlgefallen der allermeisten Mütter? —
Auf die körperliche Bildung, die süßen Lieblosungen, die angenehmen Manieren,
die gefälligen Tändeleien; ja wie oft nicht selbst auf die im ersten Ausbruch interessant erscheinenden Unarten der kleinen Lieblinge! Was wird diesen nicht verziehen oder unter nichtigem Vorwande entschuldigt! Wie vieles wächst auf, was
erst in späteren Jahren ausgerottet werden soll, wo es schon tiefe Wurzeln im
Herzen geschlagen haben wird! Wie viele Verwöhnungen Verweichlichungen, Cha-
rakterschwächen, wie viele selbstsüchtige Bestrebungen des Jünglings kommen allein
auf die Rechnung derer, die ihn als Kind in den ersten Lebensjahren bildeten;
seien es die Mütter, die Großmütter, die Tanten, die Ammen, die Wärterinnen!
„Vermieden wird alles — sagt Tillich kräftig und wahr — was auf irgend
eine Weise einen nachteiligen Einfluß auf das physische Wohlbefinden haben
möchte; vermieden wird jede körperliche und geistige Anstrengung. Das Herz
blutet der Mutter, so bald der Liebling weint. Die Mutter ist in ihres Abgottes
Dienst, und dennoch ist dieser nichts anderes als ihr Spielzeug. Eigensinn heißt
Unpäßlichkeit; tobende Ungezogenheit und Zügellosigkeit gilt für energische Kraft;
Dummdreistigkeit heißt kindische Unbefangenheit; Schüchternheit vor jedermann
unbegrenzte Zärtlichkeit gegen die Mutter." *)

Allein welche Reife des Verstandes, welche pädagogische Virtuosi-
tät gehört auch dazu, schon die Kinder mit einer so reinen und vernünftigen
Liebe zu umfassen, die nicht bloß ihren gegenwärtigen Zustand, sondern auch
ihr künftiges Sein und den Zusammenhang der gegenwärtigen Behandlung mit
der künftigen Entwickelung ins Auge faßt! Was gehört dazu, sich selbst oft die
große Gewalt anzuthun, um nicht zu achten auf seine Thränen und sein Geschrei;
um versagen zu können; es an feste Gesetze der Ordnung zu gewöhnen; es nicht
in Schutz zu nehmen, wo es unrecht hat; es nicht zu besänftigen durch Verheißungen, wenn andere mit Fug und Recht gescholten haben! Das alles wird
gegen junge Kinder dem Bater oft schwer; wie darf man denn hoffen, daß
unter den Müttern, die nicht selten kaum aufgeblüht, im achtzehnten, neunzehnten
Jahr zu dem ernsten Berufe der Mutter bestimmt werden, eine erziehende
Weisheit allgemein werden könne, die nur die Frucht reifen Nachdenkens und
mannigfaltiger Erfahrung sein, und von den niederen Volksklassen nach ihrer

---

*) Man vergleiche den ganzen sehr lesenswerten Aufsatz: Von der Ent-
stehung und Ausbildung der Mutterliebe und ihrem Einfluß auf
die Entwickelung des Kindes; in den Beiträgen zur Erziehungskunst,
2. Band 1. Heft.

ganzen Tage fast gar nicht erwartet werden kann? Es giebt — und ich selbst kannte Ausnahmen und sah

reife Weisheit in der Jahre Lenz.

Aber das werden, glaub' ich, immer Ausnahmen bleiben, ob wir wohl in der weiblichen Erziehung unablässig dahin streben müssen, daß es aufhöre, Ausnahme zu sein.

Es- sollen übrigens diese Bemerkungen bloß zeigen, daß die Kinderliebe, welche die Natur in das weibliche Herz (oft sogar bei solchen, die nie Mütter waren) gepflanzt hat, in ihrer gewöhnlichen Erscheinung zwar als die Schützerin des hilflosen Wesens bei seinem Eintritt in die Welt, aber keineswegs als Pflegerin des moralischen Gefühls betrachtet werden könne, indem sie eben so leicht zum Verderbnis desselben führen kann. Auf der anderen Seite ist der Schade, den die mütterliche Verziehung stiftet, auch nicht so groß und unheilbar, als er zuweilen gedacht wird. Ich kenne eine große Menge Jünglinge und Jungfrauen, welche in ihren Kinderjahren gar sehr verzogen wurden, daher im höchsten Grade eigensinnig und herrisch waren, ohne daß nach ihrer weiteren Ausbildung die Spuren hiervon bemerkbar geblieben wären. Von sehr vielen Fehlern bringt den Zögling die reifende Vernunft zurück, und es geht damit, wie mit so manchen körperlichen Gebrechen: „er wächst sie aus". Andere vertilgt die Notwendigkeit und der Widerstand, welchen er im Leben findet. Oft heilt ihn die Mutter selbst, die nun mit einem jüngeren Liebling beschäftigt, dem heranwachsenden strenger wird, da sie wohl einsieht, daß es hohe Zeit sei, den Ernst und die Strenge neben die Liebe zu stellen. Doch je früher die Liebe vernünftig wird, desto besser.

4. Man sagt ferner, und so drücken sich Niederer, Grunert, Ewald u. a. in ihren Schriften über die Pestalozzische Lehrart aus: „Liebe, Vertrauen und Dank werde durch jene mütterliche Zärtlichkeit am besten geweckt und gepflegt, und dies gerade seien die drei Elemente der Organisation eines Gemüts, in welchem Sittlichkeit und Religion emporkommen sollen". Von der Religion kann dies zugegeben werden. Aber das Wesen der Sittlichkeit können diese Elemente noch nicht vollständig darstellen.

Liebe erweckt allerdings Zuneigung und Gegenliebe. Aber diese kann im höchsten Grade momentan und eigennützig sein, und ist es so sehr, daß die sterbende Mutter am zweiten Tage vergessen ist, so bald das Kind nur eine Nacht in dem Arme der neuen Pflegerin eben so warm und sanft geschlafen hat, eben so gut genährt wird. Auch kann eine weiche Mutterliebe sehr leicht Neid und Eifersucht erzeugen, wenn sich die Mutter dem Lieblinge ganz hingiebt, und ihn durch Liebkosungen verwöhnt. „Wer der Mutter lieb ist," sagt zwar Pestalozzi, „der ist auch dem Kinde lieb; wer der Mutter in die Arme fällt, dem fällt es auch in die Arme; wen die Mutter küßt, den küßt es auch. Der Keim der Menschenliebe, der Keim der Bruderliebe ist in ihm entfaltet". Allein sehr oft sah ich gerade das Gegenteil, ich sah ungebärdig schreiende Kinder, wenn die Mutter ein fremdes liebkoste.

Das Vertrauen wird durch das Gefühl der Hilflosigkeit und durch oft erfahrne Bereitwilligkeit erzeugt. Zu große Bereitwilligkeit hat aber auch sehr oft die Folge, daß jede noch so notwendige Verweigerung mit Unwillen und Trotz erwidert, was erbeten werden sollte, mit Ungestüm gefordert, befohlen, die verweigernde Mutter wohl gar geschlagen wird.

Dankbarkeit ist nach meinen Beobachtungen recht eigentlich das Erzeugnis der Reflexion und eine der seltenen Erscheinungen in der Kindernatur. Vergißt doch der Erwachsene und selbst der bessere Mensch so leicht in der Fülle seiner Freude über ein Glück, an den Urheber desselben zu denken; und nichts wird in der Welt häufiger aufgeschoben als der Dank. Die Kinder aber sind ohne Ausnahme die größten Egoisten. So muß es auch wohl sein, um den Trieb der Selbsterhaltung, der zur Selbstthätigkeit, der eigentlichen Bestimmung des Menschen, führt, recht tief zu begründen. Die Uneigennützigkeit der Mütter, meint man, würde ihnen die ersten Begriffe von freiwilliger Entsagung und Unterordnung des Eigennutzes beibringen. Glauben denn aber Kinder an die Uneigennützigkeit der Mütter? Ja, wecken denn aber die meisten Mütter selbst jenen Glauben in den Kindern? Erbitten, erflehen sie sich nicht alles, was diese ohnedies thun sollen, oft sogar den Kuß, als eine Gefälligkeit, als ein Geschenk? Stehen sie nicht fast in einem steten Tauschhandel von Diensten und Gegendiensten? Sieht man nicht ferner Kinder die herrlichsten Geschenke hinnehmen, sich auch wohl jubelnd über sie freuen, dann allen, die in ihrer Nähe sind, und endlich dem Geber zuletzt in die Arme fallen; und dies vielleicht nur aus Freude über ihren Besitz, ohne daß der eigentliche Dank aus dem Herzen auf die Lippe kam, bis sie endlich durch das oft gehörte „Bedanke dich doch!" die Form beobachten lernten? Nein — erwartet und fordert nicht Dank von Unmündigen! Ihnen, meinen sie, gehöre die Welt, und ihr selbst seid in ihren Augen bloß um ihretwillen da. Wenn erst die Reflexion in ihre Seele an die Stelle der bloßen Empfindung tritt; wenn die Überlegung sie nach und nach über ihr wahres Verhältnis aufklärt; wenn die vernünftige Liebe von der sinnlichen Zuneigung geschieden wird; wenn der Geist sein wahres Wohl und seine wahren Wohlthäter erkennen lernt: dann erst wird die Dankbarkeit die Seele erfüllen; wird späte Rührung das Herz bei dem Gedanken an alle die Aufopferungen der Mütter ergreifen, die ihnen vormals das Kind und der Knabe gleich Schuldigkeiten abtrotze. Aber dann wird auch eben so oft geheime Unzufriedenheit bei der Erinnerung an die Schwächen und Verkehrtheiten erwachen, wozu eine blinde Mutterliebe geführt, und welche die wahre Charakterbildung verspätet haben.

Liebe, Vertrauen und Dank mag man die Elemente der Religiosität nennen, da das Verhältnis der Kinder zu den Eltern das schönste und wahrste Symbol des Verhältnisses zu dem Vater aller Wesen, zu Gott ist. Die Sittlichkeit aber erscheint vielmehr in dem Sinne für Recht und Pflicht, in der Beherrschung seiner selbst, in der Unterwerfung der Neigung unter die Vernunft, in dem Wohlgefallen an Harmonie und an dem Wohlsein aller empfindenden Wesen.

5. Kann aber, wird man weiter fragen, nicht wiederum die Mutter den

Sinn auch für dieses alles am besten wecken und nähren? Ich antworte: allerdings, und wenn es auch nicht gerade die Mutter ist, so können es alle die Personen, welche das Kind von seiner ersten Entwickelung an am meisten um sich haben. Gerade diese können jeden Augenblick benutzen; von diesen wird durch unmerkliche Nachahmung alles am ersten angenommen. Wenn sie also nicht bloß zärtlich liebende, wenn sie selbst sittlich gute und kindlich fromme Erzieherinnen sind: so wird auch ihr ganzes Betragen, ihr Handeln und Dulden, ihr Reden und Schweigen, die Harmonie ihrer Äußerungen über alles, was um sie her vorgeht, wie ein befruchtender Same in das Herz, welches die Natur selbst für das Sittliche und Religiöse urbar gemacht hat, fallen, sicherer aufgehen und tiefer wurzeln, als wenn dies erst dann geschieht, wenn schon eine verborbene Gesellschaft des Unkrautes so viel hineinwarf, daß das Bessere weder Boden noch Kraft findet, frei und fröhlich empor zu wachsen.

Wie ist nun aber auf junge Gemüter zu wirken? — Nur durch Wort und That teilen sich die Geister einander mit. Lehre und Beispiel sind daher die einzigen gedenkbaren Mittel sittlicher und religiöser Bildung. Die Belehrung führt stufenweise zur Einsicht in die ewigen Gesetze sittlicher Naturen und bringt zum Bewußtsein, was das Vernunftwesen durch Freiheit sein soll und sein kann. Die Erkenntnis bekommt Kraft über den Willen, wenn das Anschauen dieser Kraft es in andern gewiß macht, daß man vermag, was man ernstlich will. Man wird verzagt neben Verzagten, mutig neben Mutigen. Darum ist es allerdings so wichtig, in welcher Gesellschaft Kinder ihre erste Periode durchleben. Es kann in der zweiten manches, aber vielleicht nie alles, was zu jener schon verdorben ward, verbessert werden.

Ein System, eine planmäßige Ordnung, wie etwa bei der schulmäßigen Verstandesbildung, ist hier nicht zu befolgen. Die Übungen des moralischen und religiösen Sinnes an eine gewisse Reihenfolge binden und sich gleichsam ein fortschreitendes Schema entwerfen, wäre ein wahrer Mißgriff. An allem, was in die Sphäre des Kindes eingreift, übe und bilde man das Sittliche und Religiöse im Kinde *). Die Gelegenheit zu dieser oder jener Tugend benutzen, ist die wahre Weisheit; ob sie eben im ausgesonnenen Typus an der Reihe ist, ist ganz gleichgiltig. So erzieht und stärkt die Natur ihre Pflanzen bald durch Regen, bald durch Tau, bald durch einen milden Sonnenstrahl; dann wieder durch Schatten und Kühle, auch wohl durch Wind und Sturm, der sie niederbeugt bis zur Erde, damit die Wurzel sich fester in ihrem Boden verschlinge; aber jede auf andere Art, in anderer Ordnung, obwohl durch jegliche Einwirkung hinstrebend zu einem Zwecke. Sie wirkte nicht gerade in derselben Reihenfolge auf die eine, wie auf die andere; dennoch konnte jede gedeihen.

6. Pestalozzi schlägt vor, die erste Hinweisung auf Gott von seiten der

*) „Wenn in die Natur das Große hereintritt, der Sturm, der Donner, der Sternenhimmel, der Tod: so sprecht das Wort Gott vor dem Kinde aus. Ein hohes Unglück, ein hohes Glück, eine große Übelthat, eine Edelthat sind Baustätten einer wandernden Kinderkirche." S. L. Pauls Levana, Bd. 1, S. 139.

Mutter an den Moment zu knüpfen, wo das Kind zuerst leise ahnde: „Du bedarfst der Mutter nicht mehr." Mir scheint dies in aller Hinsicht der unglücklichste Zeitpunkt. Fällt dergleichen ja dem Kinde ein, so ist's wohl nur
in Augenblicken des Trotzes oder einer gefühllosen Kälte, also in den unbequem-
sten für religiöse Eindrücke. Aber das Kind entwickelt wohl überhaupt diesen
Gedanken eben so wenig zu deutlichen Vorstellungen, als den entgegengesetzten;
„du bedarfst der Mutter." Überdies ist es weit naturgemäßer, das Kind
durch die Erinnerung an Wohlthaten, die wir alle aus einer unsichtbaren
Hand täglich empfangen, und an einen Heiligen, der alles weiß, was man thut,
das Böse wie das Gute, zu der Ahnbung eines unsichtbaren Wesens zu erheben,
als durch das Bedürfnis. Denn der Frohsinn und das Gewissen, das sich so
früh regt, und selbst eine Art von innerer Religiosität ist, kommen jenen Lehren
willig entgegen*). Im Gefühle des Bedürfnisses hilft es sich entweder selbst, wo
es kann, und geht furchtlos dem unbekannten Leben entgegen; oder es sucht bei
fremden Menschen Hilfe, so lange es diese kennt. In großer Not aber (denn
auch Kinder haben zuweilen ihre große Not) flüchtet es, früh bekannt mit einer
höchsten Macht und Liebe, von selbst zu dem unsichtbaren Helfer; nicht weil
es der Mutter nicht mehr bedarf, sondern weil alles Menschliche ihm zu schwach
zur Hilfe dünkt. So ist manches Gebet der Kinder unter heißen Thränen zum
Himmel gestiegen, wenn Furcht, Verlegenheit und Trauer ihre Seele ergriffen
hatten. Spottet dieser Kindereinfalt nicht! Es ist ihre Religion, ihr erstes
Hinaufstreben zu dem Unendlichen; ein Bedürfnis, das sie dem Wesentlichsten
nach mit dem gebildetsten Menschen gemein haben**).

*) Vergl. Wolkes Anweisung, wie Kinder und Stumme zum Verstehen
und Sprechen zu bringen sind (Leipzig 1804), S. 199 Anm. und 202 Anm.,
und Dessen kurze Erziehungslehre (Leipz. 1805) S. 155—173.

**) Im obigen Sinn muß ich dem beistimmen, was Schwarz hierüber be-
merkt hat: „Der Knabe und das Mädchen haben schon ihre Momente der
Andacht. Diese sind aber nicht gerade jene Stunde, worin sie ihre Kenntnisse
der Religionslehre lernen oder aufsagen; obschon das zugleich eine Stunde der
Andacht sein sollte; noch weniger da, wo man sie mit Zweifeln und Spekulationen über diese Lehre sich unterhalten läßt und bis zum Gegenstande der
Reflexion macht, welche noch nicht einmal dem Jünglingsalter zugänglich scheint.
Aber zu Zeiten, gewöhnlich unbemerkt, wird das Kind, etwa nach einer gelungenen
Arbeit, von einer süßen Empfindung durchströmt werden, wobei ihm ist, als müsse
es sich zu einem unsichtbaren Wesen hinwenden; ein andermal wird es einen
ganz besonders getrosten Mut empfinden, oder die Lage seiner Eltern wird ihm
an das Herz gehen, und sein Herz wird im Stillen bei einer höheren Macht Hilfe
für sie suchen; oder es trägt im Gebete seinem himmlischen Vater sein kindliches
Anliegen ernstlich vor; oder, es sei nun bei dem Anblick der Natur, oder in einer
sonst erregten Stimmung, es erwacht eine eigene wehmütige Sehnsucht in ihm,
und es weiß nicht, wo und wie ihm diese werde gestillt werden; oder es hebt
seine Augen etwa nach dem blauen Himmel, oder der sternbesäeten Ferne: und
ein neues Gefühl ergreift mächtig seine Brust" u. s. w. S. Studien, herausgegeben von Daub und Creutzer (Frankfurt und Heidelberg 1805) B. 1,
S. 210 f.

2. Einfluß der Unterrichtsmethode auf Charakterbildung.

Auch von der Methode, nach welcher die Erkenntniskräfte geübt werden, erwartet man einen bedeutenden Einfluß auf das Sittliche im Kinde. Dies ist im weiteren Sinne auch gewiß sehr gegründet. In einer Schule, wo eine recht planmäßig durchgeführte Lehrart herrscht, wo aller Unterricht mit Ernst und Eifer erteilt und jeder Schüler in das Interesse desselben gezogen wird, herrscht auch gewiß Ordnung und gute Sitte; so wie die Disziplin allezeit mit dem Fleiße und der Arbeitsamkeit zugleich verfällt. Herrschend gewordene Liebe zu allem, was verständig und klug macht, reger Wetteifer sich durch Kenntnisse vor andern auszuzeichnen, (didicisse fideliter artes) besteht nicht leicht mit niedrigen Neigungen und läßt den Menschen selten ganz sinken, (emollit mores nec finit esse feros). Dennoch ist auch hier manches behauptet worden, was Berichtigung und Einschränkung nötig macht.

Anm. Zu diesen Behauptungen gehört die Verwechselung solcher Eigenschaften, die ihrer Natur und ihrem Objekte nach ganz verschieden sind. Es ist doch eine unleugbare καταβασις εις αλλο γενος, wenn man z. B. von der Methode, welche die Pestalozzische Schule zur Erkenntnis der Maß- und der Zahlverhältnisse für die richtigste hält, nicht etwa bloß erwartet, daß sie die Aufmerksamkeit und Besonnenheit übe, was allerdings auch moralisch nützlich ist; sondern daß sie sogar unmittelbar die Sittlichkeit befördern werde. „Ist nicht, sagt Schwarz, in der Tiefe unseres Gemüts das Vermögen, Maß zu setzen, mit dem moralischen Vermögen Eins? Denn was ist dieses anders, als ein selbstthätiges Maßsetzen für sich selbst? Wird nun dieses Vermögen an den sinnlichen Gegenständen so geübt, so kann es nicht fehlen, es muß auf die Beurteilung der Handlungsweise einen mächtigen geheimen Einfluß haben. Der Mensch, welcher gewohnt ist, alles nach Stab und Schnur abzumessen, muß auch diese an das Thun und Lassen der Menschen anlegen; und kann sein Auge nichts Schiefes oder Verhältniswidriges vertragen, so muß ihm auch, was in dem Betragen gegen Sitte und Gesetz ist, sogleich widrig auffallen. Er müßte sehr gewissenlos sein, wenn er dann den Anblick des Unmoralischen an sich selbst dulden könnte*)." — Nicht zu gedenken, daß es bei den Übungen in der Anschauung der Maßverhältnisse nicht sowohl auf ein Maß setzen, Maß halten, sondern auf ein Messen ankommt: was hat wohl das physische Maß, was hat überhaupt das, was nur im Raum und in der Zeit gedacht werden kann, für eine Analogie mit dem, was über alle Raum- und Zeitverhältnisse erhaben ist? Freilich reden wir wohl, um übersinnliche Gegenstände zu bezeichnen, aus Armut an Worten auch von einem Ebenmaß in den menschlichen Handlungen; aber wer möchte behaupten, daß die Fertigkeit des Auges, Größen zu beurteilen, Abweichungen zu bemerken, das Symmetrische von dem Unsymmetrischen zu unterscheiden, auch nur den geringsten Anteil an der richtigen Beurteilung morali-

*) S. Pestalozzis Methode und ihre Anwendung in Volksschulen. Von E. H. C. Schwarz, (Bremen 1805) S. 10.

scher Gegenstände haben könne? Alle Formen und Ausdehnungen, auch die Bahnen der Erde und Sonne, kann der Mathematiker messen und berechnen; aber so mißt man nicht Begriffe, Gesinnungen und Handlungen. Das Recht und die Pflicht haben auch ihre Regel; aber Schnur und Stab haben nichts mit dieser Regel gemein. Die größten Mathematiker waren zuweilen ohne allen Sinn für sittliches Gleichmaß; nicht einmal in ihrer äußeren Umgebung erblickte man eine Spur des Geistes der Ordnung und Regelmäßigkeit. Die größten Rechenmeister machten ihre eigne Rechnung sehr oft ohne den Wirt. Unzählige Reiche und Vornehme sind bei dem feinsten Takt für alle Verhältnisse, bei der stärksten Abneigung vor allem Schiefen und Unebnen in ihren Wohnungen, Gärten und Anlagen doch daneben ohne alle moralische Grundsätze; und wer von einer allgemeinen Regel des Rechts spricht, erscheint ihnen als ein Thor. Und doch grenzt das Gebiet der Ästhetik noch weit näher an das Gebiet der Moral, welche mit dem mathematischen Wissen sich nicht von fern berührt.

Es kann allerdings geschehen, daß die, welche durch angestrengte Übung des Verstandes und eine aus Selbstbeherrschung hervorgehende, beständige Richtung desselben auf bestimmte Objekte der Anschauung sich überall an eine feste Regel gewöhnt haben, sich auch durch eine vortreffliche moralische Natur, durch schöne Einfalt des Herzens und Sinnes auszeichnen; nur soll man sich hüten, da einen inneren Zusammenhang anzunehmen, wo ganz andere Ursachen dem Zusammentreffen zum Grunde liegen.

Die Ideen Pestalozzis über die sittliche und religiöse Bildung sind ausführlicher dargestellt 1. von ihm selbst in den Schriften: Lienhard und Gertrud; Wie Gertrud ihre Kinder lehrt (im letzten Abschnitte) und in den freimütigen Aufforderungen und Vorschlägen zur Veredlung des Schul- und Erziehungswesens (Leipzig 1800); 2. von Ewald in seinem Geiste der Pestaloz. Bildungsmethode (Bremen 1805) S. 125 ff. und in Dessen Vorlesungen über die Erziehungslehre ꝛc. Tl. 2, S. 182—221; von Ziegenbein in seinen Schulschriften über weibliche Erziehung und Bildung (Blankenb. 1809) S. 114 ff.; von Türk in den Briefen aus München-Buchsee, S. 95—122. Außerdem findet man auch in Schwarzes oben angeführter Abhandl.: Religion, eine Sache der Erziehung (in den Studien, B. 1, S. 174 ff.), und in der Vorrede zu Geßners Religionslehre für die zartere Jugend (Winterth. 1803) hierher gehörige treffende Bemerkungen. Nicht minder verdienen verglichen und geprüft zu werden eines ungenannten geistvollen Verfassers: Bruchstücke zur Menschen- und Erziehungskunde, 12 Hefte, Frankf. a. M. 1810—1811. Wer eine Erläuterung der Pestalozzischen Ideen nach den neueren Ansichten der Religionslehre, welche Fichte in seiner Anweisung zum seligen Leben darlegt, wünscht, der lese und prüfe einen Aufsatz von Lehmus in Schuberoffs N. Journ., Jahrg. I. B. 2. St. 3, besonders S. 321 ff. Man vergl. hiermit das Litterarische oben bei § 75—78 und 116—118.

Achte Beilage.

Über die Bildung des Schönheitssinnes und ästhetischer Sitten.

(Zu § 67—71. 79—83.)

Die Grundlinien zu dem, was man sowohl im weiteren als engeren Sinne ästhetische Erziehung und Bildung des Geschmacks durch Unterricht nennen kann, sind in den obigen Stellen entworfen. Ich glaube nicht, daß ein wesentlicher Punkt übergangen ist. Auch würde kein Verhältnis der Teile einer Schrift, die nur Grundsätze für alle Zwecke der Erziehung und des Unterrichts zu weiterer Prüfung der Sachkundigen aufstellen soll, statt finden; wenn sie, wie ein Beurteiler verlangte, zu einer Abhandlung über das Schöne und Erhabene, oder einer Aufzählung aller der Geisteswerke, welche zur Beförderung des Geschmacks vorzüglich geeignet sind, anwüchse. Einige Nachträge dürften aber nicht überflüssig sein, um das kurz Angedeutete zu erläutern und praktische Erzieher auf einige Punkte noch aufmerksamer zu machen.

1. Beschränkung der ästhetischen Bildung auf gewisse Klassen.

Eine sehr große Klasse von Menschen ist durch eine harte Notwendigkeit darauf beschränkt, der Gesellschaft bloß durch körperliche Kräfte und Anstrengungen nützlich zu werden. Schon dies bringt es mit sich, daß die Bildung des Schönheitssinnes und Geschmacks und die Erziehung zu ästhetischen Sitten nicht zu den allgemeinen Tendenzen der Pädagogik gerechnet werden kann. Wir teilen zwar die Menschen nicht wie die Alten in Sklaven und Freie. Jede erleuchtete und humane Regierung arbeitet vielmehr dahin, daß das, was auch in unsern Verfassungen noch die Spuren einer despotischen Herabwürdigung natürlich gleich und frei geborner Menschen an sich trägt, immer mehr verschwinde. Dennoch sieht jeder ein, der nicht von einem philanthropischen Schwindel ergriffen ist, mit welcher Überlegung und Vorsicht man an der Kultur derer arbeiten müsse, denen man doch einmal mit ihrer Ausbildung nicht zugleich eine Lage verschaffen oder verbürgen kann, welche mit einer höheren Bildung in dem gehörigen Verhältnisse stände. Je mehr er in der Wirk-

lichkeit und unter den unteren Volksklassen selbst lebend den Gang und
Drang des Menschenlebens kennt, wohl wissend, wie selbst den höchsten
Produkten geistiger Kultur ein unendlicher Aufwand bloß physischer Kräfte
vorangehen muß; desto mehr überzeugt er sich, daß für Millionen Mensch=
schen die moralische Kultur zunächst die wünschenswürdigste sei und
selbst diese mehr, so fern sie von einem richtigen sittlichen Gefühl, als
von einer höheren Aufklärung des Verstandes ausgeht.

2. Anfangspunkte der ästhetischen Bildung. Reinlichkeit.

Mit dieser Art von moralischen Kultur hängt in der sinnlichen Er=
scheinung nichts so nahe zusammen, als der Sinn für Reinlichkeit;
und wer die rohen fast tierischen Menschen nur erst bis zu diesem Sinne
gebracht hat, der hat sie in der That schon auf die erste für sie geeignete
Stufe ästhetischer Bildung gehoben. Reinlichkeit darf als ihr Anfangs=
punkt betrachtet werden. Gerade sie, in der Verbindung mit der höchsten
Einfachheit der Sitten und der Umgebung ist das, was an Menschen,
welchen das Los fiel, auf einer niederen Stufe zu stehen, auch dem ge=
bildetsten Geschmack am meisten gefallen muß. Was darüber hinausgeht
gleicht geborgten Purpurstreifen, die nicht dahin gehören, oder einem eiteln
Putze, hinter welchem sich die Armseligkeit kleinlich verstecken will. Man
sollte daher auch in allen Anstalten zur Bildung dieser Klasse den Cha=
rakter ihrer Bestimmung vorwalten lassen. Es ist nicht wohlgethan, aus
Armenschulen oder gar aus Zuchthäusern Prachtgebäude zu machen; und
die Werke der schönen Kunst sollte man vielmehr von ihnen entfernen,
als sie an so unrechtem Orte aufstellen. Das Streben nach eitlem Luxus
kann man wohl dadurch wecken; aber den Geschmack wird man nimmer
dadurch bilden, da alles Übrige so wenig die Hand bietet. Was soll
auch der Pflüger, der Taglöhner, der Hirte, der kleine Handwerker mit
diesem Geschmacke? Solche Kultur könnte nur dienen ihm seinen Zustand
zu verleiden. Hat man doch selbst Ursach sehr zu bezweifeln, daß den
unmittelbaren Lehrern dieser Volksklasse die höhere Geschmackskultur,
worauf es sogar manche Schulmeisterseminarien anlegen sollen, zu=
träglich sei. Sie entfernt sie zu weit von denen, unter welchen und mit
welchen sie einst zu leben haben, und versucht sie, entweder die ihnen
anvertraute Jugend über ihre Sphäre hinaus zu führen, oder sie zu
verbilden und gerade von den wichtigsten Seiten zu vernachlässigen.
Hiervon wird in dem Abschnitt von den Landschulen und ihren Lehrer-
seminarien weiter die Rede sein.

Anmerk. In Grönland unterscheiden sich die, welche durch die Missionarien
Unterricht in der Religion bekommen haben, auch dadurch, daß sie aus dem schreck-
lichen Schmutz ihrer gewohnten fast tierischen Lebensweise in einen Zustand der
Reinlichkeit übergehen. Zwar sind viele Tiere reinlicher als viele Menschen.

Doch gerade, weil bei jenen nur der Instinkt verwaltet, fehlt dem Menschen eben so viel an ausgebildeter Humanität, als ihm an Sinn für diese Tugend fehlt.

Treffend heißt es daher in Fichtes Reden an die deutsche Nation Seite 35 ff.: „So wie das an Reinlichkeit und Ordnung gewöhnte äußere Auge durch einen Fleck, der ja unmittelbar dem Leibe keinen Schmerz zufügt, oder durch Anblick verworren durch einander liegender Gegenstände dennoch gepeinigt und geängstigt wird wie vom unmittelbaren Schmerze, indes der des Schmutzes und der Unordnung Gewohnte sich in derselben recht wohl befindet: eben so kann auch das innere geistige Auge des Menschen so gewöhnt und gebildet werden, daß der bloße Anblick eines unwürdigen und ehrlosen Daseins seiner selbst und seines verbrüderten Stammes, ohne Rücksicht auf das, was davon für sein sinnliches Dasein zu hoffen oder zu fürchten sei, ihm innig weh thue, und daß dieser Schmerz dem Besitzer eines solchen Auges, abermals ganz unabhängig von sinnlicher Furcht oder Hoffnung, keine Ruhe lasse, bis er, so viel an ihm ist, den ihm mißfälligen Zustand aufgehoben und den, der ihm allein gefallen kann, an seine Stelle gesetzt habe.“

Man vergl. noch Heerens Ideen über Politik, Tl. I. S. 377 ff.; ferner die Bemerkungen über den Wert der Reinlichkeit in Markards Reise durch die französische Schweiz und Italien, S. 169 ff., und die von Petri in der päbag. Bibliothek, 1802. II. S. 107 ff., so wie die oben § 139, 3. a. angeführten Schriften. — Schmids Encyklop. VII. I. Artikel.

3. Höhere ästhetische Bildung negativ und positiv betrachtet.

Ganz etwas anderes ists in der Erziehung derer, welche, sei es nun durch den Zufall ihrer Geburt, oder Wahl und glückliche Umstände bestimmt werden, den Höhergebildeten anzugehören. Daß neben der moralischen Ausbildung eine vorzügliche Sorgfalt auf ihre intellektuelle gewendet werden müsse, bezweifeln höchstens noch die, welche in Geburt und Reichtum den Ersatz jedes andern Mangels finden. Man giebt auch wohl zu, daß eine gewisse Geschmacksbildung und Verfeinerung dem nicht fehlen dürfe, der von sich rühmt, daß er wohl erzogen sei. Aber größtenteils wird darunter nichts als eine oberflächliche Kenntnis der neuesten schönen Litteratur, Belesenheit in Modejournalen oder Bekanntschaft mit der Mode, modisches Wohlgefallen an allerlei Kunstwerken und eine gewisse Eleganz im Anzuge, in Sitten, Umgebungen und gesellschaftlichem Verkehr gerechnet. Um dies alles, und dadurch zugleich den Ruf eines gebildeten Geschmacks zu erlangen, ist aber in der That nichts nötig als ein Leben unter Menschen, die einige Fertigkeit darin besitzen; ein Nachahmen ihrer Urteile und Gewohnheiten; eine Teilnahme an Vergnügungen und Beschäftigungen, welche man zum guten Tone zu rechnen pflegt.

Niemeyer, Grundf. d. Erziehung. I. 2. Aufl.			24

Wenn die ästhetische Bildung, welche auf den Sinn für das Schöne berechnet ist, sich kein höheres Ziel zu setzen hätte, so dürfte der Erzieher äußerst wenig thun. Nur da, wo in einer Familie oder einer Schule noch gar kein Sinn für dies alles wäre, würde er einige Anstalten treffen müssen. In den gewöhnlichen Fällen darf er aber nur die Ge= sellschaft sorgen lassen. Seine Zöglinge werden zeitig genug, auch ohne Modejournale, mit dem, was gerade in dem Reiche des Geschmacks an der Ordnung des Tages ist, bekannt werden; ja mancher von ihnen wird auf dieser Bahn Fortschritte machen, die mit seinen übrigen in gar keinem Verhältnis stehen. Aber wer möchte dies für den echten Sinn für das Schöne, für den Geschmack halten, welcher sich der ganzen Art zu em= pfinden und zu handeln, mitteilen und bis in das Alter erhalten soll, wo man auf die sogenannte Schöngeisterei und die Modethorheiten, wenn nicht verachtend, doch eben so entfremdet zurück zu blicken pflegt, als auf die Spielwerke seiner Kindheit und Jugend?

Es giebt aber, wie einen höheren Sinn für das Schöne in der Natur, in der Kunst, in dem Leben, so auch eine höhere ästhetische Bildung, der ihre echten Schüler nie wieder untreu werden können, wenn sie dieselbe auf die rechte Art empfangen haben. Wem sie fehlt, der kann ein sehr gelehrter, sehr kenntnisreicher, sehr geschickter, sehr brauchbarer Mann, auch höchst moralisch und eben daher höchst achtungswürdig werden; der Staat kann ihn einst ehren und belohnen, weil er gerade das besitzt, was zu dem Amte, in das er eingeengt wer= den soll, das einzige Notwendige ist: Geschäftsgeist, Gedächtnis, Ordnung, Strenge, tabellarischen Verstand, positives Wissen. Man wird ihn viel= leicht seiner Beschränktheit wegen andern vorziehen, hoffend, daß er sich weniger zerstreuen werde: nur die Erziehung darf nicht sagen, daß sie ihn vollendet habe; denn es fehlt ihm etwas sehr Bedeutendes; be= deutend für die Art seines äußeren Lebens und Wirkens, bedeutend für sein inneres Leben und Genießen.

4. Verhältnis der Geschmackskultur zu der intellektuellen Ausbildung.

„Aber — kann man einwenden — wird nicht das, was doch so genau mit den unteren Seelenvermögen, der Einbildungskraft selbst zu= sammenhängt, den höheren nachteilig werden? Wird nicht zuvörderst die Kultur des Verstandes und der Vernunft darunter leiden, wenn es schon die frühere Erziehung darauf anlegen soll, den Geschmack an dem, was den Sinnen gefällt und die Phantasie angenehm beschäftigt, zu nähren*)? Sehen wir nicht in der Erfahrung, daß junge Leute, die

---

*) „Die Phantasie — bemerkt ein der Wissenschaft zu früh entrissener Psychologe sehr wahr — wird unstät lebhaft in solchen Kindern, welche auf der einen Seite durch Genüsse überreizt, auf der andern diese Genüsse nicht mit Mühe

einen frühen Hang zu vergleichen haben, in weit wichtigern Dingen zurück bleiben, und daß ihnen gemeiniglich die Gründlichkeit fehlt, die
allem Wissen den Wert giebt? Sehen wir nicht auch in reiferen Jahren,
daß die Neigung für Belletristerei, die sich als Geschmacksbildung
ankündigt, für die ernsteren Geschäfte des Lebens unbrauchbar macht und
zugleich Lust und Liebe ertötet, weil die strenge Arbeit und das Ausdauern bei Gegenständen ohne Reiz mit den leichteren Spielen der
Phantasie in einem so starken Kontraste steht? Es war daher wohl ganz
vernünftig, wenn man in vorigen Zeiten alle Lesereien dieser Art von der
Jugend entfernte und sie namentlich auf gelehrten Schulen als verbotene
Ware betrachtete. Seitdem man von dieser Strenge nachgelassen hat,
scheint wenigstens das gründliche Wissen nicht gewonnen zu haben." —
Der Einwurf wäre bedeutend, wenn er gegründet wäre. Aber er trifft
nur das Fehlerhafte in der Geschmacksbildung. Sie selbst ist nicht nur
mit dem rechten Sinn für alles Wissenschaftliche und selbst dem ersten
Erlernen und Treiben desselben, sondern auch mit dem praktischen Verstande für den bürgerlichen Beruf und das tägliche Leben sehr wohl
vereinbar und zugleich in beiden Fällen veredelnd.

Anmerk. 1. Die Erwerbung, Erweiterung und stete Berichtigung unserer
Erkenntnisse, worauf es die intellektuelle Erziehung und aller Unterricht anlegen
soll, hat allerdings nur so weit etwas mit der Einbildungskraft und den Sinnen
zu thun, als diese als Dienerinnen den Stoff herbeiführen, an welchem sich der
Verstand üben soll. Wo es daher auf Darstellung des Wahren und Realen ankommt, da darf auch die Sache nie der Einkleidung aufgeopfert, oder der sinnliche
Reiz so verstärkt werden, daß die Thätigkeit des Verstandes dabei leide und in
angenehme Empfindung aufgelöst werde. In sofern war es in der That nicht
überlegt, wenn viele unserer Jugendschriftsteller, selbst in Unterrichtsschriften
alles durch die angenehme Einkleidung erreichen wollten, und die Rückkehr zu der
Strenge der alten Methode ist ein wahrer Gewinn. Auch das Bestreben, in
welches angehende Lehrer von mittelmäßigen Kenntnissen, aber einer gewissen Fülle
des Ausdrucks so leicht verfallen, bei jedem Unterricht durch einen schönen Vortrag Eindruck zu machen, würde mit Recht getadelt werden.

Dieser Meinung war auch Schiller in seinem für jeden Jugendlehrer
höchst instruktiven Aufsatz: über die Grenzen des Schönen im Vortrage
philosophischer Wahrheiten. „Ich halte es — sagt er — für schädlich, wenn

_____

erwerben durften; welche nie recht und ganz anschauen, alles nur vor ihren
trunken gemachten Sinnen vorüber gehen lassen lernten, und deren ruhiges Auffassen durch An- und Überhäufung mit sinnlichen Gegenständen und Reizen,
durch äußere und innere Zerstreuung zerstört wurde. — Daher rühren in lebhaften
Knaben die Kreuz- und Quersprünge in den Neigungen und Einfällen; daher das
ungeduldige, vorschnelle Übergehn von halbverstandenen Prämissen zu den Resultaten;
daher die Entstellung der Thatsachen, die Verwechselung der Worte; daher die
leichte Vergeßlichkeit gefaßter Vorsätze." S. Carus Psychologie (Leipzig 1808)
B. I. S. 315 f.

24*

für den Jugendunterricht Schriften gewählt werden, worin wissenschaftliche
Materien in schöne Formen eingekleidet sind. Der Verstand wird in ihnen immer
nur in seiner Zusammenstimmung mit der Einbildungskraft geübt und lernt
also nie die Form von dem Stoffe scheiden und als ein reines Vermögen handeln.
Und doch ist schon die bloße Übung des Verstandes ein Hauptmoment bei dem
Jugendunterricht, und an dem Denken selbst liegt in den meisten Fällen mehr,
als an den Gedanken. Der Geist muß, wenn ein Geschäft gut behandelt werden
soll, schon durch die Form der Behandlung in Spannung gesetzt und mit einer
gewissen Gewalt von der Passivität zur Thätigkeit fortgestoßen werden. Der
Lehrer soll seinem Schüler die strenge Gesetzmäßigkeit der Methode keineswegs
verbergen sondern ihn vielmehr darauf aufmerksam und wo möglich begierig
machen." (Horen, 1795, 9tes Stück.)

2. Aber es ist gar wohl gedenkbar, daß die ästhetische Bildung mit der
wissenschaftlichen Gründlichkeit gleichen Schritt halte. Indem der Verstand auf
das Wahre und das Wissenswürdige gerichtet wird, kann man bei andern, sich
überall darbietenden Gelegenheiten denn Sinn auf das lenken, was durch Harmonie
und Schönheit gefällt. Indem man einen Dichter des Altertums zuerst mit aller
möglichen grammatischen Gründlichkeit interpretiert, ohne die er gar nicht einmal
recht verstanden werden kann, läßt sich das, was verstanden ist, auch als Kunstwerk betrachten, und der Lehrling für das Herrliche und Vollendete nicht nur in
dem Stoff, sondern auch in der Form empfindlich gemacht werden. Den Knaben,
der noch die ersten Elemente des Zeichnens lernt, kann man doch schon mit Kunstwerken umgeben, damit sein Auge sich an ihre schönen Verhältnisse gewöhne, ohne
daß sein Kunstfleiß im Geringsten dadurch leidet. (Man vergl. Schiller über
die notwendigen Grenzen beim Gebrauche schöner Formen, in seinen kleinen
prosaischen Schriften, T. 2., besonders S. 359 f. und 367 f.) Solche Weckung
des Sinnes für das Schöne in den Werken der redenden und bildenden Künste
ist weit mehr wert, als die frühe Leserei aller Taschenbücher, Almanache und
Journale, Schauspiele und Romane. Durch sie wird der Geschmack leicht mehr
verdorben als gebildet und bekommt nimmermehr die Sicherheit und Zartheit, in
der sein Wert beruht.

Aber nicht sowohl durch Verbieten und Verpönen, wodurch nur die Lust
gereizt wird, als durch beständige Beschäftigung mit etwas Ernsterem und Nütz-
licherem, wobei keine Zeit für das Unnütze und Verderbliche übrig bleibt, soll man
dies zu erreichen suchen, und wird man es gewiß erreichen.

3. Denen, welche eine klassische Bildung durch gelehrten Unterricht erhalten,
bieten die Klassiker selbst die trefflichsten Bildungsmittel dar. Viele unserer vorzüglichsten Prosaisten und Dichter hatten in ihren Jugendjahren fast nichts als
die alten Klassiker gelesen. Sie sind die Lehrer aller späteren Nationen gewesen;
und je mehr der Schüler heranwächst, desto öfter muß man ihn darauf führen,
wie sehr sie dies waren, indem man ihre Nachahmung auch in den vorzüglichsten,
neueren Werken bemerkbar macht. Die Lesung der Alten selbst führt auf so manche
verwandte Bildungsmittel; sie erinnern an die alte Kunst, an die schönen Dichtungen
in der Mythologie und an so viele Sitten und Gebräuche, worin sich der reine
Geschmack des merkwürdigen Volks unter dem jonischen Himmel so einzig und

unübertroffen aussprach. Es erfordert dieses Studium so viel Zeit und Ausdauer, wenn etwas geleistet werden soll, daß man selbst die vorzüglichen Werke
der Neueren lieber nicht zu früh empfehlen, sondern einer Epoche aufsparen sollte,
wo sich der Genuß, selbst durch die Fähigkeit, nun Altes und Neues vergleichen
zu können, noch erhöhen wird.

4. Wo man seine Lehrlinge nicht über den klassischen Boden in das
Reich des Schönen führen kann, sollte man doch eben so wenig das bloße Lesen
vieler schöner Schriften, das bloße Treiben vieler schönen Künste, für das wahre
Bildungsmittel des Geschmacks halten. Es kommt alles darauf an, wie gelesen
und wie eine Kunst getrieben wird. Je mehr z. B. junge Frauenzimmer das
Lesen auf sehr weniges und nur auf das Vortrefflichste beschränken; je mehr man
sich mit ihnen in ein wahres Kunstwerk einstudiert, und, wiewohl ohne spitzfindige
Theorieen, so viel von ästhetischen Grundsätzen mitteilt, als sich auch populär
machen läßt; desto mehr reift ihr Geschmack. So werden sie dahin kommen, das
Schöne feiner anzufinden, schärfer von dem Schlechteren zu unterscheiden, das
besser Erkannte auch richtiger zu beurteilen, in dem Kreise ihrer Freunde sich
lehrreicher davon zu unterhalten und es selbst besser zu genießen. Die planlose
Leserei führt nicht über das flache Urteil, „daß es recht schön sei, — sehr unterhalten habe" hinaus. Mancher Leserin hat wohl gar eine Iphigenie, eine Jungfrau von Orleans, selbst eine beredte Predigt, nach ihrem Ausdruck — viel
Spaß gemacht!!

5. Geschäftsmänner und Frauen in größeren oder kleineren Kreisen werden,
ästhetisch gebildet, gewiß nicht weniger ihrem Berufe leben. Denn so bald es nur
eine wahre Bildung ist, die sich ohne ernsthaftes Studium nicht denken läßt, so
werden sie dadurch mit nichten vom Arbeiten entwöhnt. Wir sehen an so vielen
Beispielen des Altertums und der neueren Zeit, mit welchem rastlosen Eifer
Männer von der feinsten Geschmackskultur, deren eigentliche Erholung der einsame
Umgang mit der Muse war, ihr oft so ganz heterogenes Berufsgeschäft getrieben,
und die trockensten Arbeiten mit einer Pünktlichkeit verrichtet haben, die keine An-
forderung übrig ließ. Denn ihre Vernunft, die sie vielseitig geübt hatten, wozu
das unermeßliche Reich ästhetischer Gegenstände gerade eine so herrliche Gelegenheit
giebt, wußte recht gut die verschiedenen Zwecke des Lebens zu unterscheiden und
gab ihnen zugleich den richtigen Takt, nichts an den unrechten Ort zu stellen.
So Gebildete werden nicht dichten, wo untersucht werden soll; nichts vor den
Gerichtsstuhl der Sentimentalität ziehen, was vor das Tribunal der strengen
Gerechtigkeit gehört; nicht auf Sonnette sinnen, wo es auf die Richtigkeit
eines Kalküls, nicht rednerische Phrasen gebrauchen, wo es auf strenge Gründlichkeit ankommt; werden selbst der Versuchung einer schönen Darstellung
mit wahrer Selbstverleugnung widerstehen, wo die wissenschaftliche Strenge darunter leiden würde. — Bei dem weiblichen Geschlechte kann man dieselben Erfahrungen machen, wenn nur die ästhetische Bildung rechter Art war. Die Frau,
deren Geschmack rein und fein ist, kann eine eben so gute Gattin, Mutter und
Hausfrau sein, als eine andere, die, um das letztere nach der gemeinen Art zu

sein, sich selbst versäumt hat. Nur wird sich bei ihr über alles, was sie thut und wie sie es thut, Geschmack und Anmut verbreiten.

6. Endlich hat man auch nicht Ursach zu fürchten, daß nicht noch genug Menschen übrig bleiben würden, welche teils der Bildung für das Schöne ganz unfähig sind, oder denen sie wenigstens eben wegen ihrer geringen Bildsamkeit nie gefährlich werden kann. Berechnungen der Umstände für das Bedürfnis in der menschlichen Gesellschaft können überhaupt die Erziehung nie bestimmen, von ihrem Hauptprinzip, jede Natur so weit zu veredeln, als sie der Veredlung fähig ist, abzugehen. Auch am sprödesten Stoff möge sie sich versuchen. Gerade in ästhetischer Hinsicht findet sie denselben häufig genug. Und dann tröste sie sich mit dem Wort des alten Dichters:

Nicht jeden Stamm vermagst du zum Merkur
Zu bilden — doch zum Grenzpfahl ist er immer noch
Wohl zu gebrauchen.

5. Verhältnis der Geschmackskultur zur moralischen.

Auch für die moralische Bildung hat man von der ästhetischen Gefahr befürchtet, und in der That sind hier die Gründe noch scheinbarer. Man tadelt mit Recht die Theoretiker, welche das Sittlichgute mit dem Ästhetischschönen verwechselnd, die Moralität des Stoffes oder der Ausführung zum Merkmal und zur Bedingung eines Kunstwerks machen. „Aber wenn nun, sagt man, kein notwendiger Zusammenhang zwischen beiden ist; wenn es ferner höchst wahrscheinlich wird, daß für den ohnehin sinnlichen Menschen das, was den Sinnen auch der Phantasie gefällt, einen ungleich stärkeren Reiz haben werde, als was sogar der Sinnlichkeit entgegenzukämpfen und die Phantasie im Zaum halten soll: wie kann man hoffen, daß bei einer absichtlichen Kultur des ästhetischen Sinnes die Vernunft, welche überall auf das Sittliche dringt, die entscheidende Stimme behalte werde, wo zwischen dem Rechten und Guten und dem Sinnlichschönen und Reizenden gewählt werden soll? Die Erfahrung beweist auch, daß mit der Verfeinerung der Kultur überall die Einfachheit in den Sitten und den Grundsätzen verloren gegangen ist; und daß dicht neben den Tempeln des Geschmacks, wo für alle Musen und Grazien ein Altar erbaut ist, nicht nur allen Thorheiten, sondern auch allen Lastern geopfert ward. Ästhetische Sitten verlangen nichts weniger als eine moralische Denkungsart; aber desto öfter sollen sie ihren Mangel ersetzen. Soll man dies geflissentlich durch die Erziehung befördern?" In diesem Einwurf wird aber die mögliche Gefahr mit der notwendigen verwechselt, und der Einfluß eines geläuterten Geschmacks auf das Moralische ganz übersehen. Jene ist weder ganz zu leugnen, noch zu gering anzuschlagen; noch viel weniger soll das Sittlichgute dem Ästhetischschönen gleichgestellt werden. Wenn aber der Einfluß des Geschmacks sich schon unverkennbar in der Bildung der äußeren Sitten und der Einschränkung der rohen Naturtriebe zeigt: warum sollte sich der Sinn für das Schöne nicht noch inniger mit dem moralischen Sinne verbinden, und, obwohl ganz verschieden von diesem in seiner Natur, doch zu gleichen Zwecken mit ihm wirken? Kann die Erziehung es dahin bringen, daß der Zögling einen regen Sinn für alles bekomme, was durch Harmonie, Größe und Vollkommenheit entzückt, so hat sie einen Menschen gebildet, der, wo nicht moralisch, doch für die Darstellung der Tugend im Wollen und Ausführen weit geschickter ist, als der, welcher zwar rein sittlich ist, dem aber jene Empfindlichkeit für das Schöne abgeht. Alles kommt nur darauf an, daß die moralische Kultur stets als die Hauptsache betrachtet, und ihr die ästhetische unter- geordnet werde.

Anm. 1. Durch das, was Schiller, dessen Stimme man wenigstens nicht für parteiisch gegen die Geschmacksbildung halten wird, teils über die Gefahr, teils über den moralischen Nutzen ästhetischer Sitten und der Geschmackskultur an dem oben angeführten Ort (f. § 79 Anmerk.) ge- sagt hat, ist die Sache in ein so helles Licht gesetzt und den Anforderungen von beiden Seiten so sehr genügt worden, daß wenig hinzuzusetzen übrig bleibt. Eine gedrängte Darstellung seines Ideengangs wird, da jene Aufsätze in mehreren Bänden der Horen zerstreut und weniger allgemein bekannt geworden sind, hier weder unzweckmäßig noch unwillkommen sein.

So bald sich der Mensch dem Schönheitsgefühl ausschließend anver- traut und den Geschmack zum unumschränkten Gesetzgeber seines Willens macht, führt die ästhetische Verfeinerung fast unausbleiblich zum Verderbnis des Herzens. Zwar entzieht sich der Mensch von Geschmack freiwillig dem Joch des bloßen tierischen Instinkts und mäßigt die rohen Ausbrüche der Triebe. Er unterwirft seinen Trieb zum Vergnügen der Vernunft, und Sittengefühl und Schön- heitsgefühl treffen auch sehr oft in demselben Objekte zusammen. Aber Empfin- dung und Vernunft haben nicht selten ein ganz verschiedenes Interesse. Die Pflicht kann ein Betragen gebieten, das den Geschmack empört; der Geschmack kann sich zu einem Objekte hingezogen sehen, das die Vernunft als moralische Richterin zu verwerfen gezwungen ist. Hat man nun zu lange den Geschmack zum obersten Richter gemacht, so will er der Vernunft nicht mehr untergeordnet, son- dern beigeordnet sein. Vorzüglich nimmt er die sogenannten unvollkommenen Pflichten, z. B. die Großmut, und nicht selten gegen die Gerechtigkeitspflichten. in Schutz. Sie werfen einen Glanz von Verdienstlichkeit um sich und empfehlen sich dem Schönheitssinn weit mehr, als die, welche unbedingt mit strenger Nöti- gung gebieten. Daher giebt es so viele, die sich eher eine Unwahrheit als eine Indelikatesse, eher eine Verletzung der Menschlichkeit als der Ehre verzeihen; die, um die Vollkommenheit ihres Geistes zu beschleunigen, oder selbst nur um äußer- lich zu gefallen und bemerkt zu werden, ihren Körper zu Grunde richten; um mit dem Verstande zu glänzen, ihren Charakter erniedrigen. Mancher schreibt seiner Phantasie den seltsamen Vorzug zu, daß er über die Moralität noch hinaus und vernünftiger als die Vernunft sein will; z. B. die, welche an dessus des prin- cipes sind und auf die Moralpedanten mitleidig herabsehen, weil sich in ihnen keine schöne Individualität entwickle und sie nur wie Schulknaben nach Regeln und Grundsätzen handeln.

Der Me. . . . . riesigen Geschmack . . in diesem Stück sogar einer

sittlichen Verderbnis fähig, vor welcher der rohe Natursohn eben durch seine Rohheit gesichert ist. Bei ihm setzen sich seine Begierden wenigstens in kein Ansehn.
Auch wenn er fehlt, huldigt er vielleicht in demselben Augenblicke der Vernunft
durch geheime Mißbilligung. Der verfeinerte Zögling der Kunst will nicht Wort
haben, daß er fällt, und um sein Gewissen zu beruhigen, betrügt er es lieber.
Verkehrter Wille entehrt den Verstand und macht ihn zuletzt glauben, was der
Neigung gefalle, was sich dem Sinn in einer schönen Form darstelle, sei zugleich
das Vernünftigste. Höchst gefährlich kann es daher für die Moralität des ganzen
Charakters werden, wenn zwischen den sinnlichen und den sittlichen Trieben, die
doch nur im Ideal, nie in der Wirklichkeit vollkommen Eins sein können, eine
zu innige Gemeinschaft herrscht. Die Vernunft muß oft unmittelbar gebieten,
wenn die Moralität erhalten werden soll.

Wenn dieses so bündige und durch Erfahrung bestätigte Räsonnement der
ästhetischen Kultur nicht günstig ist, vielmehr ihren Mißbrauch, wie ihre Gefahr
einleuchtend macht, so ist nun dancken zu stellen, was derselbe vortreffliche Schriftsteller über den Nutzen derselben behauptet hat.

Ein reges und reines Gefühl für Schönheit hat auf das moralische Leben
offenbar den glücklichsten Einfluß.

Zwar kann der Geschmack durch seinen Einfluß das Moralische nie erzeugen; denn es darf keinen andern Grund haben, als sich selbst: aber wohl
kann er es begünstigen.

Ein innerer Entschluß, eine innere Handlung hört nicht auf, eine freie sittliche Handlung zu sein, weil glücklicherweise die Versuchungen fehlen, die sie hätten
rückgängig machen können. Da es uns schwerer und leichter werden kann, als
freie Menschen zu handeln, je nachdem wir mehr oder weniger Widerstand finden:
so giebt es Grade der Freiheit. Diese wird zwar geringer, aber sie hört
deshalb nicht auf, wenn eine fremde Gewalt den Widerstand mindert.

Um die Moralität zu befördern, muß man teils die Vernunft stärken,
teils die Wahl der Versuchungen zum Unrecht schwächen. Dies letztere geschieht
unter andern durch eine echt ästhetische Kultur. Denn der Geschmack fordert Mäßigung und Anstand; es widersteht ihm, was hart, gewaltsam, niedrig ist. Schon
der civilisierte Mensch legt sich einen gewissen Zwang in der Äußerung seiner
Gefühle auf und bekommt dadurch eine gewisse Herrschaft über sich selbst. Noch
mehr befreit der Geschmack das Gemüt von der Gewalt des Instinkts. Zuerst
bestimmt er den Willen zwar bloß durch das Vergnügen; aber er reinigt das
Vergnügen zum Wohlgefallen am Edlen, Harmonischen und Vollkommnen. Die
Versuchung zum Schlechten, Schädlichen, Niedrigen wird schon von dem Tribu-
nale des Geschmacks abgewiesen, noch ehe sie vor das Forum der Vernunft
kommt. Denn der Geschmack giebt dem Gemüt eine für die Tugend zweckmäßige
Stimmung; er stimmt die Sinnlichkeit selbst zum Vorteil der Pflicht, wodurch
auch eine schwächere moralische Willenskraft Tugend zu üben fähig wird.

Sei auch die Wirkung des Geschmacks auf ein Handeln, das wenigstens
materiell, wenn auch nicht der Triebfeder nach, dem Moralgesetz entspricht,
folglich das Beste der Zeit befördert, bloße Legalität: so muß uns doch alles,
was auch diese nur unterstützt, höchst wichtig sein. Eine Gesellschaft, die, bloß
durch ästhetische Gefühle geleitet, alles Rohe, Widrige, Schmutzige, Gewaltsame ausschließt, ist doch als legale Gesellschaft dem gemeinen Wohle weit zuträg-
licher als die, worin alle rohen Naturtriebe walten. So wenig die Wirkungen
einer auch unvollkommneren Religiosität auf die Sitten uns gleichgiltig sein
dürfen, eben so wenig die Wirkungen der ästhetischen Kultur.

2. Was bei der vorstehenden Schillerschen Apologie der ästhetischen Kultur
noch nicht genug beachtet zu sein scheint, ist die Erfahrung, daß eine gewisse weiche

Stimmung der Seele eine fast unvermeidliche Folge derselben zu sein pflegt, da doch die Tugend ihrer ganzen Natur nach Kraft erfordert. Die schönen Künste beschäftigen vorzüglich die Sinne und bringen durch ihre wechselnden, aber immer angenehmen Eindrücke ein gefälliges Spiel der Phantasie und ihr verwandter Kräfte hervor. Der Anblick schöner Formen nährt die Sinnlichkeit im hohen Grade, und, da die Tugend durchaus nicht immer in schönen Formen erscheinen kann, so mißfällt sie schon darum dem Verfeinerten so oft. Er verzeiht leicht das Schlechteste, so bald die sinnliche Wirkung nicht beleidigt; er findet zuletzt die Sünde liebenswürdig, so bald sie wie eine schöne Zauberin erscheint.

Selbst wo man moralische Zwecke ankündigt, werden sie oft gerade durch die gewählten Mittel aus dem Auge verloren. In Schauspielen, deren Tendenz höchst moralisch sein kann, wirkt doch das, was das Auge unmittelbar anschaut, immer am stärksten; und man verwechselt den schönen Körper der Schauspielerin nur gar zu leicht mit der schönen Seele, deren Rolle sie spielt. Man will die schönen Künste den höheren Zwecken, z. B. der Beförderung der Religiosität und Sittlichkeit, dienstbar machen: die Musik, die Malerei, die Poesie, die Beredtsamkeit. Aber die Erfahrung lehrt täglich, daß das Mittel leicht für den Zweck genommen und den Dienerinnen weit mehr, als den erhabenen Wesen, welchen sie dienen, gehuldigt wird. Das Ästhetisch-Gefallende muß so oft durch etwas weit Reelleres erkauft, und ein bleibendes Verdienst dem momentanen angenehmen Eindruck aufgeopfert werden.

Dies alles ist nicht zu leugnen, und man muß es daher manchen strengen Moralisten nicht so sehr verargen, wenn sie in der steigenden Kultur des Geschmacks eine Gefahr für das sehen, was dem Menschen das Wichtigste sein soll. Doch läßt sich außerdem, was oben (S. 116) bemerkt ist: „daß die Veredlung des Geschmacks wenigstens oft den Vorschriften der Vernunft sehr günstig sei, und das Gemüt für ihre Befolgung stimme," noch folgendes zu ihrer Verteidigung sagen:

a) Es zeigt sich eben nicht, daß die rohen, geschmacklosen Menschen überhaupt die moralisch-bessern sind, oder daß bei ihnen der Mangel ästhetischer Sitten durch moralische ersetzt wird. Denn das zufällige und gelegentliche Hervorbrechen manches guten Triebes wird man doch nicht Tugend nennen wollen? Kein Mensch ist so schlecht, an dem nicht zuweilen eine bessere Natur durchblickt. Gesetzt also, die ästhetisch Gebildeten wären als solche eben so wenig für moralisch zu halten als die Geschmacklosen, so haben jene doch etwas positiv Schätzenswertes; sie verhalten sich wie Kunstwerke zu Karrikaturen. Man glaube ja nicht, daß alle die ästhetischen Geister, deren Moralität zweideutig ist, ohne jede Kultur moralischer sein würden. Es würde nur ihrer Immoralität der Anstand und eine gewisse Achtung des Scheins fehlen, und manches jetzt wenigstens humanisierte Laster würde als Brutalität erscheinen.

b) Wie den Unreinen alles unrein, so ist den Reinen alles rein. Die Herrschaft der Vernunft ist, wie das Schwerste, so auch das Höchste in dem Menschen, und muß daher auch das erste und letzte aller Erziehung bleiben. So viel daran

fehlt, so viel ist der Mensch in Gefahr, durch Sinnlichkeit hingerissen zu werden
zu dem, was nicht recht ist. Der Unterschied ist bloß der, daß der eine in grober
tierischer Lust, der andere in verfeinerter Sinnlichkeit sein besseres Selbst verliert,
und der letztere wenigstens der Humanität näher als der erste ist. Ein Leben,
wie es vordem auf vielen Edelhöfen geführt wurde, auch wohl noch geführt werden
mag, und ein Leben, wie es der Sophist Hippias, nach Wielands Agathon,
führte, ist doch beides ein Sinnenleben. Aber hätte bei jenem eine so edle
Natur wie die des Agathon auch nur einen Tag aushalten können?

c) Es kann sein, daß der ästhetisch gebildete Mensch eine Zeitlang mehr
von dem Schönen, das die Sinne reizt, als von dem angezogen wird, was den
Stempel der Sittlichkeit an sich trägt. Aber laßt ihn durch irgend eine Zucht,
vielleicht die der Widerwärtigkeiten, zu sich selbst zurückkommen, und zu dem
höheren inneren Leben erwachen: wie viel wird er dann durch einen gebildeten Geschmack gewonnen haben; und wie leicht wird es ihm nun werden, diesen
von allem zu reinigen, was die Sittlichkeit nicht billigen kann?

d) Endlich kann dem vollkommensten Geschmack doch selbst in den Darstellungen der Kunst nichts ganz genügen, worin sich nicht der Charakter eines
hellen Kopfs und eines sittlich gebildeten Gemütes ausprägt; und jede Anwendung des Talents zum Dienste des Gemeinen, Niedrigen und Unsittlichen erscheint
ihm als eine Entweihung, wenn sich auch wirklich ausgezeichnete Köpfe zuweilen
dazu hingegeben hätten. „Wer die Vortrefflichen — sagt einer der Vortrefflichsten — rühren will, muß sich auch als Künstler und Dichter so sehr als möglich
veredelt und zur reinsten herrlichsten Menschheit hinauf geläutert haben." Denke
man sich nur reine Tugend und Frömmigkeit zu ästhetischen Sitten gesellt; und
sie werden noch einmal so wohlthuend auf alles wirken, was sie umgiebt. Dieser
Schönheit muß selbst der huldigen, dem alle moralischen und religiösen Begriffe
Thorheit und Ärgernis sind.

6. Einfluß der Geschmackskultur auf erhöhten Lebensgenuß.

Wenn also die ästhetische Kultur, so bald sie nur rechter Art ist,
weder der intellektuellen, noch der moralischen Abbruch thun kann: so ist
sie in der Erziehung der gebildeten Stände um so wichtiger, je mehr
man dadurch zugleich seinem Zögling einen reineren und erweiterten
Lebensgenuß bereitet und gewißermaßen dafür sorgt, daß sein Geist
später oder vielleicht niemals altere. Auch die erlaubtesten sinnlichen
Genüsse verlieren nach und nach ihren Reiz; des Geschäftslebens,
wenn es nicht zu einer Art von Leidenschaft geworden ist, wird man
endlich müde, und es erscheint oft als ein beschwerlicher Frohndienst, bei
dem es wohl erlaubt ist, sich zuweilen nach Erholung zu sehnen. Die
Beschäftigung mit den strengeren Wissenschaften fordert von
Zeit zu Zeit Abspannung. Selbst die Menschen, an die wir uns am
engsten angeschlossen haben, sterben uns oft früher ab, als wir denken.
Die Kunst und der Geschmack an ihren unsterblichen Werken verlassen

uns nie; und es giebt auch für die Weiſen keine ſchönere Ruhe, als die,
welche unter ihren ſanften Einflüſſen genoſſen wird. Das Alter wird
in der Regel mürriſch und teilnehmungslos. Eine äſthetiſche Bildung
bewahrt es ſehr oft vor einer frühzeitigen Erſtarrung, indem ſie den
Geiſt jugendlich erhält. Es verfällt oft in Thorheiten aller Art aus
Langerweile; aber kaum wird dieſer Fall eintreten, wo der Sinn für das
Wahre, das Gute und das Schöne harmoniſch gebildet iſt.

Anm. 1. Dieſe im § genannten wohlthätigen Einflüſſe ſollten uns in
der Erziehung auf die Geſchmackskultur durch Kunſt und Wiſſenſchaft aufmerk-
ſamer machen. Denn in beiden fließt ein unverſiegbarer Quell von Lebensfreuden.
Ihr Genuß erhebt den Menſchen über die oft ſo traurige, oft ſo drückende, oft
ſo anekelnde Wirklichkeit, mit welcher die Vernunft allerdings verkehren, und
gegen die uns die Philoſophie mit Geduld rüſten, ja ſelbſt lehren muß, daraus
Gewinn für unſer Inneres zu ziehen. Dem Geiſt wird doch erſt recht wohl in
einer andern Sphäre, in dem Reiche des Idealen, in das uns die Künſtler, und
vor allem die Dichter verſetzen; er bewegt ſich darin freier, entbunden von den
Feſſeln der Notwendigkeit und ergriffen von den Ahndungen eines höheren Lebens
und einer vollkommeneren Exiſtenz.*) Wer auch ſelbſt nicht fähig iſt, Werke dieſer
Art hervorzubringen, kann doch fähig werden, ſie zu verſtehen, zu genießen, und
was ihre Urheber in den Momenten ihrer Schöpfung genoſſen haben, ſympathe-
tiſch nachzuempfinden. Wenn man ſich deutlich denkt, wie durch alle Jahrhunderte
David, Aſſaph, Homer, Aeſchylus, Pindar, Sophokles, Euripides,
Virgil, Horaz, Milton, Shakeſpeare, Petrarca, Dante, Arioſto,
Taſſo, Klopſtock, Goethe, Schiller — um aus dem großen Chor einige
Auserwählte zu nennen — auf unzählige Geiſter und Herzen gewirkt, welche
Ideen und welche Gefühle ſie in Jünglingen und Jungfrauen, in Männern und
Frauen, in mehr und minder Gebildeten, in Geſchäftsmännern, in Weiſen und
Heroen erſchaffen haben und noch erſchaffen werden: ſo lernt man verſtehen, was
einer von ihnen über die Dichter ausgeſprochen hat:

„Gleichſam wie einen Gott hat das Schickſal den Dichter über das alles
hinüber geſetzt, was die Menſchen beunruhigt. Er ſieht das Gewirre der Leidenſchaften der Familien und Reiche ſich zwecklos bewegen; er ſieht die unauflös-
lichen Knäſel der Mißverſtändniſſe, er fühlt das Traurige und Freudige jedes
Menſchenſchickſals mit. Wenn der Weltmenſch in einer abzehrenden Melancholie
über großen Verluſt ſeine Tage hinſchleicht, oder in ausgelaſſener Freude ſeinem
Schickſal entgegengeht: ſo ſchreitet die empfängliche, leicht bewegliche Seele des
Dichters wie die wandelnde Sonne von Nacht zu Tag fort, und mit leiſen
Übergängen ſtimmt ſeine Harfe zu Freude und Leid. Eingeboren auf den Grund
ſeines Herzens, wächſt die ſchöne Blume der Weisheit hervor; und wenn die
andern wachend träumen, ſo lebt er den Traum des Lebens als ein Wachender,
und das ſeltenſte, was geſchieht, iſt ihm zugleich Vergangenheit und Zukunft.

*) Dies iſt unſtreitig die Hauptidee in Schillers Briefen über die äſthe-
tiſche Erziehung (Horen, 1. Jahrg. 1795), wenn jedoch nicht ſowohl von der
Erziehung der Jugend die Rede iſt, ſondern in einer weiteren Bedeutung
von der Bildung des Menſchen überhaupt.

Und so ist der Dichter zugleich Lehrer, Wahrsager, Freund der Götter und der Menschen."

„Die Gabe, schöne Empfindungen, herrliche Bilder den Menschen in süßen, sich an jeden Gegenstand anschmiegenden Worten und Melodien mitzuteilen, bezauberte von jeher die Welt und war für die Begabten ein reichliches Erbteil. An den königlichen Höfen, an den Tischen der Reichen, vor den Thüren der Liebenden horchte man auf sie, wenn sich das Ohr für alles andere verschloß. — Der Held lauschte ihren Gesängen, und der Überwinder der Welt huldigte einem Dichter, weil er fühlte, daß ohne diesen sein ungeheures Dasein nur wie ein Sturmwind vorüberfahren würde" u. s. w. Man sehe W. Meisters Lehrjahre, 3. B. S. 203.

2. Daß die ästhetische Kultur aber wirklich alle die im § angedeuteten Folgen habe, und daß ihr in dem Umfang und der Mannigfaltigkeit der Wirkungen keine andre gleich komme, kann man geschichtsmäßig beweisen. Von den größten Männern des Altertums und der neueren Zeit ist es bekannt, daß sie bis in das hohe Alter von den allerwichtigsten Staatsgeschäften und Geistesanstrengungen bei den sinnlich darstellenden und redenden Künsten ausruhten, und den Besitz ihrer Werke für den köstlichsten Besitz hielten. Wie gleichwohl so manche gelehrte Männer, die sich rühmen, den Geist der Alten zu kennen, so vornehm auf alles, was das Genie in dieser Art noch jetzt hervorbringt, herabsehen können, begreift sich nur aus der Art ihrer unästhetischen Bildung und Gelehrsamkeit, für welche auch die herrlichsten Werke des alten Dichtergeistes nie etwas anderes als ein Schatz von Vokabeln und Varianten gewesen sind. Alles, was man so oft und mit so vielem Rechte zum Preise einer klassischen Bildung durch die unsterblichen Werke der Griechen und der griechisch gebildeten Römer gesagt hat, geht doch großenteils von der schönen Form ihrer Werke aus. Denn der Stoff selbst hat hier und da wenig Interesse für uns, und wir sind in Absicht auf die Materie zum Teil viel weiter fortgerückt. Aber sie stehen als Kunstwerke da, etwa wie ein künstlich behandeltes Portrait als Gemälde immer seinen Wert behält, wenn auch die Person, die dazu saß, nicht im geringsten mehr interessiert. Vergl. in J. Pauls Levana I. S. 416 ff. das ganze 2. Kap. von der klassischen Kultur.

3. Daß namentlich der Umgang mit den Musen den Geist jugendlicher und frischer erhalte und selbst im hohen Alter heiter und liebenswürdig machen könne, ist durch recht viele Beispiele alter und neuer Zeit erfahrungsmäßig. „Einen ganz vorzüglichen Rang in der Geschichte des langen Lebens, bemerkt Hufeland in seiner Makrobiotik — behaupten die Dichter und Künstler; die Glücklichen, deren hauptsächlichstes Geschäft in Spielen der Phantasie und selbstgeschaffner Welten besteht, und deren ganzes Leben im eigentlichen Verstande ein Traum ist." Wer denkt dabei nicht an Sophokles, Pindar, Anakreon unter den Griechen; an Spencer, Waller, Milton unter den Britten; Chaulieu, Lafontaine, Bernis, Voltaire unter den Franzosen, und so viele der vaterländischen Dichter, an Bodmer, Klopstock, Wieland, Ramler, Uz, Weiße, Gleim, die fast sämtlich die höchsten Ziele des Lebens erreichten. So ist es also von allen Seiten ein würdiges Streben der ästhetischen Er-

ziehung, den Menschen auch für diesen geistig veredelnden, körperlich erhaltenden und stärkenden Lebensgenuß empfänglich zu machen und in die Stimmung zu versetzen, welche ein schönes Gelübde beim Euripides ausspricht:

Οὐ παύσομαι τας Χάριτας ταῖς Μούσαις
συγκαταμιγνὺς ἡδίστην συζυγίαν.
Μὴ ζωην μετ' ἀμουσίας.

Ich ende diesen Abschnitt mit dem ähnlichen Geständnis eines mir teuren Toten, F. v. Köpken, dem auch die Muse das Leben bis zu seinem Erlöschen verschönert hatte:

Was bleibt dem Alter denn? — Die treuen Pierinnen
Die schwesterlichen Charitinnen!
Die Holden bleiben ewig jung,
Wie volle Rosen, die sie in des Pindus Gründen
für ihren Freund erziehn.   Mag Lenz und Sonne schwinden:
Die heilige Begeisterung,
Die sie in seiner Brust entzünden,
Entflammt den Genius, schafft ew'gen Lenz um ihn;
Ihm grünt der nackte Fels, die dürren Steppen blühn.
Ja Heil dem Glücklichen, der ihre Gunst gewinnt!
Denn seinen Lebensfaden spinnt
Ihm Lachesis stets rosenfarbig neu.
Drum selig, wen so leicht
Zum Quell der Kastaliden
Sie führen, wer aus ihm den sel'gen Frieden
Mit sich und mit der Welt, aus ihm sich Jugendsinn
Und Mut und Heiterkeit und Jugendkräfte trinket;
Der Quell versiegt ihm nie! Wenn seine Sonne sinket,
Wenn ihm der Genius zu Lethes Ufern winket:
So folgt er lächelnd ihm und ruft dem Ziel schon nah:
Auch ich — dank Musen euch! — war in Arkadia.

Übersicht

der

sämtlichen im erften Teile abgehandelten Materien.

(Die Ziffern bezeichnen die Paragraphen.)

Druck von Hermann Beyer & Söhne in Langensalza.

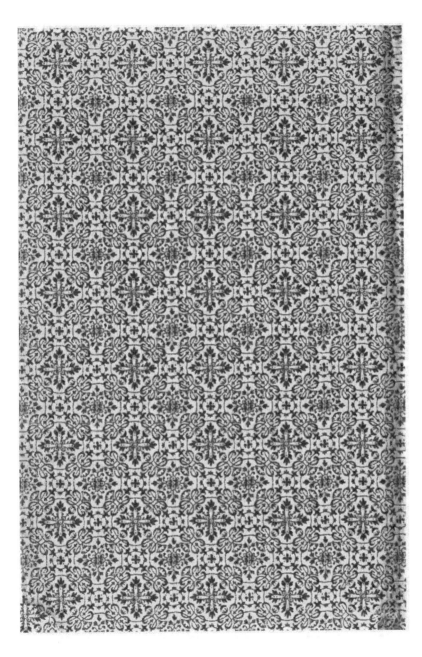

Druck:
Customized Business Services GmbH
im Auftrag der KNV-Gruppe
Ferdinand-Jühlke-Str. 7
99095 Erfurt